国 家 出 版 基 金 项 目

湖北省社会科学基金重点项目
湖北省学术著作出版专项资金项目
湖北传承发展优秀传统文化重点项目
湖北省荆楚文化研究中心重点支持

荆楚文化史

近代卷

湖北省荆楚文化研究会组织编写

总 主 编：刘玉堂
本卷主编：张继才

长江出版传媒 | 湖北教育出版社

图书在版编目（CIP）数据

荆楚文化史．近代卷 / 刘玉堂主编 ； 张继才本卷主编．-- 武汉 ： 湖北教育出版社，2022.1(2025.2重印)
ISBN 978-7-5564-4468-7

Ⅰ．①荆… Ⅱ．①刘… ②张… Ⅲ．①文化史—湖北—近代 Ⅳ．①K296.3

中国版本图书馆CIP数据核字(2021)第273499号

荆楚文化史.近代卷 JINGCHU WENHUASHI.JINDAI JUAN

出品人	方　平	策　划	刘　艺
责任编辑	邓珍珍	责任校对	李庆华
封面设计	李　枫　何亦明	责任督印	刘牧原

出版发行	长江出版传媒	430070	武汉市雄楚大道 268 号
	湖北教育出版社	430070	武汉市雄楚大道 268 号
经　销	新　华　书　店		
网　址	http://www.hbedup.com		
印　刷	武汉中远印务有限公司		
地　址	武汉市黄陂区横店街货场路粮库院内		
开　本	710mm×1000mm　1/16		
印　张	33		
字　数	490 千字		
版　次	2022 年 1 月第 1 版		
印　次	2025 年 2 月第 2 次印刷		
书　号	ISBN 978-7-5564-4468-7		
定　价	156.00 元		

《荆楚文化史》编纂委员会

主　任： 王生铁

副主任： 武清海　李佑才

委　员（按姓氏笔画为序）：

王树华　尹弘兵　叶　植　任　放　刘玉堂　安向荣　杜建国

李德华　吴成国　邱久钦　张　武　张　硕　张继才　陈昆满

罗运环　胡嘉猷　柳菊兴　姚伟钧　袁北星　夏日新

主　编： 刘玉堂

副主编： 李德华　陈昆满　杜建国

总　序

刘玉堂

“地利西通蜀，天文北照秦。风烟含越鸟，舟楫控吴人。”诗圣杜甫笔下的荆楚大地，令多少人为之心驰神往！而这方神奇土地孕育的荆楚文化，又令多少人为之梦萦魂牵！

荆楚文化的空间范围大致与今湖北行政区划相当，时间范围从远古到当代。之所以称荆楚文化，是因为其源头和主干楚文化是以湖北为中心发展壮大的，而且荆、楚又往往互称并举。荆楚文化史研究的主要范畴是湖北文化诞生、发展和演变的历史。至于本书称《荆楚文化史》而不称《湖北文化史》，主要由于“湖北”的概念是宋代才有的，始于北宋初年以洞庭湖为界分荆湖南、北二路，其中荆湖北路即指湖北。“荆楚”的概念则始于先秦，有族类名和地域名之分，前者如《诗·商颂·殷武》：“维女（汝）荆楚，居国南乡。”后者如《楚辞·大招》：“自恣荆楚，安以定只。”无论是族类名还是地域名，其对应的空间范围虽略有出入，但基本上都是以今湖北为中心，鉴于本书的时间跨度为远古至当下，故名之为《荆楚文化史》更为切近。

《荆楚文化史》的编撰兹事体大，因而对相关问题的说明尤为必要。

一是荆楚文化的时间界限。当代人治国别史或地域史，一般止于晚清或民国，而本书则上起远古，下至当下，突破了史学界心照不宣的“当代人不治当代史”的传统。本书如是考量，无意于标新立异，只是想把荆楚文化的最新面貌展示出来，以增强现实感，突出时代性，进而坚定文化自信。

二是荆楚文化的空间界定。本书的空间范围固然是以今湖北行政区划为主，但现今的湖北省境，基本上是明清以来逐步规范形成的，在此前的数千年中，湖北与周边诸省之间的行政归属变动不居。因此，本书虽然明确强调研究的空间范围原则上不超出当今湖北行政区划，但如涉及思想影响、文化交流、人物迁徙、商旅流通乃至政治背景和经济状况等问题，尤其是牵涉到湖北局势发展的重要事象时，有关叙述或分析会越出今湖北省界的范围。

三是荆楚文化的内容定位。一般文化史研究，视角有宏观和微观之分，也即通常所谓广义文化与狭义文化之别，前者包括物质文明成果和精神文明成果的总和，后者仅限于精神文明成果。如采取宏观视角，难免失之于宽泛，而且极易与《湖北通史》一类著述雷同；如采取微观视角，则未免失之于狭窄，以致某些重要的文化内容不能得到应有的反映。有鉴于此，本书采取了介于宏观与微观之间的“中观”视角，即除重点考察微观层面的思想、学术、文学、艺术、教育、科技、宗教、民俗之外，还涉及时代变迁的社会背景和生态、移民、城建、商旅、交通等文化事象。当然，由于各个时代的文化状貌不尽相同，故允许各卷在保持基本内容一致的前提下合理取舍。

概而言之，《荆楚文化史》旨在经由多维度和全方位的考察，梳理出荆楚文化发生、成长和演变的线索，揭示出荆楚文化的基本特征、分衍状态和流迁趋势，勾勒出荆楚文化与其他区域文化乃至外域文化间多向的碰撞、交流和融合的轨迹，进而客观地评价荆楚文化在中华文化发展过程中所起的强大而持久的作用与影响。

一、荆楚的自然环境与民族氛围

在人类生存的地球上，有一条神奇的纬线——北纬30°线。它既是旧大陆古代文明的中轴线，又是长江流域的中轴线。中国的荆楚地区，埃及的古都孟菲斯，号为“神之门”的巴比伦，波斯帝国极盛时期的首都苏萨，以及南亚最早的两座古城之一哈拉巴，都无一例外地聚集在这一纬线附近。

从自然环境来看，荆楚正好处在东西之中、南北之间。说荆楚处在东西之中，这是因为中国的地势从西到东由高变低，呈三级阶梯之状：青藏高原为第一阶梯，南起云贵高原、中经四川盆地和黄土高原、北至内蒙古高原为第二阶梯，华中迤东的丘陵和平原为第三阶梯。荆楚正好处在第二阶梯与第三阶梯交接地带：鄂西在第二阶梯的东部，鄂中迤东在第三阶梯的西部。说荆楚处在南北之间，这是因为鄂北连接着秦岭、大巴山、桐柏山和大别山，鄂中迤南则为江汉平原和江南低山丘陵。荆楚整个地貌呈箕形：中部的江汉平原既平又低，西部、北部、东部是山地，只有南部向洞庭湖敞开。山环水绕的自然环境，温暖湿润的气候特征，不仅使荆楚的山郁郁葱葱，而且在境内形成不同流量的河流，汇入横穿其腹地的中国第一大河长江，众多水系如银练飘舞在广袤的荆楚大地上，构成纵横交错的水网，古云梦泽淤积遗留的大小湖泊，似明镜镶嵌于辽阔的江汉平原，调节着长江中游的旱涝。得中独厚的自然环境，不能不说是天赐荆楚。

就民族氛围而言，荆楚也恰好位居东西南北之中。汉藏语系的四大语族，最迟在周代已具雏形。汉语族的先民在北，壮侗语族的先民在东，苗瑶语族的先民在南，藏缅语族的先民在西。四个语族相互接触、彼此交错的中心，就在荆楚。北来的姬、姜等姓和殷人的遗民是汉语族的先民，东部的扬越属于壮侗语族的先民，南方的楚蛮多数应是苗瑶语族的先民，西部的巴人属于藏缅语族的先民。正是在这壮丽的民族景观中，蕴含着蓊然勃兴的历史机缘。

荆楚独特的自然环境和民族氛围，既有利于接纳来自四面八方的文化信息，又能保持强大的定力，外求诸人以博采众长，内求诸己而独创一格，从而在某种程度上形成了大同小异的风气，其主体居民沉浮与共、休戚攸关，桀骜多于驯顺，狂放多于拘谨，独创多于固守，喜游心于天人之际，驰骋于艺文之间，不乏苦志慧心和奇思丽想。

二、荆楚文化的演进轨迹

居东南西北之中，当四通八达之会，荆楚历史波谲云诡，荆楚文化异彩纷呈，令人兴“大江东去，浪淘尽，千古风流人物”之叹。

属于“人猿相揖别”的旧石器时代遗址，在今湖北郧阳、郧西、丹江口、长阳、五峰、宜都、枝江、建始、大冶等县市区及荆州、神农架、襄阳、咸宁、武汉等地共发现200多处，涵盖了旧石器早、中、晚三个不同的发展阶段，其中最有代表性的是建始直立人和江陵鸡公山遗址。建始直立人距今215万年至195万年，早于元谋人、蓝田人、北京人，填补了中国人类发展史上从猿到人进化史中“直立人”这一关键环节的空白，对于探索人类的起源与演化具有重要价值。江陵鸡公山遗址下层的上限为距今5万年，其上层的下限为距今1万年。先前所发现的旧石器文化遗址大多在洞穴内，江陵鸡公山旧石器文化遗址却处于弥迤平原和汪茫水乡中。我们可以确信，江陵鸡公山旧石器文化的主人，只要没有因遭遇特别严重的天灾人祸而灭绝，应该属于后世荆楚人的远祖之列。

在“只几个石头磨过”的新石器时代，荆楚地区的文化遗址近3000处，更重要的是文化谱系相对完整：年代最早的是距今8000年的城背溪文化，继之大溪文化兴起，其后是屈家岭文化和石家河文化相继勃兴。屈家岭遗址是我国长江中游地区发现最早、最具代表性的大型新石器时代聚落遗址，也是长江中游地区第一个以遗址发现地命名的新石器文化。比屈家岭稍晚的石家河文化，不仅出现了初具规模的城址，而且发现了冶金的遗迹，代表了长江中游地区史前文化的最高水平，成为探索中华文明起源的一个重要标本。据《战国策·魏策》记载：“三苗之居，左彭蠡之波，右洞庭之水，文山在其南，而衡山在其北。”尽管关于文山和衡山的地望古今学者多所稽考而莫衷一是，但对于荆楚地区曾为三苗部落的腹地，则是学术界比较一致的见解。因此，荆楚地区先后诞生的大溪文化、屈家岭文化和石家河文化，庶几可以视作三苗部落的文化遗迹。

夏禹执政前后，一度效法尧舜对三苗实行的怀柔政策，却未能产生预期效果，三苗仍不愿服从夏王朝的统治，一场征伐三苗的战争不可避免，而双方实力的悬殊早已注定了三苗失败的结局。禹在征服三苗后，同样采取了尧舜流徙三苗之君的方式，迁徙三苗上层统治集团于西北边陲的“三危”，历经变服从俗，很可能成为后世羌族的祖先。对于三苗故地的遗部，禹则委派夏族人前往统治，意在对其实行严密的监控，达到巩固夏王朝统治地位的目的。涉及夏代荆楚地区经济社会状况的文献寥若晨星，仅有《尚书》《墨子》《世本》《帝王世纪》的相关零星记载，使我们依稀获得以上并非完整的信息。

殷商之世，以荆楚为中心的长江中游一带被殷人称作“南土”或“南乡”，前者见之于《左传·昭公九年》，后者见之于《诗·商颂·殷武》。从商汤起，经太甲到太戊的三代六王，是商王朝的巩固时期，统治者致力于内政，对方国部落则以羁縻为主，局势相对平静，荆楚地区也未见重大战争发生。从商王中丁开始，内患频生，中丁被迫迁都于隞。可能是荆人趁商都新迁而发难，也可能是中丁出于长治久安的考虑，总之在中丁都隞不久，荆楚东部的今武汉北部黄陂出现了商朝移民，继而建立了长江流域已知最早也是最大的早商城邑——盘龙城。盘龙城的建立，促进了中原商文化与荆楚文化的交流与融合，考古发现的江陵荆南寺遗址和沙市周梁玉桥遗址的商代文化层，就是以土著文化为主体并吸收中原商文化及其周边地区同时期文化因素而形成。尽管后来商王武丁曾大举征伐荆楚，商王朝与荆楚地区的文化交流则未曾中断，早熟的中原青铜文化南下，激活了荆楚固有的文化因子，促进了荆楚地区铜的采冶和铸造，以及城邑设置和农业区域经济中心的萌芽。

跌宕起伏的周代，从周初楚人嫡祖季连后裔鬻熊因辅佐周文王有功被徙“居丹阳”，至公元前 278 年秦将白起拔郢止，今荆楚地区一直是楚国的腹地。虽说春秋早期以前荆楚地区也曾诸国林立，其中不乏殷商遗民建立的权国和周王的同姓姬姓随国（曾国）这类颇有影响的封国，以及罗、卢、鄢、邓、谷、庸、麇（微）、鄂、唐、厉、绞等国，但权国春秋早期已被楚灭国改设为县，随国约春秋中期已成为楚国的附庸，其他国家要么亡于楚国，要么望风归附。从某种程度上说，周代荆楚地区的文化即楚文化。楚人在八百年的漫长岁月中，创造了震古烁今的文化，不啻与中原文化并肩而立，甚至与西方的古希腊文化难分轩轾。东西方文化各自从不同的方向出发，分别登上了人类文明轴心时代的巅峰，楚文化对中华文明乃至世界文明的贡献，足以令世人称奇。如果将中华文明比作浩瀚无垠的宇宙，那么，作为荆楚文化源头和主干的楚文化，就是宇宙中一条璀璨夺目的星河，澎湃于其中的"筚路蓝缕"的进取精神、"大象无形"的开放气度、"一鸣惊人"的创新意识、"上善若水"的和谐理念、"九死未悔"的爱国情怀和"一诺千金"的诚信品格，以其巨大的能量，穿越时空，生生不已！

"秦王扫六合，虎视何雄哉！"在秦王朝的统治下，荆楚文化惨遭洗劫，创巨痛深。先前济济多士，此时流失殆尽，自由活泼的文化气氛，被秦朝的坚甲利兵和严刑峻法扫荡一空。幸有云梦睡虎地秦简出土，才使人们得以了解秦代荆楚文化的些许信息。这批秦简包括《语书》《为吏之道》《秦律十八种》《效律》《秦律杂抄》《法律答问》《封诊式》《日书》《编年记》，尽管内容涉及秦朝政治、经济、法律、文化诸方面，仍然留下了荆楚文化的烙印。其中《为吏之道》作为一部官吏指南，吸收了源于荆楚的道家思想，如"强良不得"，与马王堆帛书《老子》甲本"强良者不得其死"如出一辙。从艺术风格来看，《为吏之道》与荀子"成相辞"毫无二致，而荀子曾任楚兰陵县令，其著作当受楚文化浸润，从《荀子·成相》到《为吏之道》，似可寻绎楚地民歌的传承脉络。通过秦简《编年记》，我们得以掌握秦始皇南巡经过故楚地安陆的确切时间和路线。秦简《日书》中的"秦楚月名对照表"，表明秦代荆楚地区因国家强制官方不得不使用秦历，但民间仍习惯沿用楚国旧历。从秦简展示的秦代隶书原貌观察，其"蚕头燕尾""一波三折"的特征，显然受到战国中期荆门包山楚简书法艺术的渗透。

文化多承楚制的汉代，伴随着经济社会的恢复发展，荆楚文化也逐渐复苏，在思想与学术、文学与艺术、科技与教育等领域都获得长足的进步。西汉时荆楚地区的经学如“离离原上草”，虽荣枯无常，却绵延不绝，至东汉时马融任南郡太守，荆州的经学已蔚然成风。东汉末年刘表任荆州刺史期间，养士抚民，推崇学术，遍注群经，广求遗书，荆州成为全国最大的学术中心，官府藏书甲于天下。汉代是“铺采摛文”的文学体裁——赋的鼎盛时期，荆楚虽少见汉赋名家，但汉赋的名篇佳作无不同荆楚有千丝万缕的联系。它们或搁笔于荆楚，或从内容和形式上“拓宇于楚辞”，或直接以描绘荆楚山川之美和人文之胜为题材，此即《文心雕龙·辨骚》所谓“枚、贾追风以入丽，马、扬沿波而得奇”。汉代乐舞广纳博采，荆楚地区独领风骚，崔骃《七依》描绘的“振飞縠以舞长袖，袅细腰以务抑扬”，分明是楚舞“长袖细腰”的再现。当阳汉墓的画像石和老河口汉墓的画像砖，其雕刻技艺相较于南阳画像石毫不逊色。在当阳、襄阳、云梦等地东汉墓中发现的陶楼，展示了汉代官僚豪族风格各异的庭院式建筑。汉代荆楚学校教育“庠序盈门”，科技尤其是数学和医学成果丰硕，江陵张家山汉墓出土竹简《算数书》是比《九章算术》更早的数学专著，而《脉书》和《引书》则堪称汉代荆楚医学的上乘之作。

魏晋南北朝是中国历史上一个战乱频仍、朝代迭更的特殊历史时期，荆楚地区先后处于孙吴、东晋和南朝宋、齐、梁、陈的统治之下，其文化冲突中有交融，碰撞中有演进。东汉末年至三国时期最著名的三大战役，就有两大战役即赤壁之战和夷陵之战都发生于荆楚；西晋灭吴的战略谋划，也是在荆州襄阳形成。真可谓“一部三国史，半部荆州书”。释道安襄阳弘法、习凿齿撰《汉晋春秋》和盛弘之《荆州记》的编撰，象征着荆楚学术于乱世中别开生面。与之相映生辉，“清新庾开府”“俊逸鲍参军”均为荆楚文学奉献出扛鼎之作，前者《哀江南赋》把骈赋创作推向了巅峰，后者《登黄鹤矶》开创了山水诗派峻厉奇矫的新风。被称为“清商曲辞”的西曲歌《石城乐》《襄阳乐》《江陵乐》，成为乐府诗中最能撞击人们心扉的歌曲。艺苑的盛事，不啻是儿童及女子歌舞“襄阳白铜鞮”舞动京华，更有宗炳的画论独步一时。南朝荆楚画家宗炳是著名的山水画家兼理论家，不仅创立了“应会感神，神超理得”的绘画美学理论，而且在技艺上提出了“竖划三寸”“横墨数尺”的山水画透视学原理。至于庾亮在武昌建立学舍和设置学官，无疑是东晋时期荆楚教育的一抹亮色。

隋唐是我国文化发展的黄金岁月，统一且相对稳定的政治格局，使社会经济得到了空前发展，政治中心的东移与经济中心的南移相互交织，共同演奏出波澜壮阔的盛世华章，混同南北的隋唐文化因之具有朝气蓬勃、兼容并收的恢宏气象。凭借独特的区位优势，荆楚大地成为南北、东西文化碰撞与融合的重要平台。在道教被视为国教的唐代，江陵已成为南北道教文化交流的中心。隋代智顗于当阳创建玉泉寺，其佛学理论也成熟于斯；分别以慧能和神秀为代表的禅学南北两宗，分流于荆楚蕲黄的东山，是隋唐时期荆楚文化的突出成就。在哲学和美学上，禅宗虽说未必超越道家，但常有突兀冷峻的奇想妙得，甚至使儒家瞠乎其后。如果说，段成式《酉阳杂俎》、余知古《渚宫旧事》、皮日休《皮子文薮》和孙光宪《北梦琐言》代表着荆楚博大精深的学术，那么“冲淡之中有壮逸之气”的孟浩然、“语奇体峻”的岑参、“不雕自饰”的张继和“酒隐安陆，蹉跎十年”的李白等人的诗篇，则交织出荆楚文学的万丈锦绣。唐代民间歌舞盛行，荆楚百姓在努力创造物质财富的同时，也尽情享受着“竹枝歌”、“郢中田歌”和“起舞激楚”的“采莲”舞带来的精神愉悦。“书中仙手”李邕和“落笔洒篆文，崩云使人惊”的李阳冰，则分别以其行书、篆书神品，成为书坛“示来者以轨则”的树立法度之人。荆楚唐代官学可考的有荆州州县学和襄阳州学，培养出的进士刘洎、岑文本、张柬之均官至相位。唐代竟陵陆羽撰写的世界第一部茶学专著《茶经》，不仅使饮茶成为朝野风尚，而且使得东西方“俱受其惠”。

宋元时期中国由南北分裂至天下一统，荆楚地区社会经济一直在曲折中前行。与之相应，学术包容、文学开新、书艺立宗、教育振兴、科技精进，无不浸染时代气息。经学上“学《易》醇深”的朱震、补程颐之缺失的项安世、传理学于北方的“隐君”赵复和“江汉同调”的砚弥坚等，营造了荆楚思想学术界云蒸霞蔚的景象。文学上张景力主文学革新、安陆“二宋”（宋庠、宋祁）为文“无一点尘气”，尤其是苏轼谪居黄州“驰骋翰墨，其文一变”，荆楚文坛新风劲吹；“江西诗派”中坚潘大临、北宋词人魏玩和僧仲殊以及南宋词人王质、杨冠卿等，在宋代词苑各擅风流；“填词不减宋人之工”的滕斌，使“渐于衰”的元词为之一振。艺术上，武昌湖泗窑把白瓷和青瓷分别向南北推移，在中国陶瓷发展史上的地位尤为重要。米芾书法如“天马脱衔，追风逐电”，米氏父子绘画“不取工细，善用水墨”，创造了被世人称之为“米氏云山”的独特表现手法。宋代荆楚官学的稳定发展和书院功能的演变，构成了荆楚教育的双璧。科技上庞安时“尤精于伤寒，妙得长沙（即张仲景）遗旨”，其《伤寒总病论》补张仲景《伤寒杂病论》之缺失。英山毕昇发明的活字印刷术，标志着印刷史上一项重大变革的完成，对中国乃至世界文化的影响既深且巨。

明清两朝，看上去似乎政治中心再度向北转移，经济中心继续向东倾斜，但荆楚地区毕竟处于绾毂中华的地位，仍不乏荦荦可观者。以学术观之，则有“嘉鱼二李”（李承芳、李承箕）和“黄安（或天台）三耿”（耿定向、耿定理、耿定力）傲然而立；特立独行的“异端”思想家李贽，在大别山麓的黄安、麻城写下了惊世骇俗的《藏书》。经学名宿则有“穷经巨擘”郝敬、“不为泛滥卮言”的陈士元和首倡“学统”的熊赐履，以及“根柢于诸经”的胡承诺。刘子壮的经世实学、熊伯龙的无神论和程大中、秦笃辉的“汉宋兼治”皆名重一时。史学方面也有章学诚的方志学和杨守敬的历史地理学风靡史林。以文学而论，不仅有“独抒性灵、不拘格套”的“公安派”和力倡“尖新幽冷”的“竟陵派”，而且有“触物感兴，陶写自如”的明初诗人魏观、王廷陈、吴国伦等人掀起的文学复古思潮。清代词曲盛行，荆楚虽未见自成一统的流派，但仍有杜濬、顾景星、徐石麟等感时伤怀的词人。就艺术而言，以画家吴伟为领袖的“江夏画派”名动天下，张裕钊和杨守敬的书法饮誉东瀛，而最突出者莫过于汉调同徽班进京促成了京剧的诞生。在教育领域，传统官学教育和私学教育两个体系已臻定型，义学的推行和宗学的发端也并行不悖。科技领域最突出的成就在医药学，李时珍呕心沥血撰成的《本草纲目》，无疑是荆楚对中国乃至世界医药学的杰出贡献。

近代伊始，长江中游地区经历了惨烈的战祸，南皮之学乘势而起。导致清朝覆灭的辛亥首义，爆发于湖北武昌。五四运动前后，荆楚大地成为新旧文化博弈的主要战场之一，恽代英创办的利群书社、董必武创立的武汉中学、中华大学主办的《光华学报》、华中大学开设的时政讲堂，已然成为传播新文化的重要阵地。此后南军北伐，先取长江中游，继取长江下游，荆楚始终得风气之先。以“朴诚勇毅”著称的荆楚子民，始终冲锋在新民主主义革命前沿：江岸铁路的风雷、汀泗桥头的硝烟、农讲所里的火种、“八七”会议的宣言，无一不是惊天动地的壮举；在红安七里坪、洪湖瞿家湾、阳新龙港、大悟宣化店……无不展现出荆楚儿女气壮山河的风范。抗日战争爆发，武汉一度成为全国的文化中心；解放战争的帷幕，在大别山南麓的鄂北拉开。无数事实证明，近代以来中国几乎所有重大变革的起点都在荆楚。一个有辉煌历史传统的省份，一个有深厚文化蓄积的地域，在革故鼎新之际，必有出类拔萃的思想学术和文学艺术。清代末年和民国期间的荆楚，就处在这么一个龙从云、虎从风的历史转折阶段，其文化呈两极发育的趋向：一极是政治与哲学思想的际会风云，其代表是张之洞的《劝学篇》和熊十力的《新唯识论》；一极是文学与艺术的异峰突起，其代表是闻一多的《红烛》和曹禺的《雷雨》。二者都是一流的水准，分别伫立于所处时代的高峰。近代荆楚的教育、科技，也在战火纷飞中勉力赓续，甚至出现了一些意想不到的成果。

自中华人民共和国成立至2018年，荆楚文化焕发出新的生命活力。坚持科学理论导航，以马克思主义为指导的哲学社会科学竞辉齐光：李达的马克思主义哲学研究、周鲠生和韩德培的国际法研究、黄焯的语言文字研究、唐长孺的中国历史研究、吴于廑的世界历史研究、张舜徽的中国历史文献研究和皮高品的图书馆学研究，以及《汉语大字典》的编纂、两届“荆楚社科名家”的学术成果，无不是站立在所在学科的前沿。紧扣时代脉搏，社会主义文艺园地鲜花怒放：依文学创作而论，小说有姚雪垠的《李自成》、报告文学有徐迟的《哥德巴赫猜想》、散文有碧野的《情满青山》、诗歌有曾卓的《悬崖边的树》，还有数位茅盾文学奖和鲁迅文学奖得主的作品，充分展示了文学鄂军的雄厚实力；就艺术创作而言，以高百岁为开山的京剧、以陈伯华为领军的汉剧、以沈云陔为旗手的楚剧、以王玉珍等主演的《洪湖赤卫队》为标志的歌剧和以夏雨田为代表的曲艺，以及以“杂技皇后”夏菊花为灵魂人物的汉派杂技和以中国画变革“三面旗帜”之一的周韶华为表率的荆楚绘画等，赢得了荆楚艺苑的满园春色。进入 21 世纪，荆楚文化在全国的影响力与日俱增：第八届中国艺术节、第六届中国京剧节、第二届中国歌剧节和第八届中国舞蹈大赛等大型文化活动相继在湖北举办，荆楚已然成为神州大地的一方文化高地。发挥资源优势，深入挖掘和大力整合荆楚文化资源，加强荆楚文化的保护与传承，《荆楚文库》这一迄今湖北规模最大的文献整理研究出版工程正顺利实施。与此同时，荆楚文化“走出去”的步伐铿锵有力，足迹遍及全球。立足创新驱动，致力于荆楚优秀传统文化的创造性转化和创新性发展，推动文化事业和文化产业快速前行，为实现全省经济社会发展提供思想保障、智力支持和道德滋养，让生生不息的荆楚优秀传统文化的文脉延续到文化创造中、血脉激活在生命智慧里、根脉滋长于社会生活间，为更加坚定文化自信、不断铸就中华文化新辉煌做出荆楚新贡献。

三、荆楚文化的主要特征

探讨荆楚文化的主要特征，离不开对楚文化特质的把握。由张正明先生率先提出并经众多学者不断完善的楚文化的“六大支柱”和“五种精神”，堪称楚文化特质的精练概括，前者即炉火纯青的青铜冶铸、绚丽精美的丝织刺绣、巧夺天工的木竹漆器、义理精深的老庄哲学、惊采绝艳的屈骚文学、恢诡谲怪的美术乐舞，后者即筚路蓝缕的艰苦创业精神、追新逐奇的开拓进取精神、兼收并蓄的开放融会精神、崇武卫疆的强军爱国精神、重诺贵和的诚信和谐精神。正是这“六大支柱”和“五种精神”，对荆楚文化特征的形成产生了重大而深远的影响。

在楚文化的根基上发展而来的荆楚文化，其鲜明特征最突出者有如下数端。

一是尊天重人。“天即自然”，尊天，即尊崇和顺应自然，这是源于楚地的道家思想的精髓，老子就力主“道法自然”，其名言就是“人法地，地法天，天法道，道法自然”。庄子也强调“毋以人灭天”，追求一种“天地与我并生，万物与我为一”的境界。荆门郭店出土楚简中有一部道家佚籍《太一生水》，比今本《老子》更为系统地表达了道家的宇宙生成论和生态文明观，主张“圣人无为，故无败……是以成辅万物之自然而弗敢为”，极力强调尊崇和顺应自然。重人，即尊重人的天性和重视民生。早期生息于湖北随州一带的炎帝神农为改善民生“播种五谷”“身亲耕，妻亲织”，为解除民疫“遍尝百草”“一日遇七十余毒”。早在春秋初期，随国大夫季梁就提出“民为神主”的观点：“夫民，神之主也。是以圣王先成民，而后致力于神”，“所谓道，忠于民而信于神也”。季梁的这一观点，比孟子的“民贵君轻”早300多年，虽誉之以石破天惊亦不为过。

二是尚和贵诚。《老子》极力推崇的“上善若水”的理念，既是老子万物“冲气以为和”的智慧结晶，又是荆楚文化崇尚和谐的绝妙象征。尚和的终极目标，在于实现社会和谐与人类和平。楚相孙叔敖断然中止造成市场混乱的“以小改大”的钱币的流行、撤销劳民伤财的“升高车厢”的政令，堪称力促社会和谐、维护国家稳定的明智之举。如果说，楚庄王大力倡导的“止戈为武”“禁暴戢兵”，代表了古代战争与和平关系的最先进的思想观念，那么，楚共王奉行的“抚有蛮夷，以属诸夏”，则是这种思想观念的有效践行，而为汉匈睦邻“和亲”异域的王昭君，更是致力于民族团结和人类和平的光辉典范。贵诚，以诚信为安身立命之本，这也是荆楚文化的一个优良传统。伯牙、子期“高山流水”的琴台知音典故，将人世间的诚信演绎到极致；在楚国边境昭关偷渡伍子胥的渔夫为解除其疑虑而投身江流，用血肉之躯见证了诚信至高无上的价值；楚人后裔季布“一诺千金”的故事，已成为中华民族诚信品格的经典表达；“中国考古学之父”李济对前辈学者学术观点的大胆质疑，充分显示出荆楚学人诚信处世、严谨治学的精神风范。

三是狂放达观。荆楚雄奇的高山峡谷、浩渺的江水湖光是狂放达观特征产生的地理因素，而崇尚个性的价值取向和狂野梦幻的原始巫风则是狂放达观的人文因素。如果说，狂放在楚狂接舆和伟大爱国主义诗人屈原以及闻一多身上体现得淋漓尽致，那么，达观则通过庄子“鼓盆而歌”和六祖慧能的偈语“本来无一物，何处惹尘埃”已见端倪。无论是释道安和习凿齿的襄阳晤对“弥天释道安”和“四海习凿齿”，还是以“醉吟先生”自号的皮日休的诗歌和呈“风樯阵马”之势的米芾的书法，乃至历代流寓荆楚的文坛巨擘笔下的诗词如以“我本楚狂人”自诩的李白的《七绝·黄鹤楼送孟浩然之广陵》、“老夫聊发少年狂”的苏轼的《念奴娇·赤壁怀古》，无不展露出狂放的天性和达观的襟怀。自许“楚人”的张之洞为奥略楼所题楹联“昔贤整顿乾坤，缔造多从江汉起；今日交通文轨，登临不觉亚欧遥”，则于欣慰中透出自信，达观中尽显超迈。

四是兼容并蓄。荆楚居神州之中，可谓“九省通衢”，人口交流的频率和规模远在其他地区之上，从而表现出多元混融的价值取向。夏商之际楚国的公族从中原南下“南土”，与江汉地区土著先民三苗遗裔融合，形成了具有独创精神的楚人。魏晋南北朝时期，大量北方移民夹杂着西域胡人以侨州郡县的形式居于荆襄之地，催生出胡音汉韵的西曲歌。元末明初和明末清初的先后两次“江西填湖广”和“湖广填四川”

大移民，更是激发了荆楚文化的活力，汉口镇因之从“天下四聚”之一一跃成为“驾乎津门，直逼沪上”的长江中上游地区最大都市。正是由于荆楚文化具有兼收并蓄的特质，所以，在晚清以来中西文化的激烈碰撞中，荆楚文化对西方文化显示出较强的兼容性，从而在中国近代文化转型中勇立潮头。

五是守正图新。守正指不忘初心、坚守信念、秉持正义、追求真理。秦将白起拔郢之时，屈原毅然纵身汨罗，以生命诠释其爱国恤民的赤胆忠心。楚国将亡之际，楚人南公发出惊天誓言：“楚虽三户，亡秦必楚。”言犹在耳，楚人陈胜、吴广揭竿而起，刘邦、项羽奋力亡秦。荆楚文化中这种坚守信念、不忘初心的基因，个性鲜明，薪尽火传。辛亥革命爆发前一周年，楚人后裔冯特民在《汉声》杂志上发出振聋发聩的呐喊：“我坚信，推翻封建帝制，只有推翻秦朝的楚人来完成！”一年后的辛亥武昌首义，验证了这位先哲的预言，这并非偶然的巧合，而是历史的必然。图新，指善开风气、敢为人先、开拓创新、追求卓越。荆楚文化凭借其区位优势和创新主体所特有的精神，在不同历史阶段的不同领域都不乏创新之举。春秋初年楚武王首创县制，是制度层面的重大创举；春秋五霸之一楚庄王“始为军政”，是军事体制的重大革新；禅学南北两宗在荆楚黄梅东山形成并分流，是学术文化领域的重大创造；被达尔文誉为“东方医药巨典”的《本草纲目》，属于科技文化领域内的重大创获；晚清张之洞督鄂期间大力实施的“办实业、兴教育、练新军、修铁路、通商贸”的“湖北新政”，更是一种全方位的创新。

四、荆楚文化在中华文明发展史上的地位与影响

习近平总书记 2018 年 4 月 27 日参观湖北省博物馆精品文物展时指出，“荆楚文化是悠久的中华文明的重要组成部分，在中华文明发展史上地位举足轻重”。这是对荆楚文化的精辟阐释和高度评价，是我们继承和弘扬荆楚优秀文化乃至中华优秀传统文化，促进其创造性转化和创

新性发展的自信之基、立足之本和动力之源。

荆楚文化在中华文明史上的地位与影响，在政治与伦理、思想与学术、文学与艺术、科学与技术等诸多领域都有突出表现。

首先看政治与伦理。

屈原风骨对中华民族精神锻造所起的巨大而深远的作用，是荆楚文化对中华文明最显著的贡献。楚国伟大的政治家、思想家、文学家屈原，堪称跨越时空而体现中华民族精神的光辉典范。他“志洁行廉”的政治品格、“九死未悔”的爱国精神、“上下求索”的创新意识、“哀民多艰”的民生情怀，在不同的时代、不同的社会、不同的国度，都具有异乎寻常的感染力和影响力。正是因为如此，1953 年世界和平理事会所倡议纪念的“世界四大文化名人”中，屈原赫然在列，是中国也是亚洲唯一的入选者，这是中华民族的荣光，也是荆楚儿女的骄傲！

楚国首创县制对中国行政建制设置的发凡起例作用，是荆楚文化对中华文明的重要赋能。春秋早期，楚武王熊通在灭掉位于江汉平原西部的权国后，在其基础上设立了权县，这是中国历史上第一次将县作为一级行政单位设置。自秦王朝统一以来，作为地方行政机构的州、郡、府、县等时有变易，唯有县一直保存至今（州之名虽存，但其政区意义已变，即仅用作少数民族地级行政区名称），成为中国行政建制中一个最关键的环节和最具标志性意义的文化符号，而其发明者正是极具开创精神的楚人。

“湖北新政”对中国近代社会转型的促进，是荆楚文化对中华文明的重大影响。在晚清“新政”中，湖广总督张之洞的“湖北新政”独树一帜，其内容主要有办实业、兴教育、练新军、修铁路，无一不是开中国近代社会转型风气之先，真可谓“缔造多从江汉起”。尤其是他组建的汉冶萍公司，是当时亚洲第一家大型钢铁联合企业，曾经得到毛泽东主席的高度评价：提起中国民族工业、重工业，不能忘记张之洞。“湖北新政”对中国近代社会转型影响之大由此不难想见。

被誉为“此复神州第一功”的辛亥武昌首义对中国制度变革的推

动，是荆楚文化对中华文明做出的一个十分突出的成就。辛亥革命推翻了中国两千多年的君主专制制度，以巨大的震撼力和深刻的影响力推动了近代中国社会变革。首义后颁布的第一个近代宪法性质的文件《鄂州约法》，在我国法制史上第一次公开承认人民民主权利，开启了民主共和建设的大门。这一破一立所体现的中国政体变革，对中国政治的影响十分深远，是中华民族伟大复兴征程中一座巍然屹立的丰碑。

荆楚文化对中华伦理的浸润，从荆楚“五孝”已足可寻绎。孝老爱亲是中华民族的传统美德，由此形成的孝亲文化是中华传统文化的重要组成部分。在我国广为流传的“二十四孝”中，就有“五孝”同荆楚密切相关，即老莱子“彩衣娱亲”、丁兰“刻木事亲”、董永“卖身葬父”、黄香“温衾凉席”和孟宗“哭竹生笋”。故老相传，老莱子是春秋晚期今湖北荆门人，丁兰是汉代今湖北南漳人，董永虽为汉代今山东人，但其卖身葬父则事发今湖北孝感。据文献记载，黄香是东汉时期今湖北云梦人，孟宗是三国时期今湖北孝昌人。毫无疑问，荆楚是中华孝文化典型最集中、底蕴最深厚、影响最深远的地区之一。

其次看思想与学术。

季梁“民为神主”学说和楚庄王“止戈为武”的理念，分别代表着荆楚文化在中国古代民本意识和人类和平思想形成过程中无可替代的地位。

季梁是春秋早期位于今湖北随州一带的随国的一位思想家、政治家和军事家。据《左传·桓公六年》所记，季梁的学说以“民为神主”为中心：“夫民，神之主也……故务其三时，修其五教，亲其九族，以致其禋祀，于是乎民和而神降之福，故动则有成。”“上思利民，忠也；祝史正辞，信也。”根据此前的认知，是神为民之主，民须忠于君而信于神。而按照季梁的理论，则是民为神之主，君须忠于民而信于神。这种意识出现在春秋早期，可谓空谷足音！战国中期孟子著名的“民贵君轻”的理论，很可能受到了季梁的启发。

如果说“民为神主”是民本意识的先声，那么，楚人“止戈为武”

的理念，则是人类和平思想的前导。“止戈为武”，是春秋五霸之一楚庄王的名言。“止”，即停止；“戈”，即干戈，指兵器，象征战争。“止戈为武”的字面意思是说“武”这个字由“止”和“戈”两个字构成，实际上是指使用武力的目的是停止战争，换言之，战争的目的不是挑起更大的战争，而是为了实现和平。楚庄王对战争与和平关系的认识，堪称人类和平思想的经典表达，不仅代表了中国古代战争与和平观念的最高认知水准，即使在当下乃至未来，仍然具有十分重要的世界性的理论意义和实践价值。

荆楚文化对中华学术的贡献，突出体现在茶文化和佛道文化两个方面。

虽说神农氏已发明茶饮，但将饮茶上升到学术层面则始于唐代竟陵人陆羽。陆羽醉心茶事，遍访神州，写下了世界上第一部茶学专著——《茶经》。其内容从茶的起源到种茶、制茶、烹茶之法，从饮茶器具到名茶产地和品茗之道，条分缕析，广博精深，标志着中华茶文化的形成，陆羽也因之被世人称为“茶圣”。《茶经》还被译成英、法、俄、日等多种文字出版，打开了中华茶文化海外传播的门户。19 世纪前后，以蒲圻（今赤壁）羊楼洞砖茶为标志的湖北茶叶开始输往俄、英等国，中外“茶叶之路”正式开通，全国最大的茶叶贸易市场汉口也被称为“东方茶港”。

禅宗唐代初期正式形成于今湖北黄梅东山，因而又称“东山法门”。其始于四祖道信，兴于五祖弘忍，成于六祖慧能。唐玄宗时，慧能的弟子神会入洛阳大行禅法，禅宗因而成为中国佛教最大的宗派，以至有“天下禅林，皆出东山法门”之说，其影响及于宋明理学。武当山位于今湖北十堰市，自唐太宗李世民敕建五龙祠始，历代帝王极力推崇武当真武神。明成祖朱棣更是奉真武为护国之神，依“皇室家庙”的规格和法式广建宫观，武当山由此以“治世玄岳”的崇高地位成为全国道教中心。

再次看文学与艺术。

楚辞和“优孟衣冠”“汉调进京”，分别代表着荆楚文化对中国文学和艺术巨大而深远的影响。

以屈原、宋玉为代表的楚国作家群体所创作的楚辞，既是同《诗经》并峙的中国文学的两大高峰之一，又是中国文学的两大源泉之一。相比于《诗经》，楚辞的节奏韵律更善于变化，状物写景更富于想象，表情达意更趋于委婉。历代第一流的人文学者，几乎没有不受楚辞浸润的，用刘勰《文心雕龙·辨骚》的话说，是“气往轹古，辞来切今，惊采绝艳，难与并能”，“其衣被词人，非一代也！”

春秋时期，楚国乐人优孟以善于模仿人物声形表演而闻名于世，“优孟衣冠”因之成为中国戏曲表演艺术的代名词。清代乾隆时期，荆楚“汉调”偕徽班进京，京城流传的京剧“班曰徽班，调曰汉调”，正是指的京剧唱腔主要承袭汉调皮黄腔即西皮、二黄而来。京剧界享有盛誉的“荆楚三杰”，即崇阳米应先、罗田余三胜和江夏谭鑫培，对京剧的成熟和发展做出了举世公认的成就。不仅如此，与京剧、越剧、评剧、豫剧并称为中国五大剧种的黄梅戏，也因清代中晚期发源于鄂皖赣交界处的黄梅多云山而得名。荆楚文化对中国戏曲艺术的贡献由此可见一斑。

最后看科学与技术。

荆楚文化对中华科学与技术的贡献，集中体现在农耕、青铜、活字印刷术和医药几个方面。

炎帝神农氏是与黄帝轩辕氏并称于世的两位中华民族人文始祖之一，是海内外中华儿女景仰的我国原始社会氏族部落的杰出首领。众多文献记载表明，湖北随州是炎帝神农部落的发祥地，该部落正是以随州为中心，沿汉水向长江流域和黄河流域南北拓展的。相传炎帝神农有八大功绩，其中最重要的是制造生产工具和种植五谷，不愧为中华农耕文明的开创者，为中华民族和中华文明的绵延壮大做出了卓越的贡献。

湖北大冶铜绿山古铜矿上起商末，下至汉初，是我国迄今发现的开采时间最长、矿石品位最高、采冶技术最先进、炼炉保存最完整、青铜产量最大的古铜矿遗址。青铜是上古时期的头等经济资源和战略资源，大冶铜绿山古铜矿的开发，对楚国的迅速崛起和保障周王朝以及中原地区的用铜需求，尤其是古代中国青铜文明的繁荣发展，乃至近代汉冶萍公司的组建等，都发挥了十分关键的作用，在中华青铜文明发展史上的地位至关重要。

宋代今湖北英山人毕昇发明的活字印刷术，标志着印刷史上重大变革的完成，极大地促进了文化传播的速度。这一重大技术还相继传到日本、朝鲜和欧洲各国，对世界印刷业发展和文化传播与交流都产生了难以估量的影响，马克思称其变成科学复兴的手段，变成精神发展创造的必要前提和最强大的推动力。

明代荆楚蕲州（今蕲春）人李时珍穷尽毕生心血撰写的《本草纲目》，在海内外影响巨大，被达尔文誉为“中国古代百科全书”和“东方医学巨典”。宋代荆楚蕲水（今浠水）人庞安时所著《伤寒总病论》、明代荆楚罗田人“医圣”万全所著《万密斋医学全书》、清代荆楚广济（今武穴）人杨济泰所著《医学述要》等，无一不是中国医药史上的杰作，对中国医药学的贡献令世人瞩目。

五、结语

从某种意义上说，荆楚地域是南方的“中原”，早在春秋战国时期，就有作为长江文明表率的楚文化横空出世，不仅与中原诸夏文化竞相媲美，而且与西方古希腊文化争奇斗艳。秦汉以后，这里仍有丰厚的文化积淀、宽松的文化环境和应时的文化机缘，因而得以成为道家的摇篮、禅宗的温床、南学的中心和新学的重镇，在科技领域和艺文园地也不乏奇思妙想和佳构鸿篇。

体大思精、源远流长的荆楚文化，生于钟灵毓秀之地，长于人文荟萃之乡，成于风云际会之域，沐风栉雨，傲雪凌霜，含英咀华，明丽天然。其和以直，旷以逸，文而质，博而精，浩瀚若海，厚重如山，大而弥新，久而弥坚，傲然卓立于中国地域文化之林，摇曳多姿，纷华照眼！

人以文化，文以人兴。荆楚的灵山秀水、世风民情和人文氛围，塑造了荆楚历史上奇特的人才景观，所谓“惟楚有材”，就是对荆楚人才盛况的艳羡！拭净岁月的铅华，打开绚丽多姿的中华文明长卷，荆楚大地风华绝代的英雄豪杰、贤哲逸士、墨客骚人接踵摩肩：中华民族人文始祖之一炎帝神农氏，伟大的爱国诗人屈原，汉赋鼻祖宋玉，音乐家钟仪、钟子期，和平使者王昭君，政治家熊绎、熊通、季梁、孙叔敖、刘秀、张居正、杨涟，军事家熊侣、孟珙、熊廷弼、徐海东、王树声，边塞诗人岑参、山水田园诗人孟浩然和忧国恤民诗人皮日休，茶圣陆羽，著名宗教人物道信、弘忍、神会和胡紫阳、张君房，书画双绝的米芾和“江夏画派”开山吴伟，活字印刷术发明者毕昇，医圣李时珍，文学家“安陆二宋”“公安三袁”“竟陵钟谭”，历史地理学家杨守敬、曹廷杰，民主斗士闻一多，哲学大师熊十力、汤用彤，经济学家王亚南，语言文字学家黄侃，散文家兼书法家张裕钊，作家废名、聂绀弩、张光年、欧阳山，文艺理论家胡风，剧作家曹禺，思想家鬻熊、环渊、鹖冠子、朱震、赵复、徐复观、殷海光，历史学家习凿齿、宗懔、段成式，方志学家王葆心，考古学家李济、黄文弼，天文学家甘德，数学家李潢，地质学家李四光，气象学家涂长望和无产阶级革命家陈潭秋、李汉俊、董必武、李先念……荆楚的山水因他们而增色，荆楚的文化因他们而生辉，荆楚的历史因他们而丰满！

九万里风鹏正举，三千年楚风腾飞。试看今日之荆楚文化，正如庄子笔下的大鹏，乘天地之正，御六气之辩，“水击三千里，抟扶摇而上者九万里”，“绝云气，负青天”，雄姿英发，气冲河汉！

目　录

绪　论

荆楚文化的空间范围在古代是变动不居的，但在近代，由于中国行政区划的基本定型，湖北作为荆楚文化的源头和重心地带则是十分确定的。因此，在近代，湖北文化就是荆楚文化的代称。

近代荆楚文化具有时空上的过渡性。从时间上看，从明清以至近代，湖北一直处于农业社会向工商社会、传统社会向现代社会的转型时期。近代是一个从古代走向现代的过渡时代。此时文化嬗变的重要特征体现为两点，一是古老的传统在竭力坚守固有的地盘，二是新兴文化在艰难地夺取阵地。新旧势力激烈斗争的结果，导致了传统文化与现代文化的并存与杂糅。从空间上说，湖北是位于东南沿海与内陆腹地之间的过渡地带，就使它在文化变迁的过程中起着一种桥梁作用。由于受外洋异域文化的影响和东南沿海（特别是上海）文化嬗变的带动，湖北在社会的开化方面往往走在中西部地区的前列。九省通衢的地理位置，近代水陆交通网的形成，促进了商品流通、人口流动和文化传播，使得湖北地区出现的新文化、新风尚比较迅速地呈辐射状向周边地区的中小城镇及农村传播。此外，湖北文化演进的速度和程度，远远不及江苏、广东等东南沿海省份，但又为内地其他地区所远远不及。这种时空上的过渡特征说明荆楚文化在近代的变革是难以彻底的，以致促进荆楚文化的现代转型成为迄今为止人们一直在付出艰巨努力的重大课题。

基于以上情况，举凡在1840—1949年这一时段荆楚文化的各类事象，从社会思潮、教育、文学、艺术、新闻出版、人文与自然科学，乃至于建筑风格、社会风尚等，都在本分卷论述之列。

文化是经济、政治乃至社会结构的反映，因此，经济、政治与社会结构发生变革时，则必然会引起文化的变迁。这种文化的变迁，有时是随着社会的变化自然发生的演变，有时又是为了应对社会变化所进行的人为改革。近代荆楚文化就是在这种自然演变和人为改革中走向新的发展阶段。

中国社会进入近代，遭遇到晚清重臣李鸿章在同治年间多次惊叹的“数千年来未有之变局”[①]，在这种“变局”中，中国社会的变革对荆楚文化的发展产生了怎样的影响，传承了数千年的荆楚文化又是如何因应时局，发生变迁的？

中国局势的大变动，从鸦片战争前后就已出现端倪，晚清社会进入了“日之将夕”[②]的双重末世：既是清王朝统治的末世，又是中国数千年君主专制制度的末世。这种末世在社会结构上表现为宗法—专制制度的解体趋势，在文化上则表现为旧文化日渐走向衰微。

传统纲常名教根基自从晚明开始动摇以来，到晚清更进一步陷于崩坏的境地。先是太平军“举中国数千年礼仪人伦，《诗》《书》典则，一旦扫地荡尽”[③]；后是维新人士“伪六籍，灭圣经也；托改制，乱成宪也；倡平等，堕纲常也；伸民权，无君上也”[④]，他们呼吁断发、易服、改元，天子降尊，变去拜跪之礼，要求“与欧美同俗”。湖北维新思想家周锡恩等与康梁的维新变法相呼应，认为“学有千年不变之道，政无百年不变之法”[⑤]，主张学习西法，变革旧制。曾国藩祭起维护孔孟之道的旗号来讨伐太平天国，苏舆则通过辑录出版反对维新变法的文章来护教，这些卫道士的言行从反面说明了传统纲常名教的危机。

---

① 李鸿章：《筹议海防折》，顾廷龙、戴逸：《李鸿章全集》第6册，合肥：安徽教育出版社，2008年，第159页。

② 龚自珍：《尊隐》，王佩诤：《龚自珍全集》第1辑，上海：上海人民出版社，1975年，第87页。

③ 曾国藩：《讨粤匪檄》，李瀚章：《曾文正公全集·文集》第3卷，长沙：湖南传忠书局，光绪二年（1876年）刻本，第1页。

④ 苏舆：《翼教丛编·序》，清光绪二十四年（1898）湖南初刻本。

⑤ 湖北省地方志编纂委员会：《湖北省志·人物志稿》第一卷，北京：光明日报出版社，1989年，第11页。

因束缚人们的创造性饱受诟病的八股文走向衰落，科举制度也因法久弊生而遭到一朝废除。戊戌变法期间，康有为等建议废八股改试策论，以时务策命题，严禁凭楷法优劣定高下。到 1901 年推行新政时，朝廷终于发布了废除八股文，改试策论的上谕。张之洞在书院改革的举措中，就提出“严立学规，改定课程，一洗帖括词章之习，惟以造真才济时用为要归”[①]的宗旨，去掉八股文，注入经济实学的内容，并兼顾中西之学。至于在最终废除科举制度方面，张之洞也是积极提倡者之一，张之洞等人先是提出分科减额的建议，后来奏请“立停科举”，并以新学制的制定与新式学堂的兴起作为科举制度的替代物。[②]科举废除后，原来习举子业的士子或者进入新式学堂学习新学，或者出洋留学，或者投笔从戎，很多人后来成为清王朝的掘墓人。

到民国年间，经书转而作为治古史的资料，经学最后走向终结。当年张之洞、梁鼎芬为防止新式学堂士风日变，正学衰，人伦废而引起“乱臣贼子之祸”，专门创办存古学堂以培养各级各类学堂经学教员，想挽救经学衰微的厄运，但是随着清王朝的覆灭，存古学堂最终也走向废坠。民国初年，当部分国会议员欲将孔教写入宪法，尊孔教为国教的时候，武汉地区新文化运动猛士们予以迎头痛击，指出“孔子乃专制之护符”，反对将孔教奉为国教。[③]

古文在晚清亦遭遇困境，最终退出历史舞台。清代文坛最大的散文流派桐城派在乾嘉时期兴盛一时，甚至形成“家家桐城”“人人方姚”的局面。近代以降，桐城派古文却入于末流时期，坚持程朱理学的桐城派已落后于时代潮流，渐渐走向衰微，作为桐城派变体的“湘乡派”开始向新文学缓慢转型，“曾门四大弟子”之一张裕钊（字廉卿）也只得

① 张之洞:《两湖经心书院改照学堂办法片》，赵德馨:《张之洞全集》第 3 册，武汉：武汉出版社，2008 年，第 480 页。

② 李细珠:《张之洞与清末新政研究》，上海：上海书店出版社 2003 年版，第 140 页。

③ 田子渝:《武汉地区新文化运动述论》，《江汉论坛》1999 年第 5 期。

承其余绪，待到“廉卿死，则广陵散绝矣”[①]。到20世纪初，白话文兴起后，桐城派被陈独秀一干新文化干将目为“谬种”，待到桐城派最后的传人去世后，桐城派作为一个文学流派已不复存在。

古典诗歌到了晚清也发生了变化。樊增祥以古体的形式写今事，其艳体诗的代表作前后《彩云曲》，借诗歌来表现现实，抒发忧国忧民之感。这说明古典诗歌到了大变局的时代也不得不以应变的方式推迟退出历史舞台的时间。再好的古诗，缺乏知音，《彩云曲》虽工，“然俗眼不知”[②]。待到新诗受到追捧后，古典诗歌因其束缚思想又不易学，慢慢成为少数人坚守的一种雅趣。

数千年未有之变局，岂止是给传统文化造成困境，更严重的是给中华民族带来生死存亡的危机。为了挽救民族危机，各阶层都作出了自己的反应，推动社会变革，并带来了文化的变迁。

为挽救“日之将夕”的衰世，拯救摇摇欲坠的清王朝统治，部分开明官员开启了“自强”之旅，洋务运动的发生从反面说明了清朝统治的危机。洋务派希望通过学习西方以自救，虽然自救不成功，而且洋务运动在北洋舰队覆灭后宣告失败，但是，由于洋务运动引进西方先进的科学技术和管理制度，催生了近代文化的诞生，近代报刊问世，新式学堂兴起，出洋留学渐多，西书移译日增。张之洞作为洋务运动的殿军人物，在办报刊、兴学堂、派留学、出西书等方面后来居上，为荆楚文化的近代化作出了贡献。

洋务运动未能使中国走上富强之路，甲午战争以后，在强邻环伺之下，中国面临瓜分豆剖、亡国灭种的严重危机。先进的中国人为救国救民，有的从体制内进行改革，有的从体制外发动革命，戊戌维新和辛亥革命等社会变革促进了文化的变迁，既接受西学影响，又继承本土优

① 吴汝纶：《与吴季白（壬辰九月二十六日）》，施培毅、徐寿凯校点：《吴汝纶全集》第3册，合肥：黄山书社，2002年，第63页。

② 钱仲联：《清诗纪事》第4册，南京：凤凰出版社，2004年，第3168页。

良传统的资产阶级新学（新文化）登上文化舞台，独领时代风骚。维新思想促进了人们的思想解放。湖北维新团体质学会编辑出版的一套《质学丛书》，包罗了当时的中外名著，传播了维新变法的思想。而反清排满、民主共和等革命派的诉求更直接导致了辛亥革命的爆发和清王朝的覆灭。辛亥革命首先在湖北武昌爆发，产生了辛亥首义精神，后人将其概括为敢为人先的首创精神、勇往直前的拼搏精神、善抓机遇的果断精神、通力合作的团结精神、不竞声华的实干精神、愈挫愈奋的坚韧精神、舍身奉献的牺牲精神。[①]当年湖北军政府出台的一系列涤荡专制旧污，促进民主共和的政策、法令，从剪辫放足、严禁洋烟、改用公历，到颁布《鄂州约法》、振兴实业、发展教育，不仅使民国初年的湖北出现了一派新气象，而且为后人留下了一笔珍贵的历史遗产——首义文化资源，其中物质资源包括首义历史文物、首义历史遗址、首义历史纪念设施等；非物质资源则有首义纪念活动、首义纪念组织、首义历史学术研究成果、首义题材文艺作品、首义口碑、首义历史等。[②]

由于辛亥革命的不彻底，适应宗法—专制制度的旧文化赖以生存的社会基础并未清除，民国初年不仅出现袁世凯帝制自为、张勋拥逊帝复辟、军阀割据与混战的短暂历史倒退，而且旧文化的幽灵再度游荡，尊孔读经、祀孔祭天、鬼神迷信、宗法礼教、节烈观念、复行“大人”“老爷”名称……一时搞得乌烟瘴气。随着《新青年》的传播，五四运动的冲击，一场声势浩大的新文化运动的浪潮挟着德先生（民主）、赛先生（科学）和费小姐（自由）席卷神州大地，荡涤着旧文学、旧礼教、旧观念等旧文化以及军阀、鬼神等污泥浊水，“将中国文化的近代转换推进到一个崭新的阶段”[③]。新文化运动期间，湖北大地亦是

① 王功安、陈奇文、邵和平：《辛亥首义精神通论》，北京：九州出版社，2011 年。

② 何广：《首义文化资源述略》，《辛亥革命史丛刊》第 13 辑，武汉：湖北人民出版社，2007 年，第 648 页。

③ 冯天瑜、邵学海：《江河万古流——中国文化巡礼》，武汉：湖北美术出版社，2010 年，第 304 页。

新旧文化博弈的战场。恽代英的利群书社、董必武的武汉中学、中华大学的《光华学报》、华中大学的讲坛，都是传播新文化、宣传马克思主义的阵地。俄国十月革命取得胜利后，武汉报纸多有反映，1917 年 11 月 12 日《汉口新闻报》首先报道十月革命的消息，次日，《大汉报》刊发《俄国之大政变》，报道十月革命的情况，称“黎雷氏（列宁）大受欢呼”。武昌文华公书林举办了关于俄国革命的专场报告会，“来宾往聆者极形踊跃”。新文化运动的主将陈独秀的讲演，更受到了追求进步的师生的欢迎。在此前后，利群书社经销《共产党宣言》《共产主义 ABC》等书籍，成为长江中游地区宣传马克思主义的重要阵地。1920 年秋，董必武、陈潭秋等先后组建共产主义小组、社会主义青年团和马克思主义学说研究会，团结广大知识分子和青年学生，指引他们走上革命道路。通过对俄国革命的了解和对马克思主义的学习，一批民主主义者转变为马克思主义者，以致湖北不仅成为最先建立共产党组织的省份之一，而且在中国共产党成立的“一大”上出现了“湖北现象”，即出席“一大”会议的 13 位代表中就有董必武、陈潭秋、李汉俊、包惠僧、刘仁静 5 位湖北籍人士。

中国共产党成立后，先是领导工农运动，实现国共合作；大革命失败后，又发动土地革命。从二七大罢工，到五卅运动，从北伐攻占武汉，到国民政府迁汉，从毛泽东同志主办的中央农民运动讲习所到各地的农民运动，从中共“五大”，到“八七会议”，以及鄂豫皖、湘鄂西、湘鄂赣、湘鄂川黔、鄂豫陕等革命根据地坚持土地革命战争，红色文化诞生了，并撒播荆楚大地。从 1927 年汉口中央人民俱乐部（新市场）里的“血花剧社”“总理纪念堂”“遗嘱亭”“仲恺图书馆”，到 1928—1937 年农村根据地的列宁小学、贫民夜校、列宁室（俱乐部）、演讲会、文化宣传队、红日剧团，从《八月桂花遍地开》《歌唱苏维埃》《鄂东南游击队歌》等歌舞的传唱，到《英特纳雄耐尔》《苏维埃三日刊》《鄂豫皖革命歌曲集》《红军读本》等书及报刊的出版，各苏区破旧立新，移风易俗的活动十分活跃，显示了工农革命文化的活力。

全面抗战爆发后，红色文化发展进入到抗战文化席卷全国的新阶段。1938 年，武汉成为战时事实上的首都，国共合作局面在“保卫大武汉”口号下得以巩固，全国文艺工作者齐集江城，中华全国文艺界抗敌协会（简称“文协”）在武汉成立，标志着文艺界在民族解放的旗帜下，结成了最广泛的统一战线。“文协”提出了“文章下乡，文章入伍”的口号，组织作家战地访问团，创办《抗战文艺》等，写作并出版了一大批宣传抗战的作品，抗战文艺以武汉为舞台，大放异彩，并向全国辐射，推动了抗战文艺运动的开展，在当时产生了很大的影响。在“文协”成立的同时，郭沫若主持的国民政府军事委员会政治部第三厅在武汉建立。第三厅是以共产党人和进步文艺工作者为主的文艺机构，对于推动以武汉为中心的抗战文艺运动发挥了骨干的作用，第三厅组织的抗敌宣传队从这里出发开赴各地前线，抗战书刊在这里出版并传播到全国各地，演剧队、电影队、孩子剧团的足迹遍及各地……武汉合唱团一行 28 人应南洋华侨筹赈总会邀请前往南洋为筹集抗战资金义演，他们用慷慨激越的歌声打动华人华侨的爱国心，募集到大量抗战经费。各国反战作家也纷纷来到武汉，用文字和音像作品向全世界介绍中国人民抗击日寇的英勇事迹，为中国的抗战得到世界爱好和平的人们的认同与支持作出了杰出贡献。

在中原突围，刘邓大军千里跃进大别山后，新建立的鄂豫、江汉、桐柏解放区里，战斗队变为宣传队，通过群众喜闻乐见的各种形式，将红色文化普及千家万户，如，用送春联的办法宣传党的政策，和人民群众一道憧憬美好的生活，使民众以崭新的精神面貌迎接全国的解放。

以上就是荆楚文化在近代的发展轨迹。荆楚文化在近代不断演变、调适、创新，固然是中国内部历次社会变革运动所推动，但也不能忽视外部影响，“数千年来未有之变局”的出现在很大程度上也是由西力东侵所造成。鸦片战争以后，开始了西学东渐的过程，域外异质文化一步步深入堂奥，冲击着中国固有文化，促使荆楚文化也发生深刻变化。

严复在《论世变之亟》一文中对中西文化双方进行了全面的比较：

"中国最重三纲，而西人首明平等；中国亲亲，而西人尚贤；中国以孝治天下，而西人以公治天下；中国尊主，而西人隆民；中国贵一道而同风，而西人喜党居而州处；中国多忌讳，而西人众讥评。其于财用也，中国重节流，而西人重开源；中国追淳朴，而西人求欢虞；其接物也，中国美谦屈，而西人务发舒；中国尚节文，西人乐简易。其于为学也，中国夸多识，而西人尊新知。其于祸灾也，中国委天数，而西人恃人力。"[①]他"几乎从历史观、伦理观、政治观、民俗观、学术观和自然观各个方面，对中国传统文化和西方近代文化作了有相当力度的比较研究，可以说它是中西文化比较的一个总纲"[②]。这种中西文化的差异，在荆楚文化与西方文化的比较中也是存在的，兹不赘言。

面对在总体上和具体领域都冲击着中国传统文化的西方文化，荆楚文化采取了几种应对态度，一是对西方文化的排斥与抵拒，二是借资西学改造中国传统，三是将西方文化改造得适合本土国情与民情。

对西方文化的排斥与抵拒，可以晚清的教案频发与民国年间的非基督教运动为例。

在晚清，湖北教案频发。自1860年外国传教士借不平等条约进入内地传教，到1911年间，湖北共发生大小教案58起，其中比较重要的有武穴（1891）、宜昌（1891、1898）、谷城（1892）、麻城（1893）、施南（1898）等地教案。教案发生的原因，固然有张之洞在《劝学篇》"非攻教"篇中所指出的"俗传教堂每有荒诞残忍之事"的谣言引起的激愤，也有文化习俗上的差异引起的冲突，如，上帝信仰与偶像崇拜的冲突、人人平等与忠君孝亲的冲突、男女不分与男女授受不亲的冲突、近代科学与风水迷信的冲突等等。19世纪下半叶发生的教案，"确实是与中西文化、中西风俗的冲突有关。基督教文化与中国传统文化的

① 严复：《论世变之亟》，王栻：《严复集》第1册，北京：中华书局，1986年，第3页。

② 苏中立：《救国·启蒙·启示——严复和中西文化》，长春：东北师范大学出版社，1992年，第9页。

差异，外国侵略者和传教士对中国风俗习惯的不尊重，中国教徒对传统习俗的背叛，正与外国侵略军的杀人放火、舶来洋货的毁人生计以及洋教士的其他侵略行为一样，都是中国民众反对外国侵略，反对洋人、洋教、洋货的动因”①。在这些冲突中，下层民众和会党分子是毁教堂、杀教士的“勇敢分子”，但他们是被地方官绅利用的。诚然，教案中有各方利益的冲突，但表现出来则是两种文化的碰撞。

1922年到1927年的非基督教运动是由中国知识界发动的，在民族主义思潮影响下，许多知识分子将基督教视为帝国主义侵华的一种工具，他们组成“反宗教大同盟”等组织，号召反对基督教及其所办的一切事业，特别要求教会学校的教育与宗教分离。运动迅速发展转变为收回教育权运动，并波及湖北。1925年5月初，在收回教育权运动的激荡下，教会大学华中大学的学生们走出校门参加游行，同时校园内的反教会活动也日益激烈起来，学校被迫停课，学生陆续离校，学期草草结束。反基督教运动暨收回教育权运动，也迫使华中大学的理事会和校行政进行深思，“他们不能忽视中国方面来自政府和民间的强烈要求，不能不考虑中国人在学校管理中拥有更大的发言权，也不能不考虑学校向中国政府注册，接受中国最高教育行政的领导”②。“1925年春季学期中理事会的工作进展相当缓慢，他们越来越多地听取中国籍的教务长韦卓民的意见，似乎在逐渐地进行着权力的转换”③。虽然根据近年俄罗斯解密的历史档案记载，共产国际在幕后策划和推动了这场运动，其目的是排除英、美的基督教教会对中国文化教育的影响，但是非基督教人士大多是从维护中国文化，维护中国教育主权的角度参与运动的，所以说，非基督教运动从某种意义上讲也带有中国文化与西方文化冲突的性质。

---

① 严昌洪：《中国近代社会风俗史》，杭州：浙江人民出版社，1992年，第169页。

② 马敏、黄晓玫、汪文汉：《华中师范大学校史（1903—2013）》，武汉：华中师范大学出版社，2013年，第26页。

③ 马敏、汪文汉：《百年校史：1903年—2003年》，武汉：华中师范大学出版社，2003年，第34页。

在改造传统的时候借资西学，应该是荆楚文化在近代发展、转型的主要表现。

张之洞在《劝学篇》中主张通过“益智”以“西智”改变“中愚”的落后面貌；通过“设学”“游学”、学制改革和变科举，兴办新式学堂，新旧兼学，政艺兼学，培养经世致用的人才；通过广译西学书籍，办报阅报，改变国人“知中不知外”的“聋瞽”并使国人能够“博闻”“知病”，借他山之石以攻玉；通过中西“会通”，使西政、西学有益于中国而无损于圣教。张之洞提出的学习西方的具体设想，贯彻了他的“中学为体，西学为用”的思想，企图借助西方的科学技术、管理制度来为维护中国传统的纲常名教服务，但是，张之洞所论的具体问题，反映了那个时期传统文化对西学东渐的应对。张之洞在湖北办新政，很多措施都是这些应对的体现。在他的主持下，湖北的教育、农工商实业、军队、市政等，都在学习外国先进技术与管理制度方面办了许多实事，使湖北新政后来居上，让中外人士刮目相看。

在民间，西学影响亦与日俱增。在教育领域，学习西方办教育者颇不乏人。除了众多私立中等学校，如，汉口竞化中学堂、武昌滋兰女学堂、宏道中学、树人中学等外，私人创办高等教育以黄陂人陈宣恺、陈时父子为第一人。陈宣恺早年中秀才、举人，后任蕲州州学学官，1901年清政府重行新政后，接触西学，观念丕变，逐步萌生教育救国思想，他没有走中国传统士大夫办书院培养科举人才的老路，而是把目光转向了新式学堂。他送儿子陈时赴日留学，考察教育实况，又受湖南长沙明德学堂、天津南开学堂、上海浦东中学堂等知名私立学校的影响，于1910年初按照朝廷《奏定学堂章程》的要求，在武昌创办了“私立中华学堂”。就读于日本多所大学并专门考察了私立东京专门学校的陈时回国后，利用家族田产、积蓄、藏书，于民国初年将中华学堂改组为中华学校，复又升格为“私立武昌中华大学”[1]。1912年，黄兴、宋教仁等

① 马敏、黄晓玫、汪文汉：《华中师范大学校史（1903—2013）》，第75—77页。

开办了以石瑛为校长的江汉大学。1919 年，明德大学复办于汉口。1925 年，武汉三镇有高等学校 16 所，其中私立大学汉口有 1 所，武昌有 7 所，包括文华图书馆学专科学校、私立武昌美术专门学校（后改为艺术专科学校）等。这些学校尽力延聘名师，改进课程设置，努力提高教育质量，培养了一大批具有现代知识的新型人才。

在经济生活领域，宁波商人宋炜臣创办的拥有欧式发电厂房和英国人设计监造的水塔的既济水电公司，不仅使古老的“水火既济”的卦象有了新的含义，而且使武汉人的传统生活方式有所改变，“延续千年的喝江水、点油灯被清洁的自来水、明亮的电灯所取代，广大市民享受到近代工业文明带来的方便舒适，汉口社会生活领域发生了革命性的变化”[①]。

在建筑领域，钢筋混凝土逐步取代秦砖汉瓦成为新式建筑的主要材料，中西融合风格的楼房也成为城市新的风景线。

在文化领域，1873 年 8 月在汉口创刊的《昭文新报》，开国人自办近代报刊之先河，与刊载官方文书为主的《邸报》《塘报》《宫门抄》旨趣颇异。随后，民办报刊在汉口和武昌陆续创办。

在学术领域，近代湖北学人大抵注重中西贯通，与传统学术格局有渐行渐远之势。如，熊十力的哲学思想也有“接受并融会西洋哲学思想之处”，贺麟从中国哲学的调整与发扬的总趋势评价熊十力哲学的进步时指出：“这进步的来源，可以说是由于西学的刺激，清末革新运动的勃兴，和从佛学的新研究里得到方法的训练，和思想识度的提高与加深。”[②] 在此基础上，熊十力才能完成他的代表作《新唯识论》而成为认同儒学基本价值，融合中西文化精髓并对传统加以转化和创新发展的“新儒家”。

以上所举事例说明，借资西学对中国传统文化进行改造或补充，使

① 宁波市政协文史委员会：《汉口宁波帮》，北京：中国文史出版社，2009 年，第 56 页。

② 郭齐勇：《熊十力及其哲学》，北京：中国展望出版社，1985 年，第 120 页。

荆楚文化得以破旧立新，焕发出新的活力。

将西方文化改造得适合本土国情与民情，是荆楚文化应对外来文化的第三种态度。

人们常说西学东渐带来中西文化的冲突与融合。冲突是由于差异而造成的，融合则是互相渗透、互相结合的过程。将外来事物改造得适合本土国情与民情，是中西文化融合的重要途径。如，教会女学开了中国女子学校教育的先例，后来中国官办和民办的女子学校逐渐多了起来。本来是为解放妇女而兴办的近代女学堂，真正办起来，却大多变成“贤妻良母”养成所，所教课程除了女红、烹饪之类家政知识外，就是“三从四德”一类的说教；害怕女学生们纷染社会上的歪风邪气，对她们的思想行动严加防范和控制，甚至采取封闭式管理，一般情况下女学生不得随意走出校门；不得已要聘男教师，则要求年龄须在 50 岁以上，上课时眼睛须望着天花板。1909 年，黄陂县在新潮流的冲击下办起了县里第一所女学——木兰女子学校。为了迎合当时的社会风气，不触犯封建礼教和所谓风化，创办者把校址设在铁锁龙潭的中心处，“碧水环绕，人烟稀少，偏野僻静，还多处筑篱构墙，戒备森严，只一门与外相通，几乎与世隔绝的禁闭之地”，“修身课讲的则都是当时要女子们必须服从和照办的‘三从四德’等等一类封建道德的旧观念”①。

综上所述，可归纳出荆楚文化在近代发展演变的基本路径如下：

一是继往开来。文化在其发展过程中，虽然不断地否定前面，不断地更新，但其中的连续性却是割不断的，前面有价值的文化遗产总是要被继承，并成为开新的基础或出发点。近代荆楚文化就传承了楚文化。古代楚人“不服周”，敢于问鼎中原的精神，“虽无飞，飞必冲天；虽无鸣，鸣必惊人”和“楚虽三户，亡秦必楚”等豪迈言行，一直鼓舞着湖北人天不怕，地不怕，敢作敢为，并化为清末武汉革命党人抱定“亡清必楚”的信念，决心与清王朝决一死战的思想因子。楚国的琴师伯牙

① 易绍菊、彭准：《黄陂第一所女子学校——木兰学校》，《武汉文史资料》1985 年第 2 辑。

与樵夫钟子期因琴相遇，结为知音的故事发生在汉阳，关于知音的传说、纪念知音的建筑、歌咏知音的诗赋，成为近代荆楚文化的组成部分。楚国产生的屈原及其《离骚》，特别是他“哀民生之多艰”“恐皇舆之败绩”的爱国情怀，以及他自沉汨罗江，用死来表达与国家同生死的悲壮结局，使湖北人念念不忘，每年都要举行龙舟竞渡，向江中投下粽子，表达对屈原的怀念。南北朝时期梁人宗懔所著《荆楚岁时记》是我国最早记录楚地岁时节令、风物故事的笔记体专书。该书既是对之前流行的岁时风俗的记录，又对之后楚地民众过四时八节提供了参照。由于风俗习惯的传承性，该书所记岁时风俗的许多事象传承到了近现代。晚清处于“日之将夕”的末世，古代许多文化事象逐渐走向衰微，然而，其余绪在晚清至民国仍在绵延，并成为大变局中新文化产生的基础。书院改章就是继往开来的典型一例，既继承了古代书院重视中国文化与学术的优良传统，又为书院转型为新式学堂奏响了前奏。在这种继往开来的态势下，守旧与革新较量的结果，导致了传统文化与新文化的并存与杂糅。“天地君亲师”的牌位改为“天地国亲师”，“国”字取代“君”字，表示共和战胜了君权，但照样“早晚一炷香，晨昏三叩首”地供奉着，显示了旧习尚的顽固性。于父母之命外，征得子女认可后始通媒妁的“允诺婚”则是包办婚姻与自由婚姻之间的一种过渡形态。通俗以阳历为“官历”，阴历为“民历”，“新旧参用，官民各分”。把新事物变得合于传统，把旧习俗改头换面地保存下来，造成社会风俗演变中许多新旧杂糅、土洋参半的现象，虽是过渡时代之所难免，亦含有继往开来的意义。

二是兼收并蓄。文化具有地域性和民族性，同时又具有人类共通性，不同文化的接触和碰撞，互相观摩，互相模仿的力量可以突破保守的藩篱而使之互相吸纳，互相融合。荆楚文化自诞生之日起就具有楚地或湖北的地域色彩，而湖北地处我国中部，可以说处于不东不西，不南不北的中间地带，由于九省通衢的区位优势，“商贾辐辏”，“杂有吴越川广风”，使荆楚文化具有相当的开放性，外来客商将东南西北的文化带来湖北。荆楚文化不仅吸收了四面八方的文化元素，更受到外来西方文化的影响。这种文化的百衲衣使荆楚文化显示出多元化、多样性，丰富多彩，充满活力。如，话剧由西方舶来，曾被称为新剧、文明戏，民国初年登上武汉的舞台，而传统的京剧、汉剧、楚剧、黄梅戏等也有自己的舞台和观众，话剧与京、汉、楚以及黄梅戏等“各美其美”“美美与共”，和谐共处，人们在汉口新市场（民众乐园）里就可以享受到戏剧艺术的大餐。还有西医传来湖北，开始只有少数教友就诊，多数民众由于不了解，并不相信。后来西医以其外科手术方面的优势，赢得人们的信赖，逐渐普及。中医以望闻问切和中草药医治病人，西医以听诊器、注射器、手术刀和西药为病人解除痛苦，共同造福民众。中西医还互相学习，互相借鉴，并创造出中西医结合的治疗新法。

三是逐渐演变。李鸿章惊叹的“数千年来未有之变局”迎来了中国社会的双重转型，近代中国处于由农业社会向工商社会转型和由传统宗法—专制社会向现代社会转型的阶段。一定阶段的文化是社会结构、社会存在的反映，社会的转型必然引起文化的演变。综观近代荆楚文化的演变，除了《文化守望》一书所提到的“神本转向人本，信仰转向理性，宗教转向科学，教育从少数特权阶层的专利变为大众所享有”[①]等变化外，还有如下一些变化：在婚姻家庭领域，由“父母之命媒妁之言”的包办婚姻向自由恋爱，自主结婚的转变；在社交领域，由“男女授受不亲”向男女社交公开的转变，由反映等级观念的“大人”“老爷”称呼向体现平等观念的“先生”或“君”的转变；在文学领域，由用文言文写作向用白话文创作的转变，由古典诗词独领诗坛风骚的局面向新诗（白话诗）影响逐渐显著的局面转变；在社会思潮领域，由君主立宪主张到民主共和追求的转变，由学习西方的潮流向“以俄为师”趋向的转变，由农本商末观念向重商趋利观念的转变……以上各个领域的这些演变在近代都处于进行时，有的变化比较显著，有的变化比较隐蔽。这

① 冯天瑜：《文化守望》，武汉：武汉大学出版社，2006年，第67页。

种逐渐演变为荆楚文化的现代转型即整体性的质变奠定了一定基础。

四是襄助变革。文化是一定经济、政治、社会存在的反映，但它又具有相对的独立性，一经形成后，也会对经济、政治、社会存在产生反作用，予经济、政治、社会以重大影响。近代湖北地区的重大社会变革都得到荆楚文化的助力。汉口开埠后，东渐的西方文化比较迅速地在湖北传播，其结果是对于风气的开化，民智的启迪，生产方式的革新和生活方式的趋新，乃至区域社会的转型，起了客观的促进作用。张之洞的“中学为体，西学为用”的主张就是他兴办洋务新政的指导思想。他治鄂十八年，引进西方科技和管理制度，在改革教育，创办新式工业，促进军事近代化，加强市政建设等方面取得显著成就，很大程度上得益于“中体西用”思想的实践。维新思想和革命思潮深入人心，使湖北成为辛亥革命的首义之区，并迈出了走向共和的第一步。新文化的传播，现代教育、出版、新闻事业的快速发展，使武汉成为华中新文化运动的摇篮，为五四运动在湖北武汉的发动提供了思想资源。[①] 马克思主义的传播，使湖北成为最先建立共产党组织的省份之一；在革命文化的助推下，新民主主义革命在荆楚大地如火如荼展开，使武汉地区走在全国前列，成为中国工人运动第一次高潮的中心。1938 年，在中国共产党的倡导和影响下，抗战文艺中心在武汉形成，对爱国的文艺工作者积极参加抗日文化运动，动员、组织群众积极支援保卫大武汉乃至坚持全国抗战提供了精神支撑。荆楚文化就是这样襄助变革，为促进湖北的经济发展、政治进步和社会前进作出了重要贡献。

但是，由于时代的局限性、客观环境的复杂性和文化产品创造者的多样性，荆楚文化在近代发展历程中难免会产生这样那样的问题，近代荆楚文化也存在某些短板。

荆楚文化在近代的发展演变历程，就是传统文化与现代文化互为消长、本土文化与外来文化相互碰撞的过程，也是区域文化与本地经

① 田子渝：《武汉五四运动史》，武汉：湖北人民出版社，1999 年，第 67 页。

济、政治互相作用，不断调适，共同发展的过程。通过以上对这一过程的回顾和梳理，以及对其得失及其原因的分析，我们可以得到这样的启示：本土文化中落后于时代趋势，自外于世界潮流的传统的衰微甚至消亡，是历史的必然，不必惋惜，不必留恋。西方传来的不合国情，不利进步的文化，遇到抵拒，遭到抛弃，也是理所当然。我们对待文化的态度，不能以“中”“西”或“新”“旧”为标准，而应以是否适应我国经济、政治发展为尺度。荆楚文化的现代转型，只有在经济高度发达，政治充分民主的条件下，在弘扬民族优良传统，吸纳人类先进文明的基础上，创造出社会主义新文化才可能实现。

第一章　风云激荡的社会思潮

湖北是近代思想激荡之地。鸦片战争时期，经世致用思潮在湖北有较大的影响，代表人物是林则徐、胡林翼、王柏心等人；戊戌维新思潮奔涌勃发时，湖北并非死水一潭，而是蓬勃发展，出现了一批宣传维新思想的报刊和书籍，《劝学篇》名噪一时，风行海内外；姚晋圻、周锡恩、夏寿康等在思想领域也崭露头角；在清末立宪运动中，湖北是运动的急先锋，同样也是思潮浩荡之地，湖北宪政筹备会在全国有着举足轻重的地位；在辛亥革命中，湖北是中国内地最早传播革命思想的地区之一，吹奏了强劲的革命号角，为打响武昌起义第一枪奠定了深厚的思想基础；五四时期，湖北头角峥嵘：新文化的宣传在全国处于领先地位，《光华学报》宣传新思想，甚至被认为早于《青年杂志》。平民教育思潮、“学生自治”思潮、联省自治思潮、无政府主义思潮……在各种思潮相互激荡中，湖北有识之士找到了科学的思想武器——马克思主义。随着马克思主义在湖北的传播和湖北工人运动的发展，湖北建立了党的早期组织，这是较早且人数较多的地方组织，在中国共产党成立时，参加中共一大的十三名代表中，就有五名是湖北籍人士，湖北在政治与思想领域的地位于此可见一斑。可以说，湖北是思想变革的舞台、思想家辈出的渊薮。随着湖北先进分子接受马克思主义，马克思主义成为了湖北近代的最强音。

第一节　经世致用思潮

道光、咸丰年间，清王朝日趋衰微，地主阶级经世派随之出现，林则徐、魏源、陶澍、姚莹等一批政治家和思想家针砭时弊，倡言更法，在政治舞台和思想领域产生了很大影响。经世派在湖北的代表人物是林则徐、胡林翼、王柏心等人。林则徐在1837年4月至1838年11月曾短期任职湖广总督，他主张整顿吏治，改革税制，严禁鸦片，并付诸实践，可惜在任时日太短。胡林翼任湖北巡抚时间较长，有六年多（1855—1861），在任上也颇有兴作：政治上，革除贪渎，整顿吏治；经济上，改革财税，发展生产；军事上，革除积弊，厚饷养兵等。他的兴革“使湖北一变而为富强”，“为鄂兴百世之利”。与林则徐、胡林翼不同的是，王柏心是土生土长的湖北人，致力于经世实学，是典型的经世派思想家。因此，本书以他为典型个案，加以阐述。

一、王柏心经世思想的形成与发展

王柏心（1800—1874），字子寿、坚木，号螺洲。湖北监利螺山（今属洪湖）人。曾祖父王秉道是清乾隆三十年（1765）的湖北副贡生，祖父王文模是邑庠生。王柏心（图1—1）幼承庭训，博览群书，于诸史

图1—1 王柏心

研究尤详。

王柏心 15 岁入邑庠，嘉庆二十四年（1819）乡试失败归里后执教乡学。曾执教荆南书院。道光十六年（1836），曾任监利知县的唐树义调任甘肃巩昌知府，并邀王柏心随行担任幕僚。道光二十一年（1841），再次执教荆南书院。道光二十三年（1843），中举人。次年秋，中进士，授刑部主事。旋辞官，任荆南书院主讲二十年之久。他多次拒绝出仕，晚年甚至连幕府亦不肯居。

晚清以降，内忧外患，在此背景下，林则徐、魏源等人主张社会变革，倡导经世实学。王柏心少颖异，七岁即通经史大略，及长，志在经世，不喜章句考据。

王柏心的家乡位于荆江江畔，常处于江洪的威胁之下。早年执教乡里时，闲暇之余，常信步江堤，考察荆江与洞庭湖的关系及湘鄂两省水患，写出《导江三议》，即《浚虎渡口导江流入洞庭议》和《导江续议》（上下），论述他的治水思想和治江策略。他提出南北分流、以南为主的主张，主张效法大禹，疏导治水，因其已分者而分之，顺其已导者而导之。他提出治理荆江，一定要拓宽虎渡口，利用湖北的公安、石首和湖南的澧县、安乡等县的水道，分江水大半，南注洞庭，以杀水势，免江决之患。任甘肃巩昌知府幕府三年，又考察霸上、鸿门、长安、邠州、安定等地的民俗，熟悉了秦陇山川形势，并将自己对秦陇地区的风土人情和地方局势的见闻及感慨写入《舆程日记》。

在清军与太平军鏖战两湖时，王柏心多次与胡林翼、左宗棠、曾国藩、郭嵩焘书信往来，讨论用兵之事，并投入湘军幕中参赞军机。《兵事臆议》《行营事宜》《军事臆说》《事机臆议》《杯居刍议》等诸篇文章不仅体现了王柏心的政治军事才能，且与当时战局大有关系，"究心近代史实者，可参稽焉"[1]。太平军围攻长沙时，王柏心上书湖广总督张亮基，建议以重兵防守岳州，防止太平军来湖北，以为"如纵其东下，

① 《清人文集别录》，张舜徽：《张舜徽集》，武汉：华中师范大学出版社，2004 年，第 470 页。

则不可复制”，并具体提出：“以汉阳设重兵，而后武昌可保；岳州设重兵，而后湖南可安；田家镇设重兵，而后可制皖贼，不为皖贼所制。”[①]

咸丰五年（1855）三月，胡林翼署理湖北巡抚，欲将王柏心延聘入幕，王柏心以丁父忧，辞不赴。王柏心虽拒绝入幕，却积极向胡林翼贡献意见。胡林翼知晓王柏心对财政经济有不少深刻的议论，在咸丰七年（1857）特致书求助。王柏心觉得湖北受太平军侵扰较重，民力疲惫，要求革除漕弊，纾缓民力，遂上书胡林翼。在《上胡中丞书》中，王柏心分析了漕政的诸多弊端，认为漕弊的根源在于民赋太重，各种因素又造成“官有赔累而吏多暴富，民有灾歉而吏属屡丰”。王柏心由此提出“将绅士之廉直晓事者，为吉明府言之，必能延揽谘访，使之各举其类，各烛其私”的计策，以收“书不等革而自去，蠹吏不待诘而自败”之效。[②]胡林翼后以王柏心的《上胡中丞书》为依据，上奏朝廷，并经廷议获准。

同治元年（1862）朝廷诏求直言。王柏心进呈《应诏陈言》。《应诏陈言》包括“信臣篇”“明是篇”“择吏篇”“导俗篇”“广议篇”等经论十篇。后又作“广师儒，屏嗜欲，博咨访，开特科，下金陵，备秦豫，择外吏，宽榷算”之八条，托云贵总督张亮基代奏。其中“开特科”，即例行科举考试外，可随时增开明经科，举贤良方正，广泛录用人才；“下金陵”提出了“我据长江上游，迫之一战可歼”和“择大臣有方略者，厉兵讲武”的军事方略；“宽榷算”建议榷算“必用廉正之人，毋使驱民以附贼”；“屏嗜欲”对朝廷和后宫有所劝谕。[③]《应诏陈言》是切中时弊的经世良言，被认为是“学问深邃、识略超群，足达其忠爱之意，非时贤所易及也”[④]。王柏心的经世良言为垂帘听政的慈禧太后所嘉纳，称：“言皆忠告，具见悃忱，所呈伊训及《太甲要语

① 王钟翰点校：《清史列传》第19册，北京：中华书局，1987年，第6053—6054页。

②《上胡中丞书》，王柏心：《百柱堂全集》第6册，武汉：崇文书局，2008年，第1575—1576页。

③ 王钟翰点校：《清史列传》第19册，第6054页。

④ 刘泱泱点校：《左宗棠全集》奏稿七，长沙：岳麓书社，2014年，第273页。

经论》八首，即着弘德殿存记，以备乙览。”[1]左宗棠是晚清中兴名臣之一，其一生的功业，最自负的，是在西北。曾国藩也认为左在西北，不但朝端无两，简直是天下第一。左宗棠却自认，他经营西北，是王柏心有以启之。他说：

> 臣在闽、浙，音信时通，未得一晤。移督陕甘，师过黄州，邮书订其汉皋营次一见。筑营甫成，王柏心适至，询以关陇山川形势、用兵次第及时务所宜先者，王柏心罄所知以告。……维时臣去湘已久，亲故闻臣将有万里之行，来鄂渚省视，言及入关度陇艰险情状，多为臣危者。王柏心独不谓然，臣为气壮。后此三道进兵、坚持缓进急战之议，亦王柏心有以启之。[2]

到陕甘后，左宗棠与王柏心之间书信往来频繁。仅在同治五六年（1866—1867）间，王柏心就给左宗棠书信4封，替左策划，其要点是“秦事不独在猛战，而在方略处置，为远大之谋”[3]。所谓方略是食足兵精，乃可进讨，主张屯田和练兵并举。在先一封信中，王柏心主张一面持重而主缓进，一面却又主张速战；在后一封书信中，王柏心进一步说：“前书所言，持重之计耳，度明虑已先筹及。今请更言英雄之略，为麾下增助壮气，倘乐闻乎。……我军分为三队。一向潼关，一由山右绛州龙门，渡河入朝邑韩城，渡渭而南，直出潼关之背，将军从天而降。若与捻或遇，便须奋力一战，可获奇捷，或剿或逐，皆易奏功。威声远播，……如决计进取，便宜速发，语有之，‘裹粮跃马，惟恐后时’。徘徊中路，非良计也。”[4]

---

① 王炜编校：《〈清实录〉科举史料汇编》，武汉：武汉大学出版社，2015年，第893页。

② 刘泱泱点校：《左宗棠全集》奏稿七，第272页。

③ 王闿运，郭振墉，朱德裳等：《湘军史料四种》，长沙：岳麓书社，2008年，第266页。

④ 孙几伊：《道咸间的一个大政论家——王柏心（1800—1874）》，《复兴月刊》1935年第2期，第5—6页。

二、《枢言》与《续枢言》

王柏心学问渊博，经、史、诗及古文辞无一不擅长，门人唐炯称其师于《二十二史》《三通》“皆提要钩玄，手自录写，满数巨簏”，但“志在经世，不喜章句考据，为文章，不规规于桐城体法，要之以气为主”。张舜徽说：“盖柏心之为学，以致用为归，所著书如《枢言》上下卷，尤究极古今治体，非拘墟之士所能为。”

当时治汉学考据者，集中于解经；宗宋学义理者，流趋于玄谈；致力于文章诗歌者，竞尚于华藻。王柏心对此详加评析说：

> 解经者优矣，谈理次之，文词为最下。然各有所溺，而不能反。解经者狃于凿，谈理者遁于幻，修词者汩于靡。彼其所逐者迹也，所矜者名也。逐迹则离，矜名则伪，其于道合耶歧耶？若夫通识之士则不然，有不必遍窥之书，有不待尽穷之理，有不欲过骋之词。以六艺求圣贤之归，以史传求兴废得失之故，推之伦纪验其实，参之物情究其变。其养而成之也，不以旦夕期。其感而应之也，无累乎纯固清明之体。其取而用之也，恢乎若刃之游于虚，而浩乎若江河之放于海。①

王柏心对当时的说经、义理、词章诸学高下的评价，对这些学问和学者的缺点的批评，可谓毫不含糊。他主张治经世之学，提倡作通识之士。其所谓“通识”“经世”，既包括博古知今、教化育才、用人行政、国计民生的原则和道理，也包括具体的导江治河、厘漕榷算乃至行伍用兵，等等。

王柏心著述甚多，计有《枢言》上下卷、《续枢言》、《导江三议》一卷、《漆室吟》八卷、《百柱堂诗》八卷、《词》一卷、《子寿诗钞》六卷、《螺洲近稿》六卷、《文稿》二十卷，汇为《百柱堂全集》五十二

① 《清人文集别录》，张舜徽：《张舜徽集》，第469—470页。

卷。另编纂有《黄冈县志》十六卷、《东湖县志》十二卷、《汉阳县志》二十卷、《临湘县志》十四卷、《监利县志》十二卷、《当阳县志》十八卷和《宜昌府志》十六卷。

上述著述中，写于道光十九年（1839）的《枢言》，无疑是王柏心最具代表性的一部。《枢言》包括审宜、旌意、责实、修约、核才、广议、择吏、寓政、禁末、导俗、王言、正谀、学誉、疑信、量交、辨言共16篇，后来绝大部分被选入各种“经世文编”。时人对《枢言》给予了很高评价，称其“于历代兴亡成败得失之故言之了然，尤多可采”。[①]

《枢言》讨论的内容广而大，概括为一点即修齐治平。王柏心围绕这一中心，广泛而有针对性地论述了审时度势、创制变法、循名责实、进贤黜否、固本抑末、端风正教等问题，其中既有深刻中肯之论，也有守旧之言。

《枢言》首先重视的是立政的根本问题，即“审宜”和“责实”，即合乎时宜和讲求实效。他说，“政虽善，弗宜则滞；法虽良，弗宜则格”，再好的制度和法令，如果不适合要求，也就会毫无益处，甚至会造成危害。所谓“宜”，即要“因天、因地、因时、因民”。“因时、因民”的意思是：“承弊则救焉，蒙业则安焉，……酌其变、济其穷，是曰因时。”“民可顺不可拂，可安不可扰。微而导之，使自蹈之；徐而喻之，使自赴之，是曰因民。”王柏心的民本思想十分明显，认为为政必须顺民意愿，安民生业；要老百姓明白该做什么，只能引导和劝谕，让他们自己自愿地做。“无忧政令之不行也，忧其弗宜而已”，即为政者首先不应考虑政令能否推行，而应考虑政令是否适合时势和民心。[②]

其次是关于用人的问题。王柏心认为，选用人才应该是“俭于数而宽于途”“易于取而慎于用”“略于言而详于事”，因为选取精要，才能杜绝浮滥，有多种途径则各种人才易出，谨慎使用才不会让投机钻营者

① 刘泱泱点校：《左宗棠全集》奏稿七，第272页。

② 王柏心：《枢言　续枢言》，北京：中华书局，1985年，第1—2页。

有可乘之便，详审事功才赏罚得当。而当时的做法正好相反，“举天下之才，悉约之于进士之途，优第者予馆职，试必以声律对偶之言，循资计俸，高者擢谏垣、跻卿列；次亦不失为牧守。故轻躁者怀进，阘冗者取容”，这恰恰是“狭于途而丰于数”“慎于取而轻于用”“密于言而疏于事”。从而“使英奇者裹足”“才猷智略之士无由自见”①。

王柏心对“用人”提出了自己的设想。主张把“简重有方略者”，首先派遣到“山谷峻僻及缘边州邑”，“试之三年，有异绩则居课最之先，或就加推擢，或移治繁剧，一切比近邑令长为优”。其理由是，边鄙穷困之地容易藏奸，最难治理，因而也最能“奋励”人才。而当时通常的做法又恰相反，朝廷“谓地僻则政简，壤狭则功寡，不足容才吏。唯初从政或左迁及疲老者，始往视事”，于是“官其地者，与谪斥同”，遂心灰意懒、苟且因循，不能“遏奸于未萌，销患于未形”，隐瞒失职，终至祸乱蔓延。②

最后是关于风俗教化的问题。王柏心以崇古的立场表达了自己的观点，认为引导风气主要是提倡“让道”和“俭德”。对于所谓“让”，王柏心最赞赏的是“古者君让善于天，臣让善于君，子让善于亲。士之应选举也，有让；受爵位也，有让”。但退而求其次，人“必有好善之实，有知人审己之明”，且不止是“虚崇美节”。所谓“俭”，虽不能像“古者天子卑宫菲食，诸侯制节谨度，群臣大法小廉以逮庶民，食时用礼，不期而俭德昭焉”，也不是要“苟为孅啬”，但人“必内检其纵佚，外酌其品式”。而当时的情形是，“一介之士，其视禄位，皆惘然有欲得之心，居之不辞，营之无已。百金之子，靡衣偷食，与赀累巨万者等”，这就是由于都不讲“让”，于是“争竞起矣，忠信衰矣”；都不崇“俭”，于是“品制隳矣，财用匮矣”。③

① 王柏心：《枢言　续枢言》，第5—6页。

② 王柏心：《枢言　续枢言》，第7—8页。

③ 王柏心：《枢言　续枢言》，第11页。

道光二十四年（1844），王柏心完成《续枢言》。《续枢言》分为君臣、信臣、明是、官才（上、下）、谋备、七蠹、防侈、纠慢9篇，部分是对《枢言》所持观点的继续阐发，更多的则是针对鸦片战争后形势的变化的阐述。

首先，主张“君道莫大于去疑，臣道莫大于去私”。检视鸦片战争失败的原因，王柏心认识到，君臣之间失去信任是重要因素。他批评道光皇帝“君积疑必矜明，矜生愎，愎生蔽，而情之通者寡矣”，他斥责投降派“臣营私必怙宠，怙生骄，骄生忌，而才之进者寡矣”。他提出君主应该“明示好恶”，不能“挟术任数，以示不测”和“违众用舍以矜独断”。[①]

其次，主张“三代之制皆可变”。在科举考试上，提出改变八股取士的方法，建议“减礼闱之额，三存其一”，“留此一途以处中材”，由“天子亲行制科”，取“奇伟非常之士”，如“贤良方正、直言极谏、茂才异等”之人。意即打破常规，录用各种有特点的人才。在官吏选拔任用上，提出“辨别贤否与材器所宜，不仅以年劳为高下”[②]，即注重实绩。他特别提出要除“七蠹”，防奢侈之风，这“七蠹”是：“府藏之蠹在奸胥，州邑之蠹在供亿，征榷之蠹在琐才，农之蠹在末技，糈之蠹在冗官，饷之蠹在将弁之贪懦，士之蠹在置科之稠叠。”他疾呼发展经济，藏富于民。[③]

最后，主张“有形之备”与“无形之备”兼备。在鸦片战争中，妥协派往往以中国战备未善为词，王柏心指出，妥协派“始之有怯心，继之有幸心，虞其议之不成也，则倾资以奉之，启关津以悦之，饰大度以安之”，结果是“敌忾同仇之气，沮抑不振，彼未至弱我，我先自弱，我忘其备，彼反得修备，而乘隙以谋我”，总结其教训，应该“谋

① 王柏心：《枢言　续枢言》，第17—18页。
② 王柏心：《枢言　续枢言》，第21—22页。
③ 王柏心：《枢言　续枢言》，第25页。

备”——既要谋“山川险要，卒乘器械”，也要谋“信赏罚，修政事，选择贤能”。前者是有形之备，后者是无形之备。两者缺一不可，后者更为重要。①

《续枢言》的成书表明此时王柏心的经世思想，已不再囿于传统的“修齐治平”，而更加具有现世性和针对性，诚如学者所说：“把《续枢言》与《枢言》对比，可以看出作者思想的变化和进步。虽然王氏的眼光不像同时的魏源那样，投注到外部世界，提出‘师夷长技以制夷’的救时方案，而是一如既往地从中国传统文化中发掘积极因素，从历史经验中寻求借鉴，但其所论述并不乏真知灼见。他对西方入侵的危害和清政府的束手无策看得很清楚，分析和揭露都很深刻。作为19世纪40年代生活在内地的士人，能有这样的见解，还是不多见的。尤其可说是填补了鸦片战争前后湖北思想界的空白。”②

第二节　中体西用思想

“中体西用”是一种中西文化观，发端于第二次鸦片战争时期。它是早期维新思想家的文化观，也是洋务运动的指导思想，在中国近代影响很大。张之洞是“中体西用”思想的集大成者，他的著作《劝学篇》是“中体西用”的典型代表。《劝学篇》不仅在国内风行一时，而且在海外声名远播；不仅受到当时舆论的推崇，也受到光绪皇帝、慈禧太后的赞赏。

一、中体西用思想之发端

其首倡者为冯桂芬。咸丰十一年（1861），冯桂芬撰成《校邠庐抗议》，在此书中，他提出：“以中国之伦常名教为原本，辅以诸国富强之

① 王柏心：《枢言　续枢言》，第23页。

② 罗福惠：《湖北近三百年学术文化》，武汉：武汉出版社，1994年，第202—203页。

术。”[1]这是“中学为体，西学为用”思想的最初表达。此思想具有深刻的社会背景。清王朝经历了两次鸦片战争的严重冲击，又受到太平天国农民运动的沉重打击，其统治摇摇欲坠。严重的政治危机、文化危机使得清廷统治集团进一步分化。其中，洋务派发起了学习西方的洋务运动。在洋务运动的过程中，出现了冯桂芬、王韬、薛福成等早期维新思想家。洋务派和早期维新思想家都主张采用西学，以此达到富国强兵，维系封建统治的目的。这就是“中体西用”思潮，是一种新的中西文化观，是对“夷夏之辨”传统观念的突破。由于锁国政策的推行和“夷夏之辨”思想的盛行，面对异质的外来文化，传统的士大夫们“见有讲求西学者，则斥之曰名教罪人，士林败类”[2]。“中体西用”思想的提出，无疑起到振聋发聩的作用。

19 世纪 60—90 年代，倡导“中体西用”者虽不乏其人，但都没有张之洞阐述得全面而系统。

二、中体西用思想之集大成

“中体西用”是“中学为体，西学为用”的简称，其系统阐述者便是时任湖广总督的张之洞（图 1—2）。

张之洞（1837—1909），字孝达，号香涛、香岩，又号壶公、无竞居士，晚年自号抱冰。直隶南皮（今河北省南皮县）人。清道光十七年（1837）生于贵州兴义。咸丰二年（1852）中顺天府解元，同治二年（1863）中进士第三名探花，授翰林院编修，历任教习、侍读、侍讲、内阁学士、湖北学政、四川学政、山西巡抚、两广总督、湖广总督、两江总督、军机大臣等职，官至体仁阁大学士。与曾国藩、左宗棠、李鸿章并称晚清“四大名臣”。

---

① 冯桂芬：《校邠庐抗议》，上海：上海书店出版社，2002 年，第 57 页。

② 夏东元：《郑观应集》上册，上海：上海人民出版社，1982 年，第 272 页。

图 1—2 张之洞

光绪二十四年（1898），湖广总督张之洞的著作《劝学篇》出版。虽然它只有 4 万多字，却在思想界反响极大，影响广泛，本书印销近 200 万册。各种书刊也竞相选录，如《翼教丛编》《萃报》《新闻报》《湘学报》《菁华报》。这本小册子还受到在华外国人极大的关注，当年就被译成法文，在《中法新汇报》连载，同年法文本出版，光绪三十四年（1908），译本经过修订后再版。1898 年，《劝学篇》英文译文在英文期刊《教务杂志》连载，光绪二十六年（1900），英文本以《中国的唯一希望》书名出版，次年再版。《劝学篇》传播之广、影响之巨可见一斑。

《劝学篇》的风行并不是偶然的，它刊印于甲午战争之后不久。在甲午战败的刺激下，维新变法思潮勃然而兴，进而发展为戊戌维新运动。维新派大力宣传西学，鼓吹民权，倡议设立议院，其实质则是以西方政治思想为武器，批判传统的伦理道德，改革传统的政治制度，但是，遭到恪守传统礼教的顽固派激烈的反对。围绕“中学”与“西学”，双方斗争激烈。对此种现象，张之洞一针见血地指出，“图救时者言新学，虑害道者守旧学，莫衷于一”，“旧者愈病新，新者愈厌旧，……邪说暴行，横流天下”。对双方，张之洞都有指责：“旧者因噎而食废，新者歧多而羊亡。旧者不知通，新者不知本。不知通，则无应敌制变之术；不知本，则有菲薄名教之心。”①在他看来，维新派与顽固派两派的主张都无补于时，无济于事。他认为，根本之策是会通中西，调和新旧。张之洞在谈到撰写此书的动机时说得很清楚：“自乙未后，外患日亟，而士大夫顽固益深。戊戌春，佥壬伺隙，邪说遂张。乃著劝学篇上下卷以辟之。大抵会通中西，权衡新旧。”②可见，《劝学篇》既固守传统的儒家文化，以之为体，又在一定程度上接纳西方文化，以之为用，以维护中国封建制度和纲常名教。显然，张之洞制定的是一条折中的路线，即折中于维新派与顽固派之间，折中于中学和西学之间。他一方面肯定西方的议会制度，但另一方面又批评西方的“民权之说，无一益而有百害”，认定中国开议院的条件并不成熟：“此时纵欲开议院，其如无议员何？此必俟学堂大兴，人才日盛，然后议之，今非其时也。”③

《劝学篇》的内容主要是阐述作者的中西文化观。分内、外两篇。《内篇》分9篇，即同心、教忠、明纲、知类、宗经、正权、循序、守约、去毒；《外篇》分15篇，即益智、游学、设学、学制、广译、阅报、变法、变科举、农工商学、兵学、矿学、铁路、会通、非弭兵、非攻教。“内篇务本，以正人心；外篇务通，以开风气。”④这是全书的中心思想。所谓“务本”，就是固守关乎世道人心的纲常名教：“五伦之要，百行之原，相传数千年更无异义，圣人所以为圣人，中国所以为中国，实在于此。”⑤所谓“务通”，就是以西学补中学之不足。张之洞所说的西学包括两个方面：“学校、地理、度支、赋税、武备、律例、劝

---

① 张之洞：《劝学篇》，赵德馨：《张之洞全集》第12册，第157页。

② 张之洞：《抱冰堂弟子记》，赵德馨：《张之洞全集》第12册，第512页。

③ 张之洞：《劝学篇》，赵德馨：《张之洞全集》第12册，第166—168页。

④ 张之洞：《劝学篇》，赵德馨：《张之洞全集》第12册，第157页。

⑤ 张之洞：《劝学篇》，赵德馨：《张之洞全集》第12册，第163页。

工、通商，西政也；算、绘、矿、医、声、光、化、电，西艺也。”[①] 简言之，全篇的主旨就是“中学为内学，西学为外学，中学治身心，西学应世事”[②]。

张之洞是“中体西用”思想的发展者，《劝学篇》是“中体西用”思想的集大成者。第一，《劝学篇》以“中体西用”为主线，系统阐述了其政治与学术思想，涉及政治、经济、教育、文化、军事、宗教等诸多领域，形成了完整的思想体系。第二，张之洞提倡的西学不止于“西艺”，而是扩及“西政”，他认为，“西政”重于“西艺”：“西艺非要，西政为要”[③]，“大抵救时之计、谋国之方，政尤急于艺”[④]。这反映了后期洋务派对西学认识的进一步深化。第三，“中体西用”受到朝廷高层的好评，成为清末官方意识形态。《劝学篇》呈送朝廷后，既受到锐意革新的光绪皇帝的肯定，又受到顽固守旧的慈禧的赞赏。朝廷甚至还下令各省广为刊布，以至于“中体西用”说大行其道，风靡一时。

张之洞维护封建制度和伦理纲常。他主张“中学为体”，认为它可以固本：“孔门之学，博文而约礼，温故而知新，参天而尽物。孔门之政，尊尊而亲亲，先富而后教，有文而备武，因时而制宜。孔子集千圣、等百王、参天地、赞化育。”在他看来，孔子、儒学和封建伦理是近乎完美的，因此，“中学”可以“正人心”。倘若一味讲求西学而摒弃中学，“则强者为乱首，弱者为人奴，其祸更烈于不通西学者矣”[⑤]！显然，张之洞矛头所向乃是当时提倡“民权”的维新派。在《劝学篇》中，张之洞就对维新派的民权说进行指责：“故知君臣之纲，则民权之说不可行也；知父子之纲，则父子同罪、免丧、废祀之说不可行也；知

① 张之洞：《劝学篇》，赵德馨：《张之洞全集》第 12 册，第 176 页。
② 张之洞：《劝学篇》，赵德馨：《张之洞全集》第 12 册，第 190 页。
③ 张之洞：《劝学篇》，赵德馨：《张之洞全集》第 12 册，第 158 页。
④ 张之洞：《劝学篇》，赵德馨：《张之洞全集》第 12 册，第 176 页。
⑤ 张之洞：《劝学篇》，赵德馨：《张之洞全集》第 12 册，第 168 页。

夫妇之纲，则男女平权之说不可行也。”[①]“民权之说，无一益而有百害”，“使民权之说一倡，愚民必喜，乱民必作，纪纲不行，大乱四起”。[②]

与顽固派不同的是，张之洞极力提倡“西学”。他提出以西学“务通”，达到“务本”的目的：“今日学者必先通经，以明我中国先圣先师立教之旨；考史，以识我中国历代之治乱，九州之风土；涉猎子、集，以通我中国之学术文章，然后择西学之可以补吾阙者用之，西政之可以起吾疾者取之，斯有其益而无其害。”[③]

虽然《劝学篇》主张以中学为根本，但其重心在于引进西学。在《劝学篇》外篇15篇中，张之洞系统地阐述了有关西学的见解。

张之洞抨击封建顽固派，批评其因循守旧的思想，倡导学习西方。他认为，中国如果故步自封，那么，结果将是：“西智益智，中愚益愚，不待有吞噬之忧，即相忍相持，通商如故，而失利损权、得粗遗精，将冥冥之中，举中国之民已尽为西人之所役矣！”

张之洞主张昌明文教。在《劝学篇·益智》篇中，张之洞指出：“夫政刑兵食、国势邦交，士之智也；种宜土化、农具粪料，农之智也；机器之用、物化之学，工之智也；访新地、创新货、察人国之好恶，较各国之息耗，商之智也；船械营垒、测绘工程，兵之智也。此教养富强之实政也，非所谓奇技淫巧也。”“是故智以救亡，学以益智。”这些看法是颇有见地的：国之强弱在于教育，“自强生于力，力生于智，智生于学”。[④]他主张学习西方，大力发展文化教育：译西书，办学堂，废科举，兴留学。关于留学，他甚至说：“出洋一年，胜于读西书五年，……入外国学堂一年，胜于中国学堂三年。”[⑤]

① 张之洞：《劝学篇》，赵德馨：《张之洞全集》第12册，第163页。
② 张之洞：《劝学篇》，赵德馨：《张之洞全集》第12册，第166—167页。
③ 张之洞：《劝学篇》，赵德馨：《张之洞全集》第12册，第168页。
④ 张之洞：《劝学篇》，赵德馨：《张之洞全集》第12册，第173页。
⑤ 张之洞：《劝学篇》，赵德馨：《张之洞全集》第12册，第174页。

张之洞主张发展近代农工商各业："保民在养，养民在教，教农工商，利乃可兴也。"[①]对农工商的关系，他的看法是三者"互相表里，互相钩贯。农瘠则病工，工钝则病商，工商聋瞽则病农，三者交病，不可为国矣"。如何发展农业？他提出："养土膏、辨谷种、储肥料、留水泽、引阳光，无一不需化学。又须精造农具，凡取水、杀虫、耕耘、磨砻，或用风力，或用水力，各有新法利器，可以省力而倍收，则又兼机器之学。"[②]在工业发展方面，他主张，一方面培养工科学生，使之向工匠传授技能，提高工人生产能力。另一方面，在各地设立劝工场，将各地产品展览，供人们参观学习。在商业发展方面，他提出了"译商律""自治""游历"等主张。可以说，张之洞的经济建设思想具有鲜明的近代化色彩。

此外，张之洞还提出了建立新式军队、修筑铁路等主张，这些主张同样具有鲜明的近代化色彩。

张之洞不仅坐而论道，而且身体力行。自光绪十五年（1889）任湖广总督始，张之洞督鄂达18年之久。他胆略超凡，气魄恢宏，大刀阔斧，锐意革新，湖北洋务新政有声有色：兴办学堂，派遣留学，修筑铁路，创办企业，成效卓著，建立起近代工业体系和近代教育体系，跻身全国先进前列。张之洞还与刘坤一向朝廷提出变法主张，推动清政府实行新政。清朝颁布的中国的第一个学制，即"癸卯学制"，也是他会同管学大臣张百熙以日本学制为蓝本制订的。他也是废除科举制度的有力推动者，光绪三十年（1904），与袁世凯等人联名上奏，请求废除科举制度，得到了采纳，次年，清廷宣布自光绪三十一年（1905）起废止科举考试。

由此看来，"中体西用"不仅在思想上进一步突破了"夷夏"观念的藩篱，起到开风气之作用，而且付诸实践，推动了中国近代化的进

① 张之洞：《劝学篇》，赵德馨：《张之洞全集》第12册，第158页。

② 张之洞：《劝学篇》，赵德馨：《张之洞全集》第12册，第183—185页。

程。史家评价说："在封建主义充斥的天地里，欲破启锢闭，引入若干资本主义文化，除了'中体西用'还不可能提出另一种更好的宗旨。如果没有'中体'作为前提，'西用'无所依托，它在中国是进不了门，落不了户的。因此，'中体西用'毕竟使中国人看到了另一个陌生的世界，看到了那个世界的部分，并移花接木地把这一部分引进到中国来，成为中西文化交冲汇融后两者可能结合的一种特定形式。"①评价是切中肯綮的。

但是，张之洞"中体西用"的文化观是一种悖论，即严复所说的牛体马用："体用者，即一物而言之也。有牛之体，则有负重之用；有马之体，则有致远之用。未闻以牛为体，以马为用者也。中西学之为异也，如其种人之面目然，不可强谓似也。故中学有中学之体用，西学有西学之体用，分之则并立，合之则两亡。"②严复的批评一针见血，鞭辟入里。"中体西用"折中于中学与西学之间，企图立足中学，以西学补救中学，这是行不通的幻想。

《劝学篇》企图维护封建君主专制制度和封建意识形态，显然具有保守性、落后性。随着"民权"说的进一步传播，封建制度与封建文化必然遭到更为猛烈的抨击。西学必然由自然科学知识、管理制度扩及民主政治制度和观念，必然挣脱中学的桎梏。在顽固派大肆吹捧《劝学篇》之时，何启、胡礼垣就劈面加以指责，力斥"正权"之非，大倡民权之说："读其《正权》一首，然后知《劝学》一书内外各论见解谬妄，首尾乖方，靡不由此。"③"天下之所乱者，非喋血战斗、杀人如麻也，外人欺凌、将士畏葸、大臣玩法、学校不兴、工商不讲，即所谓乱也。而外人何以敢欺凌，将士何以敢畏葸，大臣何以敢玩法，学校何以不能兴，工商何以不能讲？其故实由于民之无权。民若有权，则外人畏，

① 陈旭麓：《近代中国社会的新陈代谢》，上海：上海社会科学院出版社，2006年，第127—128页。

② 王栻：《严复集》第3册，北京：中华书局，1986年，第558—559页。

③ 何启、胡礼垣：《正权篇辩》，《知新报》1899年7月第93期，第6页。

将士勇，大臣法，学校兴，工商利，虽欲乱而不可得也，是止乱者民权也。”①

在清末立宪运动中，一向反对民权的张之洞却反其道而行之，竟然赞成设立议院，并积极敦促清廷推行立宪，这又是其对“中体西用”文化观的某种突破。

第三节 维新与立宪思潮

关于立宪思潮在湖北的表现及其影响，学术界的研究并不多，而对于维新思潮，有关湖北近代史著则付诸阙如，似乎维新思潮在湖北寂静无闻。实际上，维新思潮曾经产生了较大影响。就连处在乡下、没有新式学堂学习经历的小知识分子张难先也受此影响，因而追慕康、梁：“恰逢戊戌变政，又激动我之政治热情，每日持康、梁书到处宣传。”②光绪三十一年（1905），清廷宣布预备立宪之后，维新思潮演变为立宪思潮，湖北则成为主要传播阵地，甚至在清末的立宪浪潮尤其是国会请愿活动中，“湖北成为请愿国会的急先锋”③。

一、维新思潮

维新思潮滥觞于早期维新思想，在甲午之役中国惨败之后蓬勃发展，形成维新思潮的洪流。与京、沪、粤、湘等地相比，湖北的维新思潮发端稍晚、势头稍逊，但也并非死气沉沉，而是颇有声势。

最早宣传维新思想、从事维新活动的湖北籍官绅是姚晋圻、周锡恩等人。姚晋圻（1857—1916），字彦长，号东安，湖北罗田人，光绪年间进士。光绪二十一年（1895），曾任刑部主事，光绪二十四年

① 何启、胡礼垣：《正权篇辩》，《知新报》1899年6月第91期，第4页。

② 张难先：《记我的家庭与读书》，张铭歌：《张难先纪念文集》，武汉：湖北人民出版社，2010年，第287页。

③ 张玉法：《清季的立宪团体》，北京：北京大学出版社，2011年，第272页。

（1898），参与戊戌变法，失败后辞官回乡，闭门著书。后执教于武昌两湖书院、黄州经古书院、法政学堂、存古学堂，担任湖北咨议局议员、湖北通志纂修等职。姚晋圻曾主张学习西学，倡导维新变法，后积极参与清末立宪运动。

周锡恩（1852—1900），字伯晋，一字荫常，别号是园先生。湖北罗田人。未成年即考取秀才，深得张之洞赏识，后就学于武昌经心书院。光绪二年（1876）优选贡生列为第一。光绪九年（1883）举进士，授翰林院编修，以其才华，同湖南才子张百熙有“北周南张”之称。光绪十九年（1893），任浙江省乡试副考官。试前发现主考受贿舞弊，上奏朝廷，被告唆使学生反诬，因而告假回乡。光绪二十二年（1896），在家乡赈灾，不仅捐出粮食，呈请朝廷救济，而且采取措施，防止官吏贪污，深得民望，但遭地方官嫉恨，被诬告，光绪二十六年（1900）悲愤去世。

周锡恩是有名的维新思想家。在武昌求学时，就致力于经世之学。在翰林院供职期间，力主“整治朝纲，振兴国运”，上《变法通议》奏章。光绪十九年，告假还乡不久，在县城附近创办义川书院，推行县学教师俸给制度，以减轻学生经济负担。后在黄州兴办经古书院，首开义理、考据、经济、词章四项课目，以倡导新学。周锡恩的维新思想较为系统。他倡导变法维新。提出“运会易而气机更，气机更而治化因，古今之人莫之能违也”；“学有千年不变之道，政无百年不变之法”。[①] 他也提倡经世致用。他说：“通经期于致用，授政忧其不达。”他还主张学习西学。他指出，“凡军国远图，政刑巨典，要使鉴达治体，明练时机，稽之诸史而知治忽得失；考之九通而识因革损益；参之钞报而谙时势变通”[②]。周锡恩倡导维新变法，创建或主持新式书院，培养和影响了一

① 湖北省地方志编纂委员会：《湖北省志・人物志稿》第一卷，北京：光明日报出版社，1989年，第11页。

② 周锡恩：《〈黄州课士录〉序》，余彦文：《鄂东著作人物荟萃》，武汉：湖北科学技术出版社，1990年，第98页。

批人，有的后来成为立宪派人物，如王葆心就曾求学于黄州经古书院，受到周锡恩赏识。

湖北维新思想的兴起与湖北地方当局早期在一定程度上的支持有一定关系。例如，光绪二十二年（1896），湖广总督张之洞曾颁发《饬湖北全省官销〈时务报〉札》，称颂维新派所办报纸《时务报》“识见正大，议论切要”，“实为中国创始第一种有益之报”，要求官员阅看。此前，《时务报》筹办时，张之洞资助白银 1 500 两，报纸出版后，又拨款订购 288 份。次年，张之洞又通饬湖北各属订购长沙《湘学新报》和上海《农学报》，借以“广开风气”。张之洞还规定，除为两湖书院订 5 份、经心书院订 2 份外，凡大中州县须订购 10 份，小县须订购 3 份。①

在荆楚大地，光绪二十一年（1895）至光绪三十一年（1905），维新思潮和新学的传播主要通过报刊发行和书籍出版。

清末湖北出版的报刊不多，但在湖北发售的报刊不少：“鄂省一区自戊戌政变以来，风气大开，凡士商莫不以阅报为唯一之目的。”湖北新式学校较多，知识分子麇集，报刊的销量相对较大。而新式学校也鼓励学生通过阅报获取新学，如武昌文华书院“凡有东京、上海所出丛报及最新书籍，概嘱各学生一律购阅，以开智识”②。在湖北各地，阅报也渐渐成为人们接受维新思想和新学的主要方式。20 世纪初年，武昌开办了总派报处，经销各地出版的报刊。荆州图书仪器馆就开辟了阅报所，天门开设了阅报所、图书室，沔阳开办了阅报社。

在湖北本地，鼓吹维新思潮的报刊最早是《汉报》。《汉报》的前身是英国人于 1893 年创办的《字林汉报》，后署名《汉报》。1896 年，转让给宗方小太郎。宗方小太郎是日本特务，办报是其从事文化侵略的一种手段，该报虽积极鼓吹有利于日本从中国谋取利益的言论，但也曾刊

① 刘望龄：《黑血·金鼓——辛亥前后湖北报刊史事长编》，武汉：湖北教育出版社，1991 年，第 13 页。

② 刘望龄：《黑血·金鼓——辛亥前后湖北报刊史事长编》，第 81—82 页。

发一些鼓吹维新思想的文章，如光绪二十四年（1898）2月6日的《论治国当以富教为先务》，鼓吹发展工矿、振兴教育为治国之本。9月8日的《览中国各省铁路有感而书》，呼吁官民集股筑路，挽回路权。此外，还刊发了主张办学堂、开民智等内容的文章。戊戌政变之后，该报还多次发表文章，继续支持维新派，颂扬光绪皇帝“乾纲独断，力行新政”，称赞康、梁“有益于国家”，抨击清政府坐井观天、因循守旧：“中国之弊之危，至今日而已极，维新之图，刻不容缓，万不可以康梁诸人败坏之故，因噎而废食也。”①其后，对清朝当局，《汉报》仍有批评与指责。无论其动机如何，《汉报》对维新思想的宣传、对维新派的支持、对清廷顽固派的抨击，在湖北维新思潮的传播中起到了积极作用。

维新运动期间，湖北本地出版的书籍影响最大的，当属武昌质学会出版的《质学丛书》和武昌舆地学会出版的地图。

质学会成立于光绪二十三年（1897）春，地址在武昌。该团体订有章程，载明“斯会大旨，意在劝学，务崇质实，毋骛声华”。这是团体名称的由来。质学会崇尚儒学，认为“孔道不明，世变日亟，探原乱本，良用恫心，今虽分别条流，随性所近，仍宜准本道术，轨范儒先，庶学有本原，隄彼流宕”。质学会主张变革，尤其注重学术，希望以此广开风气，培养变革人才：“夫济变者才，达才者学，非学无以成才，非访无以成学，爰筮同人，分科肄习，以作士夫之气，以阊风气之先。”②由此可见，质学会是一个推崇儒学的、研习学术的团体。质学会特别重视出版，曾设立出版机构，订立招股章程。光绪二十三年，出版《质学丛书》30种80卷。光绪二十一年（1895）至光绪二十八年（1902），江南制造局曾出版8套西学丛书，其中就有质学会出版的《质学丛书》，所以，质学会在传播新学中发挥了较大作用。

① 刘望龄：《黑血·金鼓——辛亥前后湖北报刊史事长编》，第32—33页。

② 《武昌质学会章程》，汤志钧、陈祖恩、汤仁泽：《中国近代教育史资料汇编：戊戌时期教育》，上海：上海教育出版社，2007年，第182页。

《质学丛书》凡30种80卷，为湖北著名学者甘鹏云所辑。《质学丛书》所辑书籍均为维新变法时代的著作，或是维新思想家宣传维新思想的著作，或是西学著作。

所辑录的著作作者是维新思想家的就有梁启超、汤寿潜、宋育仁、马建忠等人。属于代表性的维新著作就有汤寿潜的《危言》和宋育仁的《泰西各国采风记》。前者从国家大法，如迁都、尊相、议院、停捐、保举、汰冗、限仕，到国防外交，如兵制、海军、保朝、防俄，再到具体经济、教育门类，如包厘、盐捐、小轮、开矿、国债、商局、邮政、铁路、水利，中学、书院、考试，等等，都一一加以论述，指陈时弊，主张变法。后者记录了作者在英国考察的观感，包括政治、法律、经济、军事、宗教、风俗等各方面。两书都主张学习西方，实行维新变法。

《质学丛书》所辑书籍主要还是西学著作，涉及天文、地理、历史、军事、教育、经济、政治、法律等学科领域，以军事居多，且多为外国人著述，反映了维新思想家对新学的大力倡导。

武昌舆地学会于光绪二十二年（1896）创办于武昌，创办人是邹代钧。邹代钧（1854—1908），字甄伯，又字沅帆，湖南新化人，其祖上从事地学研究，邹氏地学最早可以追溯到清嘉庆年间。邹代钧是舆地世家第四代传人，曾中秀才，入左宗棠幕，充出使英、俄两国随员，在英期间考察西洋舆地学知识和技术，搜集外国地图。光绪十五年（1889）回国后，任会典馆纂修，并为张之洞聘任，主持湖北全省地图测绘，参与湖南维新活动。光绪二十二年，在陈三立、汪康年、吴德潇等维新派人士的赞助下，独资在武昌巡道岭创办中国第一个地理学会——舆地学会。该会既是学术研究机构，也是出版机构。在地学研究上，邹代钧一方面继承了邹氏家学，另一方面，学习了西方先进的地理科学知识，特别是地图学知识，因此，使中国的地图测绘事业得到了很大发展。武昌舆地学会于次年创办武昌亚新地学社，编印地图、出版书刊，传播了近代地理学知识。武昌舆地学会也是湖北第一个民间自然科学学会。

武昌舆地学会所属亚新地学社译印了大量地图和书刊。地图分教学用图和参考研究用图两类，数量很大，按计划，自光绪二十四年（1898）开始翻译绘制中外地图，但因资金困难，未能按期编印出版。到20世纪初年才将前期完成的舆图陆续出版。至光绪三十四年（1908），共出版地图13种，总数700多幅。该社还发行地学书刊，如《地学集刊》《世界地图纲要》等。亚新地学社出版的地图是石印地图，它是国内第一家采用近代印刷技术的地图印刷机构，对中国地理学的发展和传播起到了有力的推动作用。

维新团体的出现也是维新思潮影响的结果。维新团体是指戊戌维新时期建立的宣传维新思想、开展维新活动或研究新学的团体，以光绪二十一年（1895）北京强学会的创办为肇始。组织者、参与者或为官员，或为士绅，其目的是变法图强。据张玉法研究统计，戊戌维新期间创立的学会六七十个，主要分布在京、沪、湘、苏等省区，少数分布在粤、贵、桂、闽、赣、川、陕等地。在湖北，除上述武昌质学会、武昌舆地学会外，还有张玉法所列中国公会。

中国公会的组织者是著名的维新人士汪康年，倡设于光绪二十一年。汪康年草拟了《中国公会章程》，其宗旨是“联天下人之心为一心，联天下人之气为一气，以保中华圣教、中华种族”，具有较强的政治性。该团体“先讲求实用之学，重点在政法、艺学及各省利弊方面”[①]，拟开学堂、办报纸、设借书处，并组织考察矿物。显然，它也不是单纯的学术性社团，而是介于政治与学术之间的社团，其经费来自湖北官方捐助，入会须经3人作保，并须公议通过。这是近代社团的特点，反映出其管理的民主性和近代性。中国公会计划首先在武昌成立，并拟在上海建立总部，然后在各地建立分部，但在武昌未经成立就没有了活动的踪迹。

① 张玉法：《戊戌时期的学会运动》，《历史研究》1998年第5期。

二、立宪思潮

预备立宪是清末新政的重要组成部分。光绪二十七年（1901），清廷宣布实行新政，光绪三十一年（1905），设立宪政编查馆，派载泽、端方等五大臣出洋考察宪政，次年又宣布“预备仿行宪政”，清末立宪由此拉开序幕。以新士绅为主体的立宪派活跃起来，组建团体，创办报刊，逐渐形成一股强大的立宪声浪。在清末立宪浪潮中，湖北是蓬勃发展之地。

在湖北，积极鼓吹君主立宪的人士主要由以下几部分构成：

一是新士绅，以汤化龙、张国溶、张国淦、夏寿康、周树模、张伯烈等人为代表。他们是湖北籍人士，在科举考试中获得功名，在朝为官，但不同于传统的士大夫，因为他们曾在国内接受过新式教育，或有留学、游历海外的经历，追慕新学，追求变革，主张实行君主立宪。如汤化龙（图1—3，左）于光绪三十年（1904）中进士，官授刑部主事。后留学日本。汤氏“戊戌政变后益治国闻，介然识革新之路”，认为“政治不革新，国亡不可救”。[①]湖北咨议局成立时被选为副议长，不久，任议长。汤化龙还是各省咨议局联合会会长。张国溶也是光绪三十年的进士，被选为庶吉士，随后留学日本，在日期间产生立宪思想。他是湖北立宪团体湖北宪政筹备会的负责人。湖北咨议局成立时，当选为议员，后补选为副议长。夏寿康于光绪二十九年（1903）中进士，被选为庶吉士，也曾被派往日本考察政治，是湖北宪政筹备会的发起人之一，湖北咨议局成立时被选为副议长。周树模（图1—3，右）也是进士，同样是庶吉士，后授御史。他曾肄业于张之洞所创办的经心书院，光绪三十一年曾随同五大臣考察宪政。“归国后，于君主立宪，多所敷陈。泽贝子立宪一疏，君之笔也。”[②]也就是说，清贝子载泽之《立宪

① 《蕲水汤先生（化龙）遗念录》，《近代中国史料丛刊续编》第26辑，台北：文海出版社，第9页。

② 卞孝萱、唐文权：《辛亥人物碑传集》，北京：团结出版社，1991年，第414页。

疏》为其所拟。张伯烈（图 1—3，中）虽未在科考中金榜题名，但也被派往日本留学，在日期间深受立宪思潮的影响，曾创办湖北地方自治研究会。这一类人是立宪派的主体和领导者。

图 1—3　汤化龙（左）、张伯烈（中）、周树模（右）

二是工商资本家，以刘歆生、蔡辅卿、李紫云、吕逵先等人为代表。刘歆生是有名的大资本家，汉口地皮大王；蔡辅卿是汉口八大行帮之一的药材行帮商董；李紫云是汉口商务总会总理；吕逵先是武昌商会主席。这些人都是立宪团体“湖北宪政同志会”的组织者和重要成员，在立宪运动中十分活跃。

三是湖北留日学生。这个群体规模较大，如宣传君主立宪的杂志《新译界》社成员最多时有 105 人，著名的有范熙壬、刘赓藻、蒋羲明等人。这三人在民国时代都是议员。其中范熙壬是《新译界》杂志主编，后主编《教育新报》等刊物，发表了不少主张君主立宪的文章，如《论英美德法宪法之成立》《公权论》《论立宪国民之教育》等。光绪三十四年（1908），他曾参与组织留日湖北教育会。回国后在资政院任职，武昌起义后回到湖北，在湖北军政府任职，1912 年，参加共和党，1913 年，任众议院议员。他是留日学生中立宪派人士的典型代表。

积极鼓吹君主立宪、从事宪政运动的人士还建立了各种团体，如湖北宪政筹备会、汉口宪政同志会、湖北地方自治研究会、湖北铁路协会等。

湖北宪政筹备会是清末立宪运动中著名的团体，宣统元年（1909）5月成立于武昌，姚晋圻任会长，汤化龙、余德元任书记，张国淦任编辑员。

汉口宪政同志会成立于宣统二年（1910）春，由湖北咨议局、省自治筹办处、省教育会、汉口总商会、汉口各团体联合会组成，该会又称为国会请愿同志会湖北分会。除联络各省代表请愿、督促政府实行立宪外，还建立宪政讲习所，培训士绅；创办报刊，从事宣传鼓动、开启民智的工作。

宣统三年（1911）6月，汤化龙积极推动全国性的立宪政党宪友会成立，7月，汤化龙、张国溶等以湖北咨议局为中心，建立宪友会湖北支部。

湖北立宪派人士还创办了报刊，当时，影响较大的有《新译界》《教育新报》《湖北地方自治研究会杂志》《趣报》《宪政白话报》《湖北地方自治白话报》等。

湖北立宪派人士主张发展教育，开启民智。

他们对教育的重要性有着深刻的认识。他们从国民素质提高、国家进步的高度阐述教育的重要性。张国溶在《教育新报》的《发刊词》中说："盖国家者，于唯一最高权力之下，定著于一定土地之上，所结合之多数人类也。对于他国家而范围其土地人民，则在主权；对于其国家而成一独立完全之范围，则视乎其国家之人民。综轴极而观之，其国民之程度高者，其国家之势力亦大，如英如法如独（德）如米（美），国体不同而号称强国者，亦实质上之膨胀而不可以遏也。日本一变而崛兴，俄华相沿而不竞，民智之未开，民力之未张；而国运亦随之，则何也？谋国家者对于国家之观念不同，而教育之实施有本与无本异也。"①

① 刘望龄：《黑血·金鼓——辛亥前后湖北报刊史事长编》，第153页。

也就是说，教育事关国家强盛。他们还把发展教育与君主立宪联系起来，阐述发展教育对于建立君主立宪制度的意义。范熙壬指出，“有立宪之君主，必有立宪之国民；有立宪之国民，必先有立宪之教育”①。张国溶说：“谋国家者，方以教育为立宪之预备，而司教育者，方以学堂为科举之变称，人民之不幸欤？抑亦国家之忧也。”

他们倡导全方位的教育改革与发展。张国溶主张，“一与之以政法上之教育”，注重“实业上之教育”“军事上之教育”“实行义务教育”“普及女子各种教育”，发展“盲哑等教育，特殊及苦学生等教育”。也就是说要形成包括基础教育、职业教育、特殊教育等在内的教育体系。

他们提倡教育研究，创办报章杂志。张国溶说：“吾观日本教育杂志之多，而知日本教育之程度；吾观日本各教育会之各有杂志，而知日本谋教育者之程度。吾又观日本之各种杂志，而知日本所钻研、所主张、所趋向，移风易俗，以达国民于完全之目的者，又何如程度也。”②《教育新报》还发表文章，建议建立教育研习会，开展研究工作与举办讲学活动。

湖北立宪派人士主张实行地方自治，奠定宪政基础。

他们十分重视地方自治，认为它是君主立宪的重要内容。首先，它是培养国民独立人格、提高民族竞争力的重要途径。留学生吕嘉荣说：“内之厚集其团结之力，人人有进取之思想之能力；外之盛张其抵抗之势，人人有外侮之对待之防御，是岂专恃少数政府与一般官吏之万能主义而可以驯致者哉。盖其国其民责任政府与官吏，日注意于其自身所以被治之途，同时又促进政府与官吏，兼从事于其自身所以自治之道，而后有此绵邈之心意与充实之诣力，得以竞生存于世界而不敝。”如何能提高民族的竞争力？他解释说：“由独立而合群，由合群而爱国，由爱

① 刘望龄：《黑血·金鼓——辛亥前后湖北报刊史事长编》，第197页。

② 刘望龄：《黑血·金鼓——辛亥前后湖北报刊史事长编》，第154—156页。

国而保种，循阶级之轨途，得善良之结果。呜呼！果遵何道乎。一言以蔽之曰，是非地方自治不为功。夫自治者，自由之原动体力也；而自由者，自治之反射作用也。”其次，地方自治是培养合格公民、实现宪政的重要途径。吕嘉荣说：在地方自治之下，“则地方之事为各个人应有之事，而一破除其前此多数之治于人者，常听命于少数之治人者之陋习，是则为公民国家所必有之一途，而军国国民所必要之一举也。我中国近亦演进于此问题之中，内外行省纷纷设立，朝野上下欢欣鼓舞，曰此宪政实行之准备也，此国会开设之基础也。是宪政、国会为国家根本解决之问题，而自治则解决根本之根本问题也”[①]。

湖北立宪派人士主张开设议院，建立君主立宪制度。

开设议院、建立君主立宪制度是立宪思潮的核心内容。为此，立宪派人士不遗余力地加以鼓吹：

他们认为国会是宪政国家的象征。

张国溶说：“专制之极，民智乃生，权利义务之问题起，而国会制度乃渐得以设置完备，以至于今。无论为君主立宪国，为民主立宪共和国，莫不以此为机枢。”[②]汤化龙在《新译界》上发表《议会论》，从理论上探讨议会的性质和作用。他对比各种政体的优劣，认为立宪政体为今日所必行，而“新政体以发挥求平衡”，维系之道，虽“非仅一议会制”，“而以议会制为最有效”。[③]

他们认为建立国会是解决时局的关键。

汉口国会请愿同志会在奏请速开国会的提案中分析了中国面临的危急局面，主张速开国会以挽救时局：“时急势危，请求速开国会，殆不可一日缓。”其理由是：

“一、国会不速开，则中国财政不能整理也。”“今日大部呼号、疆

---

① 刘望龄：《黑血·金鼓——辛亥前后湖北报刊史事长编》，第188—191页。

② 侯宜杰：《逝去的风流：清末立宪精英传稿》，北京：北京师范大学出版社，2013年，第162页。

③ 刘望龄：《黑血·金鼓——辛亥前后湖北报刊史事长编》，第133页。

臣束手者，非此财政问题耶？欲整理中国财政，必从根本解决。现在中国现象，一为财政紊乱，一为经济困难。欲救紊乱，而不得其法。今日政府派清理财政官，实已不能毕其绪。异日者，各国必分派监理财政官而一揽中国全体财政之权，可断言也。夫财政之紊乱，失之于蚀侵者，显而易理；失之于经理者，隐而难清。银行未立，金库未设，度支部辖财政，而财政不尽辖于度支；各省督抚辖财政，而内则限于国家行政之分配，外复有藩、监关各库之分歧。机关未善，执行都非。此项问题，非国会不能解决也。至经济之困难，目前诚无可掩饰。赔款既巨，宪政繁兴，纵能暂时节流，必不能按年退步。解决困难，除加赋与募债而外，别无他法。国会未开，税法未改，加赋二字，政府已知其不可行。乃不得已而出于多借外债之途，势有必然者也。夫世界无无国债之国，而其国强者，其国债亦多，是借债亦富国之公例。然财政监督各种机关皆未设立，而欲募外债，不问用途，不顾偿款，则外债愈多，而紊乱愈甚，适促之使为印度、波兰之续耳。”

“一、国会不速开，则全国法制不能统一也。”“夫立法者，行政、司法之准也。法不立，则政不行；法律不臻完美，则法虽立而政仍不克举，且或致扰乱而速国家之亡。故立法不可不慎也。各国经几许之经验，而始知集合全体人民意思，以议决立法事件，而废止变更之事，又复限以条件。故议决有完全之权，而执行无推行之阻。今中国政府既不负国家之责，而立法机关散隶而无所统率；又或一二人所厘订，而前后彼此不相贯通。故大之阻国家之进步，小之亦妨自治之进行。长此不决，百举俱废。”①

他们认为责任内阁与皇族相分离是宪政国家的公例。

在清末立宪中，清廷炮制皇族内阁，其倒行逆施与宪政精神背道而驰，遭到全国指责与抨击，由此引发全国激烈的反对，甚至导致清

① 《汉口国会请愿同志会陈请建议代奏速开国会案》，吴剑杰：《湖北咨议局文献资料汇编》，武汉：武汉大学出版社，1991年，第634—635页。

廷倒台。

对此皇族内阁，立宪派人士纷纷反对。汤化龙在为各省咨议局联合会起草的提案中指出："立宪国家重内阁之组织，尤重总理大臣之任命，其最要之公例，在不令组织内阁之总理归于亲贵尊严之皇族，此非薄待皇族，谓其无组织内阁之能力，实皇族内阁与君主立宪政体有不能相容之性质，势不得不然也。"为什么呢？汤化龙认为：一是，君主地位显耀尊贵，皇族内阁体制会伤及君主。"组织内阁之总理大臣于君主无亲族之关系，倒一内阁不过倒一某总理内阁，君主毫不受其影响。组织内阁之总理大臣为密隶于君主之皇族，倒一内阁，即为倒一皇族内阁，皇族缘内阁而推到，使臣民之心理忘皇族之尊严，君主之神圣，必有不能永保之虑。"二是，非亲内阁不会动摇皇族地位，影响其待遇。"皇族不为组织内阁之总理，此外并非无自展所长之地。皇室经费，亲贵又各有定给，法律上政治上之特例，复不同于一班之臣民，安富尊荣当然受中外之尊敬，原无取乎当政之枢纽，以自陷于危途；况以皇族总理开希冀之门，万一内部生争竞之萌，尤非国家前途之福。"[①] 实际上，这篇提案是呈请都察院代奏的奏文，因此，措辞相当委婉。

湖北立宪派人士主张铁路商办，反对"铁路国有"。

光绪三十三年（1907），就有人在《汉报》上积极鼓吹铁路商办，认为其利有四："有'撙节'资金、免营业之浪费；有增加收益、改良业务之便利；有助于自由竞争、谋运输业之进步。资金自筹，可免别募公债、另课租税，而加重人民负担之累。"[②]《江汉日报》《趣报》也多有鼓吹，在清末，此类的鼓吹在湖北和其他省份都相当多。而湖北留日学生张伯烈等人还组建了湖北铁路协会，后回国在湖北开展活动，组织者多为立宪派人士。在宣统三年（1911）的保路风潮中，发挥了重要作

① 《皇族不宜充内阁总理请另简大员组织内阁文》，吴剑杰：《湖北咨议局文献资料汇编》，第666—667页。

② 刘望龄：《黑血·金鼓——辛亥前后湖北报刊史事长编》，第117页。

用。在同年国会请愿中，立宪人士反对皇族内阁的所谓铁路国有政策。立宪派认为，所谓铁路国有，“亦不外借入外债收回商办之计划”，其实质是“引外人以抵制百姓，不问全国铁路之计划，不采各国国有之办法，率然请命以遂其私，甚且以守商办成命者为违制，援用格杀勿论之条，诬一切摊股为派捐，博休养民力之誉”。他们质问道：“夫前之商办、今之国有，朝廷反汗实以借债为前提，小民保全营业，系遵前旨，非作奸犯科可比，拟以格杀勿论，与草菅人命者有以异乎？立宪公例，人民以负担为原则，为增进幸福计，原不应沾煦煦孑孑之仁义；即谓民力竭蹷，则国内之滥捐苛税屈指难终，何不取其甚者而亟除之？今夺民生业而文之曰‘体念民艰’，是一方面以恶税收吸人民之脂膏，一方面又绝其生活之路也，立宪国人民权利义务可应尔乎？”立宪派的结论是，“铁路国有政策不外借债亡国政策，实一铁路外有政策耳”①。

湖北立宪派人士主张严禁鸦片，反对禁烟条件。

宣统二年（1910），资政院通过决议，决定次年12月为鸦片一律禁净之期。而且，大清新刑律还规定了对吸烟、运烟、种烟的处罚条款，并将于次年实施。但是，英国却横加阻挠。中英双方经过谈判，于宣统三年（1911）4月续订条约，规定以七年为禁绝的期限。这样的禁烟条件引起国内舆论大哗。立宪派人士纷纷予以反对。张国溶代各省咨议局联合会起草奏文，要求废止禁烟条件。理由是：

一、禁烟是我国内政，不容干涉。“窃维禁烟内政也，他国无可干涉之理。”

二、即令是一般货物，英国也没有规定定额输入的权利：“夫贸易自由，万国之公例，亦通商之原则，无论何种货物，断无限年必定额输入之理，况鸦片为各文明国所通恶。”

三、英国此举违反人道主义。“去毒人道也，全球无可违反之理。我国内政不明，始以烧烟之举，酿成外交问题，弱我人种，荼我生灵，

---

① 《直省咨议局议员联合会报告书》，吴剑杰：《湖北咨议局文献资料汇编》，第681—682页。

虽我国人民自甘鸩毒，实亦英国不以人道主义待我中国之所致也。”

奏文有理有据，义正词严，集中表达了湖北人民迫切摆脱烟毒的心愿。奏文强烈要求清政府“请旨饬下阁臣据情由外务部与英使协商，永废烟约”①。

在振兴实业、整顿官风、改革兵制等方面，湖北立宪派人士也做了大量宣传。

湖北立宪人士积极宣传鼓动，不仅传播了立宪思潮，而且推动了立宪运动的发展。在清末立宪运动中，湖北立宪派人士头角峥嵘，十分抢眼。

第四节　民主革命思潮

湖北是中国内地最早传播革命思想的地区之一。在 19 世纪与 20 世纪之交，湖北反清革命思潮勃然而兴。湖北辛亥革命的元老张难先在其所著《湖北革命知之录》中，曾揭示其缘起：“维时康、梁之言盈天下，南皮复束缚于忠君之义，与爱新觉罗氏之禁网，为《劝学篇》、《学堂歌》以迷离学子之耳目，遂令若邻人追羊，歧路旁多，涂抹苦闷，未知税驾何许。然英异之伦，不羁之士，读石庄茶村遗书，览异域殊方志乘，勃然兴起，不为所囿。一有感触，按捺不住，或著论以指斥时政，或聚众以威胁权奸。激昂慷慨，不少回避。当道忧之，因择其激烈者，派赴东西各国留学，吾鄂人士，始有亲炙总理之机会矣。……一闻总理之主义及计划，倾诚归响，如七十子之服孔子。闻教之后，即偕吾鄂全体留学生，标示革命，传播江浒。……自庚子以还，形形色色，奔凑咸来。外而东西留学生，内而军学两界，其倾向革命之热情，如雨后春笋，暴发于满山之间。”②

① 《请废禁烟条件稿》，吴剑杰：《湖北咨议局文献资料汇编》，第 686—688 页。

② 严昌洪、张铭玉、傅蟾珍：《张难先文集》，武汉：华中师范大学出版社，2005 年，第 30 页。

一、革命思潮的产生与发展

资产阶级革命思想滥觞于民主革命的先行者孙中山的革命思想，孙中山是中国资产阶级民主革命的播火者。

湖北革命的播火者就是孙中山的追随者——湖北兴中会会员吴禄贞、傅慈祥、刘成禺，同盟会会员居正、田桐、李书城、蒋作宾、石瑛、朱和中、贺之才、魏宸组、胡秉柯、史青等留日、欧学生。以吴禄贞为例。

吴禄贞（1880—1911），字绶卿，湖北云梦人。出身于小知识分子家庭，父亲是秀才。吴禄贞（图1—4）少有大志，聪明过人，好武术兵法。曾入湖北武备学堂，后被选送日本留学，入士官学校学习军事。留学期间，深感日本明治维新后的进步和清政府的腐败，“从此就以革命排满为己任”。光绪二十四年（1898），孙中山从欧洲来到日本，发展革命力量，吴禄贞“受了革命的洗礼，他潜伏很久的思潮，得革命真理的撼动，更为汹涌而澎湃。禄贞以后的事业，可以说是奠基于这个时期”。吴禄贞加入兴中会，不久受命回国，与唐才常等以武汉为中心，组织了长江流域的自立军起义，起义失败后再赴日本。光绪二十七年（1901），

图1—4　吴禄贞

吴禄贞回到武昌，被安排训练新军。吴禄贞以此为掩护，秘密从事革命活动。光绪二十九年（1903），吴禄贞等人在武昌花园山李步青所租寓所秘密集会，谋划革命，史称花园山聚会。在花园山聚会时，宣传革命是其中一项重要的活动。

其他在海外加入兴中会的留学生回国后，也与吴禄贞一道积极传播革命思想。他们不仅在省内军学界发展革命力量，而且确定了正确的革命发展战略，决定将革命知识分子输入新军。[①]

清末湖北革命党人的宣传途径主要有四种：

第一是口传。即是通过演讲、谈话等口头讲述形式宣讲革命。张难先、胡瑛等人于光绪三十年（1904）投入工程营当兵，在新军中宣传革命，“饭后坐沙上，与各士兵讲有关之故事，皆感动。在外与学生联络，同邑欧阳君季芗瑞骅，年少聪颖，喜谈时事，住文普通中学，常来往，说以运动同学”[②]。日知会领导人刘静庵“每逢星期日，假文华书院，讲演中国危亡状及世界革命史，以为暗示，听者咸感动”[③]。口传在媒体并不发达的时代，由于具有情感交流的特点，更能打动人心，所以是很重要的一种宣传载体。在湖北革命党人的宣传活动中，演讲、谈话活动在秘密机关举行，对新军和学生运用得非常多，有关史料可谓俯拾即是。值得注意的是，留日学生还运用了当时先进的传媒工具——幻灯，他们购置幻灯机，运回武汉，在宣传时，一边放映，一边讲演。“此片在各处放映，往观者甚众，于激发思潮，亦颇有效。”[④]

第二是办学校。通过办学，启发学生觉悟，培养革命人才。梁耀汉从日本留学回鄂后，创办群学社和明新公学。明新公学“为革命机关公学，招生二百名。嗣以求插班者踵相接，遂添招铁路班一百名。其教授皆当时有志之士，学生亦多由同志介绍具有新知识者，规模声誉几驾官

① 严昌洪、张铭玉、傅蟾珍：《张难先文集》，第40—42页。

② 严昌洪、张铭玉、傅蟾珍：《张难先文集》，第495页。

③ 武昌辛亥革命研究中心：《李西屏文集》，武汉：湖北人民出版社，2010年，第3—4页。

④ 杨玉如：《辛亥革命先著记》，北京：科学出版社，1958年，第11页。

办者而更上之”[①]。余诚、李长龄等人也在武汉设立东游预备科和江汉公学。后来，群学社并入日知会，明新公学也由日知会接办。此外，张难先在仙桃设立集成学校，吴之铨在黄冈县城开设私塾等。这些学校对传播革命思想起到了重要作用。

第三是发行书籍。在湖北影响最大的革命书籍主要是《警世钟》《猛回头》《黄帝魂》《烧饼歌》《革命军》《扬州十日记》《太平天国战史》《训兵谈》《黑龙江》《德占辽东》等。这些书籍都是在外地撰写的，前七部最有影响。湖北革命党人自编的一些宣传革命的书籍，也产生了很大影响。早在光绪三十年（1904），湖北留日学生田桐根据日本图书馆藏晚明遗老有关史籍和清代禁书，辑录成《亡国惨记》一书，这些史籍和禁书包括《江阴城守纪》《嘉定屠城纪略》《东明闻见录》等，主要反映清人入关对汉人的杀戮与虐待。该书曾请章太炎作序，并于次年出版，反响很大，是典型的宣传种族革命的材料。另一本书籍《孔孟心肝》在湖北影响也很大，它是湖北革命党人梁钟汉、吴贡三等人在黄州编撰的，系仿宋代石介所著《孔子心肝》而作。《孔子心肝》主要内容是阐述“君轻民贵，节用爱人”之意。吴贡三等人对此书加以删节、修改，易名《孔孟心肝》，假借孔孟经典之意，论证种族大义，鼓吹民主共和。此外，吴贡三等人还编印《作新民》《破梦雷》等书籍。这些书籍的发行量相当大，《孔孟心肝》在黄州首次印刷就超过万册。

第四是办报刊。在清末，宣传革命思想的报刊很多，较早的有《译书汇编》等。当时在日留学的中国学生，以家乡为纽带，组织同乡会，创办报刊，几乎各省都有舆论阵地，而湖北留学生所办革命报刊有《湖北学生界》（后易名《汉声》）、《国民报》。在国内，宣传革命的报刊也不少。武汉先后出现的以宣传革命为内容的报刊就有《江汉日报》《湖北日报》《通俗白话报》《汉口商务报》《雄风报》《大江白话报》（后更名为《大江报》）等。

① 湖北省图书馆：《辛亥革命武昌首义史料辑录》，北京：书目文献出版社，1981年，第58页。

书籍、报刊的散发是较为普遍的宣传方式，发行的渠道有两种。一是从省外或国外输入。《湖北学生界》杂志社的李步青等人回国时就携带大量报刊。外地乃至海外书报输入的主要方式还是通过国内设立的代派所发售。如，光绪二十九年（1903）《浙江潮》在武昌就有中东书社、总派报所5处。总派报所经销各地出版的丛报、杂志。同年的《湖北学生界》在湖北有6处，后来，因供应量大，杂志社自己组织昌明公司发行报刊。革命党人蒯立三、时伯弼等在武昌横街建立教育图书社，秘密输入革命印刷品，后遭封禁。光绪三十四年（1908）7月，《江汉日报》曾公开刊布广告，代销革命书刊《云南》《四川》《河南》等9种刊物，这些刊物在当时都是禁书。二是在本地印制。从花园山聚会，到武昌起义的两个领导团体文学社和共进会，都重视书刊的翻印和散发。梁钟汉、赵鹏飞等就曾在武昌县华林秘密印制书籍。前述梁钟汉、吴贡三等编写的《孔孟心肝》等书籍，就是其建立的鸠译书舍秘密出版的书籍。革命党人利用书报传播革命思想，例如，科学补习所组织者张难先、胡瑛"遂投工兵营，充士兵。两人日说士兵，散发《猛回头》《孙逸仙》《黄帝魂》《革命军》等书"[①]。革命党人还直接投送书刊，如《孔孟心肝》印刷后，吴贡三等派人挑运到武汉，输入军界与学界。后来，革命党人还在英山印刷万余册，运送至两广。

湖北革命党人所办报刊影响很大，有的报刊发行量相当大，如《江汉日报》在光绪三十四年7月销售2 000余份，远销欧美、日本及国内14行省。[②]《湖北学生界》发行量甚至超过7 000份。[③]有学者研究后认为，20世纪初年，销量达5 000份的报纸已是很可观的了，通常的发行量在3 000份左右，几百份的报刊很常见。[④]

除了接受散发或以购买方式阅读到革命书报外，受众还可以通过阅

① 严昌洪、张铭玉、傅蟾珍：《张难先文集》，第58页。

② 刘望龄：《黑血·金鼓——辛亥前后湖北报刊史事长编》，第180页。

③ 《湖北学生界特别大广告》，《湖北学生界》第5期（《汉声》第1期）（1903年）。

④ 桑兵：《清末民初传播业的民间化与社会变迁》，《近代史研究》1991年第6期。

报室来接受革命思想。革命党人曾在武昌水陆街设有“武库”，类似于阅览室，日知会就辟有阅报室。清末，天门、沔阳（今仙桃）等县都开辟了阅报室等场所，荆州图书仪器馆阅报所就陈列革命书报。光绪三十年（1904）5月，荆州官方曾在该馆查抄包括革命书刊在内的进步报刊15种。[①] 总的说来，革命书籍、报刊是比较容易得到的。革命党人李西屏在黄州府中学堂读书时，就“开始接触革命书刊和革命党人，他经常阅读《猛回头》《警世钟》《革命军》等革命书刊”[②]。光绪二十八年（1902），张难先在家乡沔阳与向笙三、许远香、张品珊经常一起研习学问，这三人曾在两湖书院求学，张难先发现“渠等所藏新书、新报极多，并有中山之起兵各种报道与宣传革命诸秘本”[③]。

二、革命思潮的内涵

湖北革命宣传的思想内容主要是：

第一，揭露帝国主义侵华罪行，阐述湖北岌岌可危的局势，警醒省民自强。

湖北处于承东启西、沟通南北的要冲，长江横贯全境，其最大支流汉水在武汉交汇，自然条件优越，物产丰富，帝国主义垂涎已久。咸丰十年（1860）第二次鸦片战争失败后，清政府被迫签订《北京条约》，允许汉口辟为通商口岸；光绪二年（1876）《中英烟台条约》规定开放宜昌；光绪二十一年（1895）中日《马关条约》则允许沙市开埠。西方列强势力一步一步地进入湖北各地。西方列强势力的侵入不仅给湖北带来了深重的灾难，而且使得中华民族面临被宰割的危险。《湖北学生界》有清醒的认识，早在创刊号的《叙论》中就指出，“锁国时代之楚，与开通时代之楚异，通商伊始之楚，与门户洞开之楚异。今日之楚，乃因各国竞争之局势，而重其价值者也”。即湖北已经成为西方列强垂涎之

① 刘望龄：《黑血·金鼓——辛亥前后湖北报刊史事长编》，第80页。

② 武昌辛亥革命研究中心：《李西屏文集》，第214页。

③ 张难先：《师友纪念》，张铭歌：《张难先纪念文集》，第289页。

物。《叙论》用详细的数据、大量的事实证明：湖北是“势力圈竞争之中心点”“经济上竞争之中心点”“扬子江航路竞争之中心点”“铁路竞争之中心点”。《叙论》表达了深深的忧患意识：“吾国最重最要之地，必为竞争最剧最烈之场，吾滋惧焉，惧吾楚之为各国饵也。”①

《江汉日报》也有同样的文字问世。光绪三十四年（1908）7月，该刊发表《论中国商业失败之原因及拯救之方法》，指出，制海权、铁路权为商业之最大要素，但中国的两大利权却为帝国主义所侵占：“海上权者，国外商业贯注之源泉也。故各国长骋骈驱，争先营海港于中国各口岸。”“铁路权者，……商业沟通之命脉也。……而堂堂中国几无半分之铁路权矣。”文章警告说：“我国不振兴其实业，以自退处于劣败之点，则各国虽不翦灭我，而我宁免最后瓜分之一日哉！”②同年6月，该报还刊载湖北革命党人胡石庵的小小说《孤雁》，歌颂“孤雁”为拯救同胞、抵抗外患而捐躯的革命精神。“孤雁”寓意革命党人。以小说形式宣传革命，可读性更强。

发表于《湖北学生界》上的《论中国之前途及国民应尽之责任》揭露了帝国主义侵略的本质：“帝国主义者何？即曰‘野蛮人无开发土地富源之能力，文明人必代为开拓之’。又曰‘优等人种，虐待劣等人种，为人道之当然者’是也。各国挟此主义，如贪狼饿虎，四出搜索，不顾天理，不依公法，而惟以强权竞争，为独一无二之目的，杀人如草不闻声，此帝国主义之真本领也。”③文章还历数帝国主义侵华罪行，如八国联军侵华、强行要求门户开放、瓜分势力范围等。

第二，批判清王朝的腐朽，抨击清政府的反动统治。

从种族大义的角度，抨击清王朝的统治。湖北革命党人抨击清王朝的思想武器之一就是种族大义。早在光绪二十六年（1900）自立军起义

---

① 张继煦：《叙论》，《湖北学生界》第1期（1903年1月）。

② 刘望龄：《黑血·金鼓——辛亥前后湖北报刊史事长编》，第181—182页。

③ 《论中国之前途及国民应尽之责任》，《湖北学生界》第3期（1903年3月）。

前，吴禄贞就以此相号召："山河万里，沦归异姓，同胞四兆，变为牛马，神器即焚，俎肉且脔，每下愈况，奴籍必更难脱，言念及此，能不惊惧痛哉！弟亦黄帝苗裔，何忍坐视阽危，特在东京组织富有票会，分布会员多人，回国联络义士，溉植同志，期图大举，俾出斯民于水火而复汉族之故物。"[①] 光绪三十年（1904），湖北留日学生田桐在其辑录的《亡国惨记》中大谈种族之别、亡国之恨。他说："古今最惨之事，莫如亡国。亡国之惨，又莫如我中国之明季。"他提醒读者："吾愿读《亡国惨记》者，试设身处地于当日腥风飒飒血雨簌簌中，而莫作局外人可也。"[②] 也就是说，不能忘记复仇，要推倒清王朝，实行种族革命。为了宣传种族大义，《湖北学生界》还刊发了《中国民族主义第一人岳飞传》。

从对外政策的角度，抨击清政府的无能。《论中国之前途及国民应尽之责任》说："我中国之政府，非国民所恃为铁壁金城，而托之以身家性命者乎？乃其对外也，惟以媚外为宗旨。教案者，治外法权之所在，而孰是孰非，必听外人之指使矣。督抚钦使者，用人权之所在，而孰去孰从，必仰外人之鼻息矣。开矿筑路者，全国利权之所在，国人请之则百方挑剔者，外人一启口则应之如响矣。且也赔款则代索之，民党则代平之。甘心为外人之傀儡而不辞。噫！我国民之所听命者惟政府，而政府之所听命者惟外人，岂知外人不过间接以亡我，而政府乃直接以亡我乎！夫以今日之十数强国，皆以支那大陆为竞争之中心点，虽有敏活之外交家应之，犹虞不济，况不保全之而断送之，中国其尚有望耶？"[③]《大江报》讽刺说："政府守和平，即示割让之意。国民不甘，伏阙上书，不足以动政府。有时大张联合之雄风，倡言种种不承认、不

---

① 皮明庥、虞和平、吴厚智：《吴禄贞集》，武汉：华中师范大学出版社，1989 年，第 257 页。

② 田桐：《〈亡国惨记〉叙》，王杰、张金超：《田桐集》，武汉：华中师范大学出版社，2011 年，第 1—2 页。

③ 《论中国之前途及国民应尽之责任》，《湖北学生界》第 3 期（1903 年 3 月）。

纳税之要挟，然亦藏头缩尾，其和平更甚于政府之对外人。”①

揭露清政府假自治、假立宪的骗局。在清末立宪中，清政府拖延立宪期限，甚至炮制皇族内阁，激起全国各阶层人民的激烈抗争。湖北革命党人予以无情地揭露。《江汉日报》指责湖北地方自治是“非驴非马”：“湖北办地方自治，有三大怪现象耶。一自治局设于总督署内，二陆军学生候补道充自治局总办，三自治局开会地方绅士作来宾。嘻！天地为炉，阴阳为炭，恐不能铸此怪象。何物化工，技至于此。余料虬髯碧眼辈又多一则笑林，蟹形文字中又添一段谐语矣。衮衮诸公，日日言立宪，日日言自治，而演此非驴非马、若是实非之怪现状。地方自治之性质且不能知，安望着手进行，以收良好之效果乎？”该报揭露了清政府假借自治而搜刮民脂民膏的罪行：“然自治之声，叫嚣于国中，贪官猾吏借以为扩张差事之范围，虎绅獍衿借以为鱼肉乡民之面具，迩年以来办理新政而无起色者，率坐此弊。”②《江汉日报》还指出，清政府所谓立宪只不过是一场骗局：“夫咨议局……系官绅所合组，而地方之团体无与也。其性质与贵族为混同，而平民之代表何有焉。且也以属吏为委绅，则如附设之局所；俾部院为长督，则如下级之官厅，以故对大府厥有服从之义务，于地方且无责任之行为，其对外无确定之主格，其自视无固有之实权，盖被动于他方，补助乎有司，放任乎社会以外，俯仰于显贵之途，而不知不识，若有若无者已。欲求其范围之有自形式之完全，亦莫可得也。况夫所谓为活动之主体，具独立之机关者乎。如是而欲举之曰民议之嚆矢，则是议院亦不动之死物，国会乃无用之空名，尽六洲之士，是安往而有此民议也哉。”③

第三，介绍革命理论和革命党人事迹，鼓吹以革命的手段实现民主宪政。

① 严昌洪：《辛亥革命史事长编》第7册，武汉：武汉出版社，2011年，第296页。

② 刘望龄：《黑血·金鼓——辛亥前后湖北报刊史事长编》，第184—185页。

③ 刘望龄：《黑血·金鼓——辛亥前后湖北报刊史事长编》，第149页。

光绪三十四年（1908）5月30日，6月7、9、11、19日，《江汉日报》公开转载日本报纸《大阪每日新闻》上的文章《清国之革命党》。此文介绍了孙中山及其革命党，包括团体、理论、武装起义活动、与立宪派的分歧和斗争等。此举极为大胆，是对清政府的公开挑战，引起湖北当局恐慌，8月14日，该报被查禁。不久，革命党人创办《湖北日报》和《通俗白话报》，讥评时政，鼓吹革命，气势甚张。宣统三年（1911）7月，《大江报》发表时评《大乱者救中国之妙药也》，更不啻是匕首投枪。文章说："中国情势，事事皆现死机，处处皆成死境，膏肓之疾，已不可为，然犹上下醉梦，不知死期之将至。长日如年，昏沉虚度，软痈一朵，人人病夫。此时非有极大之震动，极烈之改革，唤醒四万万人之沉梦，亡国奴之官衔，行见人人欢然承戴而不自知耳。和平改革，既为事理所必无，次之，则无规则之大乱，予人民以深创剧痛，使至于绝地而顿易其亡国之观念，是亦无可奈何之希望。故大乱者实今日救中国之妙药也。呜呼！爱国之志士乎，救国之健儿乎，和平已无可望矣。国危如是，男儿死耳，好自为之，毋令黄祖呼佞而已。"①

在湖北革命党人的思想中，种族主义比较浓厚。这是湖北革命思潮的一个特点。湖北革命党人编写的《孔孟心肝》《亡国惨记》《中国民族主义第一人岳飞传》《太平天国战史》等都具有很深的种族主义情结。湖北辛亥志士张难先、曹亚伯、梁耀汉兄弟走上革命道路与其接受太平天国的影响大有关系，而太平天国农民起义在当时被视为汉人的种族革命。光绪二十八年（1902），张难先在家乡沔阳偶见一位奇人，这一奇人便是曾参加太平军的刘彤轩。太平天国运动失败后，刘彤轩流亡海外，此时，从香港回乡。两人见面，大有相见恨晚之慨。张难先与刘彤轩的交往颇深，张难先画梅得之于其传授，张难先之子与其孙女结成姻缘，刘对张难先思想的影响也很大："吾闻翁言，不自禁泪涔涔下也，

① 刘望龄：《黑血·金鼓——辛亥前后湖北报刊史事长编》，第229页。

遂行弟子礼而别。”[①] 张难先赴武昌，参与组织革命团体科学补习所。曹亚伯是湖北兴国州（今阳新县）人，“州人多有从太平军立功者，君幼闻其事，必动容，光复之志始萌矣”[②]。而梁耀汉兄弟则出生于湖北汉川一个“长毛”之家，祖辈的经历和家庭的教育在其内心播下了“排满兴汉”的种子。[③] 在湖北革命党人中，似乎很多都曾受过种族主义的影响。如詹大悲“喜读明季先贤遗著，抱种族思想，慷慨有大志”[④]。黄世杰回忆说，他在黄州光黄学社讲习所读书期间，“复得秘闻满洲入主中夏、屠杀汉族之惨痛史实。……余因之革命思想勃然兴起”[⑤]。

正是因为如此，湖北辛亥志士杨玉如在其著作中，分析辛亥革命发生的历史条件时，把“种族的积愤”列为第一个因素：“清朝皇帝代表满族贵族压迫汉族和各个民族，从此汉人和各族人民反抗满族皇帝的心理，愈结愈深。自明末粤、桂、闽、浙诸省复国运动武力失败后，汉人和各族人民反抗清朝统治者接踵继起。至道光末，洪秀全、杨秀清等起义于金田以来，各族人民也群起与清廷搏斗十数年，东南半壁，尽为太平天国所有，全国各地都兴起反清斗争。惜以种种原因，太平天国终归失败。而孙中山先生所领导的同盟会，乃继之而起。”[⑥] 实际上，孙中山走上革命道路也有太平天国影响的因素，孙中山早年在家乡时就自称“洪秀全第二”，后来从事革命运动时，令湖北革命党人刘成禺编写《太平天国战史》。在革命党人的思想中，浓厚的种族主义是一个普遍的现象，并非湖北革命党人所独有。根深蒂固的种族主义乃是清政府民族压迫、民族歧视的结果与反映。对于其与辛亥革命的关系，尤其是影响，学术界研究颇多，此不赘述。

---

① 严昌洪、张铭玉、傅蟾珍：《张难先文集》，第 709 页。

② 武昌辛亥革命研究中心：《李西屏文集》，第 137 页。

③ 梁方：《辛亥革命前后的梁耀汉》，《武汉文史资料》2007 年第 8 期。

④ 湖北省图书馆：《辛亥革命武昌首义史料辑录》，第 78 页。

⑤ 湖北省图书馆：《辛亥革命武昌首义史料辑录》，第 114 页。

⑥ 杨玉如：《辛亥革命先著记》，绪言。

革命思想的传播为武昌起义奠定了基础。不少知识分子和新军士兵通过阅读革命书刊而走上革命道路。先看在校学生。共进会核心人物邓玉麟是湖北巴东人，他深入湖北中等工业学堂，主动结识学堂中的同县老乡赵师梅、赵学诗，以同乡之谊向他们灌输革命思想，把《猛回头》《烧饼歌》等革命书籍给他们阅读，引导他们走上了革命道路。两湖总师范学堂的学生也是在阅读革命书刊后，逐渐开始萌发反清革命思想的。学生朱峙三就负责保管、转发革命书籍。在学堂中，有三分之二的学生阅读过革命书刊，甚至少数不愿意参加革命的同学也偷偷翻阅禁书，即便是官家子弟，发现同学偷看禁书，也不去告发。自强学堂学生早在 1904 年就建立了教育图书社，秘密地运售革命书刊，张育万、郭寄生等人是负责人，后来，张育万、郭寄生、向炯等人也加入共进会。在不到一年的时间里，共进会在学堂的发展是相当快的。湖北中等工业学堂是光绪三十三年（1907）在停办的湖北工艺学堂基础上建立的，宣统三年（1911），在校学生总数 160 余人，学堂开办仅三年多，参加共进会的学生超过 20 人，占学生总人数的八分之一以上。两湖总师范学堂在校学生规模 600 人，参加革命团体的，“几乎占总数二分之一。绝大多数是属于共进会”①。参加共进会的学生也积极开展宣传活动，在本校或它校学生中传播革命思想。湖北中等工业学堂的共进会员广刊传单，痛诋外人凌轹之虐状与清政府腐败之现行，“用以激发革命之潮流，卒之全鄂学界电掣雷挚，几如洛钟之声，百岁而皆同”②。在陆军第三中学堂 700 余名学生中，除荆州八旗子弟外，绝大部分受到革命思想的影响。诚如居正所言：“吾鄂各学堂，对于《湖北学生界》及革命刊物，人人手秘一册，递相传播，皆欲奋起为天完徐帝，大汉陈皇，而为汉族争自由，复国权矣。”③ 军队也是如此。革命党人在士兵出操时或深夜秘

① 朱峙三：《张之洞与两湖总师范学堂》，中国人民政治协商会议湖北省委员会文史资料委员会：《湖北文史集粹・教育科技医卫体育》，武汉：湖北人民出版社，1999 年，第 25 页。

② 《彭晟事略》，皮明庥：《武昌起义史》，北京：中国文史出版社，1991 年，第 441 页。

③ 罗福惠、萧怡：《居正文集》上册，武汉：华中师范大学出版社，1989 年，第 15 页。

密将革命书刊置于其床垫之下，“兵士们争相阅之，且清吏查禁愈严而偷阅者愈多”[①]。《大江报》是文学社喉舌，创刊后，文学社规定，报纸须在各营队发送一份。《大江报》贴近士兵实际，“对不法军官攻击尤力。凡军官对待士兵有不公平事件，《大江报》辄揭橥之，军官畏若鹰鹯。未几，二十九标统带李襄邻克扣军饷，《大江报》大书特书，卒致革职查办。斯时《大江报》之权威殆无出其右者”[②]。所以，它对士兵的吸引力是相当大的。湖北革命党人的宣传工作相当扎实，甚至扩展到农村。如鸠译书舍就将翻印的各种书籍运送到农村：“斯时，湖北各乡村之有此类书籍传播，皆由此散发。”[③]

湖北革命思想的传播是辛亥革命能在湖北首先取得成功的重要原因。学者张玉法指出：在两湖，“无论学界、军界，醉心于革命者较他省为多。武昌革命所以能够成功，不是偶然的”[④]。

第五节 五四时期的思潮

新文化运动产生的标志是1915年9月《青年杂志》的创刊。有学者认为，与之相比，武汉地区新文化运动要早一些，其标志是1915年5月中华大学校刊《光华学报》的创刊。[⑤]其后，各种宣传新文化的报刊（图1—5）不断涌现，各种提倡新文化的社团纷至沓来，各种思想、主义也如雨后春笋，层出不穷。在纷纭繁杂的思想浪潮中，马克思主义以其强大的生命力最终为湖北先进分子所接受，成为时代最强音，并为湖北早期党组织的建立奠定了思想文化基础。

① 梁方：《辛亥革命前后的梁耀汉》，《武汉文史资料》2007年第8期。
② 章裕昆：《文学社武昌首义纪实》，《近代中国史料丛刊续编》第86辑，台北：文海出版社，第23页。
③ 梁方：《辛亥革命前后的梁耀汉》，《武汉文史资料》2007年第8期。
④ 张玉法：《清季的革命团体》，北京：北京大学出版社，2011年，第520页。
⑤ 田子渝：《武汉五四运动史》，武汉：长江出版社，2009年，第84页。

图 1—5 湖北宣传新文化运动的刊物

一、“联省自治”思潮

所谓“联省自治”，就是先由各省自行制定省宪，实行自治，然后再联省为国，建立联邦制国家。各省自治也称省宪自治。作为一种理论或思潮，它发端于清末的联邦主义，20 世纪 20 年代初勃然而兴，发展为联省自治思潮和运动。在南北对立、高度分散的政治格局下，联省自治运动是资产阶级联省自治派与地方军阀两支力量在一定条件下合力的结果。其原动力是资产阶级联省自治派，其目的是实行民主政治；地方军阀则是联省自治的附和者，其企图是实行地方割据。

湖北引人注目，不仅是联省自治运动蓬勃发展之区，也是联省自治思潮汹涌澎湃之地。特别是，“联省自治”一词也是湖北人士首创。关于“联省自治”一词的产生，民国时期学者认为始于 1920 年①，当今有学者也明确说，“联省自治”一词始于 1920 年的张继。②此说法似乎被学术界认可了：“一般认为，‘联省自治’一词最先是由张继于 1920

① 杨幼炯：《中国政党史》，上海：商务印书馆，1936 年，第 114 页。

② 徐矛：《中华民国政治制度史》，上海：上海人民出版社，1992 年 第 438 页。

年提出。”[①]实际上，笔者认为，《护法与联省自治之必要》一文才是首创，发表于1919年8月17日出版的《惟民》第1卷第2号，作者是汪哕鸾。《惟民》是湖北籍广州国会议员所办刊物，汪哕鸾是创办人之一。这说明，湖北是联省自治思潮最早兴起的省份之一。正如当时林育南所说：“民国九年至十年之间，中国省自治的潮流，日增月长。湖北为此种运动之先驱。”[②]

与全国其他省份情形不同的是，湖北省宪自治运动为在野人士所主导，矛头指向本省军阀——湖北督军王占元，并非为地方当局所操纵。这是全国联省自治运动的另一种类型，也是湖北省宪自治显著的特点。参与湖北省宪自治的人士在成分上比较复杂，有湖北国民党在野人士蒋作宾、孔庚、李书城、吴醒汉等人，他们曾赴长沙请兵，并在长沙建立湖北自治政府，与湖南的军队一起攻入湖北；在省内政界，议会中的平社派也反对王占元，这一派在议会中处于多数，以议长屈佩兰、副议长刘辑为代表；省外旅沪，旅京、津人士也积极投身于驱逐王占元的斗争，这些人多是政界、学界、报界、商界的湖北籍人士，以政、学两界为主。他们还建立了一些社团，如旅沪湖北自治协会、旅沪湖北公民自治会。前者是湖北籍国会议员发起建立的，后者是旅沪湖北同乡会发起的，建立时有400余人参加；省内商、学、报等各界均积极参与，或积极支持，其中，商人团体相对保守一些；值得注意的是，湖北一些早期马克思主义者也参加到运动中，如施洋曾发起成立湖北自治筹备会，并先后赴洛阳、长沙请兵，后来又任湖北自治政府总监秘书和省务院秘书，是湖北驱王自治运动的领导者之一。这些人士态度、立场各异，有

---

① 夏新华、胡旭晟、刘鄂，等：《近代中国宪政历程：史料荟萃》，北京：中国政法大学出版社，2004年，第635页；王丽萍：《联邦制与世界秩序》，北京：北京大学出版社，2000年，第185页。

② 武汉二七纪念馆、中共竹山县委党史资料征编委员会：《施洋纪念文集》，武汉：华中师范大学出版社，1988年，第115页。

的比较激进，有的比较保守，但都主张驱逐王占元，实行湖北自治。[①]

湖北驱王自治人士还建立了自治团体，主办报刊，从事组织、宣传工作，如前述旅沪自治团体，其中，旅沪湖北自治协会创办了《新湖北》，旅京、津人士主要以湖北同乡会的名义开展活动，施洋等人于1920年12月在武汉建立了湖北自治筹备会，此外，省内还有湖北省宪法讨论会、湖北地方自治研究会等团体。

湖北自治人士倡导“联省自治”是基于以下认识：

第一，从现实条件看，大一统已经破产，民治主义方兴未艾。

张知本说：“近者进化之理，日益昌明，民治潮流，弥漫环宇，而吾国朝野上下，尚多迷梦于大一统主义，与夫争城掠地以自雄者，其愚妄固不值一喙，间有一知半解，假托民意，或越俎而代庖，或闭门以造车，一若吾民喜怒，可随朝四暮三为转移者，斯亦识者所不取而吾民所为咨嗟太息者也。……今日救乡救国之方，舍厉行地方自治而外，别尠坦途。”[②] 施洋也认为：“鉴于南北纠纷非宣布自主实行自治不足以救危亡而解纠纷。故无论鄂人之在省内外者，近数年来，莫不以自决自治为据的。”[③]

第二，从历史条件看，中国具有自治的传统，为实行“联省自治”打下了基础。

范鸿钧说：“中国的各省，在历史上的地位本来同‘联邦’的各邦一样，不是随随便便就可以推翻的。”“辛亥武昌革命，制定《鄂州约法》确定省区的地位，完全是联邦的组织。”

第三，从理论上看，实行“联省自治”与实行国家统一并无二致。

范鸿钧指出：“有人说联邦就是破坏统一。不知国家组织原有两种：一，单一国制；二，联邦国制。但均不失为统一。这是什么道理？

① 张继才：《中国近代的联邦主义研究》，北京：中国社会科学出版社，2012年，第181—195页。

② 张知本：《草拟湖北地方自治大纲》，《新湖北》第1卷第1号，第7页。

③ 武汉二七纪念馆、中共竹山县委党史资料征编委员会：《施洋纪念文集》，第178页。

因为中央与地方权限本有一定的界限，一部分的事尽管省自为政，全部的事由联邦会议主持。联邦会议有拘束各邦之权，较之中国‘督军跋扈’‘藩镇割据’的局面，那才是真正的统一。况且国家政权，与其被督军把持，何不划归各省呢？组织联邦并非剥夺中央的权，不过收回督军篡窃的权罢了。这与国家统一有什么关系？”[①] 白逾桓甚至说，联省自治是统一中国的理想方案：“我们要知省为组织中国的中枢，省界问题不解决，中国决无统一可言，所以我们为自救计，为救中国计，惟有致力于省之一途。”[②]

第四，从制度建构上看，“联省自治”是实行全民政治的理想政制。

《新湖北》编辑、记者宣称：“我们这回发起《新湖北》月刊，有两个意思：（一）打破中央集权的统一主义，创造一个联省自治的局面；（二）推翻军阀官僚的首领政治，建设一个平民阶级的国家。”[③]

上述认识反映了湖北自治人士对历史与现实国情，对联邦制、平民政治理论的理解与把握。这与当时其他地方积极从事鼓吹的人士的见解是一致的。

基于此种认识，湖北自治人士提出了具体方案：

在自治的形式上，主张联邦制。

范鸿钧提出：湖北“有组织联邦共和之必要。……把联邦制明白规定在省宪法上面，以表现湖北始终为独立的省区”[④]。《新湖北出版宣言》共八条，第二条是：“‘新湖北’主张联邦共和，由省民自行组织省民大会制定省宪法，自行公布施行。”[⑤] 施洋指出：“我们决心是要开

① 范鸿钧：《新湖北的运动和省民自决》，《新湖北》第1卷第1号，第13—14页。

② 白逾桓：《论废督驱王的办法》，《新湖北》第1卷第1号，第46—47页。

③ 《通讯》，《新湖北》第1卷第3号，第90页。

④ 范鸿钧：《新湖北的运动和省民自决》，《新湖北》第1卷第1号，第13—14页。

⑤ 《新湖北出版宣言》，《新湖北》第1卷第1号，第2页。

‘国民大会’，解决国事的”；“我们决心是要自制省宪法的”。[1] 也就是说，在国家结构上，废除原来的单一制，建立联邦制。

在自治的内涵与性质上，主张平民政治。

湖北自治人士倡导的自治是平民政治：在广度上，举凡政治、军事、经济、文化、交通诸大端，均由人民自治。在深度上，自乡镇自治推行至省自治。《新湖北出版宣言》八条规划得非常明确：

1.“新湖北”主张省民自决，不是假托鄂人治鄂的名义，拥戴一二人为地方行政的首领。

2.“新湖北”主张联邦共和，由省民自行组织省民大会制定省宪法，自行公布施行。

3.“新湖北”主张扫除一切之军阀官僚政治，不问其为鄂人与非鄂人。废督军，废省长。由省民自行组织行政委员会，以处理地方政务。

4.“新湖北”主张直接选举制，男女均有选举及被选举权。

5.“新湖北”主张打破一切不自然的恶习惯，恶风俗，恶制度及崇拜偶像之思想，破除现行婚姻家族不良制度及种种迷信。

6.“新湖北”主张都市土地及大规模之生产事业，概归公有，以杜绝资本家垄断之弊。

7.“新湖北”主张刷新湖北现行制造游民的奴隶教育。

8.“新湖北”尊重约法上之自由权，但不承认一切法令之限制。[2]

施洋所提方案也是一个全面的、彻底的自治方案：

---

① 武汉二七纪念馆、中共竹山县委党史资料征编委员会：《施洋纪念文集》，第 115 页。

② 《新湖北出版宣言》，《新湖北》第 1 卷第 1 号，第 2—3 页。

（一）我们决心是要开“国民大会”，解决国事的；

（二）我们决心是要“平民自治”“同业自治”的，那武人、官僚、政客、绅士、议员、流氓、财阀们的假自治，是我们拼命反对的；

（三）我们决心是要自制省宪法的；

（四）我们决心是要清理省有的财产的；

（五）我们决心是要废除督军的；

（六）我们决心是要裁兵的，至多不得过一师一旅；

（七）我们不是仅欢迎你做省长——是要你莫干涉我们的自由的；

（八）我们原不想你做善事，只要你莫作恶事；

（九）我们原不想你利民，只要你不害民；

（十）我们希望你处处在穷人身上着想，不希望你替富人发财；

（十一）我们希望你替湖北劳动界改善生活，不希望你替寄生虫似的流氓、政客谋饭吃。①

以上两个方案都是比较全面、也比较彻底的自治方案，没有本质上的区别。相比之下，施洋的方案更为彻底，代表下层人民的立场更为鲜明。

在自治的途径上，主张自决。

如前所述，无论是《新湖北》，还是施洋，都反对官僚、政客的假自治，倡导省民自决。高振霄对“自治”的解释具有代表性：“‘自治’的解释，对于被治说的，一切都由自己治理，是各个人的天职，也是群众的天职。一个人要是不能‘自治’，必定为人所治。一群人要是不能自治，必定被他群人所治。被治的人，绝对不能自由。西人常说‘不

① 武汉二七纪念馆、中共竹山县委党史资料征编委员会：《施洋纪念文集》，第115—116页。

自由毋宁死’。自由是人格的要义，‘自治’是恢复‘自由’的要义。幸福是人生的目的，‘自由’才有幸福，‘自治’是讲求‘自由’的手段。‘自治’始能‘自由’，自由！！！我们湖北人，怎么样子呢？‘自治’！！！”[①] 在他看来，自治应以独立姿态自主治理，是主动的，非被动的。施洋更是一针见血地指出，一些人主张的鄂人治鄂实质上还是官治、他治，而非自治、平民政治，他说：“从前多以自治补助官治之不及为自治的意义，这是抄袭日本式自治，等于无自治！于今的自治，应本国民自决的、自动的、自由的、瑞士式的、德莫克拉西的真精神向前进行，那才是自治真谛！”[②] 可见，湖北自治人士所倡导的自治与地方军阀所炮制的自治大异其趣。

湖北自治人士所设计的方案具有一个鲜明的特色，即浓厚的平民主义色彩，这是五四时期激进民主主义澎湃激荡的结果。其理论是以联邦制为国家结构模式，以平民政治为核心，以自决自治为途径的思想体系，是较为全面、彻底的“联省自治”方案，具有鲜明的民主色彩和进步取向。

当然，联省自治思潮的局限性也是不言而喻的，如对国情的认识存在明显的片面性，中国大一统的传统和单一制的历史为其所忽视，也存在理论准备不足和矛盾之处甚多等诸多问题。也正是由于其自身不可克服的缺陷，湖北驱王自治运动以失败而告终。而董必武、施洋等人也在吸取教训中转变为彻底的马克思主义者。1923 年后，联省自治思潮也渐渐成为历史的陈迹。

二、无政府主义思潮

无政府主义是 19 世纪后半期流行于欧美各国的小资产阶级政治思潮。它强调个人的绝对自由，主张“各尽所能，各取所需”，反对一切

① 高振霄：《自治与自由》，《新湖北》第 1 卷第 1 号，第 17—18 页。

② 武汉二七纪念馆、中共竹山县委党史资料征编委员会：《施洋纪念文集》，第 206 页。

国家、政党、政府和纪律，包括无产阶级政党、无产阶级专政。20世纪初年，无政府主义被介绍到中国，并产生了较大的影响。由于中国是一个小农大国，无政府主义有着深厚的土壤，因此，接受、宣传者很多。辛亥革命时期，刘思复、刘师培、吴稚晖、李石曾、张继、张静江等革命党人都是有名的无政府主义者，《天义报》《新世纪》是当时著名的无政府主义舆论阵地。五四新文化运动时期，随着思想界闸门大开，各种思潮如雨后春笋般地涌现出来，无政府主义思潮因之空前泛滥，其团体、报刊数量之多，可能为当时其他思潮所不及，而一些进步报刊如《新青年》等也曾宣传过它。流行于中国的无政府主义流派很多，如蒲鲁东、巴枯宁的无政府集体主义，新虚无主义，无政府工团主义等，其中，影响最大的是19世纪末20世纪初俄国人克鲁泡特金的无政府共产主义。

克鲁泡特金（1842—1912），著有《互助：一个进化的因素》等著作，是继蒲鲁东、巴枯宁之后的著名的无政府主义者。他的主张有：第一，以“互助论”为基础，倡导发挥人类互助的本能。他认为，生物界特别是人，除了生存竞争之外，还有互相扶助的一面。凡一种生物群，如果互助则强，反之则弱。人类发展需要互助，互助最终会战胜强权。第二，消灭私有制，废除国家、政府，实行各取所需、按需分配的共产主义。第三，以“农村公社”作为实行共产主义的桥梁。在“农村公社”，土地公有，分给各户，农具等工具家庭私有，生产分散经营。无政府共产主义对世界各国都有广泛的影响。早在清末，克鲁泡特金及其学说就被介绍到中国，在中国颇受推戴，影响甚广。1920年，中国无政府主义者就说：“无政府之哲理，由来已远，至最近集无政府主义之大成，群仰为无政府党之泰斗者，则克鲁泡特金也。”①

五四时期，湖北的无政府主义社团明社、人道学社、汉口安社、致忠学舍虽然在1923年才建立起来，但此种思潮却很早就在湖北传播。

① 李存光：《无政府主义批判——克鲁泡特金在中国》，南昌：江西高校出版社，2009年，第7页。

1911 年，詹大悲等人创办的《大江报》就刊有无政府主义的文字。

由于无政府主义抨击资本主义罪恶，主张建立各尽所能、各取所需的理想社会，因此，对五四时期的进步人士也具有相当大的吸引力。1919 年 9 月，恽代英致信王光祈说："从实告诉你，我信安那其主义已经七年了，我自信懂得安那其的真理，而且普经细心的研究。"① 林育南在 20 世纪 20 年代所撰施洋传记中就指出，施洋"在'五四'以后，就奋不顾身的作爱国的运动。在思想革命，文化运动开始发动的时候，他抱着极端的民主主义的思想。后来经过入京请愿及组织全国各界联合会各种奋斗，牺牲许多心血，而政治之黑暗，外交之险恶仍故，他的思想渐渐起了转变。对于现存的民主主义的政治社会，由怀疑而不信任，由是而渐有无政府主义的倾向。那时他看了些无政府主义的书报，言论上不免带些无政府主义的色彩"②。早期马克思主义者接受过无政府主义，这是一个较为普遍的现象，李大钊、陈独秀、毛泽东等人，都受到过无政府主义的影响。有学者就指出："一些革命者在五四运动前后，先接受无政府主义，后转变为马克思主义者，形成了当时思想界变化的特点。"③

1917 年 10 月恽代英等人成立的进步团体互助社就有相当浓厚的无政府主义色彩，典型地反映了无政府主义思潮在湖北的影响。互助社之成立，不仅以克鲁泡特金"互助论"命名，以"群策群力自助助人"为宗旨，而且"取克鲁泡特金新进化论的意义"。互助社简章载：

> 一、本社以群策群力自助助人为宗旨，名曰互助社。
>
> 二、社员每日开会一次，时间以半小时为限（后多实以一小时为限），遇事多，时间不足，得公决延长之。

---

① 恽代英：《恽代英文集》上卷，北京：人民出版社，1984 年，第 109 页。

② 武汉二七纪念馆、中共竹山县委党史资料征编委员会：《施洋纪念文集》，第 112 页。

③ 胡庆云：《中国无政府主义思想史》，北京：国防大学出版社，1994 年，第 176 页。

三、每次开会首静坐，数息百次（后多改为静坐五分钟），继读前会记录，继每人报告一日经过，并讨论一切事毕，诵《互励文》散会。

四、每会将所议事记录之。

五、自助方面，戒约如下：

不谈人过失。不失信。不恶待人。不作无益事。不浪费。不轻狂。不染恶嗜好。不骄矜。

六、助人分两种：一为公共议决的，一为个人临时的。临时助人的事，可于开会时报告之，以便讨论或传播其方法。①

无政府主义对其他进步团体辅仁社、日新社、人社、健学会等，也产生了很大的影响。湖北进步社团无政府主义色彩相当鲜明：

第一，提倡团体的共同生活，实行互助。

在互助社成立后的半年里，成员经常在一起做早操、静坐，组织旅行，他们还设置了公共图书室，将每个人的书放在一起，实行共享。后来，又规定："每日开会一次。时间约在下午五时半至六时半。……互相激励，互相观摩，于进德修业，然后可求其庶几夙夜不忘，且精神因以振作，志气因以发扬。……开会之时，最初静坐约五分钟。所以使社员平心静气，免其有'不神圣会务'之弊也。次读昨日记录。每会有记录，所以记载每日之成绩，使他日可以复按，且以增前后之比赛竞进之心也。次社员依次报告其所作事遵守日程之情形。社员必各自订一作事之日程，未能遵守日程之作事，必报告其理由，而同人互评判之。此所以使社员不至耗时光于虚牝之法也。又报告其自助助人诸事，以相劝勉。事毕，诵《互励文》。"②

① 张允侯、殷叙彝、洪清祥，等：《五四时期的社团》（一），北京：生活·读书·新知三联书店，1979年，第118—119页。

② 张允侯、殷叙彝、洪清祥，等：《五四时期的社团》（一），第122—123页。

日新社认为，“团体生活是人人不可少的，我们中国人更不可少。我们将来想在社会上有所改造、有所设施，非多得些同志不可。我们现在当学生时代，正宜练习团体生活，得些真正了解的朋友。他们互助社都是一些学生组织成的，这便是练习团体生活、实行互助的意思”。与互助社一样，日新社“严定约章，每日须开会一次，开会时静坐片刻，安定心神，自省得失。开会毕，各各默念《自励词》而散”①。

武昌人社是武昌启黄中学所创立的社团，之所以创建，是基于创建者对团体生活重要性的认识：“念及学潮的失败，目击环境一些不堪的情形，每每恨现在一般的青年没有团体的训练、互助的精神，同时又感觉我们自己的能力不够做事，缺乏群众的修养，就都有个联合的心思。”②

互助是上述团体最显著的特征，这是克鲁泡特金无政府主义的基石。

第二，强调道德修养，以戒约约束自身。

互助社诵读《互励文》、日新社默念《自励词》都是进行道德修养的一种形式，其道德要求也很高。

为了加强道德修养，除每日静坐、反省等仪式之外，互助社规定戒约：“不谈人过失。不失信。不恶待人。不作无益事。不浪费。不轻狂。不染恶嗜好。不骄矜。”③武昌人社的戒约是：“不嫖赌，不欺瞒，不傲慢，不轻浮，不作无益的消费，不低视妇女及劳动者。”④启明化学工业社要求，“本社社员须遵守诚实勤俭四字。本社社员须免除嫖赌烟酒四项”⑤。

从实际情况看，社团成员对这些戒约是认真执行的。人社社员说：

① 张允侯、殷叙彝、洪清祥，等：《五四时期的社团》（一），第140页。

② 张允侯、殷叙彝、洪清祥，等：《五四时期的社团》（一），第145页。

③ 张允侯、殷叙彝、洪清祥，等：《五四时期的社团》（一），第118—119页。

④ 张允侯、殷叙彝、洪清祥，等：《五四时期的社团》（一），第145—146页。

⑤ 张允侯、殷叙彝、洪清祥，等：《五四时期的社团》（一），第153页。

“社员没有一个不注意会务的，没有一个对于会务不尽力的。犯戒约的社员少得很，开常会缺席的社员少得很。彼此劝善规过，互相监督，实在很为严格。”[1] 这些戒约反映了这些社团对修身淑世的高度重视。

第三，实行财产共有，实现“各尽所能，各取所需”的共产主义新生活。

在湖北，利群书社曾为此进行过试验。到 1920 年，武汉建立了多个社团。从规模上而言，当时建立的社团都很小，为了把各个社团联合起来，恽代英发起建立利群书社：“书社是各个小会社结晶体。”利群书社建立的目的，不仅仅是经销书报、从事文化事业，主要还是为了在更大范围实行共同的生活：1918 年上半年，互助社“社务进行极圆满，社员彼此很相互了解，无形之中似觉成了一个特殊的关系。新声社成立以后，他们渐有共同生活的感想。到周作人先生等鼓吹新村的时候，在《新声》上毓兰便有一篇文，名字叫作《新生活计划》。这才把共同生活形之笔墨。接着代英又就他这文加以商榷。那时的意思，所谓新生活，便只主张从比较了解的人、由轻而易举的办法办起。不过那时候是想在乡间适当地方组织个自给共产的新生活，没有想在城市中怎样做。接着北京工读互助团发起了，王光祈便写信给家菊、代英，盼望武昌有个同样的事业。……因为事实上的便利，亦决定不用北京工读互助团办法，只注意练习职业生活，练习共同生活”[2]。显然，恽代英等人也受到了新村主义、工读主义的影响。新村主义、工读主义也是无政府主义的两个流派。利群书社成立时发布的宣言提出了该社的任务、目标：“我们同时做两件事：一、于城市中组织一部分财产公有的新生活；二、创办运售各种新书报的商店。我们为什么要做这两件事呢？笼统的说起来，我们恳切的盼望：（一）有一个独立的事业；（二）有一个生产的事业；（三）有一个合理些的生活；（四）有一个实验各尽所能、各取所需的生

① 张允侯、殷叙彝、洪清祥，等：《五四时期的社团》（一），第 147 页。

② 张允侯、殷叙彝、洪清祥，等：《五四时期的社团》（一），第 125—126 页。

活机会；（五）有一个推行工学互助主义的好根基；（六）有一个为社会兴办各项有益事业的大本营。”利群书社还制订了十四项计划。在所有制上实行财产公有，在分配方式上实行各尽所能、按需分配，是克鲁泡特金思想的主要特点之一。但是，它的有些内容又体现了新村主义和工读主义的痕迹。如计划第十四项提出“共同生活中音乐、体育及其他方面之设备的进步，且进营乡村的新生活”，目标中的“推行工学互助主义”等。[①]

不久，恽代英感到，通过利群书社为实验共产主义提供物质条件的愿望难以实现，但恽代英等人并不放弃共同生活的理想。如何维持共同的新生活？恽代英提出，“大家用全力到乡村的事业上去”。1920 年 10 月，在《未来之梦》中，恽代英进行了全面设计：在乡村办小学，“于教课之余，有余力照顾儿童，有余力自己研究，有余力试验乡村农业或工业”。在那里，规定每个人必须工作一定的时间，衣食住完全由团体供给，孕妇、婴儿均得到良好照顾，……总之，恽代英设计的新生活就是他描绘的共产主义：“我们盼望这样便可以全然共产，实行各尽所能、各取所需的理想。”恽代英认为，此种新生活推行下去，甚至可以在全世界建设社会主义（共产主义）：“我们的意思，要改造这个世界，一须做一个共同生活的模型，使世人知道合理有幸福的生活是可能的事。一须我们大家协力，不但解决自己及家庭生活问题，而且要有力量与资本家决斗。”如何决斗？恽代英提出，“利用经济学的原理，建设个为社会服务的大资本，一方用实力压服资本家，一方用互助共存的道理，启示一般阶级。而且靠这种共同生活的扩张，把全世界变为社会主义的天国”[②]。这是典型的无政府共产主义理想，杂糅着新村主义、工读主义的成分，所以，《未来之梦》是一个较为全面的无政府共产主义之梦。它放弃阶级斗争，试图通过共同生活体来实现各尽所能、各取所需的共

① 张允侯、殷叙彝、洪清祥，等：《五四时期的社团》（一），第 133—135 页。

② 恽代英：《恽代英文集》上卷，第 229—244 页。

产主义，具有浓厚的空想性，注定是要失败的。恽代英等人后来认识到了无政府主义的局限性，逐步与之分道扬镳，从而确立科学社会主义的信仰。

总之，五四时期，无政府主义，主要是克鲁泡特金的学说在进步社团中，尤其是在湖北最大的社团——互助社及后来的利群书社中都有相当大的反映，由此可见无政府主义思潮在湖北的巨大影响。

三、马克思主义思潮

马克思主义是无产阶级革命的思想武器，诞生于 19 世纪 40 年代，但 19 世纪末才开始为中国人所知晓。最早介绍马克思及其学说的译著是上海广学会于 1898 年出版的《泰西民法志》。该书对马克思主义的各个组成部分均进行了介绍，并对马克思、恩格斯予以评价，不过，马克思主义是作为社会主义流派之一被介绍的。此后，越来越多的书刊介绍马克思、恩格斯及其学说。在清末，无论是维新派，还是革命派，都对马克思、恩格斯及社会主义有所介绍和宣传，不过，他们都是从资产阶级的立场来理解社会主义的，可能会吸收某些观点，如孙中山的思想中就有主观社会主义成分，但囿于其阶级立场，不可能正确理解，更不可能接受，毕竟，马克思主义学说是无产阶级世界观。中国人真正向往、渴望了解马克思主义并加以接受，是在五四时期，特别是十月革命的消息传到中国之后。在十月革命胜利的鼓舞下，中国宣传马克思主义蔚然成风，成为新文化运动新的潮流。确立马克思主义信仰的第一人则是李大钊，其标志是 1918 年的《法俄革命之比较观》《庶民的胜利》《布尔什维主义的胜利》和次年的《我的马克思主义观》的发表。

湖北也是由报道、介绍十月革命而介绍、传播马克思主义的。1917 年 11 月 12 日，《汉口新闻报》就发了一条专电，透露了十月革命的讯息。次日，《大汉报》以《俄国之大政变》为题进行了报道。新闻说：俄国“临时政府现不存在，内阁员半已就捕，暂行之国会亦已解散。黎雷氏大受欢呼”。黎雷氏即列宁。该报还介绍了列宁采取的政治、经济政策和措施。其后，武汉媒体接连报道列宁政府的新动向、新举措。次年 12 月 14 日，武昌文华大学还举行了俄国革命演讲会，演讲者是美国戴卫士博士，“来宾往聆者极形踊跃”①。随着对十月革命认识的深入，湖北一些进步知识分子开始接受、宣传马克思主义。这些进步的知识分子就是李汉俊、恽代英、林育南、董必武、陈潭秋、黄负生、施洋、李伯刚、张国恩、包惠僧、胡鄂公等一批具有初步共产主义思想的人（图 1—6）。有研究者指出，这批人由两部分构成，一是从传统知识分子嬗变而出，如董必武；一是大中学生，如恽代英。②

图 1—6　李汉俊、陈潭秋、林育南、施洋（自左至右）

有研究者认为，马克思主义输入中国的路径是东线、西线、北线。所谓东线输入，即从日本输入马克思主义；所谓西线输入即从欧洲输入；所谓北线输入，即是随着十月革命而来的马克思主义传播。③按照这样的分类，马克思主义输入湖北的路径就是东线、北线。

东线输入主要是通过李汉俊。李汉俊（1887—1927），湖北潜江人。早年在吴禄贞的帮助下，赴日本读中学、大学，并与日本著名的马克思主义经济学家河上肇交往密切，初步接触了马克思主义。河上肇是京都帝国大学教授，日本闻名的马克思主义理论家，著述甚丰，如《资本论入门》《唯物史观研究》《经济学大纲》《社会主义之进化》等。中国留

① 张影辉、孔祥征：《五四运动在武汉史料选辑》，武汉：湖北人民出版社，1981 年，第 26—29 页。
② 田子渝、黄华文：《湖北通史》（民国卷），武汉：华中师范大学出版社，1999 年，第 54—55 页。
③ 皮明庥：《近代中国社会主义思潮觅踪》，长春：吉林文史出版社，1991 年，第 305—306 页。

日学生很多都接受过他的教育，五四时期，其著作也被中国大量翻译出版，所以，河上肇对中国的影响巨大。1921 年，李汉俊从日本回武汉，带回了一些日、德、英文的马克思主义书刊，并在武汉开始组织工会，从事马克思主义宣传，后遭到军阀王占元的迫害，只好移居到上海其兄李书城处。这时，李汉俊翻译了《马格斯资本论入门》，还在《新青年》《星期评论》《觉悟》上写了一些介绍马克思主义的文章。李汉俊不仅接受了马克思主义，而且影响了董必武、陈潭秋、张国恩等一批人，这些人后来基本上在武汉中学工作，并从事马克思主义宣传与建党活动。1919 年，董必武、张国恩赴上海，此时李汉俊也到了上海，由于此前熟知，且居住很近，差不多天天见面，李汉俊便向董必武、张国恩介绍马克思主义，并把一些马克思主义书籍给他们阅读，在其影响下，董必武、张国恩在思想上接受了马克思主义。董必武在 1927 年回忆说："世界大战中，中国有一种启蒙运动，首先是文体的改革。主张文体改革的刊物是《新青年》，北京大学一部分教员和学生主张最力。另出一刊物名《新潮》，由文体改革进而讨论社会问题（当时主要问题为礼教、妇女、家庭诸问题）。我们当时看了这些刊物，同时由汉俊介绍几本日本新出的杂志如《黎明》《改造》《新潮》等，我们虽然看不甚懂，也勉强地去看。……就社会主义说，当时有的介绍无政府主义，有的介绍共产主义，有的介绍行会主义，且只有文字上的宣传，没有实际上的组织。我们几人当时都是欢迎这种新的运动，很爱看此类的新书。"① 实际上，董必武所作回忆说明，马克思主义输入湖北既有东线路径，又有北线路径。当然，李汉俊的影响是主要因素。1971 年，董必武就说："五四运动时，各种思潮都表现出来……当时社会上有无政府主义、社会主义、日本的合作运动等等，各种主义在头脑里打仗。李汉俊来了，把头绪理出来了，说要搞俄国的马克思主义，介绍《马克思主义入门》，看政治

① 中共中央党史资料征集委员会、中共中央党史研究室：《中共党史资料》第 7 辑，北京：中共党史资料出版社，1983 年，第 5 页。

经济学入门到底是资本主义，还是帝国资本主义，我们也弄不懂，这就是我们的老师，我们的‘本钱’。”①

湖北进步知识分子接受马克思主义，主要途径还是所谓北线输入，方式也很多：

一是从当时流行的书刊中获取。如董必武在建立湖北党团组织的过程中，通过恽代英创建的利群书社，引进《共产党宣言》《共产主义ABC》《社会发展史》等书籍和《新青年》《湘江评论》等报刊。

二是从湖北本地创办的报刊中获取。《武汉星期评论》虽很少正面介绍马克思主义，但不少文章运用马克思主义理论分析社会问题。如用辩证唯物主义原理分析宗教，用无产阶级妇女解放的理论阐述妇女运动等。

三是从湖北翻译、出版的一些马克思主义著作中获取。著名的有《阶级争斗》《马格斯资本论入门》《劳农政府与中国》三书。

四是从陈独秀演讲中获取。1920 年 2 月，陈独秀来汉，在文华大学、汉口青年会等处发表多场演说，他在演说中就谈到了社会主义。如在文华大学公书林演讲《社会改造的方法与信仰》，听众超过千人。陈独秀演讲大意是：“（一）打破阶级的制度，实行平民社会主义，人人不要有虚荣心；（二）打破继承的制度，实行共同劳动工作，不使无产业的苦，有产业的安享；（三）打破遗产制度，不使田地归私人传留享有，应归为社会的共产，不种田地的人，不应该享有田地权利，此改造社会的三种方法也。”②

从内容上说，湖北对马克思主义宣传主要表现为以下几方面：

第一，宣传唯物史观和阶级斗争学说。

唯物史观是马克思主义的理论基石之一，阶级斗争则是贯穿于马克

① 《董必武谈中国共产党第一次全国代表大会和湖北共产主义小组》，中国社会科学院现代史研究室、中国革命博物馆党史研究室：《“一大”前后》（二），北京：人民出版社，1980 年，第 369—370 页。

② 张影辉、孔祥征：《五四运动在武汉史料选辑》，第 277 页。

思主义的一条红线，认识这两者对深刻领会马克思主义十分重要。在宣传唯物史观和阶级斗争中，恽代英功不可没，翻译出版《阶级争斗》一书。该书是德国社会民主党人考茨基的著作，阐述马克思主义的唯物史观。1920 年，恽代英受《新青年》杂志的委托，翻译此书，1921 年 1 月由新青年社出版，198 页，小 32 开。内容共五章——小生产制的经过、劳动阶级、资本阶级、未来的共同生活、阶级争斗。它揭示了人类社会发展的基本规律，认为社会主义取代资本主义、无产阶级战胜资产阶级是历史的必然规律；它阐述阶级斗争的理论，认为工人阶级必须建立自己的政党，运用阶级斗争的手段，推翻资产阶级，建立新制度。《阶级争斗》宣传了马克思主义的唯物史观，在当时产生了很大的影响。湖北早期共产党人李伯刚回忆说："恽代英在翻译了考茨基的《阶级争斗》一书以后，思想发生很大变化。"[①] 所谓变化是指恽代英向马克思主义立场转变。该书对青年毛泽东的思想转变也起到很大作用。在保安，毛泽东就对斯诺说："有三本书特别深地铭刻在我的心中，建立起我对马克思主义的信仰。我一旦接受了马克思主义是对历史的正确解释以后，我对马克思主义的信仰就没有动摇过。这三本书是：《共产党宣言》，陈望道译，这是用中文出版的第一本马克思主义的书；《阶级斗争》，考茨基著；《社会主义史》，柯卡普著。到了一九二〇年夏天，在理论上，而且在某种程度的行动上，我已成为一个马克思主义者了，而且从此我也认为自己是一个马克思主义者了。"[②]

第二，宣传剩余价值学说和马克思主义经济学说。

剩余价值学说也是马克思主义的理论基石之一，马克思在《资本论》中进行了深入、系统的阐述。在剩余价值学说的传播中，李汉俊作出了杰出贡献。《资本论》是马克思经济学著作，研究的是人类社会经

① 《李伯刚自述》，黄钢、陈辉汉、黄铁：《黄负生纪念文集》，武汉：武汉出版社，2003 年，第 234 页。

② 埃德加·斯诺：《西行漫记》，北京：三联书店，1979 年，第 131 页。

济关系发展规律，当然，也是阐述剩余价值学说的经典著作，但是它十分深奥。为了使之浅显化，国际工人协会评论联合编辑米里·伊·马尔西撰写成《Shop Talks on Economics》，日人远藤无水则将它译成日文。李汉俊据此译成中文，命名为《马格斯资本论入门》，于1920年出版。该书只有54页，言简意赅地、深入浅出地介绍唯物史观、剩余价值学说，使得马克思主义能够更好地被理解、接受。

第三，介绍十月革命和苏俄政治、经济、外交等情况。

毛泽东有句名言可谓妇孺皆知："十月革命一声炮响，给我们送来了马克思列宁主义。"这句名言说明了一个事实：中国人了解马克思主义是从了解十月革命开始的。如前所述，1918年12月14日，文华大学就召开演讲会，介绍十月革命的情况。五四时期，此类文字很多，特别是报刊文章。但介绍十月革命及苏俄情况最详细者，莫过于《劳农政府与中国》一书。此书由张冥飞编辑，汉口新文化共进社1920年出版，172页。此书基本上涉及十月革命和苏俄政府内政、外交的各个方面，非常全面、系统。有学者指出，"作为这方面的专著，《劳农政府与中国》可能是第一本"①。编者并非马克思主义者，有些观点偏颇或有失实之处，但为当时渴望了解十月革命和苏俄情况的人士提供了很好的资料，也为马克思主义的传播展示了另一个侧面。

第四，宣传劳工神圣和无产阶级历史使命。

劳工神圣是五四时期一个非常响亮的口号，全国各大媒体不遗余力地加以鼓吹。马克思主义传播后，进步知识分子开始宣传马克思主义关于无产阶级的历史使命的思想，启发工人阶级的觉悟。如1922年5月1日，湖北共产党人组织五一游艺大会，借此进行宣传。施洋发表演讲："劳动者是世界文明的创造者，是人类的衣食父母。我们看，哪个物件不是工人做的，我们人类的生活，是不是依靠劳动的农工？但是制度的不良，他们反受了压迫，反处于最不幸的地位。现在我们渐渐明白了，

---

① 田子渝：《武汉五四运动史》，第208页。

知道劳工是神圣的，我们应该尊重劳动者。……完全的胜利，是要劳动者取得政权，把产业收归国有，消灭阶级，实现共产制度的社会。”①施洋的演讲运用了马克思主义唯物史观关于人民群众是历史的创造者等基本理论。恽代英的阐述也十分透彻：“自机器工业流行以后，资本家一方固能利用其私有的机器工厂以役使工人，工人亦渐聚集而占经济上重要地位，成为一种伟大势力，故自柏拉图以来传播的社会主义思想，至此乃因而大盛行起来。马克思因见实力已渐转移到劳工方面，故信劳工阶级必然胜利。理智的社会主义，非物质进化到此田地，不能影响于社会的组织。故怪古人错误所以发生错误的社会组织，还是不了解唯物史观的原故。”②

此外，湖北早期马克思主义者还宣传了马克思主义教育理论、妇女解放理论，如恽代英的《读〈国家主义的教育〉》《妇女解放运动的由来和其影响》以及林育南发表的大量关于平民教育的文章。

马克思主义的传播，使得早期马克思主义者进一步提高了认识，自觉清除了思想中的杂质，转变为坚定的马克思主义者。如恽代英等人在学习、宣传马克思主义中，摒弃了无政府主义。1921 年 7 月 16 日，利群书社成员在湖北黄冈开会，经过数日讨论，决定成立共存社，“以积极切实的预备，企求阶级斗争、劳农政治的实现，以达到圆满的人类共存为目的”③。共存会的创建，表明利群书社成员完成了思想的转变。而董必武、陈潭秋等人早在 1920 年秋就成立了武汉共产党支部（即湖北共产主义小组）。这两个组织的建立，使得马克思主义在湖北从理论宣传阶段发展到实践阶段。

① 武汉二七纪念馆、中共竹山县委党史资料征编委员会：《施洋纪念文集》，第 126 页。

② 恽代英：《恽代英文集》上卷，第 414 页。

③ 张影辉、孔祥征：《五四运动在武汉史料选辑》，第 302 页。

第二章　革旧立新的教育

中国近代是新旧杂糅的时代，新的因素在增长，传统的因素也依然存在，以四书五经为主要课程、以死记硬背为主要教学方法、以责罚为主要管理方式的私塾在湖北依然普遍存在。在江汉平原，开馆设教的私塾并不少见，一位监利人从1937年起就在私塾念书达8年之久："私塾生活单调，而体罚形式多样，背书的要求更是五花八门……我在前五年多的私塾里背完了《四书》《五经》《幼学琼林》等。""朝如斯，夕如斯，日复一日，年复一年，背书、体罚贯穿于私塾生活的全过程。"[①]1941年，浠水县有私塾109处，其中县城就有10余处。[②]1949年，枝江县有私塾51处。1946年，巴东县有私塾94处。[③]即使在新式教育比较发达的省城，私塾"在新中国成立前的武昌长期存在，一直延续到50年代初期。其间，武昌城内私塾最多时逾200所，少时也有20余所"[④]。

但是，变革是近代湖北教育事业的主旋律。清朝末年，西方教育思想与教育制度通过教会学校移植到本土，湖广总督张之洞也大力推行教育改革，湖北教育开始了由传统到近代的嬗变，近代教育体系逐步建立起来，湖北也由此跨入全国教育先进行列。五四时期，教育民主化改革成为时代潮流，倡导教育民主，主张个性自由，实行学生自治，推行平民教育。国民党政权建立后，力图对教育进行控制，以所谓三民主义的国民教育为目标，推行党化教育，湖北教育纳入国民党党国体系。随着

---

① 匡计洪：《私塾生活回忆》，政协湖北省荆沙市委员会学习文史资料委员会：《荆沙文史资料》，1996年11月编印，第285页。

② 徐又俊：《老浠城续编》，《浠水文化》编辑部2006年编印，第255页。

③ 熊贤君：《湖北教育史》下卷，武汉：湖北教育出版社，2003年，第12页。

④ 武昌区地方志办公室：《武昌区志简明读本》，武汉：武汉出版社，2014年，第415页。

抗日战争全面爆发，日寇铁蹄踏入湖北，湖北教育遭到严重破坏，大批学校被迫西迁至四川、云南等西南地区，或湖北鄂西、鄂北山区。在严酷的战争环境下，西迁的学校筚路蓝缕，艰苦办学，弦歌不辍，薪火相传。在日本占领区，日伪政府推行所谓“中日亲善”“大东亚共荣圈”，施行奴化教育，实行文化侵略。中国共产党领导的新民主主义教育是全新的人民的教育，首先在根据地、解放区推行，虽然条件十分艰苦，但学校教育、干部教育、社会教育等教育活动如火如荼地开展起来。

第一节　清末教育改革

湖北教育近代化起步于清末，湖广总督张之洞是其奠基者。在清末洋务新政中，张之洞大刀阔斧地推进教育兴革，对传统书院进行改制，创办新式学堂，鼓励留学教育，建立起包括普通教育、实业教育、师范教育、特殊教育、军事教育等在内的完整的近代教育体系，有力地推动了湖北教育近代化，使得湖北成为走在全国前列的先进省份。随着湖北近代教育体系的建立，新式知识分子群的形成，大批知识分子走向革命，成为清王朝的掘墓人。

一、书院改制

书院起源于唐、宋时期，是私人或官府设立的讲学肄业之所，大部分为科举考试服务，少部分偏重于稽古实学或诗词歌赋，故与官学、私塾有所不同。湖北书院的兴盛始于宋代，至清末，规模较大的书院有187所，其中，黄州府40所，武昌府23所，汉阳府13所，著名的有省城的江汉书院、经心书院、两湖书院，汉阳的崇正书院，黄冈的问津书院、经古书院等。

八股试帖和诗词歌赋脱离实际，晚清时期，改革八股文和科举制度的呼声高涨，在洋务运动中，各省逐步予以改革。改革的主要内容是“定课程”，即在传统的经学、史学之外，增加算学、舆地等西学课程，实行中、西学并重。张之洞改革书院的指导思想是："严立学规，改定课程，一洗帖括词章之习，惟以造真才济时用为要归。"[①]

江汉书院始建于明朝，咸丰三年（1853）毁于太平军之役，同治元年（1862）重建。光绪二十三年（1897），张之洞予以改革，除传统的经学、史学等课程外，增加天文、地理、算学、兵法等课程，改制后的江汉书院不再仅习经史词章，而是中学与西学兼习。光绪二十八年（1902），并入经心书院。

经心书院为张之洞于同治八年（1869）所创，此时，张之洞任湖北学政。光绪二十三年，在原有课程之外，增设外政、天文、格致、制造四门，学生分年轮习，但须兼习算学。这说明，当时教育者已经认识到，数学是各门自然科学的基础学科。光绪二十五年（1899），课程改为天文、算学、舆地、兵法四门，规定学生兼习。光绪二十八年，经心书院改为勤成学堂。光绪三十三年（1907），改为存古学堂。

两湖书院（图 2—1）为张之洞于光绪十六年（1890）所创办，初设经学、史学、理学、文学、算学、经济学六科，学生必修一科，兼学自定。光绪二十三年改制时改设经学、史学、舆地、时务四门，不久规定学生均须学习时务，加上算学，仍然是四科。后增加天文、地图两科。光绪二十五年改地图为兵法，光绪二十六年（1900）增设格致、兵操、化学、博物学等，西学的比重更大。中、西兼学，文、武兼习，教学方法采用西式，体现了张之洞"中学为体，西学为用"的思想。两湖书院开设兵操，"在中国教育近代化的历程中，也是开天辟地第一回，对中国教育近代化的影响之大，是不言而喻的"[②]。在两湖书院任教习的有杨锐、汪康年、姚晋圻、沈曾植、陈三立、周锡恩、邹代钧、杨守敬、徐建寅等学者、名人。而改制后的两湖书院也造就了一批新式人才，如唐才常、傅慈祥等自立军起义的骨干，黄兴、刘成禺、李书城等辛亥革

① 张之洞：《两湖经心两书院改照学堂办法片》，赵德馨：《张之洞全集》第 3 册，第 480 页。

② 董宝良、熊贤君：《从湖北看中国教育近代化》，广州：广东教育出版社，1996 年，第 86 页。

命的重要人物。

图 2—1 两湖书院

张之洞还对湖北其他书院进行了改革。如张之洞在黄州创办经古书院，曾聘周锡恩、姚晋圻等热心时务的人士为山长，以实学造人才，开鄂东新风气，培养出政治家汤化龙、方志学家王葆心等人才。

湖北教育近代化最早是从书院改制开始起步的。经过改制，书院与新式学堂已经没有区别。所以，光绪二十七年（1901），清政府要求，书院一律改为学堂。按照要求，次年，两湖书院改为文高等学堂，而府、县书院则分别改为中、小学堂，如武昌的高观书院改为江夏高等小学堂，汉阳的晴川书院改为汉阳府中学前堂，凤山书院改为汉阳府中学后堂。这样，一大批书院从传统走向近代，成为传播近代自然科学和社会科学知识的殿堂。

二、新式学堂创建

张之洞创办新式学堂的目的很明确，就是为湖北的洋务事业培养急需人才。光绪十七年（1891），张之洞设立算学学堂，并设方言、商务两学附列，另有矿石学班。次年，矿石学班扩建为矿务学堂。

中外交往，西学东渐，学习西方，都少不了精晓外语的人才。光绪十九年（1893），张之洞创办自强学堂，以学习方言（外语）为主，兼学其他西学，如格致、算学、商务，每科招收 20 名学生。光绪二十二年（1896），算学科并入两湖书院，格致、商务两科停办，方言则分为英文、法文、德文、俄文 4 科，实际上，自强学堂变成了外国语学校。所以，光绪二十九年（1903），更名为方言学堂。

在清末洋务新政中，湖北学校众多，成效显著，特色鲜明。

普通教育层次多样。光绪二十九年，湖北幼稚园在武昌建立，这是中国第一所官办幼儿园，幼稚园聘请 3 名日本人做保姆，把日本的学前教育课程、理念引入中国。湖北幼稚园是当时全国的楷模，为各地所仿效。湖北其他地方也陆续建立幼稚园，如宜都、长阳等地。

光绪三十年（1904），张之洞下令在武昌分设东、南、西、北 4 局，每局下设小学堂，共有 60 所，其中城内 43 所，城外 17 所。同年，城内开办东、西、南、北、中五路高等小学堂，每所招生 100 人。课程设置为：修身、读经、中文、算术、历史、地理、理科、图画、体操等，新学的比重较大。此外，武昌还有两湖师范学堂之附属小学堂、女子师范学堂之附属小学堂、武昌府及江夏县所立高等小学堂。汉阳有 2 所高等小学堂、14 所初等小学堂。汉口有 2 所高等小学堂、12 所初等小学堂。湖北各地也陆续建立官办的高等小学堂和两等小学堂（完全小学），每县至少一所，多则五六所。到宣统元年（1909），湖北有小学堂 150 所，学生 15 700 余人。

光绪二十九年（1903），湖北文普通学堂在武昌开班，定额 240 人，学生年龄在 15 岁到 24 岁之间，学习科目十二门：伦理、温经、中文、外语、历史、地理、数学、博物、理化、法制、图画、体操。学制四年。这是湖北完全中学之始。此后，武汉及其他各地纷纷开办中学堂。据统计，清末，湖北有官立中学堂 26 所，学生 3 000 余人。①

湖北专门学校与高等学堂也有 9 所，如文高等学堂、高等农业学堂等。

实业教育注重实务。光绪二十四年（1898），张之洞奏报开设湖北

① 罗福惠：《湖北通史》（晚清卷），武汉：华中师范大学出版社，1999 年，第 241—242 页。

农务学堂与湖北工艺学堂。湖北农务学堂开设农、桑两科，学习外语、算学、电学、化学、种植、畜牧、茶务、蚕务等课程，这些都是实学。光绪三十二年（1906），学校升格为湖北高等农业学堂，辛亥革命后，学校易名为湖北高等农林学校。湖北工艺学堂聘用日本教师，学生分习汽机、车床、绘图、翻砂、打铁、打铜、木作、漆器、竹器、洋蜡、玻璃等工艺。学堂注重实践能力的培养，学生每日学习 4 小时，实际操作 4 小时。光绪三十三年（1907），学堂易名为湖北中等工业学堂。绘制十八星旗的革命党人赵师梅、赵学诗、陈磊出自该校。清末，湖北开设的中、初等实业学堂有近百所。

师范教育领先全国。湖北重视师范教育，开办有湖北师范学堂（1902）、两湖总师范学堂（1904）、湖北师范传习所（1904）、初级师范学堂或速成师范讲习所（1905）、支郡师范学堂（1906）和湖北女子师范学堂（1909）等蜚声中外的近代师范学校。其中，湖北师范学堂是中国近代第一所师范学校，女子师范学堂也开中国女子师范教育之先河。两湖总师范学堂由文高等学堂改建，分仁义礼智信五斋，学生来自湖北、湖南两省，名额 1 200 人，规模相当大。学科有修身、读经、中文、教育、算术、英语、历史、地理、物理、化学、博物、手工、音乐、体操等。学制五年。该校学生积极参与武昌首义，著名的人物有牟鸿勋、梅宝玑、苏成章、张樾、张祝南等人。光绪三十一年（1905），湖北将各府设立的中学堂一律改为初级师范学堂，或者先办速成师范学堂、师范传习所。清末，湖北各地师范学校有近 40 所。

军事教育体系完备。光绪二十一年（1895）建立的湖北武备学堂是湖北最早的军事学堂，延聘德国人为教习，学生学习内容是西方军事科学与知识。分为讲堂之课和操场之课两部分。所谓讲堂之课，即以明其理为宗；所谓操场之课，即以尽其用为本。讲堂之课侧重理论，包括：军械学、算学、测绘、地图学、各国战史、营垒、桥道制造之法、营阵攻守转运之要等。操场之课侧重实战：枪队、炮队、马队、营垒工程队、行军队、行军炮台、行军铁路、行军电线、行军旱雷演试、测量演习、体操等。可见，湖北的军事教育以西方尤其是德国为效仿对象。相比较而言，学堂偏重于实际技能的训练。除偏重操场之课外，学生还被派往军营见习。将弁学堂创建于光绪二十七年（1901），招收现任或后补将弁，学习兵法，学制三年。毕业后充任下级军官如队官（连长）。光绪二十九年（1903），武备学堂改为武高等学堂，次年，将弁学堂并入其中。湖北的军事学校还有光绪二十九年成立的武普通中学堂，光绪三十二年（1906）开办的湖北陆军特别小学堂、湖北军医学堂，宣统元年（1909）建立的陆军第三中学堂，宣统二年（1910）创建的湖北陆军测绘学堂及次年创办的湖北陆军小学堂等。

清末湖北学堂分官办与民办两种。清廷与湖北当局鼓励民间创办学堂，民间绅士参与办学的热情很高。光绪二十三年（1897），湖北抚署文案程颂万在武昌创办私立湖北中西通艺学堂。这是一所新式实业学校，除教授传统的经史之学外，主要向学生传授舆地、图算、文艺和英语、法语等西学。学生分内课生与外课生两类，前者学习期限一至三年，后者五个月至一年。外课生可以不习中学，即经史之学。湖北黄冈仓埠镇人（今属武汉市新洲区）夏寿康早年曾中进士，任翰林院编修，宣统元年湖北咨议局成立时任副议长。他曾举办黄州初级师范学堂、启黄中学、武昌私立法政学校。湖北枝江人时象晋是湖北咨议局议员，宣统元年，于武昌棋盘街创建滋兰女学堂，开湖北私立女子学校之先河，后来又在家乡枝江县开办1所。沔阳州先后开设了高等小学堂、第二高等小学堂、沙湖高等小学堂等。

这些近代意义的学堂，在草创阶段虽然有一套招生制度和管理制度，但在学制、学生年龄、毕业出路等方面具有很大的灵活性。比如，有些学堂对学习期限没有明文规定，学习成绩优异者可择优录用或资助出国留学，没有找到合适出路的还可留堂继续学习；入学年龄也没有限制，在两湖总师范学堂的学生中既有五六十岁的老者，也有十五六岁的少年，父子同堂共读者并非绝无仅有。学生在堂待遇比较优厚，不仅不交费，而且供给衣、食，按月考成绩发给奖金，优秀学生所得奖金甚至可以养家糊口，武备学堂学生还每月发给赡家银四两。这些学堂聘请“海归”学子和新式学堂毕业者充当教习，教授各门中、西学课程，学生在堂可以受到新式教育，吸取各种较先进的社会科学和自然科学知识，成为知识结构优于旧式士大夫，视野开阔、思想活跃的新式知识分子，其中不乏社会栋梁之才。如，著名地质学家李四光曾在西路高等小学堂肄业，民国外交家郭泰祺就是由南路高等小学堂选送留学美国的。宋教仁、田桐、董必武、查光佛、蒋作宾等都曾是文普通中学堂的学生。自强学堂的不少学生毕业后出国留学，周英杰、马德润等留德，刘文彬等留比，严式超、夏维松等留俄，雷以纶、杨恩谌等留美。

三、社会教育兴办

社会教育承担着教化民众的责任，包括礼仪、文艺、音乐、演剧、影剧院、博物馆、图书馆、美术馆、美术展览会、民众学校及其他通俗教育等载体或形式。

图书馆是社会教育的重要设施，湖北著名的图书馆有美国基督徒韦棣华（Mary Elizabeth Wood）所创文华公书林、在省城武昌长街三佛阁设置的学堂应用图书馆、在武昌兰陵街西设立的湖北省图书馆（20世纪30年代迁至武昌蛇山南麓）。此外，还有私人图书馆。

半日学堂是社会教育的一种形式，即贫民子弟半日劳动，半日学习。湖北半日学堂之创建归功于陈夔龙。光绪三十四年（1908），陈夔龙接任湖广总督。他创办教育用品陈列馆1所，并在全省推广半日学堂、宣讲所、简易识字学塾等社会教育机关。到宣统元年（1909），湖北半日学堂达27所。

四字讲社也是社会教育的一种形式，主要对未入学的成年人进行社会、伦理、自然、历史等方面的教育，以增进民众知识，启迪民众智慧为宗旨。所用课本，多为浅易的四古韵文，如宋代胡寅的《叙古千文》。湖北是最早开办地之一。光绪三十年（1904），知州陈介庵在蕲州创办了1所四字讲社。宣讲所与四字讲社在功能方面相同，湖北最早的宣讲所——湖北宣讲所也建立于光绪三十年（1904），地点是武昌。宣讲所宣讲的内容主要是上谕、法令与时事，面向一般民众。简易识字学塾是清末兴起的社会教育组织方式之一，面向贫民子弟。与全国各省比较起来，湖北是建立简易识字学塾最早的省份之一。同年，武昌县城内外就设立了简易识字学塾60个，每堂15~16人不等。江夏县有20余所，黄陂、蕲州也有30余所。宣统二年（1910），湖北有简易识字学塾1 088所，学生22 370人，[①] 名列全国前茅。

四、留学教育兴起

中国近代留学教育伴随洋务运动兴起。同治十一年（1872），在容闳的积极推动下，清政府启动留学教育，委派他和陈兰彬带领幼童30人赴美留学，这是官派留学之始。后来，又有三批幼童被清政府派往美国留学。光绪三年（1877），第一批留学欧洲的学生被福建船政学堂派出，此后，共有四批学生被派往欧洲。截至19世纪90年代初，清政府共派出留学生200余人赴欧洲和美国。这是中国留学教育的第一阶段。由于当时风气未开，因此留学规模并不大。

甲午战败，朝野震动，为了寻找民族出路，中国不少人士主张派遣留学，特别是主张派往日本，学习日本自强之道。在此背景下，清政府表现更加积极，留学运动迅速发展。光绪二十七年（1901），清政府宣布实行新政，在教育改革上，就有提倡、奖励留学的举措，这就进一步刺激了留学教育。光绪二十九年（1903），张之洞上奏清廷，请求奖励留学，并建议对留学生加以管束，其奏折附录《鼓励游学毕业生章程》。《章程》规定：中国游学生在日本毕业者，按照学历层次，给予奖励。《章程》的基本内容得到了采纳，起到了激励作用。在各方面重视下，留学逐渐形成一股浪潮。

湖北留学教育起步较晚，但后来居上。湖北最早的留学生是黄梅

---

① 熊贤君：《湖北教育史》上卷，武汉：湖北教育出版社，1999年，第248—249页。

县一名叫石美玉的女子。光绪十八年（1892），她赴美国留学，学习医学。但这不是湖北地方政府行为，是教会派出的。甲午战争之后，湖北留学教育发展十分迅速。光绪二十二年（1896），清政府驻日公使馆在国内招收日文翻译练习生，湖北的戢元丞考取，成为清政府首次派遣的13名留日学生之一。光绪二十四年（1898），清政府计划派200人赴日，但是风气未开，效果欠佳，仅派出56人，但湖北的比例较大，有20人。不久，张之洞又派4名秀才赴日。光绪二十五年（1899），湖北派出20人赴日本学习军事，其中就有士官三杰之一的吴禄贞。另有多人学习实业、农业。当年派往日本的留学生不少于七八十人。光绪二十七年（1901），清廷发布谕旨，要求各省积极选派留学："造就人才，实系当今急务，前据江南、湖北、四川等省选派学生出洋肄业，著各省督抚一律仿照办理。"[①] 从这份谕旨看出，湖北已经后来居上，居于全国前列。

到20世纪初年，湖北留学生人数名列各省前茅。这是张之洞积极推进留学教育的结果。张之洞非常重视留学教育，他的认识颇有见地："出洋一年胜于读西书五年，此赵营平'百闻不如一见'之说也；入外国学堂一年胜于中国学堂三年，此孟子'置之庄岳'之说也。"湖北在经费投入方面也名列全国前茅。

中国留学日本的人数远超留学欧美的人数。究其原因，主要是：第一，中国朝野从甲午战败中吸取经验教训，受到启发：因为日本学习西方很成功，所以打败了中国。如果要学习西方，应该先学习日本。很多人以学习日本富强之道为目的，东渡日本，清廷也以此为国策；第二，中国与日本之间的距离较近，来去便利，路费较少；第三，日本学费较低、生活便宜，家庭支出较少。第四，两国文字相近，风俗相似，方便学习；第五，日本政府为了拉拢清政府，企图通过培养留学生的方式，扩大日本在中国的影响和利益，对中国派学生留日的态度较为积极，给

① 朱寿朋：《光绪朝东华录》第4册，北京：中华书局，1984年，第102页（总第4720页）。

予的条件较为优厚。日本就为中国留学生开设了不少专门的学校。

数据显示，湖北留学教育领先各省。光绪二十七年（1901），全国留日学生有274人，其中湖北47人。翌年，全国留日学生有500余人，湖北就有100余人，光绪二十九年（1903），湖北留日学生超过150人。有人形容说，壬寅、癸卯年间（1902—1903），“湖北学生在东瀛者，其多于鲫”[1]。光绪三十年（1904）之后，湖北留日学生更是成倍增长，光绪三十年达341人，次年达430人。光绪三十二年（1906）是全国留日学生数量最大的年份，总数在1.3万与2万人之间，而湖北就有1 300人，为全国之冠。光绪三十四年（1908）至宣统三年（1911），留日学生人数居全国前六位的省份是：湖北410人，江苏331人，浙江318人，四川302人，湖南239人，广东213人，湖北依然列为全国首位。[2]在清末，湖北留日学生有5 000人之多。

与其他各省一样，湖北选派赴欧、美的留学生比派往日本的少。光绪二十九年3月，湖北选派刘庆云等10人赴美留学，锦全等8人赴德留学。6月，派萧安国等3人赴德留学。7月，派24人赴比利时留学。截至光绪三十年（1904），湖北派往欧、美的留学生数量分别为：德国25人，法国10人，英国23人，美国11人，比利时24人。在清末，留学欧、美的湖北学子有200余人。

湖北风气普遍较为开放，全省60余州县及驻防八旗都有留学生，生源地很广。在科目选择上，按照湖北当局规定，对学习政法、军事科目有一定的限制，规定由中国政府保送者才可以读。其他科目如实业、文科、医学等，留学生可以自由选择。相比而言，读政法和军事者居多，学师范者次之，习其他科目者较少。有学者对可搜集到资料的807名湖北留日学生进行分析，发现除了270人无法查证其所学科目外，在其余537人中，有251人习陆军，占46.7%；139人习法政，占35.7%；

① 严昌洪、张铭玉、傅蟾珍：《张难先文集》，第57页。

② 乔金霞：《近代湖北留学教育综论》（华中师范大学2008年硕士论文），第45页。

73 人习师范，占 13.4%；32 人学工科，占 5.7%；17 人学农科，占 3%；12 人习格致，占 2.1%；9 人学商科，占 1.6%；4 人习医科，占 0.7%；而习文科、财经、海军者极少。前三者相加，比例高达 80% 以上。[①] 这和其他省份的情况大致相吻合。光绪二十九年（1903）10 月至光绪三十年（1904）4 月，中国留日毕业生有 124 人，其中学师范者 86 人，均为速成科毕业，占总人数的 69.4%。光绪三十年 4—10 月，在 165 名留日毕业生中，有 37 人习师范，占总数的 22.4%，其中习速成师范者 32 人。[②] 根据清政府驻日公使杨枢奏报，光绪三十年，在中国 1 300 名留日学生中，习文科（包括法政、师范和普通科）者达 1 100 余人，学武科者 200 余人。[③] 一批留学生之所以选择师范，特别是速成师范科目，是因为有用武之地。当时中国建立了一大批新式学堂，急需师资，尤其是科举制度废除后，对新式学堂师资的需求猛增。而选择政法与军事科目者多的原因，是学子们具有强烈的历史使命感、时代紧迫感和拳拳的爱国心，希望从政、从军，推动政治改革和军事改革，实现国家强盛。

湖北近代教育体系的建立，对湖北社会发展乃至中国社会进程都产生了深远的影响。

首先，西学得到进一步传播，科技得到进一步发展。湖北各学堂要求中西兼学，而不再仅限于经史词章。随着科举制度的废除，中学越来越虚化，西方学科知识和科技知识越来越被知识分子乃至平民接受。时人说："两湖书院提倡实用科学的风气对社会也有很大影响：公立书院讲授科学的多了；各县兴办的小学多起来了；书店里出售的科学书籍多了，私人开办私馆讲授科学的也多了，教授相当于中学程度的科学课程，就读的学生很多。"[④]

---

① 乔金霞：《近代湖北留学教育综论》（华中师范大学 2008 年硕士论文），第 48 页。

② 田正平：《留学生与中国教育近代化》，广州：广东教育出版社，1996 年，第 319 页。

③ 田正平：《留学生与中国教育近代化》，第 83 页。

④ 陈英才：《两湖书院忆闻》，《文史资料选辑》第 99 辑，北京：文史资料出版社，1984 年，第 93 页。

其次，为湖北培养了大批人才，造就了湖北近代知识分子群。据估计，截至宣统三年（1911），湖北全省兴办各级各类新式学堂（不含学前教育、社会教育）约 2 600 所，在校学生规模最多时约为 10 万人。[①] 许多学子成长为各领域的风云人物，如地质学家李四光，法学家张知本、马德润，国学大师黄侃，外交家魏宸组、郭泰祺。此外，政界汤化龙、李书城、孙武、刘公、梁钟汉等，军界吴禄贞、蓝天蔚等，教育界张继煦、李廉方、陈时等，在辛亥革命或民国时期都是风云人物。这批知识分子不仅接受了西方自然科学，而且接受了西方文明的洗礼，因此，不同于封闭守旧、满脑子封建伦理纲常的旧式士大夫。他们活跃在湖北各个领域，有力地推动了湖北近代化的进程。

再次，造就了湖北在全国政治运动中的重要地位，为清朝封建统治培养了掘墓人。张之洞力图把学生培养成为“中体西用”式的人才，所以特别重视对学生思想与行为的控制，但是事与愿违，随着西方政治学说的传播，大批新式知识分子的产生，湖北士林风气为之大变，这些知识分子对政治参与的热情高涨，无论是在清末地方自治运动、立宪运动，还是在资产阶级革命运动中，湖北都是风云际会之地。这些人最后多走上了反清革命的道路：“从这批知识分子的经济地位和思想倾向看，大多属于资产阶级和小资产阶级范畴。他们接受了若干近代文化科学知识和社会学说，如民权论、民约论、进化论，以及民主共和思想，具有强烈的爱国热情，在列强蚕食鲸吞、清廷腐朽昏聩的社会现实刺激下，很容易奋不顾身地走上革命道路。”“湖北知识青年在辛亥首义和以后的革命运动中，发挥了启蒙者和先锋战士的作用。”[②] 从某种意义上而言，清末湖北近代教育体系的建立为清王朝培养了掘墓人，“种豆得瓜”就是清政府和湖广总督张之洞进行教育改革的结果。

---

① 罗福惠:《湖北通史》(晚清卷)，第 243—244 页。

② 冯天瑜、张笃勤:《辛亥首义史》，武汉：湖北人民出版社，2011 年，第 100—101 页。

第二节　五四前后的教育改革

五四时期是独具魅力的时代，各种思潮相互激荡，各种“改造”方案竞相登上舞台。教育领域的改革也如火如荼，批判封建教育，宣传民主、科学，主张自由平等、个性独立成为教育领域的主旋律。五四时期的教育改革在中国历史上具有突出的地位，五四时期是中国教育发展最重要的阶段之一。在进步知识分子推动下，湖北教育界的教育改革具有相当大的声势。主要内容有：在学校管理上实行民主化，反对专制；在教学中使用白话文，采用新教法；在训育中注重学生自治，培养公民素质。此外，还开展平民教育运动，推进学制改革等。

一、教育的民主化改革

五四时期是民主主义勃发的时代。滥觞于清末的民主主义，在第一次世界大战后，其内涵发生了变化，它不仅涵盖了政治、经济、文化、教育诸方面，而且其主体扩及一般平民，因此，民主主义也被称之为平民主义、民治主义、庶民主义等。学校教育的民主化改革和平民教育运动就是民主主义在教育领域的表现。五四时期，湖北出现了教育民主化改革的新潮流，主要内容是：反对封建主义，实行民主治教；推行新教育，实行学生自我管理。

对民主治教，湖北教育界人士曾进行过公开讨论。1921 年 11、12 月，刘子通发表《改良湖北教育意见书》，提出改革意见十三条，体现出教育民主的精神。主张发挥学生的自主性，如规定建立学生自治会、各科研究会、辩论会、级会、社会调查会等学生自治组织；主张教师参与学校管理，如规定组织教授研究会、训练研究会、教务会议、校务会议等。最典型的意见莫过于学生可以评价、监督教师，甚至在一定程度上决定其去留：“中等学校每级各科应设教授批评投函箱于教室。关于教授优劣及应请其改良或保留之处，由该级学生每月于最后一星期内用记名制，各书意见，投置批评箱内，由该级级任按月汇报，斟酌发交该科教员，以资教法改良之参考。其有批评误会处，教习于授课时为之解释。级任当汇集评纸（名为函件实则不过一纸耳）时，可按月分科就所评议情况统计之，藉观各科师生感情。而于批评谬误之处，须负解释疏通之责。”“中等学校教员去留，于每学年终时（即暑假前）由各级开级会投票决之（记名制）。如反对票数过三分之二者，于此后一年间不得复任该级教习。”[①]这样的改革意见所具有的民主色彩极为浓厚。因为，五四运动前，学校管理权操诸学校，学校对学生教育管理的职能由学监与教职员执行，学生单向接受教育与管理，教职员多用警戒、惩罚的方式教训与管理学生，方法与方式比较简单，在人格上学生与教职员处于不平等的地位，至于教师，也处于被管理的地位，没有参与校务的权利。所以，刘子通的意见简直有些石破天惊了。

一石激起千层浪，教育工作者非常热烈地讨论起来，有的还批评校方阻挠校务公开：“学校里的事就不是校长一个人的私事！既是这样，校务怎能只呼校长一个人负责呢？”[②]学生也积极参与讨论，对学校种种怪象，学生在媒体上公开予以指责，如有的校长压制校务公开，反对学生参与评教和参与学校管理，有的教员上课抽烟、擦鞋，对教学敷衍塞责。正如当时的媒体所言：“‘改良湖北教育’的声浪，在现在算得是，一天高似一天；一切关于办学校的手续，有心改革的人，正从事研究；公共组织的团体，有经费审查会，审查各校经费的出纳；有校务讨论会，讨论各校要紧的事物。私自组织的更多，差不多稍微有点‘向新’有点‘团结力’的学校，都有一两个团体的结合，研究的、讨论的，总是为的‘改良’一切。有的说‘应该行级任制；使一个学校里多有几个负责的人，就可多有几个办事的人’；彼的效力就在使校内的事情，不专责一人；或不因精神的不济，至于废弛。有的说：分校务为三

① 张影辉、孔祥征：《五四运动在武汉史料选辑》，第274—275页。

② 张影辉、孔祥征：《五四运动在武汉史料选辑》，第270页。

科……”[①]

对那些冥顽不化的学校当局，师生甚至付诸行动，进行斗争，如湖北女子师范学校师生就驱逐了校长王式玉。王式玉对学校实行封建式的把持。该校学生说：“学校对我们的教育完全是旧的一套，培养我们成为一个安分守纪的小学教员，或者做个贤妻良母；什么政治问题、社会问题都不要我们过问。五四运动后，新思想逐渐影响到我们女校。一九二一年下半年，陈潭秋、刘子通、黄负生等一批进步老师先后来女师任教。他们利用教书的机会，向我们宣传革命道理，告诉我们十月革命是怎么一回事，使我们的思想得到了启蒙。”[②]但是，却遭到校长王式玉等顽固分子的压制、打击，刘子通甚至被解雇。此举激起湖北女子师范学校师生激烈的反对，师生举行了罢课，要求湖北教育当局和校方撤销解雇刘子通的决定，虽然遭到压制，徐全直等几名学生甚至被开除，但王式玉也被驱逐。

民主治教的思想和新教育理念在湖北不少学校得到了贯彻。武昌高师附小、武汉中学都建立了级任制，采行新的管理方式；开展学生自治，实行自我管理。私立武昌共进中学把“学生自治”作为训育的方法：“训育方法采取自动自治，校风极为良好。”[③]文华大学则建立了较为齐备的学生自治组织，通过自治组织施行自我管理：“该校自五四运动发生，即有学生会、干事团、评议团诸组织。”[④]恽代英等人在黄冈建立的浚新小学“教育注意实地观察、野外生活、自治互助、乡村实用”[⑤]。大冶县立中学1921年成立了同学会、校友会等学生自治组织，下设杂志、辩论、钢球、足球、篮球、军乐、武技、徒步、卫生、贩卖

① 张影辉、孔祥征：《五四运动在武汉史料选辑》，第269页。

② 夏之栩：《革命的引路人——忆陈潭秋同志》，湖北省社会科学院：《回忆陈潭秋》，武汉：华中工学院出版社，1981年，第47页。

③ 张影辉、孔祥征：《五四运动在武汉史料选辑》，第255页。

④ 张影辉、孔祥征：《五四运动在武汉史料选辑》，第260页。

⑤ 张影辉、孔祥征：《五四运动在武汉史料选辑》，第257页。

等十部。增加学生自我锻炼、自我管理的机会。[1]设在襄阳的湖北省立第二师范学校和设在樊城的教会所办的鸿文中学等学校也建立了学生自治会。在实行学生自治的学校，学生会、自治会等自治组织基本上按照三权分立的模式，设立执行、评议、纠察（监察）等机构，各部职员产生方式也是选举。这些都是新的民主管理制度，它尊重学生个性和权利，激发了学生的主体意识、民主意识，提高了学生自我发展和服务社会的能力。民国时期，学生自治在学校普遍施行起来。

马克思主义教育家恽代英在教育民主化改革上尤其富有成效。在教育目的上，他把培养学生现代公民素质作为其中重要内容。早在担任中华大学附中校长时，他就规定教育之全部目的："（一）国民常识之养成：国学常识，科学常识，世界常识。（二）生活技能之养成：手工制造，化学制造，国文改良，小学教育研究。（三）公民资格之养成：公民知识，公民道德，协同生活之训练，社会服务之提倡。（四）升学能力之养成：英文程度提高，各科平均注重，每上课时口问、月考，提倡预习，提倡自由研究，择校之辅助。"[2]在训育上，他重视学生自治："我提倡学生自治，根本便只是因为那是合于我的教育理想；即前说教育要顺着学生生长的原理，使他在心理方面、社会方面得着他合当的发展的意思。"他不仅在中华大学附中、浚新小学推行学生自治，而且将它推向他所任教的外地的学校。如在安徽宣城第四师范学校任教务长兼修身、英文教员时，该校的学生自治在其推行下就颇有成效，1921年6月，恽代英在致友人的信中就谈到，"即以宣城四师而论，自治才在萌芽，校规却着实进步，彼此互相监督的力量亦渐渐大了。不是他们没有滥用权力的地方，但随时与以合宜的节制，实在不曾看见专制学校中所有的些怪事情"[3]。在教学中，恽代英也重视调动学生的主动性，注重

① 刘钧、毛济美：《民国时期的大冶县立中学》，中国人民政治协商会议湖北省委员会文史资料委员会：《湖北文史集粹·教育科技医卫体育》，第312页。

② 李良明、钟德涛：《恽代英年谱》，武汉：华中师范大学出版社，2006年，第99页。

③ 恽代英：《恽代英文集》上卷，第301—303页。

学生能力的培养，经常组织社会考察、童子军宣誓等实践活动，并亲自与学生一起参与。他还在中华大学附中建立科学会、美术会等社团，鼓励学生自我管理，自由研究，调动学生主动性、积极性：“学校管理之严，乃教育之手段，非教育之目的。提掖学生之自动自治，乃其目的也。”① 在管理上，恽代英重视民主治校。例如，他在川南联合师范学校任校长时，提出“择师运动”“经济公开”，推行民主治校，受到媒体赞赏：川南师范教师，“大多是富有新思想之教育家，教育制度上采用新学制，适合新教育原理，校内组织采取委员制，委员会由学生与教职员共同组织，凡事均由委员会决定”。还有媒体点名予以称赞：“川南联合师范学校，一年来力谋改革，最近该校教务主任恽代英君，更提出《学校公有运动》一文，主张财政公开，用人须得学生同意，颇能力矫历来校长中饱校款与任用私人之弊。”②

二、平民教育运动

在社会教育改革方面，五四时期最大的变革就是平民教育运动的风行。平民教育思潮滥觞于清末，平民教育是教育民主思潮在教育实践领域的表现，起源于晏阳初等人 1918 年在欧洲对华工的苦力教育。第一次世界大战期间，欧洲从中国直隶、山东等地输入华工 20 万，从事筑路等工作。这些华工基本上是文盲，生活习惯较差，在国外违法之事时有发生，英、法等国便聘请华人进行管教，晏阳初就是其中一名管教员。他负责管理五千华工，但他并不是简单管教，而是对其进行文化教育。他自编教材，教华工识字，传授文化，成效显著，被英、法军事当局所推崇。五四时期，在平民主义的激荡中，一些知识分子也极力鼓吹平民教育，形成声势浩大的平民教育思想潮流。1920 年，晏阳初回国，积极从事此项运动，更是大大促进了平民教育运动的发展。

① 李良明、钟德涛：《恽代英年谱》，第 112 页。

② 李良明、钟德涛：《恽代英年谱》，第 200—201 页。

在五四时期平民教育实践中，湖北相当活跃。与全国各地相比，其鲜明的特点是，湖北平民教育运动主要是湖北早期马克思主义者组织、发起的，几乎所有的早期马克思主义者都参与其间。如恽代英、董必武、施洋、林育南等人主要从事教育工作，是湖北教育界、文化界名人，在平民教育实践中非常活跃。董必武在1920年就曾抨击湖北教育界的腐败，与湖北省教育会内反对教育改革的顽固分子进行过斗争。他积极致力于教育改革，发展平民教育就是其改革内容之一。恽代英早在1919年草拟的《武汉学生联合会提出对于全国学生联合会意见书》中，就将“注意下级平民的通俗教育”作为学生联合会的宗旨之一。施洋是平民教育最早的实践者之一，民国初年就在家乡湖北省竹山县创办过国民学校，担任过县宣讲员，具有平民教育运动的经验。在湖北早期马克思主义者影响下，汉口青年会、武汉学联、武汉商联等60余个团体和各级各类学校投入到平民教育中来。

1920年初兴起的湖北平民教育运动，经历了两个发展阶段。

第一阶段，湖北平民教育社的成立。1920年2月29日，武汉商、学两界举行会议，公推施洋为临时主席，讨论组织平民学校问题。结果，施洋、恽代英、包惠僧等113人发起建立湖北平民教育社，作为主导湖北平民教育的社团。3月，恽代英等起草了《平民教育社宣言书》，提出了该社的宗旨、章程与措施。4月4日，湖北平民教育社正式成立，社址在汉口大蔡家巷民新学校。该社以“补救失教育平民并研究督促平民教育之进行为宗旨”，规定“凡赞成本社宗旨之人，无分职业宗教男女种族国籍，年满十八岁以上，经本社社员二人以上之介绍，纳五角银元之入社金，得为本社社员”[①]。湖北平民教育社设立评议、执行机构，分别履行决策和执行职能。经费来自会员一元的常年捐、自由捐献，或募集所得的特别捐。

在恽代英、施洋等人的领导下，湖北平民教育社建立了7所平民学

① 恽代英：《恽代英文集》上卷，第129页。

校。平民学校的学制、时间、教学内容都很灵活，讲求实用，花费少，成本低。对学生是免费的。在办学形式上，有夜校、半日、星期各种，根据学生的实际情况决定。教员来自社员或中学以上学生或有教育经验者。湖北平民教育社成立时，还决定创办期刊，举办平民图书馆，兴办平民阅报处，开办平民工艺等。在湖北平民教育社的影响下，各大、中学校，各团体纷纷开办平民学校，免费为贫民提供教育。如武汉学生联合会在善堂举办通俗夜校、武昌高师校友会举办贫民夜学、汉口青年会举办通俗学校、三一中学在暑假举办平民学校……一时之间，"平民教育四字，惊破了武汉沉闷的空气"①。可以说，学员职业不限，平民即可；年龄不限，大小均可；学习期限不限，长短均可；办学地点不限，学校、会馆、善堂均可；主办单位不限，团体、学校均可。

湖北平民教育运动曾受杜威的影响而进一步发展。1920 年 11 月初，美国教育家杜威来武汉讲学，他极力鼓吹平民教育，给正在发展的湖北平民教育以很大的鼓舞，所以，平民教育有蒸蒸日上之势。

第二阶段，汉口平民教育促进会的成立。1923 年春，武汉地区平民学校仍有 10 多所。同年 11 月，中华全国平民教育促进会会长朱其慧，执行部主任陶行知、晏阳初等人来汉，宣传平民教育，湖北"各界闻风兴起"②。11 月 25 日，湖北各团体召开欢迎会，28 日，武汉三镇举行游行运动大会，朱其慧等人发表演说，气氛十分热烈，"参加的人有两万多，自愿担任教师的或其他职务的有一千四百余人"。12 月 18 日，武汉各界在汉口集会，成立汉口平民教育促进会，选举周韵宣、彭贻哲、王义等 9 人为董事，周韵宣为董事长。另设立干事部等机构。汉口平民教育促进会的成立，不仅推动了湖北平民教育运动的发展，也推动了全国平民教育运动的发展："自从南京、武汉两个平民教育促进会成立以后，各省闻风兴起，自动的举行大规模的平民教育运动或组织平

① 武汉二七纪念馆、中共竹山县委党史资料征编委员会:《施洋纪念文集》，第 110 页。

② 《武汉促进平民教育之运动》,《大公报》(长沙) 1923 年 12 月 2 日。

民教育促进会。”①

湖北早期马克思主义者及后来的共产党人非常重视平民教育，恽代英、林育南、施洋等都积极投身其中，并借此宣传马克思主义。但随着施洋牺牲，恽代英赴安徽、四川、上海等地从事教育与革命工作，湖北平民教育社逐渐失去了影响。1923 年 12 月 10 日，恽代英在上海收到林育南的《关于平教运动、施兄善后事和团刊发行情况》的报告。林育南在报告中说：“武汉平民教育运动，在表面上虽十分热闹，然纯为‘官僚式的’，吾人颇难插足活动也。湖北平教社虽成立，然有名义而无实组织。汉口平教社比较的是民众的组织，此时尚在筹备，将来发展如何尚不可料。吾人原有之湖北平教社，自施兄去后，颇难活动，原有分子多不负责，只有少数人活动，一时甚难振作也。”② 实际上，湖北平民教育已是穷途末路了，因为，教育改良是不可能在根本上改造中国的。陈独秀批评道：“在工业未发达的社会里希望教育发达，自然是妄想；在社会主义未实现的社会里希望教育是平民的，自然也是妄想。”③ 后来，恽代英等人也顿悟：平民教育不是改造社会的根本途径。恽代英说：“教育问题，正和一切问题一样，非把全部社会问题改造好了，是不得会解决的。”④ 施洋也“因此感觉得赤手空拳，提倡平民教育亦是不能成功的事”⑤。此后，这批进步人士开始探索新的救国方案，逐步转变为马克思主义者。但他们仍然积极投身于工人阶级的教育中。当然，湖北平民教育还是具有一定的积极意义的。正如学者所言：“它将教育的对象由富有阶级的子弟转向广大平民，尤其将教育送下乡，把文明火种播

① 汤茂如：《平民教育运动史略》，上海：商务印书馆，1928 年，第 24—25 页。

② 李良明、钟德涛：《恽代英年谱》，第 227—228 页。

③ 任建树、张统模、吴信忠：《陈独秀著作选》第 2 卷，上海：上海人民出版社，1993 年，第 329 页。

④ 恽代英：《恽代英文集》上卷，第 297 页。

⑤ 武汉二七纪念馆、中共竹山县委党史资料征编委员会：《施洋纪念文集》，第 111 页。

撒在穷乡僻壤，其意义是深远的。”[①]

三、学校教育

1919年，根据中央政府的命令，湖北在省一级成立教育厅、县一级成立教育局，作为教育行政机构。1922年采行全国通行的壬戌学制，即小学6年（初级小学4年、高级小学2年）、中学6年（初级、高级各3年）、高等学校3~6年（专门学校3年以上、大学4~6年）。

民国时期，湖北教育赓续清末文脉，有较大的发展。但民国初年，湖北教育在全国的地位有所下降。1916年8月至1917年7月，在全国23个省份中，湖北全省学校数量9 305所，其中私立7 271所，总数排在直隶、山东、山西之后，名列第四；学生数量226 036，其中私立143 976，总数名列第八；教员数量11 226人，名列第八；岁入和岁出则排名第十。[②]除岁入和岁出外，其他指标仍然处于前三分之一的位置，有的项目还排在前列，但已经没有清末那么高的地位了：“清季兴学成绩，以湖北省为最优。”[③]

据湖北省教育会统计资料，截至1923年，湖北有国立、省立、道立、县立、私立五种类型的小学、中学、师范、职业学校分别为1 076、32、5、37所，学生人数在216 000以上，这还不含大学生人数。[④]这个规模与1917年相比，变化不大。大学则有国立师范大学、商科大学，省立法科大学、医科大学、文科大学，私立中华大学、私立汉口商科大

① 田子渝、黄华文：《湖北通史》（民国卷），第157页。

② 教育部总务厅统计科：《中华民国第五次教育统计图表》（1916年8月至1917年7月），1917年编印，第25—29、291—295页。

③ 湖北省教育厅：《最近湖北教育一览》，1932年编印，第44页。

④ 湖北省教育会：《湖北教育状况》，1924年，第7—8页；湖北省地方志编纂委员会：《湖北省志》（教育），武汉：湖北人民出版社，1993年，第159页。《湖北教育状况》所载小学生人数仅4 000多人，显然系印刷错误，但中学、师范、职业学校人数分别为6 388人、968人、3 268人。若以《湖北省志》（教育）所载1922年小学生人数205 950年为1923年的小学生人数，则1923年学生总人数是216 574人（不含高等教育学生）。

学等。创立于这个时期的武汉中学和私立中华大学具有代表性。

图 2—2　武汉中学老校门

1920 年，董必武等人建立武汉中学。（图 2—2）武汉中学的创建，是董必武发动群众的举措之一。1919 年，董必武在上海曾与张国恩、李汉俊、詹大悲商议如何发动群众时，就“一致认为目前能够做的是办报纸和办学校两件事”[①]。

武汉中学的地址在武昌涵三宫湖北省教育会院落内，有教室三间和学生住宿的房子，经费由创办人董必武等募集。学校创办人共 9 人，董事长由湖北省议会议员、著名教育家郭肇明担任。校长由刘觉民担任，刘觉民是中华大学的教授。各董事分别担任一门课程，董必武是董事，担任国文课教学，并主持校务。1920 年 4 月，私立武汉中学正式开学，学生男女兼收，学费低廉，教职员低薪，董必武亲自定校训为“朴、诚、勇、毅”。

武汉中学是一所新式学校，在武汉独具特色，独树一帜，反映了五四时期新教育的特征：教学中兼用文言文和白话文，招生考试时允许使用白话文，这在武汉是首创；学生建立自治会，实行自我管理，并参与校务；男女同校同班，这在武汉又是第一所；注重思想教育，特别是购置进步书籍，供学生学习，在课堂上灌输马克思主义和革命思想。这

① 董必武：《董必武选集》，北京：人民出版社，1985 年，第 504 页。

是武汉中学最鲜明的特征。

武汉中学办学注重实效，富有特色，逐渐声誉鹊起，规模也不断扩大。1922 年春，董必武等人在武胜门外彭杨公祠建立第二部，满足规模扩大的需要。

武汉中学还是湖北党组织的活动基地。1920 年 8 月，武汉共产党早期组织在武昌府院街建立，武汉中学的教师董必武、陈潭秋是创立者。不久，董必武等人建立马克思学说研究会。11 月，董必武等人又在武汉中学建立武昌社会主义青年团，武昌社会主义青年团第一次会议就是在武汉中学召开的。董必武等人以武汉中学为据点，在学生中开展马克思主义宣传，开展党团组织发展工作，并指导学生深入工厂、农村进行调查研究，开办识字班、平民夜校，提高下层人民的文化水平和革命觉悟。1921 年，董必武、陈潭秋代表武汉党组织赴上海参加中国共产党的第一次代表大会，回武汉后继续开展马克思主义的宣传和党组织发展工作，取得很好的成绩。在武汉早期共产党员中，陈潭秋、陈荫林、刘子通、黄负生等人都曾在武汉中学任教，曾在武汉中学代课的李汉俊是武汉地区马克思主义的传播者、党组织建立的指导者，他与董必武、陈潭秋都是中共一大代表。在武汉早期党组织的最早的七名成员中，有三人来自武汉中学。在武汉中学培养的学生中，不少人走上革命道路，乃至成为革命的骨干、领导者。1927 年，著名的黄麻起义爆发，在起义的 10 位领导者中，就有潘忠汝、王志仁等 5 位毕业于该校，其中潘忠汝任黄麻起义总指挥。据不完全统计，曾在武汉中学执教或求学的中共党员有 40 余人。有的学生毕业后成为家乡党组织的负责人，如中共黄安特别支部创始人董贤珏、王鉴、雷绍全等，中共麻城特别支部创始人蔡济璜、邓天文，应城县特别支部创始人万作霖，钟祥县党组织创建者费必生，竹溪县特别党支部创始人华丽中，黄陂县回龙潭支部创始人刘家练，大悟县第一个党支部创始人张书田，当阳县党小组创始人李万英，京山县县委组建者袁传鉴等。可以说，武汉中学是一所光辉的学校。

中华大学（图 2—3）是湖北黄陂人陈宣恺、陈时父子所办，是中国第一所私立大学。陈宣恺是清末举人，曾任蕲州学官，后无意仕途，迁居武昌。宣统二年（1910）在武昌府后街创办“中华学堂”。陈时16岁时，曾留学日本，加入中国同盟会。1911年回国，与父亲一起捐资办学。1912年5月，“私立中华学校”建立，陈宣恺任校长。开始规模很小，计男生部有大学预科、中学科、英文专修科、小学科各一班。专门有：法律别科和政治经济别科各一班；女生部设有简易师范：文学和职业两科。1912年8月开始招生就读，合计学生达到700余人。[①]1913年，学校改为大学。1915年，第一届学生毕业，无产阶级革命家恽代英、国家主义教育家余家菊是本届毕业生。1917年，陈宣恺去世，陈时继任校长。

图2—3 中华大学

中华大学是湖北新文化运动的发源地。早在1915年，中华大学创办《光华学报》，这是湖北新文化运动之始。《光华学报》最初由教师刘树仁主编，第四期由恽代英主编。刊载了大量宣传新文化的文章。1917年陈时继任校长之时，新文化运动在武汉蓬勃发展。他对学校进行改革，适应了新文化运动和新教育的潮流。一是他提出了“成德、达材、独立、进取”的校训；二是创办校刊《中华周刊》。五四运动中，又创

① 私立武昌中华大学校史编写组：《中华大学》，武汉：华中师范大学出版社，2003年，第3页。

办《学生周刊》《新声周刊》，“均系砥砺学术交换智识为宗旨”。三是开办平民夜校，开展平民教育活动：“通俗夜校，日见发达，学生已有六七十名之多。”平民夜校开办于1918年，是湖北乃至中国最早开展平民教育的学校之一。四是培养学生自治能力、实践能力。1920年，学校建立自治会，实行学生自我管理。1922年，建立童子军，进行军事化训练。学校还建立学术演讲会等社团。对中华大学的改革，武汉媒体给予很高的评价。1919年12月12日，《大汉报》报道说：“中华大学本年期末，大加刷新，□□对于功课力趋实践，即关课外之有益社会事业，亦莫不极图提倡。”①

五四运动爆发后，武汉地区最早响应的是中华大学。5月6日，湖北地区媒体报道了北京五四运动的情形，5月7日是国耻纪念日，这天，中华大学召开运动会，以示纪念。在运动会上，学生散发传单《国耻之纪念》。这就揭开了湖北五四运动的序幕。中华大学中学部主任恽代英、教员林育南是湖北五四运动的领导者，他们邀请各学校代表，于5月9日到中华大学集会，商议响应北京事宜。决定以武昌学生团的名义发出宣言书，声援北京学生，会议推举恽代英起草宣言书。5月10日，中华大学、武昌高等师范学校、湖北省立甲种工业学校等15所学校各自推举4~6名学生代表，在中华大学召开会议，研究声援北京学生的办法。5月14日，决定改武昌学生团为武汉学生联合会，临时机关设在中华大学。会议通过了简章，并推举文牍、会计、庶务、调查等职员。会议还决定通电全国和大总统、国务院、中国驻巴黎和会专使、北京大学等各校，向各方表明武汉学生的态度与立场。会议还决定印制传单、发起捐款等。5月17日，在中华大学召开成立大会，宣告武汉学生联合会正式成立。5月18日，在武汉学生联合会组织下，3 000余名学生在武昌阅马场集合，然后在武昌举行游行，游行队伍打着“争回青岛”“灭除国贼”“提倡国货”“抵制日货”等旗帜，沿途散发传单。此后，武汉学生

---

① 张影辉、孔祥征：《五四运动在武汉史料选辑》，第262页。

爱国运动如火如荼地发展起来：游行、请愿、集会、演讲、散发传单、捐款等此起彼伏，参加爱国运动的学校也增加到26所。武汉的五四运动进入高潮。可见，中华大学是湖北五四运动的策源地，恽代英是其领导者。

湖北五四运动是全国五四运动的重要组成部分。在这场运动中起到领导核心作用的恽代英、林育南等人逐步成长为马克思主义者，成为中共早期党员。五四时期，中华大学办学思想和校风有利于人才的脱颖而出，除恽代英外，余家菊和陈启天（1915年6月专门部政治经济别科第一班毕业）成为国家社会主义派（后演变为青年党）重要人物；李汉俊（1916年12月专门部政治经济别科第二班毕业）成为最早的中国共产党人之一。

第三节　国民政府时期的教育

1927年，国民党建立南京政府以后，开始实施党化教育。湖北教育也被纳入国民党党国体制。抗日战争期间，特别是1938年10月武汉失守前，湖北学校西迁，教育进入战时状态，而沦陷之地则被日本进行奴化教育。日本投降后，湖北教育开始恢复元气，并有所发展，但是，国民党很快发动内战。在战乱中，湖北教育举步维艰。为反对国民党内战、独裁，教育界掀起爱国民主运动，为湖北人民的解放作出了贡献。

一、教育行政与教育方针

从1927年到1949年，湖北教育行政无论是机构还是人员都不太稳定，变化较大。

省级教育行政机构名称变化不多，但人员变动特别频繁。从名称来说，1926年10月，国民革命军进入武汉，湖北最高行政机关为政务委员会，其中，委员李汉俊负责教育行政。1927年5月，湖北省政务委员会改组为湖北省政府，省政府下设各厅，教育行政事务由教育厅负责。

教育行政事务包括学校教育、社会教育、学术团体等，甚至包括公共体育馆。教育厅下设机构变动较大，而教育厅长变动最大。自1927年到1949年的22年中，先后任职者有17人之多，这与时局变化较大和人事关系复杂有很大的关系。与省级教育机构相比，县级教育行政机构变动更大，而且由于各地情况复杂，在机构设置上有时还不一样。大体而言，县级教育行政机构经过了设立教育局（1928年）、改教育局为教育科（1933年）、恢复教育局（1943年）三个阶段。

除一般行政人员外，省教育厅和各县教育行政部门还设立督学若干人，负责督察指导教育行政和学校教育等事宜。1928年，湖北颁布了省、县两级督学条例。省设督学若干名，其职责是，“承厅长之命令，协同科长督察全省公私立各学校及一切关于教育事宜”。具体而言，督察涉及三个方面：“关于学校教育者”“关于扩充教育者”“关于各市县教育者”。[①] 所谓扩充教育，就是社会教育。督学须定期和不定期进行督察，定期指的是每学期至少一次，不定期则是随时进行。督学视察后不仅需要随时向教育厅报告，还必须召集被督察区域人员，讨论改进事宜。根据厅长的命令，督学还须协助科长处理教育事务。条例规定每县设督学2~4名，其职责是，“承厅长之命，督察及指导全县教育事宜。”具体而言，县级督察涉及四个方面：“关于主管长官或省督学所委办之事项”“关于地方教育行政事项”“关于学校教育事项”“关于扩充教育事项”。[②] 从当年公布的名单看，各县督学人数是2名。根据规定，县督学每学期视察至少两次。县督学视察后不仅需要随时向县教育局报告，必要时还需要向省教育厅报告，每到一个地区督察完毕后，督学还应该召集被督察区域人员，讨论改进事宜。两级督学的设置显然有利于对教育工作的管理，有利于教育质量的提高。

1935年，根据国民政府的部署，湖北省又设立了省县两级义务教

① 《湖北教育厅省督学暂行条例》，《湖北教育公报》第1卷第1期，第120—122页。

② 《湖北县督学暂行条例》，《湖北教育公报》第1卷第1期，第125—127页。

育委员会。早在1928年5月，国民政府大学院在南京召开第一次全国教育会议，通过了《厉行全国义务教育案》，要求省县两级设立义务教育委员会，协助教育行政机关，实施义务教育。国民政府法定义务教育阶段是初小4年，但各地义务教育进展缓慢。1930年，湖北决定以4年为1期，分5期完成义务教育。1932年，教育部颁布《短期义务教育实施办法》和《第一期实施义务教育办法大纲》。1935年9月，根据办法大纲的要求，湖北成立义务教育委员会。委员会由教育厅长、各科负责人、教育厅秘书1人、督学1人，以及教育厅长选聘的教育专家或有经验的5~7人组成，以教育厅长为委员长。其主要职责是："甲、拟具全省义务教育推行计划。乙、督导全省义务教育经费及中央拨给本省义务教育补助费之保管与用途。丙、拟具分年训练师资办法。丁、督促各县市厉行义务教育并考核其成绩。"该委员会下设总务股、研究股、考核股，以及7~11人的视察委员会。视察委员"承委员长之命，分赴各区县视察指导"①。各县市也相应成立义务教育委员会，但委员长由县长或市长担任。委员会之下不再设立下设机构。1944年7月，国民政府颁布《强迫教育法》，规定国民政府实行学龄儿童强迫入学，湖北也采取相应措施。

国民政府时期的教育方针是三民主义，这在湖北的教育中体现得十分鲜明。

南京国民政府成立初期，沿用了1926年确定的"党化教育"宗旨。所谓党化教育，就是以国民党标榜的三民主义为宗旨的教育。因"党化教育"一词为人所诟病，故1928年5月召开的全国教育会议（即第一次会议）上通过了将"党化教育"名称改为"三民主义教育"的提案。实际上，提案只是改变了名称而已，国民党党化教育的实质并没有改变。1929年3月，国民党第三次全国代表大会通过《确定教育宗旨及其实施方针案》，明确规定教育宗旨为三民主义教育。

① 《湖北省义务教育委员会组织规程》，《湖北省政府公报》1935年第138期，第9—10页。

作为国民党湖北地方政府部门之一，湖北省教育厅主管党义教育，主要从两个方面履职：一方面是进行研究，另一方面严格进行审查、管理各类各级党义教师和教育工作人员：“于倡导研究党义教育之外，复严格检定各学校训育主任，及党义教师，限制民众教育工作人员之资格，以正其本。随时认真考核其实施成绩，以督有功。”

湖北省教育厅还通过资格审查等形式对学生进行思想控制，如“令各学校于新生入学时，须一律取具切实保结。中等学校学生，意志未定，易受诱惑，爰令各校于新生入学时，一律取具切实保结。以昭慎重”[①]。

根据规定，学校党义教育由学校训育部门或人员负责执行，学校通过授课、课外实践、日常管理等途径来实施党化教育。

第一，在课程设置上，开设党义课程。

国民党中央常务会议规定了各类各级学校党义课程。小学开设《民权初步》《孙文学说浅释》《三民主义浅说》，中学开设《建国方略概要》《建国大纲浅释》《三民主义》《五权宪法浅释》，专门学校和大学开设《建国方略》《建国大纲》《三民主义》《本党重要宣言》《五权宪法之原理及运用》。以上课程为最低限度的必修课，授课时间为每周至少两小时，教材由教育部审定颁行。[②]这些课程，在湖北各级各类教育中得到了实施。

第二，在教育管理上，以三民主义为指导思想。

私立中华大学设立了训育委员会，组成人员是：主席 1 人，秘书 1 人，委员 13 人。主席由“中央检定之训育主任任之”。该校实施党化教育的具体措施有：“一、订期讲演党义及国内外政治状况。二、考察学生个性及言论行动，随时以个别或全班全体之训练。三、平时发现学生

① 湖北省政府教育厅办公室：《湖北教育最近概况》“工作”，湖北省政府教育厅第一科第三股 1932 年发行，第 16 页。

② 《各级学校增加党义课程暂行条例》，《中央党务月刊》第 3 期（1928 年 10 月）“法制”，第 14—15 页。

有不良行为即予纠正或制止，情节较重者，会同总务处处理之。四、每学期终了时，会同总务处评定学生操行，并通知教务处。五、遵照总理遗训及本国固有道德与本校训育标准，陶熔学生品行并培养其人格。六、遵照党部及政府命令，施以临时训练。七、遇有与舍务考勤各股或学生事业委员会职务有关时，会同各该股会办理。八、各院系科级轮流订期训话。”①而私立武昌美术专门学校则规定其训育方针11条，前二条是：“1.信仰三民主义；2.服从国民党之策略及指挥。”②其措施与私立中华大学的大同小异。

党化教育也渗透于中学教育管理中，湖北省立第四中学校规定“以三民主义为训育学生之基本原理”③，湖北省立第二中学校确立的训育目标共有9条，第一条是“养成认识三民主义及实行三民主义的青年”④。而湖北省立女子第一中学校甚至要求学生‘彻底了解并绝对信仰三民主义”⑤。

小学也不例外。湖北省立实验小学校确立的训育目标有12条，第一条是：“根据三民主义教育宗旨使学生彻底明了本党主义，并具坚切之信仰与拥护之力量。”⑥湖北省立第五小学校则规定：“本校根据三民主义教育之理论与实际，建设学生三民主义化之环境，积极的诱起自治自立之能力，消极的养成自省自裁之良习，并随时变更训育实际措施，以坚切儿童对于三民主义之信念。”⑦小学一般都有训育委员会之类的机构设置，而湖北省立第一小学校还设立了党义研究会，作为学校机构

---

① 湖北省教育厅编审股：《湖北教育现况》“省教育状况”，湖北省教育厅编审股1930年发行，第2页。

② 湖北省教育厅编审股：《湖北教育现况》“省教育状况”，第6页。

③ 湖北省教育厅编审股：《湖北教育现况》“省教育状况”，第27页。

④ 湖北省教育厅编审股：《湖北教育现况》“省教育状况”，第12页。

⑤ 湖北省教育厅编审股：《湖北教育现况》“省教育状况”，第43页。

⑥ 湖北省教育厅编审股：《湖北教育现况》“省教育状况”，第71页。

⑦ 湖北省教育厅编审股：《湖北教育现况》“省教育状况”，第94页。

之一。

第三，以纪念活动为载体，开展三民主义教育。国民党规定了学校各项纪念活动，纪念活动主要是围绕国民党的历史和三民主义的理论开展，所以纪念活动只不过是三民主义党化教育的一种载体。各学校遵照办理。如湖北省立第二中学校"根据本党总章之规定，每个月首日上午九时举行总理纪念周，并遵照中央规定之革命纪念日仪式在校内举行纪念及演讲"[①]。而私立文华图书馆学专科学校"每星期一上午举行总理纪念周，由校长、主任及教授轮流讲演，以陶冶学生之思想及道德"[②]。有些学校如湖北省立师范学校还建立总理纪念堂等纪念设施。湖北省教育厅所印制的1929年校历显示，公、私立专门以上学校纪念日有27天，其中与国民党的历史有关的有20天；公、私立中小学纪念日28天，与国民党的历史相关的有19天。[③]

第四，加强监督检查，防控非三民主义思想渗透。有些学校为防止所谓反动书刊，竟然对学生进行严格的检查甚至搜查。如湖北省立第八中学校"对于旧生入校时，除考查其假期生活外，并随时检查其行李箱箧等物"，深恐携有反动书籍及刊物等侵入校内，危害全体。而新生入校时须"测验党义知识与思想等项，合格后方准至教务、事务两处办理入学手续，以防不良之徒混入校内"[④]。审查、搜查等行为严重干涉了学生的人身自由，简直令人匪夷所思。

国民党在社会教育方面也推行党化教育。《湖北省县市通俗教育馆暂行规程》规定通俗教育馆设编辑部、讲演部、阅览部等六个部门，几乎每个部门都要求其围绕三民主义开展工作。如编辑部"任编制三民主义及国民革命建设等宣传书报……讲演部按日讲演三民主义……阅览部

① 湖北省教育厅编审股:《湖北教育现况》"省教育状况"，第13页。

② 湖北省教育厅编审股:《湖北教育现况》"省教育状况"，第4页。

③ 湖北省教育厅编审股:《湖北教育现况》"省教育法规摘要"，第12—16页。

④ 湖北省教育厅编审股:《湖北教育现况》"省教育状况"，第31—32页。

逐日陈列报纸杂志党义……陈列部陈列各种革命纪念品……”[①]

全面抗战时期，国民政府教育政策虽有所调整，但三民主义方针则一以贯之。1938 年，国民党通过了《中国国民党抗战建国纲领》和《战时各级教育实施方案纲要》。1939 年，蒋介石发表《今后教育的基本方针》，强调“战时应作平时看”[②]。这些方针、政策兼顾了抗战与建国的双重需要，对教育的发展起到了作用。但是，教育的根本方针，依然是三民主义。正如湖北 1941 年省政府教育厅主办的刊物《新湖北教育月刊》发刊词所说：“因为计划教育，换言之即实行三民主义之教育。我国是三民主义的国家，当然要实行三民主义的教育。”[③]

二、学校教育

国民政府时期，湖北教育发展呈现起起伏伏的特点，但总体上有较大发展。抗战前夕，湖北基础教育仍然处于领先地位。1934 年，教育部督学钟道赞视察湖北教育后的评价是：“省立初等教育机关学生人数，湖北居首，中等学校学生湖北居第二三，而就初等中等学校之学生全数而言，仍以湖北为最多。”[④]全面抗战爆发，湖北一直处于交战区，教育因战争受到了较大的影响，不过，总的趋势是发展的。

在学前教育与初等教育方面。南京国民政府初期，幼稚园不多，1928 年，全省幼稚园有 13 所，均为小学附设，在园幼儿 497 人，教职员 24 人。1937 年增加到 29 所，在园幼儿 1 048 人，教职员 67 人。1948 年，幼稚园降为 10 所，在园幼儿降为 408 人，教职员也只有 35 人。1928 年全省有小学 3 805 所，在校学生 163 491 人，教职工 6 791 人。1937 年，小学数是 6 523 所，在校学生 372 577 人，教职工 11 620 人。

① 湖北省教育厅编审股：《湖北教育现况》“省教育法规摘要”，第 51 页。

② 谢长法、彭泽平：《中国教育史》，重庆：西南师范大学出版社，2012 年，第 287 页。

③ 张伯谨：《发刊词》，《新湖北教育》1941 年第 1 卷第 1 期。

④ 王醒魂：《教育部督学视察湖北教育总报告》，湖北教育厅编审委员会 1935 年编印，第 2 页。

1948年，分别为14 729所、1 200 330人、46 645人。①

在中等教育方面。1928年，普通中学数、在校学生人数、教职工人数分别为24所、5 710人、838人。1935年分别为76所、18 543人、1 774人。1948年分别为205所、63 760人、5 229人。1928年，师范学校数、在校学生人数、教职工人数分别为3所、453人、118人。1935年分别为7所、1 792人、238人。1948年分别为41所、15 061人、1 129人。1928年，职业学校数、在校学生人数、教职工人数分别为7所、416人、55人。1935年分别为19所、2 542人、452人。1948年分别为9所、1 838人、258人。②

在高等教育方面。1929年，高校（含大学、学院、专门学校）数、在校学生人数、教职工人数分别为3所、377人、153人。1935年分别为6所、1 569人、410人。1948年分别为11所、6 423人、1 319人。③其中大学和学院有：国立武汉大学、私立华中大学、私立中华大学、国立湖北师范学院、湖北省立农学院、湖北省立医学院等，专科学校有私立武昌文华图书馆学专科学校、私立武昌艺术专科学校等。

虽然，上述数据并不一定十分准确，但与大体情况和趋势相符。

在高等教育中，国立武汉大学以其自然环境优美、学科门类齐全、办学实力雄厚、大师硕儒云集而名扬全国。

1928年，国民政府大学院（教育部）决定改组国立武昌中山大学，建立国立武汉大学。组建武汉大学之时，正是国民党建立政权不久。之所以要组建武汉大学，主要原因是国民党取得政权后，需要加强对高等教育的控制。1928年7月，成立以刘树杞为主任的筹备委员会，委员会由8人组成，委员有李四光、王星拱等人。8月，任命刘树杞为代理校长。同年冬，成立以李四光为主任，张难先、石瑛等为委员的建筑设备

① 湖北省地方志编纂委员会:《湖北省志》（教育），第158—160页。

② 湖北省地方志编纂委员会:《湖北省志》（教育），第161—163页。

③ 湖北省地方志编纂委员会:《湖北省志》（教育），第164—165页。

委员会。由于原校址面积较小，因此选定武昌珞珈山为新校址。时任省财政厅厅长的张难先“拨二十五万元交建筑委员会开办”[①]。学校一面建设，一面招生。11 月，武汉大学在原武昌中山大学校址武昌东厂口开学。当时，学校设有社会科学院、理工学院、文学院。1929 年，王世杰被任命为武汉大学首任校长。1932 年 4 月，武汉大学迁往珞珈山新校舍。

新校址南起街道口、北至东湖滨，面积 3 200 亩，规模之大，风景之美，广受时人赞扬。1932 年 11 月，应王世杰校长邀请，胡适来武汉大学讲学，在武大讲坛，胡适对王世杰和武汉大学极为赞赏：“雪艇诸人在几年之中造成这样一个大学，校址之佳，计划之大，风景之胜，均可谓全国学校所无。人说他们是‘平地起楼台’，其实是披荆榛，拓荒野，化荒郊为学府，其毅力真可佩服。”[②]1932 年后进行第二期建设，直到 1947 年，武汉大学校舍（图 2—4）才全部竣工，建筑总面积 778 596 平方米，造价约计 400 万银元。

图 2—4　国立武汉大学建筑群

全面抗战前，武汉大学建立了五个学院 15 个学系，即文学院的中

① 严昌洪、张铭玉、傅蟾珍：《张难先文集》，第 517 页。

② 曹伯言：《胡适日记全编》（6），合肥：安徽教育出版社，2001 年，第 178 页。

国文学、外国文学、哲学教育、史学四系，法学院的政治、法律、经济学三系，理学院的数学、物理、化学、生物学四系，工学院的土木工程、机械工程、电机工程三系，农学院的农艺系。全面抗日战争期间，武汉大学迁往四川乐山办学，农学院并入中央大学。在战火纷飞的岁月里，校长王星拱带领全校教职工艰苦办学，克服重重困难，培养了大批人才。1945 年 7 月，王星拱辞职，著名法学家周鲠生继任校长。日本投降后，武汉大学从乐山迁回武汉珞珈山。1946 年 10 月，武汉大学举行复校后的开学典礼。复校后，农学院也恢复起来，设置农艺、森林、园艺、农化四系。1946 年，筹备建立医学院，1947 年，在东厂口建立医学院及其附属医院。至此，武汉大学成为拥有文、法、理、工、农、医六大学科的综合性大学。

武汉大学重视师资队伍建设。早在王世杰担任校长期间，闻一多、周鲠生、李剑农、叶圣陶、朱光潜、苏雪林、范寿康、叶雅各等一批名家来校执教。全面抗日战争期间，王星拱求贤若渴，聘用大批学者任教，如钱穆、张颐、王铁崖、杨东莼、韩德培、张培刚、桂质廷、唐长孺、杨端六等。复校后的校长周鲠生也十分重视网罗人才。全面抗日战争期间，武汉大学的教授达 104 人。复校后，教授达到 198 人。[1] 可以说，武汉大学是名师云集，享誉全国。

武汉大学也是具有爱国主义传统和革命传统的学校。早在五四运动期间，武昌高等师范学校的学生就积极参加爱国学生运动，遭到湖北军阀王占元的镇压，6 月 1 日，学生陈开泰等被殴伤，这就是著名的第一次“六一惨案”。全面抗日战争前夕，武汉大学参加了声援“一二·九”运动的游行示威、罢课等活动。解放战争时期，武汉大学学生也是爱国民主运动的先锋。1947 年 5 月 20 日，京、沪、苏、杭学生举行联合示威游行，向国民政府行政院提出增加伙食费及全国教育经费等五项要求，遭国民党军警残暴镇压，学生重伤 31 人，轻伤 90 余人，被捕 20 余

---

① 熊贤君:《湖北教育史》上卷，第 466 页。

人，造成震惊全国的“五二〇惨案”。5月22日，由武汉大学发起，武昌大中学校学生联合举行了“反饥饿、反内战、反迫害”的示威游行，声援南京学生，抗议国民党南京当局的暴行。国民党湖北当局对爱国学生运动进行镇压，1947年6月1日，武汉大学再次发生“六一惨案”，国民党反动军警闯入学校，打死王志德、黄鸣岗、陈如丰3位同学，打伤20多人，逮捕一批进步师生。国民党的倒行逆施激起湖北各界强烈的不满。武汉解放前夕，武汉大学与其他各校一道，组织师生开展护校护产，迎接武汉解放。

武汉大学为国家培养了大批人才。从1928年武汉大学正式定名开学至1949年解放为止，约有毕业生4 000余人。[①]

三、战时教育

1938年10月，日寇入侵武汉。在正面战场的国军撤离武汉前，国民党湖北省政府和工厂、学校已向中国西南或湖北西、北迁移。省内高校除省立农业专科学校迁往鄂西外，其余的基本上迁往国内西南。如武汉大学迁至四川乐山，武昌中华大学、武昌文华图书馆学专科学校迁往四川重庆，武昌艺术专科学校迁往四川江津，武昌华中大学迁往云南大理喜洲。

对于中等学校，1938年9月，湖北省政府决定，将全省47所省立、市立和私立中等以上学校合并为湖北省联合中等以上学校，简称“湖北联中”。校长由省政府主席陈诚兼任，副校长由省教育厅长陈剑翛兼任，校本部先设在武昌，后迁往恩施。分校设分校主任，校务按训育、教务、事务“三权分立”。本部专设校务委员会，由校长、副校长、教育厅秘书、第一科和第二科科长、各分校主任及本省教育界知名人士共15人组成，负责行政联络、商讨课程、制定规章、审核经费、筹议建设、

① 曾昭安：《武汉大学杂记》，中国人民政治协商会议湖北省委员会文史资料委员会：《湖北文史集粹·教育科技医卫体育》，第360页。

规划校务等。各分校由武汉、鄂东等日寇占领区的西迁学校组成，如武昌中学、武昌高中、江陵高中、宜昌高中等四校合并为联中均县武当山高中分校，员工、学生和教职员眷属不下两千人，辗转沙市、宜昌等地，最后到建始县三里坝镇办学，学校改称建始高中。像这样的分校共计 22 所，设在鄂西和鄂北，除郧县高中、谷城初中在鄂北，秭归职业学校在秭归新滩外，其余均在鄂西的恩施、建始、来凤、利川、巴东、宣恩、咸丰。截至 1938 年 11 月，学生登记的有 17 166 人，其中外省战区学生 3 000 余人。①

西迁后学校的办学地点一般都位于山区，条件极其艰苦。建始高中的校长回忆说："我带着二千员生工友和眷属到达三里坝这个小镇以后，第一难题是如何解决这多人一时的住宿和饮食问题。可是这里只有一个联保主任住在他家里办公，另有一所小学，仅有办四个班的楼房一座，再也找不出什么祠堂、庙宇可供我们使用。所幸当地人民同情这些流亡的员生，挨家挨户欢迎到他们家中食宿，扫地开铺，按照学生行军的编队，分别安排。但行军锅灶，概未携带，柴米油盐，来路又大成问题，后经商得住户们同意，照价供应饭餐茶水。第二关就是如何抢时间马上上起课来。二十四个教室哪里去找呢？只有找着河坝、山坡、草坪、坟地等处暂时进行露天教学。……在当时山区小镇办学，不仅纸张文具和各种仪器和医药品等极为困难；尤其学生们的精神食粮十分缺乏。我们经过万水千山从武汉运到三里坝的一些图书，多属经史子集一类古籍，新的科学书报，为数极少；又因经费限制，特别是国民党军警机关的检查扣留，新订阅的杂志报章也很难到手。"② 利川、建始联中的学生回忆说："联中时代的学生伙食，到 1939 年下半年，已达到难以维持的地步，学校由三餐改为两餐，再改为一稀一干。有时甚至只喝两餐稀饭，

① 熊贤君：《湖北教育史》上卷，第 416 页。

② 郑万选：《主持湖北"六高"校务的回忆》，中国人民政治协商会议湖北省委员会文史资料委员会：《湖北文史集粹·教育科技医卫体育》，第 213—214 页。

而且吃上餐愁下顿，不少学生成天饿得直流清口水。”[①]

以陈诚为主席的湖北省政府在战争的环境中和艰苦的条件下，积极发展教育。陈诚比较重视教育，自称：“在戎马倥偬之中，未尝一日忘怀教育之重要。”1941年6月，陈诚主持制定《新湖北建设计划大纲》，“计划教育”就是新湖北建设的内容之一。所谓“计划教育”，陈诚解释说：“最简单的说法，计划教育就是由政府有计划地负起培育和发挥国民才能的一种教育。就一省而论，我们所要推行的计划教育，就是根据本省的需要，造就本省的人才，再按照所造就的人才，去发展各部门的事业。换言之，就是根据既定的方针，有计划、有目的、有意义、有步骤地推动的教育事业，就是我们的计划教育。”“计划教育”主要内容“是《实施公费制度》、《统筹升学就业》和《五年计划》等项”。

第一，实行免费教育。中等及以上教育实行公费制度，这是“计划教育”的重要举措。陈诚说：“联合中学有一个最大的特点，就是公费。联合中学的学生，即十之八九都是流离失所的青年，他们已然无法得到家庭的接济，则给予公费待遇，是绝对必要的。否则他们的生活且将无以维持，还如何求得了学？”[②]根据陈诚的要求，省政府给中等以上学校学生定额发放粮食、副食、盐，师范生还发放书籍和棉服，其他中学生无棉服者，也一律发放。后来，随着经济情况的变化有所增减。由于中国经济落后，鄂西物质供应紧张，学生享受的待遇还是很低。但在特殊的战争环境下，这是相当大的开支，殊为不易。

第二，统筹升学就业。1942年9月18日，湖北颁布《湖北省中等以上学校学生升学就业实施办法》，主要内容是：

一、各初级中学毕业生，由政府根据其成绩、体力、智力、性

---

① 吴国顺、万汉民：《忆抗日时期的湖北联中》，中国人民政治协商会议湖北省委员会文史资料委员会：《湖北文史集粹·教育科技医卫体育》，第199页。

② 陈诚：《陈诚回忆录：抗日战争》，北京：东方出版社，2009年，第241—243页。

向、籍贯、志愿，及本省各种建设需要，统筹分发各高中、师范及高级职业学校肄业。

二、省立高级中学毕业学生会考成绩优异者，除一部分照中央规定免试保送教育部，转发国立各大学院校肄业外，其余即依其性向、志愿，分发省立各院校或专科学校肄业。如志愿肄业之科系，为本省各种建设所需要，而为省立院校所无者，得投考国立各大学院校。

三、省立师范学校及初级职业学校毕业学生会考成绩特优者，得准暂缓服务，由省府分发同性质之省立院校升学；其余依规定分发工作，但服务满一年后，成绩优良者，准再入有关高级院校肄业。

四、职业学校及省立各学院、专科学校、专业技术学校毕业生，除免试升学者外，须由省政府依照规定，统筹分发就业。

五、初中毕业未升学及高中毕业志愿就业者，须一律受就业训练后，分发工作。

六、分发升学或就业学生，应遵限前往肄业或工作；如有故意规避者，追缴其已享受的一切费用。

对毕业就业或升学的学生，《实施办法》还提出了就业指导和升学指导的具体要求。后来，又在此基础上制定了《升学就业分发办法》，作为政策依据。

第三，制订教育发展的五年计划。五年计划包括学前教育计划、国民教育计划、中等教育计划、高等教育计划、社会教育计划几个方面。计划颇为详细。其重心是发展中等教育。中等教育计划如下：

（一）初级中学部分

1. 于五年内成立八十校，分县市设立，由县市政府办理。其进度规定三十一年度设四十校，以后每年增设十校，至三十五年度完成。

2. 初级中学以每县市设立一校为原则。但人口众多、文化发达、经费充裕、交通冲要之县市，得设二校或三校。其标准就全省二千五百万人口比例，约于二十四万人之面积户设立一校，不足时亦可由两县合设一校。

3. 每一初中之班数最多以不超过二十二班为原则。

4. 每一初中应视地方需要附设简易师范班及实用职业班。

（二）高级中等学校部分

高级中等学校按下列各类分区办理：

1. 高级中学：每一行政区设一校，另加省会区、汉市区各设一校，共十校，于五年内完成之。

2. 师范学校：每一行政区设一校，另于省会区、汉市区各设一校，共十校，于五年内完成之。

3. 职业学校：每一行政区及市区应视产业情形各酌设农工商职业一校或二校，并各设护士职业学校，共四十三校，于五年内完成之。

（三）各级中等学校学生一律实行公费待遇。

（四）各级中等学校完成时，每年招收学生，初步至少应招收小学毕业生十分之一，高级中学至少应招收初中毕业生十分之四。

（五）各级中等学校完成时，每年在校学生应达到全省人口千分之四，即在校学生应达十万人。[①]

湖北省政府大力推行“计划教育”，取得了较为显著的成绩：

发展了高等教育。1940 年 8 月，将迁往鄂西的省立农业专科学校改组为省立湖北农学院，1941 年开办省立教育学院（1944 年改为国立湖北师范学院），1943 年春建立湖北省立医学院、湖北省立工学院。1940

① 陈诚：《陈诚回忆录：抗日战争》，第 248—250 页。

年，曾计划建立湖北大学，因条件不成熟而放弃。在那么艰苦的条件下建立几所大学，的确需要很大的勇气与魄力。如湖北教育学院建立之初，师资、图书、设备、校舍都缺乏，学校创建可谓白手起家，创立时有学生128名，教师30人（兼职居多），1942年春，学生人数达183名，同年秋，达266人。①

发展了中等教育。“教育计划”规定每个县设初中1所，每个行政督察区设高中1所。如崇阳县原来只有初级中学1所，没有高级中学，学生毕业后没有进一步升学的机会。根据省政府“教育计划”的精神，崇阳县和鄂南专署积极努力，1942年，高级中学终于在崇阳建立，命名为湖北省立第一高级中学。1939年8月以后，取消“湖北省联合中等以上学校”的名义，各校不再称为分校，初级中学则仍冠以县名。建始女师改为省立第一女子师范学校，恩施高中改为第七高中，利川师范改为第七师范，巴东女高改为第四女高，恩施女高改为第七女高等。截至1945年，全省有县立中学51所，基本上达到了“计划教育”的要求。

发展了初等教育。1941年，湖北把原有省会以外的51所省立小学，改为县立实验乡（镇）中心小学，将各县中心学校、中山中心学校、中山国民学校，分别改为或并入乡（镇）中心学校、保国民学校。截至1945年，全省小学有12 287所，学生701 186人，教职员33 772人，比1940年的小学数5 180所增加了1倍多。②

“计划教育”的实施，使得全面抗日战争时期湖北教育在全国首屈一指，尤其是在一定程度上改变了鄂西、鄂北山区教育落后的面貌。“特别是联中的公费制、升学就业的分配制，给本地区出身清寒、人事上又没有外援的青年，开辟了一条升学就业的顺利途径。……据不完全统计，抗战时期仅恩施县籍在联中的学生就有二百五十多人，1946年光

---

① 陈友松:《回忆五峰山湖北省立教育学院》，中国人民政治协商会议湖北省委员会文史资料委员会:《湖北文史集粹·教育科技医卫体育》，第232页。

② 田子渝、黄华文:《湖北通史》（民国卷），第511页。

恩施初中在校学生六百二十二人，历年毕业的恩施人就达八百多人。四所院校在鄂西创办，鄂西籍学生先后达两百多人。联中创办，省府西迁，对鄂西的智力开发是有贡献的。”①

“计划教育”实施的参与者，曾任湖北省教育厅督学、科长的王延杰评价说：“第六战区司令长官兼湖北省主席陈诚，他一生的功过是非，人民自有定论，我且不谈。但他在戎马倥偬中能把湖北学生从战区抢救出来，并且能在万山丛脞中亲自抓教育，这在当时拥兵自重的封疆大吏中，是难能可贵的。”②这样的评价是比较客观的。当然，陈诚的目的也是为了培养三民主义的信徒。陈诚说：“我们为甚么要实施计划教育？简单的说，我们的目的是在造成三民主义的文化，建设三民主义的国家，……必须使所有青年都成为三民主义的信徒。”③所以，国民党三青团、CC 系等都渗透到西迁的各个学校，而联中学生反对国民党的学潮也不断发生。

第三节　革命根据地的教育

在严酷的战争环境下，中国共产党克服困难，发展教育。1931 年，中华苏维埃共和国成立，同年颁布宪法，以宪法的形式确定人民的受教育的权利。《中华苏维埃共和国宪法大纲》规定：“中国苏维埃政权以保证工农劳苦民众有受教育的权利为目的。在进行国内革命战争所能做到的范围内，应开始施行完全免费的普及教育，首先应在青年劳动群众中施行并保障青年劳动群众的一切权利，积极地引导他们参加政治和文化

① 吴国顺、万汉民：《忆抗日时期的湖北联中》，中国人民政治协商会议湖北省委员会文史资料委员会：《湖北文史集粹 · 教育科技医卫体育》，第 211 页。

② 王延杰：《湖北的“联中”和“计划教育”》，中国人民政治协商会议湖北省委员会文史资料委员会：《湖北文史集粹 · 教育科技医卫体育》，第 186 页。

③ 陈诚：《计划教育的理论与实施》，《新湖北教育》1941 年第 1 卷第 1 期，第 23 页。

的革命生活，以发展新的社会力量。”[①] 在教育方针上，教育服从于革命战争的需要，这是特殊的环境决定的。在新民主主义革命各个时期，中国共产党领导的政权建立了各级教育行政机构，颁布系列教育行政法规，采取切实有力的措施，发展教育。湖北地区具有代表性。

一、土地革命战争时期

在土地革命战争时期，中国共产党在湖北部分区域建立了几个革命根据地，如鄂豫皖、湘鄂西、湘鄂赣等。这些革命根据地发展教育的措施有：

第一，颁布学制。

湘鄂赣苏区的学制由普通学制、专门学校、研究院、保育院组成，苏区对学习年限、课程都有具体的规定，如“（一）普通学制，分为三类：一、幼稚园。二、列宁小学校。三、特别学校（为残废等特别儿童的教育而设）。自三岁至七岁的儿童入幼稚园。自七岁至十四岁的儿童入列宁小学校。列宁小学校分为二阶段，前期四年，后期三年。课程则包括各科的普通知识。（二）专门学校，适应实际的需要而分别设立。如一、工厂学校。训练在工厂里工作的少年，一方面得到工业的理论，同时在工厂里实习，成为有技术的工人。二、农场学校。训练农村少年，一方面得到农业理论，同时在农场实习，造成农业技术人材。三、教员养成学校，以各种学校的模范学校为基础而建立，一方面研究教育理论、教育方法，同时在模范学校里实习，造成学校教育劳动者”[②]。各地学习年限有所不同，在湘鄂赣省大冶苏区小学是七年制，而鄂豫边省枣阳苏区则是五年制。

第二，发展学校教育。

根据地学校教育施行免费教育，在鄂豫边省枣阳苏区，仅 1930 年

---

① 江西省教育学会：《苏区教育资料选编（1929—1934）》，南昌：江西人民出版社，1981 年，第 1 页。

② 江西省教育学会：《苏区教育资料选编（1929—1934）》，第 57—58 页。

9月到1931年4月，就建立了列宁小学21所，学生数量达1 315人，[①] 在鄂豫皖苏区，“红安县共有学校一百零二所，其中列宁学校一所，列宁模范学校三所，少共国际学校一所，列宁小学九十七所，共有学生四千八百人。大悟县共有学校二百六十二所，其中列宁模范学校三所，列宁小学二百五十九所，共有学生六千七百五十九人左右。英山县共有学校四十八所，其中列宁模范小学二所，列宁小学四十六所，共有学生一千七百八十人左右。麻城县仅以西张店乡的叶家湾、塔耳岗、土门垸、盛家凹四个村来看，土地革命前共五十四户，三百七十八人左右，全部都是文盲，没有一所学校，在土地革命期间，四个村都办有列宁小学，共有学生七十四人左右”[②]。在湘鄂赣省大冶苏区，1930年全县苏区开办了列宁小学203所。[③] 所用教材或由省级教育部门编印，或按照其制定的大纲编订，教材内容能体现革命的精神。学生的学习与生产劳动相结合，学生不仅参加劳动，还参加宣传革命思想、帮助农民识字、站岗放哨等社会活动。除普通教育外，各苏区还建立女子纺织学校、政法学校、农业学校、师范学校等各个类别的专门学校。

第三，开展社会教育。

土地革命前，湖北各地教育十分落后，文盲比例很高，例如黄安县只有一所高级小学和少数初级小学，文盲占人口的百分之九十以上。各苏区重视扫盲，特别是1933年10月，中共中央文化教育建设大会通过了《消灭文盲决议案》，鄂豫皖苏区贯彻执行，也通过了扫除文盲的决议，于是社会教育以扫盲为中心开展起来。大冶苏区的做法一是举办农民夜校。大冶苏区规定，30户以上的自然村须设一班，不足10户的联合设一班。二是成立识字班或组，开展识字运动。三是在县苏维埃政府

---

① 江尚城：《枣阳苏区教育拾零》，《枣阳文史资料》第4辑，枣阳市政协文史委1991年编印，第310页。

② 邹时炎、霍文达：《鄂豫皖苏区教育概述》，《中南民族学院学报》1986年第4期，第61页。

③ 刘钧：《土地革命战争时期的大冶苏区教育》，《大冶文史资料》第4辑，大冶县政协文史委1989年10月编印，第126页。

所在地建立工农演讲所，宣讲革命理论、革命形势。鄂豫皖苏区的措施是：建立农民夜校、工农识字班、妇女速成识字班、读报组等。据不完全统计，在鄂豫皖根据地，“参加学习的工人达 2.3 万人、农民 30 万人、红军战士 4 万人、地方武装人员 20 万人”①。

第四，开展干部、骨干培训。

1931 年，鄂豫皖苏区在光山县创办的鄂豫皖特区列宁高级干部学校，先后培训了 300 多名苏维埃干部。同年，在黄安县成立中央军事政治学校第四分校，后改名为彭杨军政学校。每期学习三个月，学员们由各连队选送，不仅学习政治理论，还学习斗争、暴动、游击战等科目，先后培训军政干部和特种兵骨干千人以上。列宁高等学校的任务是为地方和红军培养干部，从 1931 年 2 月创办到 1932 年 8 月结束，共办了一年半的时间，培养了 300 多名党、政、军干部。培训干部的学校还有鄂东北党务干部学校等。此外，还有教导队、赤卫军训练班等形式。湘鄂赣苏区 1930 年在阳新县龙港肖家祠创办了一所红军军事学校——彭杨学校，培养红军中排级以上的干部和部分优秀战士及赤卫队、游击队的班长、小队长，每期学员 200 至 500 人。1932 年，中共湘鄂赣省委、省军区根据中央军委的指示，以原军事学校为基础，成立了中央红军学校湘鄂赣第五分校，学员约五六百人，每期学习半年，先后共举办了三期。此外，还曾举办湘鄂赣临时省委党校、通山县坂白泥军政干部训练班等。

土地革命战争时期根据地的教育发展，无论从人才培养、民众科学文化素质提高，还是从人民觉悟提高，革命根据地巩固、发展各方面来说，都具有十分重要的意义。

---

① 张耀纶、梁建堂、张耀宗，等：《鄂豫皖苏区教育史》，开封：河南大学出版社，1988 年，第 129 页。

二、全面抗日战争时期

全面抗日战争爆发、统一战线建立之初，为服从于全民族抗战，中国共产党就提出："抗日的教育政策：改变教育的旧制度、旧课程，实行以抗日救国为目标的新制度、新课程。"[①] 各根据地根据这一方针，积极发展教育。在湖北，中共领导的敌后抗战主要在鄂豫边根据地开展，根据地主要包括鄂东、鄂北，主要武装力量是新四军第五师和中共领导的地方武装。位于鄂豫边根据地区域的湖北的县约30多个。中共湖北省委及后来的鄂豫边区党委和新五师认真执行党的教育方针，建立边区政府教育处，颁布了《普及抗战教育实施办法》《小学教学改进标准》等法规和文件，采取一系列措施发展教育，主要措施有：

第一，积极开展干部教育。

中共湖北省委和军队实施干部教育的形式很多，内容很丰富。较有影响的，一是汤池训练班。1937年，董必武通过湖北省建设厅厅长石瑛，与国民党共同开办汤池农村合作训练班。训练班主要由中共负责，中共湖北省委副书记陶铸主办，除讲授马列主义、我党的抗日方针政策、统一战线、农民运动、合作贷款业务和游击战争的战略战术等课程外，还开展农村调查，进行军事训练。训练班开办四期，培训300余人，后来继续开办临时学校，培训300余人。学员是来自社会上的青年，结业后被派往各县和国民党各部队。二是七里坪训练班。1938年，中共湖北省委在黄安县七里坪创办，选派一批年轻的党员和进步青年参加培训，学习课程有党的建设、抗日民族统一战线、游击战术等，培训学员600余人。学员毕业后，大部分随新四军第四支队东进，一部分留在鄂东，从事地方党组织建设和地方武装建设。三是抗日军政大学第十分校。1942年，由新四军第五师创建于随县，由该军的随营军校演变而来，学员来自部队和地方干部，少数是敌占区或后方的青年。学员分政治队和军事队，既学习文化课、政治课，又学习军事课，还要参加

① 《毛泽东选集》第2卷，北京：人民出版社，1991年，第356页。

社会实践，如对群众进行宣传、参加生产等活动。每期半年。在战争环境下，抗大十分校往往处于流动之中，在艰苦的条件下共培养学员数千人。四是鄂豫边区党校。1939 年创办，学员是区委和县委干部，学习半年，截至 1945 年，共培训了党务干部千余人。此外还有洪山公学、鄂豫边高级行政学校、建国公学、鄂东公学、黄陂县梅店的“抗日青年训练班”、鸡公山的抗日游击干部训练班等。军队各级组织、地方各县级组织也开办了一些培训班，如中共崇阳县党组织曾开办抗日学校、青山党训班、华陂党训班等，359 旅曾在崇阳开办“南下革大”。[①] 中共黄陂县委举办过乡政人员训练班、青训班、农训班等。新四军第五师还在官兵中普遍开展识字活动、文化学习运动。

第二，积极开展学校教育。

武汉会战结束后，中共在敌后继续开展游击战的同时，积极发展敌后游击区的教育，一方面恢复国民党停办的学校，并在课程、教学内容上加以改造，使之符合抗战精神；另一方面，创建新学校。边区规定：边区行政公署设实验中学、实验小学、师范学校；县设中学（初、高中 1 所）、高小或完全小学 3 所；乡设中心学校，村设国民小学。到 1941 年底，抗日小学数量，“应城三四两区共七十四处，……汉一区五个乡已达一〇一所；京山之金汤保店天宝胜等三乡共三十三所”[②]。黄陂抗日民主政府于 1942 年在该县三地设立黄陂中学第一、二、三部，翌年设立黄陂第一中心小学，还“改造原有的旧学校，把灌输封建思想的旧私塾和进行奴化教育（系用日伪课本）的旧学校，改造成为新型的学校。主要是彻底改变旧有教学内容。由边区教育处编出一套以进行抗日爱国思想及生产为中心内容的新课本，代替原来的四书五经和日伪课本。……另一方面是大力扶植原有保小、村小、族小（即民办小学）”。

① 县教育志:《苏区教育，抗日学校》,《崇阳文史资料》第 5 辑（教育专辑），崇阳县政协文史委 1988 年编印，第 34 页。

② 《鄂豫边区国民教育工作简况》,《鄂豫边区抗日根据地历史资料》第 4 辑，鄂豫边区革命史编辑部 1984 年编印，第 138 页。

1945 年初，“向黄陂县政府（不包括向姚集区、陂四区、杨岗区）备案的小学计一百一十多所”[1]。

第三，积极开展社会教育。

社会教育的任务是提高民众思想觉悟、文化水平和生产技能。鄂豫边区社会教育的形式丰富，最有影响的是冬学运动。冬学运动就是利用冬季农闲时间，对成年人进行扫盲，开展政治教育，传授生产知识。1941 年开始实施，每年 11 月下旬到次年 2 月进行，为期 3 个月。冬学运动由鄂豫边区区委宣传部、民运部和农救会、妇救会、青救会组成冬学运动委员会，进行领导，行署教育处负责具体组织工作。各县相应成立县冬学委员会，县教育科为其办事机构。冬学运动因为以成年人为对象，所以规模很大。其次是民众学校。民众学校的对象是青年男女和未入学的适龄儿童，属于业余教育，分半日制和夜校两种形式，学习内容主要是文化知识与生产知识。民众学校附设于普通小学内，教学由小学承担。在天门刘家集建立的天汉县第一抗日中心小学就负责辅导刘集、刘家新湾、刘家三湾、卢家老湾等四所夜校。此外，还有民众教育馆、文艺团体等教育载体和形式。

这些措施，适应了民族抗战的需要，不仅提高了军民文化素质与生产、军事技能，而且启发了觉悟，提高了民族意识，为抗日民族统一战线凝聚了力量，为抗战胜利奠定了群众基础。

三、解放战争时期

抗日战争胜利后，湖北解放区的教育逐渐恢复，但是，1946 年 6 月，国民党军队进攻中原解放区，人民解放军进行中原突围，解放区沦陷，教育遭到破坏。战略反攻在湖北开始后，中共在湖北建立了鄂豫、江汉、桐柏、陕南四个解放区。鄂豫解放区所辖礼山、孝感等 12 县属

① 徐寄群：《抗日战争时期黄陂教育事业概况》，《鄂豫边区抗日根据地历史资料》第 4 辑，第 181—183 页。

于湖北，江汉解放区辖随县、宜城等 19 县，桐柏解放区所辖南漳、保康等 6 县属于湖北，陕南解放区有湖北竹山、郧县等 6 县。解放区的教育贯彻为革命战争服务、教育与劳动相结合的方针。1948 年底，中国共产党夺取全国胜利已成不可逆转之势，党中央及时调整政策，强调教育正规化，着眼于经济建设。湖北解放区人民政府接管了旧学校，改造旧知识分子，教育逐步走上正规化道路并得到大力发展。

第一，保护原国统区的学校，改造旧知识分子，使之为新的教育事业服务。

1948 年 6 月，中共中央宣传部对中原新解放区发出指示，要求严格保护当地学校，不许侵犯学校财产、图书、仪器和设备。各地认真贯彻执行。如大冶县和石灰窑工作特区召集各学校开会，宣讲党的政策，开展思想政治工作，因此，学校接管工作十分顺利，共接管完全小学 19 所，中学 1 所。与此同时，人民解放军和人民政府对旧学校教师进行接收并对其改造。1948 年 9 月，中共中央中原局发出《关于争取团结改造知识分子的指示》。《指示》在各地、各级人民政府得到切实执行。1948 年 9 月，江汉行署召开教育座谈会，明确提出恢复与逐步改造国民教育，明令取消反共反人民的法西斯教育，宣传中国共产党的知识分子政策、教育政策，争取团结改造知识分子为人民教育事业服务；要求各中心区的小学应普遍恢复，各县要办好 1 所高小，各专区办好 1 所初中。同年 10 月，江汉行署发布《关于开展国民教育工作的指示》，强调各县要重视国民教育工作，批评有些地方拒绝地富子弟入学的错误做法；还明确提出了“国民教育应采取以文化教育为主、政治教育为副及学与用结合的方针”，既要反对把学校完全政治化，作为干训班与宣传队的倾向，又要反对死读书，完全与实际生活、各种战争、各种建设、人民需要脱节的偏向。[①] 大冶专署制定了《大冶专署关于教育工作的若干意

① 《江汉行政公署关于开展国民教育工作的指示》，赵季：《湖北老解放区教育史稿》，武汉：武汉大学出版社，1988 年，第 361—362 页。

见》。按照《意见》，一方面让旧教师留下任教，另一方面则举办培训，宣讲党的知识分子政策，启发其觉悟，提高其对解放事业的认识。还选派其中部分人员外出参观学习，逐步改变其观念。因此，旧教师思想稳定，学校秩序良好。

第二，建立各类各级学校，大力发展教育，实现教育正规化。

解放区建立了人民政府领导的各级教育行政机构，建立学校管理制度，加强教师培训，实现教育正规化。主要措施有：一是建立湖北省教育学院。该校成立于 1949 年 9 月，目的是为中学培养师资。学员来自高中毕业生，开设有教育、体育、艺术、社会教育等专业；高级班则来自各中学和大学毕业生，进校后学习政治、新教育理论，接受思想改造。二是建立中小学。如洪山第一中学、沔阳县立中学。

第三，建立干部学校，为打败国民党，接管政权、建设国家提供干部。

干部学校是当时教育的重点，是建立新政权、新秩序的必然要求。此类学校有中原民主建国大学、江汉公学、鄂豫公学、襄南公学、鄂陕军政干校、湖北人民革命大学、中原大学等。中原民主建国大学于 1946 年春在湖北礼山县宣化店创建，生源是国统区投奔而来的大学生。后因中原突围而停办，只存在三个月。湖北人民革命大学是中共湖北省委创建的革命学校，中共湖北省委书记、省人民政府主席李先念任校长。学校分武昌、黄陂等四处，至 1953 年停办时，共开办了四期。先后培训了 15 000 多名学员，其中 12 000 多名分配在本省党、政、军、群、财经、企业等部门工作，其余分配到中央、中南和东北工作。

第四，开展社会教育，启发群众觉悟，为解放战争奠定群众基础。

解放战争时期，中原解放区的社会教育，在老区主要是对农民进行教育，新解放区的大中城市主要是对工人和市民进行教育；新解放区的广大农村，开始对农民进行政治教育、时事形势教育。农民教育的形式有冬学、民校、识字班等，通过学习，提高文化水平和思想觉悟，为土地改革和支援前线奠定了基础。工人教育的形式有业余学校、学习班等，重点也是进行思想教育，提高其对新民主主义革命的认识。

解放战争时期，湖北解放区教育逐步恢复并进一步发展，不仅为解放战争在湖北的胜利奠定了基础，而且为新中国成立后湖北教育的发展提供了良好的条件。

第四节 教会教育

咸丰十一年（1861），汉口开埠，西方教会开始大规模进入湖北，教会教育随之而兴。同治九年（1870）前后，出现了正规的教会学校，如同治八年（1869）英国基督教伦敦会传教士杨格非在汉口创办仁智小学，同治十年（1871）美国基督教圣公会驻华主教韦廉臣在武昌创办文华书院，前者是最早的走读学校，后者是最早的寄宿学校。最初，外国教会在华举办教育是为了赢得华人好感，其后则转向主要传播知识，如美国人露懿思所说："基督教教育之在中国，其起始为一八四二年，即开放五城为传教师自由居住地之时也。伊时反对外人之举最烈，故外人用种种方法使中国人民信任，而斯时适谋教育普及，实行开放门户主义，化除国籍界限，教会即开学校，初亦不过于宣讲圣经之外，教以读写知识，及算术字母而已。来学者大率为贫苦之儿童，学校免其学费，且有津贴书籍事物者。其后逐渐进步，学校程度提高且介绍西方学术；学校愈形发达，未始非因此种贫苦之学生影响所以然。人民对于教会学校既肯信任，来学者日益增多，而基督教教会遂于中国教育发达历史上占一重要位置焉。"①

一、基础教育

在湖北，外国教会最早创办的学校主要是小学、中学，大学是在中学基础上发展起来的，只有文华书院（图2—5）、博学书院、文学

---

① ［美］露懿思：《基督教教育在中国之情形》，李楚材：《帝国主义侵华教育史资料——教会教育》，北京：教育科学出版社，1987年，第7页。

书院开办了大学部。其后，教会教育的重心仍然在基础教育。在基础教育中，小学教育又是其中的重点。据统计，在湖北，清末教会所办初级小学 288 所，学生 8 049 人，高级小学 58 所，学生 2 185 人；而教会中学只有 17 所，学生 852 人。① 民国时期，教会学校学生数量增长较快，1932、1933、1934 年，基督教中学数量分别是 11、15、14 所，学生数分别为 1 810、2 647、2 372 人。②1933 年，湖北（汉口除外）教会所办中、小学 57 所，学生数为 6 400 人。③ 湖北小学教育主要依靠本国、本省的公私立学校，但中等教育，则主要依靠外国教会。1916 年，湖北非教会小学学生人数为 225 992 人，教会小学学生人数为 19 286 人，后者仅占总人数的 7.86%；1918 年，非教会中学学生数为 2 896，教会中学学生数为 9 545 人，后者占总数的 76.7%。经济相对发达的江苏、浙江也是如此。④ 这反映出，中国举办小学以上的教育的水平较低，缺乏应有的财力和师资，说明在半殖民地半封建社会，中国教育落后。与其他省份相比，湖北教会学校学生数量较大。1918—1919 年，湖北有教会中学 18 所，学生 558 人，在 19 个省中排名第五，仅次于福建、山东、直隶、浙江。⑤ 这一现象说明，教会势力在湖北较大，同时也说明，湖北开放度较高，教会教育走在全国前列。

---

① 熊贤君：《湖北教育史》上卷，第 254、257 页。

② 《各省基督教中学校及学生数统计表》，李楚材：《帝国主义侵华教育史资料——教会教育》，第 16 页。

③ 《湖北全省教会学校一览表》，湖北省教育厅：《湖北教育月刊》1933 年第 1 期（1933 年 9 月），第 186—189 页。

④ 中华续行委办会调查特委会：《中华归主》第 2 卷，北京：中国社会科学出版社，1987 年，第 618 页。

⑤ 中华续行委办会调查特委会：《1901—1920 年中国基督教调查资料》（下卷），北京：中国社会科学出版社，1987 年，第 1079 页。

图 2—5 文华书院

湖北的教会学校主要集中于省城和宜昌、沙市等主要城市，尤其是武汉。根据中国基督教调查资料，1920 年，湖北有教会中学 16 所，分布在武汉、樊城、荆州、随州、老河口、黄州、宜昌等 7 地，其中，武汉三镇就有 6 所，占总数的 38%。[①] 如前所述，武汉也是最早建立教会学校的地方，在武昌的教会小学就有三一小学、日知小学、恩旭小学、元化小学、明德小学、文华小学等。汉阳有天恩小学、天道小学、益智中学、训女中学、文德书院等。汉口的教会中学就有圣约翰中学、圣保罗中学、歌颂学堂、博学中学等。宜昌第一所教会学校稍晚于武汉设立。光绪四年（1878），英国基督教苏格兰长老会在大十字街福音堂设立识字班，这是教会学校在宜昌所办的第一所，后发展为育德小学，此后，宜昌有文都小修院、圣灵女校、华英学校、盲童学校、美华小学、华美中学、女公会学校等 10 余所。黄冈第一所教会小学是基督教瑞典传教士在光绪三十年（1904）建立的懿范学堂。沙市有沙市小学、路加中学等。随着外国教会深入湖北内地，在县一级行政区域中，教会学校

① 中华续行委办会调查特委会：《1901—1920 年中国基督教调查资料》（下卷），第 1481—1482 页。

也陆续建立起来，如广水私立德馨小学，松滋增光小学、培德小学、育英小学、养正小学、培英小学，襄阳鸿文书院，蕲春启明初级中学，安陆巡检司小学，云梦培英小学、郇山堂小学，汉川圣雅各小学、系马口小学、雅各中学，黄陂小学、兴隆集小学等。松滋、黄陂、云梦、汉川等地都有多所学校，反映出教会在当地有较大的影响力。

什么样的家庭会选择教会学校呢？民国时期，基督教人士就此作了调查研究：

> 学生的家庭成分，他们代表中国社会的什么阶级，这也需要比较仔细地研究。显然，各教会学校的办学实践和当地学生入学机会都存在很大的差别。考虑到的有六个阶级：官、士、商、工匠、农、劳动者。华北六省中学学生中相当大的一部分来自农民阶级，其中一省（山东）来自农民阶级的学生比同学校里来自所有其他各阶级的学生总数还要多。华北另三个省份（直隶、河南、东北）在这六个阶级上似乎保持相当好的均衡。
>
> 另一方面，华中三省之一（湖北）和华南三省之二（福建、广东）来自商人阶级的学生多于来自其他各阶级的总数。华东三省之二（浙江和江苏）情形也几乎相同。
>
> 19个省之中有13个省其中学学生来自商、士两个阶级的多于来自其他四个阶级的。实际上华东、华中、华南和华西所有各省情形都是如此，华北两个省份（直隶和山西）情形也是如此。
>
> 有六个省份（江苏、湖北、湖南、江西、广东和四川）其中学学生来自士和商两个阶级之一的比来自农民阶级的多一倍。安徽情形也差不多这样。两个省份（江苏和湖北）来自官吏阶级的比来自农民阶级的多。
>
> 从全国和华东、华中、华南、华西说来，目前重点的次序如下：商、士、农、官、工匠、劳动者；在华北则是：农、商、士、

官、工匠、劳动者。[①]

上述调查结果说明，湖北有权、有钱的上层人士比较认同教会教育，这些人观念较新，思想较开放，而华北各省则相反，只有贫穷的农民因没钱读书，只得求助于教会。

对师生的宗教信仰，各个学校要求不一样，主要分三类：一是较为自由。在武昌的文学书院，“当时天主教会对学生和教师不强迫信教入教，每逢星期一、三、五早晨和星期日上午举行天主教仪式时，只是信教的教师和学生去书院教堂参加。仪式的时间，一般是一刻钟左右，星期日的稍长些，但也只限于上半天以内。凡不信教的师生可以自由参加，但不行跪祷礼、不吃圣餐，只站在后排观礼，听讲圣经，颂圣诗，唱圣歌”[②]。二是非常严格。圣希理达女子中学的学生回忆说，学校规定，“教员和学生都必须是教徒。非教徒入学，一定要入教。我初次到校，就要我入教，我坚决拒绝了，没有加入。当时在教员中，全校只我一人是非教徒”[③]。三是没有宗教活动，但采取措施，吸引学生入教。蕲春启明中学“虽是教会办的学校，却并没有公开的宗教活动（每周入教学生做礼拜，即为‘公开的宗教活动’），也没有开设有关宗教方面的课程，更没有强迫学生入教，与公立中学不同的只是在圣诞节放假一天。但是发展教徒是办教目的之一，其办法为：一是对教徒学生特别优待。凡教徒学生不但不缴学费，连书籍及其他杂费也都免缴，个别有困难的教徒学生，还给予照顾伙食费。二是一人入教，全家必须入教，父母是教徒，子女诞生后必须送教堂洗礼（入教）。男女青年，有一方是教徒，另一方必须入教才能结婚。三是神甫以介绍学生升学、就业等办

---

① 中华续行委办会调查特委会：《1901—1920年中国基督教调查资料》（下卷），第1082—1083页。

② 段继李：《武昌文学书院的回忆》，中国人民政治协商会议湖北省委员会文史资料委员会：《湖北文史集粹·教育科技医卫体育》，第527页。

③ 饶蕎华：《希理达女子中学的见闻》，中国人民政治协商会议湖北省委员会文史资料委员会：《湖北文史集粹·教育科技医卫体育》，第537页。

法来诱学生入教”[①]。不过，多数学校有明确信教的规定和严格的要求。甚至，入学前就有相当大比例的学生家庭信仰西方宗教。中国基督教组织调查结果显示，在民国时期，“现有的中学生中来自基督徒家庭的人数占22%~70%，总平均数是38%，高级小学学生中百分数是15%~31%。由此可见，大概说来，我们的学生约有1/3来自基督徒家庭”。而湖北教会学校的中国教师，则大约一半是基督徒。[②]可见，西方教会在中国办学，并不仅仅是为教育而办教育，其传播西方宗教的目的性是很强的。

教会学校在课程设置与教学内容上有一个转变与调整的过程。在晚清，由于中国教育落后，教育近代化处于起步阶段，课程体系尚未完全成熟，对教会学校的管理也较松懈，教会学校的功能是发展宗教事业，其课程设置围绕传教展开，一般来说，既容纳四书五经之类的中国传统的教学内容，以博取中国人的好感，但同时具有西方特色，宗教色彩特别浓厚。1890年，在华基督教传教士第二次全国代表大会在上海举行。会议认为，真正的教会学校，其作用并不是单纯地传授宗教知识，而是要进而给学生以智慧和道德的训练，使其成为社会上及教会中有势力的人物，成为普通民众的导师和领袖。此后，教会学校的功能也逐渐偏向教育事业，因此，其课程设置增加了科学与文化课程，但在坚持学习宗教的前提下，重视外语、数学是其鲜明的特征。例如，美国圣公会1871年创办文华书院，创办的目的，“主要是圣公会为了培养传教人员和扩大教会影响、为传教创造有利条件。开始时的教学方法和中国旧式私塾基本相同；教学内容，学生一半时间学中文（主要是四书五经），一半时间学基督教教科书（教义问答、公祷文、圣诗等）。此外，每天早晚还要参加教会的早晚祷”[③]。到了清末，文华书院在课程设置上进行

① 陈中元：《蕲春启明中学始末》，中国人民政治协商会议湖北省委员会文史资料委员会：《湖北文史集粹·教育科技医卫体育》，第374页。

② 中华续行委办会调查特委会：《1901—1920年中国基督教调查资料》（下卷），第1082—1083页。

③ 彭力行：《武昌最早的一所私立新式中学——文华中学》，《武昌文史》第3辑，中国人民政治协商会议武汉市武昌区委员会1987年编印，第162页。

了大的调整，中国传统的教学内容减少，西方科学、文化的内容增加："每班每周有汉文10至12小时，分为古文4至6小时（作文在内），读经书3小时，史纲3小时。英文10至12小时，分为读本6小时，文法作文4至6小时。数学（算术、代数、几何）6小时。地理（下一，上一、二、三班）或欧洲史（四至六班）2小时，理化（五、六班）2小时，每周共大约33小时。每日上课6小时，上下午各3小时。星期六下午不上课。功课中注重英文、数学，而对中文学习则视同儿戏，老师讲的不起劲，照本宣读，学生则无心听课，大都偷看英文书或公开看小说。教中文的老师待遇也远不如教英文、数学的老师，月薪少得多。当时英文、数、理、化老师月薪50元（银币，以下皆同），中文老师仅30元。所以文华学生，除在进文华以前中文已有根底外，很多人连一封信都不会写。"[①] 位于汉口的博学书院的功课，"大体上和中国学校相同，不同的在于：多一两门宗教（基督教）性的功课，特别注重英语的训练"[②]。甚至民国二十二年，教育部官员视察湖北教育时，认为教会大学过于重视英语，主张予以纠正："教会学校，尤其是女子中学，英文程度过于注意及提高，如小学每周六小时适等于初中程度，初中每周七小时，超过高中程度，高中超过大学，与一般高中及大学毫不衔接。上课时间，平均每天七小时，分量太重，均应改正。"[③] 之所以重视外语、数学的学习，一方面是因为教会大学是外国人创办的，很多外国人任教，但主要的原因是社会需求通晓外语、精于数学的人才："当时国内的邮电局、海关、铁路等许多企业单位，都要使用外语（以英语为最），职工录用要通过考试，项目虽多，而以英语、数学、地理为主；数学和地理也用英语考试。因此多少年以后，武汉地区的这些单位基本上被文

① 韦卓民：《武昌文华书院及其后身华中大学》，中国人民政治协商会议湖北省委员会文史资料委员会：《湖北文史集粹·教育科技医卫体育》，第549页。

② 王楷元：《记汉口博学书院》，中国人民政治协商会议湖北省委员会文史资料委员会：《湖北文史集粹·教育科技医卫体育》，第534页。

③ 王醒魂：《教育部督学视察湖北教育总报告》，第5页。

华等三个书院的学生包办了。尽管这些单位中国职工的工资仅及外国职工的 1/10 甚至于 1/30，而其他的住宅、医疗、假期、车船免费、雇用保姆等优待根本没有，但是工资是以银元计算，毕竟比中国机关稍胜一筹，更主要的是只要恭顺服从，循规蹈矩，这碗饭便可以吃到老，正像俗话所讲的是‘铁饭碗’。教会学校之所以费用昂贵而门庭如市，关键就在这里。”[①] 也就是说，随着中国早期近代化的发展，社会急需从事实业的人才。教会学校课程设置和教学内容的调整在一定程度上适应了市场的需要。

在学生管理上，教会学校要求严格。圣希理达女子中学的教师回忆道：“这个学校校规极严，学生违规则开除。我看学生在教室、宿舍或者操场，没有高声笑语的，没有轻快活泼的。整个学校的空气是死沉沉、呆板板的。学生散步不能接近校门，只有到学期终了才能出校回家，出校时需要家长来函，还校时还需家长信。平时不能接见亲属客人。她们的信件、书籍都受检查，如有可疑的，即在调查或开除之列。”[②] 著名教育家韦卓民（图 2—6）曾在文华书院读书，他对文华书院的管理也有同样的感受：“学校对学生管理是严格的。中学有领班制，领班（总领班）由校长从五、六班的学生中选出，不论是否信教，不问功课好坏，只问是否操行好。领班向校长负责，协助校长与舍监管理学生，每星期六上午早餐后，全中学领班集合在校长室向校长汇报一周的学校情况以及学生操行。一般学生平时不准出校门。星期六下午全校无课，可以请假，但要校长批准，限即晚六时半返校，参加晚祷。”[③]

---

① 王楷元：《记汉口博学书院》，中国人民政治协商会议湖北省委员会文史资料委员会：《湖北文史集粹 · 教育科技医卫体育》，第 533 页。

② 饶蓍华：《希理达女子中学的见闻》，中国人民政治协商会议湖北省委员会文史资料委员会：《湖北文史集粹 · 教育科技医卫体育》，第 539 页。

③ 韦卓民：《武昌文华书院及其后身华中大学》，中国人民政治协商会议湖北省委员会文史资料委员会：《湖北文史集粹 · 教育科技医卫体育》，第 550 页。

图 2—6 曾任华中大学校长的教育家韦卓民

二、高等教育

1949 年以前，中国高等教育较为落后，高等学校数量不多，湖北也只有国立武汉大学、省立教育学院、私立中华大学、私立华中大学、私立文华图书馆学专科学校、私立美术专门学校数所。其中，华中大学（图 2—7）、文华图书馆学专科学校是教会大学。

图 2—7 华中大学

华中大学源于同治十年（1871）美国基督教圣公会在武昌创办的文华书院。文华书院最初为男生寄宿学校。光绪二十九年（1903），成立大学部，学制三年。宣统元年（1909），文华大学在美国注册。1924年，将武昌博文书院和汉口博学书院的大学部并入，组建华中大学。1926年，开始招收女生。1927年曾停办，1929年，合并长沙雅礼大学和岳阳湖滨大学这两所教会大学后重新开办。1931年，获得教育部正式立案。1938年，日寇侵犯武汉，华中大学西迁至广西桂林。后因日军轰炸，再迁至云南大理喜洲镇，在极其艰苦的条件下办学。抗战胜利后，华中大学迁回武汉，搬迁结束时已是1946年5月，同年9月，顺利开学，直到中华人民共和国成立初期。

华中大学的学生来自较富裕的家庭。据曾任校长的韦卓民回忆，1924年，校董会通过全校开支预算为5 000元，全由学生学费收入开支。这时学生学费是每人每年两学期100元，宿费40元，膳费60元，是颇为昂贵的，一般家庭不能负担。[①]这与其前身文华书院建立时完全免费、且提供生活费迥然有别。也同时说明，富贵子弟对这所大学还是比较认同的。当然，教籍学生是免费的。在近代中国，学校规模都不大，华中大学也是如此。光绪二十九年（1903）文华书院大学部成立之初，仅有9名学生，至1924年华中大学成立时，学生已达89人，而自光绪三十二年（1906）开始有毕业生至1924年的19年，文华大学已毕业150余人，平均每年不到8人。[②]1930年至1934年，华中大学学生数量分别为41、63、101、126、138人，除神学院外，1934年全国各教会大学人数少则25人，多则779人，华中大学人数在17所教会大学中，处于第13位。[③]1947年，注册学生人数接近500人，1948年达到572

① 韦卓民：《武昌文华书院及其后身华中大学》，中国人民政治协商会议湖北省委员会文史资料委员会：《湖北文史集粹·教育科技医卫体育》，第558页。

② 马敏、汪文汉：《百年校史：1903年—2003年》，第23页。

③ 《基督教大学学生数统计表》，李楚材：《帝国主义侵华教育史资料——教会教育》，第17—18页。

人。[1] 此后的几年中，没有超过这一数量。

在学科与专业建设上，华中大学有自身的特色。1921 年，文华大学设有文理学院、神学院、汉语言文学系。华中大学建立时，设文、理、图书三科。1929 年重建后的华中大学分为 3 个学院，即文学院、理学院、教育学院。2 年后，3 个学院全部建成。系科设置为中文、历史、英语、经济、地理、宗教、生物、化学、物理，数学、音乐为较次要的系。1946 年，从云南大理迁回武汉时，华中大学设有 3 个学院：文学院下设中国文学系、外国文学系、经济商业系、历史社会系、哲学心理组、宗教组。理学院下设物理系、生物系、化学系、数学组（后改为数学系）。教育学院下设教育学系、音乐组（1947 年增加数学系、体育组）。华中大学学科与专业的特色是重视宗教、文理，而其他教会大学则以应用学科见长。其最具特色的是图书馆学专业，开中国该专业之先河。早在文华书院时期，美国女子韦棣华就在文华书院建立中国第一座公共图书馆——文华公书林，在此基础上，形成了图书馆学专业。文华大学于 1921 年就已设立图书科。华中大学时期，图书科发展为文华图书馆学校，但依托母体。1930 年，从华中大学独立出来，成为文华图书馆学专科学校，培养了中国第一批图书馆学专业人才，是中国图书馆学人才的摇篮。1933 年，教育部督学视察时就大加赞赏："设备完全，学生人数虽属不多，成绩尚优，堪称国内图书馆教育之最高学府。"这实际上也是华中大学对高等教育的一个贡献。当然，教育部督学对华中大学办学实力也是赞许的："私立华中大学，理科设备优良，研究工作亦尚认真，且正从事于仪器等之仿制与创造，颇堪嘉许。"[2]

华中大学课外活动非常丰富。文华大学时期就开展各种文体活动，在国际体育运动会上获得过奖励，学校足球队在华中地区颇负盛名，鼓乐队在武汉也很有影响，学校还组建了中国第一支童子军。学校相当重

① 马敏、汪文汉：《百年校史：1903 年—2003 年》，第 99—100 页。

② 王醒魂：《教育部督学视察湖北教育总报告》，第 6 页。

视社会服务，文华大学时期，为贫民开办夜校，开展赈灾，组织募捐。在抗日战争时期，西迁云南的华中大学还组织民众服务团，服务当地居民，并从事抗日宣传活动。

华中大学师生积极参加民族民主革命活动。辛亥革命时期，教师刘静庵是日知会的领导人，师生中有周苍柏、张纯一、卢春荣等参加了孙中山领导的同盟会，教师余日章是日知会的重要成员。1925 年，五卅运动爆发，华中大学师生积极参加，在随后的收回教育权的运动中，华中大学的师生也给予支持。

1951 年，随着朝鲜战争的爆发，华中大学的外籍教师和管理人员陆续离开中国。8 月，学校与中原大学教育学院合并，组建公立华中大学，从此，由文华大学演变而来的华中大学进入到新的历史时期。次年，在全国高校调整中，学校接收中华大学部分院系，并易名为华中高等师范学校，这是现今华中师范大学的前身。

第三章　融汇中西的文学

近代中国经历了数千年未有的大变局。列强纷至沓来，随着坚船利炮，传教士、西洋文化走进了中国。传统的专制统治发生着变化，太平天国横扫南方，义和团弥散于京津，大清王朝洋务新政，救亡自强，交相上演。辛亥革命一声枪响，未能一举底定民主共和，使国家走上富强之路。军阀混战、日寇侵逼，演化出中国多灾多难的动荡景象。这些社会图景，是文学创作无穷的素材，触动了心神，勃发了激情，文学家们用笔墨书写着时代。

湖北虽远离大洋，但九省通衢，轮轨交汇，是“吾国最重最要之地，必为竞争最剧最烈之场”，而“竞争最剧最烈之场，将为文明最盛最著之地”。[①] 西风东渐，新旧嬗变，来自湖北和在湖北的文化人，以文字笔墨渲染出近代湖北文学画卷。

散文园地，武昌先生张裕钊承继桐城派余绪，坚守文以载道的理念，彰显其古文的恢诡廉劲。遭逢动荡的丽尼笔端含情，娴熟地运用白话，将个人情感、生活喟叹和家国情怀，留在《江南的记忆》中。湖北竹枝词粗浅易懂，亦俗亦雅，带有鲜明的地方特色，流播甚广。诗歌花开数朵，旧体诗中裂变出新诗，樊增祥以赛金花为原型，创作前后《彩云曲》，典故层出，用词工巧，文风绮丽，于清末重盛中晚唐诗派。留学归国的闻一多提倡并实践新诗音节、辞藻、句式匀齐的三美理论，成为一代新诗大家。伴随抗战烽火诞生的七月诗派，不忘国仇，诗人以笔做武器，描写战士情怀。来自湖北乡村的废名用小说描绘了一幅幅远离政治的田园美景，参与开创了小说流派中的京派。胡风用锋利的笔，建构起独具特色的现实主义文艺思想体系。

---

① 张继煦:《叙论》,《湖北学生界》第 1 期（1903 年 1 月）。

第一节　散文

文以载道，歌以言志，是文学观念的两途。承继传统，一以贯之，还是应和时代，笔墨相从，这是近代文学要选择的方向。以新文化运动为界，旧文学与新文学似乎判然殊途。湖北文学的散文领域里，张裕钊和丽尼的作品，很有典型性，正好代表着两个不同的方向。

一、武昌先生的古文

明清之际，散文出现桐城派，继承着唐宋八大家的散文传统。延至晚清，官高权重的曾国藩接过桐城衣钵，以雄奇瑰玮纠正桐城派的格局狭小，并结合时务，倡导“经世致用”，在义理、考据、辞章之外，复增加“经济”之术，桐城派由此一振，号称“中兴”。

曾门弟子不少，声名卓著者为遵义黎庶昌、武昌张裕钊（图3—1）、桐城吴汝纶、无锡薛福成，并称为曾门四弟子。于文章一事，曾国藩私心相许，“吾门人可期有成者，惟张、吴两生”[①]，即张裕钊、吴汝纶。张裕钊果然不负所望，承继桐城余绪，加以发展。

图3—1　张裕钊

① 赵尔巽等：《清史稿·文苑三》，北京：中华书局，13442页。

张裕钊，字廉卿，号濂亭，湖北武昌（今鄂州）人。生于道光三年（1823），早年曾跟着塾师学习八股制艺，然而非所心愿。他经常偷偷阅读家中所藏的曾巩著《南丰集》。咸丰元年（1851）考中举人，授内阁中书。考官曾国藩阅卷，读到张氏文章，极为欣赏，认为深得曾巩文章笔法，并教给他品鉴文章好坏及唐、宋以来诸大家的风格，授予《文选》，告知“徒摹唐宋文，而不及《文选》，则训诂弗确，不能几于古”。张裕钊由此学业大进，省悟以前所读文章都平庸浅薄，此后致力于司马迁《史记》、班固《汉书》、范晔《后汉书》，及司马相如、扬雄之书，无一日不诵习。他尤其服膺司马迁，称司马迁“善纪言，简略皆中，不亚《左》《国》，班、范非其伦”[①]。张裕钊雅好文事，不宗一家。曾国藩以平定太平天国而官高位显，其门下诸人多通达显贵，张裕钊游幕曾门数十年，唯以治文为事。辗转于江宁、湖北、直隶、陕西，主讲南京凤池书院，保定莲池书院，武昌勺庭书院、江汉书院、经心书院及襄阳鹿门书院，成就后学者很多，晚年人称“武昌先生”。光绪二十年（1894）逝世于西安。

张裕钊文章成就，同时代及后人多有评说。同门吴汝纶则自桐城源流娓娓道来，“桐城诸老，气清体洁，海内所宗，独雄奇瑰玮之境尚少。盖韩公得扬、马之长，字字造出奇崛。欧阳公变为平易，而奇崛乃在平易之中。后儒但能平易，不能奇崛，则才气薄弱，不能复振，此一失也。曾文正公出而矫之，以汉赋之气运之，而文体一变，故卓然为一代大家。近时张廉卿，又独得于《史记》之谲怪，盖文气雄俊不及曾，而意思之恢诡，辞句之廉劲，亦能自成一家。是皆由桐城而推广，以自为开宗之一祖，所谓有所变而后大者也”[②]。张裕钊的文章文气雄俊虽不

① 沃丘仲子：《张裕钊》，《近代名人小传》，北京：中国书店出版社，1988年，第14–15页。

② 吴汝纶：《与姚仲实》，徐寿凯、施培毅校点：《吴汝纶尺牍》第1卷，合肥：黄山书社，1990年，第34页。

及曾国藩，但有恢诡廉劲之特色，继承发展了桐城派文学。近世张舜徽评论，“盖裕钊与吴汝纶，并以能为古文辞，雄于晚清。吴之才健，而裕钊则以意度胜。文章尔雅，训辞深厚，非偶然也”[①]。

张裕钊有《濂亭文集》《濂亭遗集》《濂亭遗诗》及《论学手札》等数种由门生故旧刊印的文集。为文之道，张裕钊也多有论及。不妨以其作品，证其文论。

光绪二年（1876），张裕钊路过通州（今南通），恰逢同门黎庶昌在此为官，遂与其同游通州之狼山，留下游记：

> 光绪二年秋八月，黎莼斋管榷务通州，余过焉。既望，与莼斋游于州南之狼山。
>
> 山多古松桂桧柏数百株。倚山为寺，寺错树间。最上为支云塔，危踞山颠，万景毕纳，迤下若萃景楼及准提、福慧诸庵，亦绝幽敻。所至僧舍，房廊屈曲，左右苍翠环合，远绝尘境。侧身回瞩，江海荡天，近在户牖。隔江昭文、常熟诸山，青出林际蔚然。时秋殷中，海气正白，怒涛西上，皓若素蜺，灭没隐见。余与莼斋顾而乐之。
>
> 狼山，淮扬以东雄特胜处也。江水自岷蜀径吴楚行万里，至是灏溔渺莽，与海合会。山川控引，界绝华戎，天地之所设险，王公以是慎固，古今豪杰志士之所睥睨而筹也。
>
> 昔阮籍遭晋室之乱，作《咏怀诗》以见志，登广武山，叹悼时之无人。今余与莼斋幸值兹世，寇乱殄息，区内无事，蕃夷绝域，约结坚明，中外以恬婴相庆。深忧长计，复奚以为？
>
> 余又益槁枯朽钝，为时屏弃，独思遗外身世，捐去万事，徜徉于兹山之上。荫茂树而撷涧芳，临望山海，慨然凭吊千载之兴亡，左挟书册，右持酒杯，啸歌偃仰，以终其身。人世是非理乱，天地

① 《清人文集别录》，张舜徽：《张舜徽集》，第 488 页。

四时变移，眇若坠叶与飘风，于先生乎何有哉？归书而为之记。[①]

张裕钊尝言："文以意为主，而辞欲能副其意，气欲能举其辞。譬之车然，意为之御，辞为之载，而气则所以行也。欲学古人之文，其始在因声以求气，得其气，则意与辞往往因之而并显，而法不外是矣。"[②]张裕钊讲求文章的意、辞、气、法。意是中心，以辞（文字）达意，气运转于词句之间，以章法组织字句成篇。

此中，气是关键，如何气举其辞呢？方法是因声求气，这也是对桐城派传统的继承，桐城派主张要由字词、音节，进而求文章的神气。一句之中字的增删，平仄的调遣，都会涉及字词的音节，进而影响文章的气韵。因此张裕钊指出要熟读古人之文，重视吟哦朗诵，将其视为作文的心法，他引用桐城弟子方存之的话，"长老所传，刘海峰绝丰伟，日取古人之文纵声读之；姚惜抱则患气羸，然亦不废哦诵，但抑其声，使之下耳"[③]。桐城先贤尚且如此，后学焉能不效法呢。

此篇游记，前段写景别有风致，文字雅洁，整体上四言之句多，音节铿锵，气势贯通，得桐城派之真传。而文章之气，不外雄奇与平淡，张裕钊更重后者，"降心下气，遏抑雄怪，归之平淡，一意务为顺成和动之音，则与道大适矣"[④]。文章最高境界在于"自然"，"自然者，无意于是而莫不备至，动皆中乎其节，而莫或知其然，日星之布列，山川之流峙是也"[⑤]。本文写来，也是布列有序，出乎自然，不见斧凿刻意痕迹。

---

① 张裕钊：《游狼山记》，《张濂亭文》，上海：中华书局，1937年，第93—94页。

② 张裕钊：《答吴挚甫书》，湖北省人民政府文史研究馆、湖北省博物馆：《湖北文徵》第10卷，武汉：湖北人民出版社，2014年，第394页。

③ 张裕钊：《答吴挚甫书》，《湖北文徵》第10卷，第394页。

④ 张廉卿著，丁有国注释：《张廉卿诗文注释》上册，上海：复旦大学出版社，2013年，第498页。

⑤ 张裕钊：《答吴挚甫书》，湖北人民政府文史研究馆、湖北省博物馆：《湖北文徵》第10卷，第394页。

张裕钊认为“文章之道，莫要于雅健。欲为健而厉之已甚，则或近俗。求免于俗，而务为自然，又或弱而不能振。古之为文者，若左邱明、庄周、荀卿、司马迁、韩愈之徒，沛然出之，言厉而气雄，然无有一言一字之强埘而致之者也。措焉而皆得其所安。文惟此最为难”[①]。语言的劲健和气势的雄壮，此中的分寸很难把握。故为豪壮，易流于俗；追求自然，气势又太弱。而史上古文大家能做到言厉气雄，措置得法。他还批评“道不足而强言，虽振厉其气，雕绘其词，而卒无以餍乎人人之心。深造道德，而自得于其心，则凡所言，而莫非至道之所寓”[②]。没有深度，故为大言，无人肯信；有真知灼见，出口则大道潜寓其中。所谓“道”，也就是“文以意为主”。

这篇游记，后半段徐徐显露出张裕钊为文之“意”，含蓄表达其“载道”的用意。他登高临远，思接古今，由阮籍登广武山作《咏怀诗》，忧时嗟生，苦闷彷徨，联想到当下太平天国敉平，与列强缔结和约，一派升平，俨然“同光中兴”，于是文恬武嬉。张裕钊虽处江湖之远，却为国家深忧长计，很有节制地表达了心忧社稷的情怀。但文辞并不激烈，笔触平淡，稍稍触及，希望当道与时人能憬然一悟。其道德说教温文尔雅，平和冲淡，委婉自然，深得桐城遗风。张裕钊在讲学各书院中，恪守并发展了桐城派核心家法，并通过言传身教，“得之桐城者”又“还之桐城”[③]。

张裕钊不仅是桐城派古文大家，也是教育家和书法家。时至今日，其书法上的声望已在古文之上。他勤于临池，未尝一日中辍，由魏晋六朝以上窥汉隶，以碑入行，创制了内圆外方的张体书法。

桐城派古文在“俗语之文学”和白话文运动的冲击下，渐渐趋于式微。其古文的书写方式，其“文以载道”的主张，被新文化运动批判和

---

① 张裕钊：《答刘生书》，张廉卿著，丁有国注释：《张廉卿诗文注释》上册，第 164 页。

② 张裕钊：《劝戒浅语序》，张廉卿著，丁有国注释：《张廉卿诗文注释》下册，第 863 页。

③ 马其昶：《抱润轩文集·书张廉卿先生手札后》，祝秀侠、袁帅南：《中华文汇·清文汇》，中华丛书编审委员会，1960 年，第 801 页。

抛弃，白话文成为中国文学的正宗，以“言志”为文学根本观念的新文学诞生了。

需要指出的是，新文学并非从天而降，突然发生的，它是扬弃桐城派古文的结果。周作人在《桐城派对新文学的影响》中客观写道：“到吴汝纶、严复、林纾诸人起来，一方面介绍西洋文学，一方面介绍科学思想，于是经曾国藩放大范围后的桐城派，慢慢便与新要兴起的文学接近起来了。后来参加新文学运动的，如胡适之、陈独秀、梁任公诸人，都受过他们的影响很大。所以我们可以说，今次文学运动的开端，实际还是被桐城派中的人物引起来的。”[①] 张裕钊的文名不如书法名，乃是时代淘洗的结果。湖北文学将会应和着时代的节拍，出现新的人物和新的文学作品。

二、丽尼的白话文创作

接受新文化运动的洗礼之后，白话文创作成为不可阻止的时代潮流。大革命时期，国共两党为着不同的国家前途而战斗。接着，外敌入侵的抗日烽火燃遍了长城内外、大江南北。马克·布洛赫引用阿拉伯谚语说，一个人与其说他酷像其父，不如说酷像其时代。湖北籍的作家丽尼，正是这样用多情的笔，记录自己的人生体验和时代的潮音，呈现出典型的新文学面貌。

丽尼（图 3—2）的本名是郭安仁，1909 年出生在湖北孝感。他使用了奇怪的女性笔名写作。据巴金回忆，丽尼是郭安仁小时候一个外国女性朋友的名字，这个女孩早早死去了，他便用女孩名字的译音作了笔名。为纪念她，还写了《月季花之献》《失去》等散文篇什。[②]

---

① 周作人：《桐城派对新文学的影响》，薛绥之，张俊才：《中国文学史资料全编现代卷·林纾研究资料》，北京：知识产权出版社，2010 年，第 167 页。

② 巴金：《关于丽尼同志》，《巴金散文》，杭州：浙江文艺出版社，2009 年，第 365 页。

图 3—2　丽尼

他自幼勤奋好学，天资颖悟，1921 年流浪到汉口，进入教会学校汉口博学书院读书，接触了基督教的观念，也打下了深厚的英语功底。这段经历明显投射到他的散文《童年》中，该文讲述了在一个教堂里，“仁慈的老人们！以父母一般的怜悯收养过我，使一个孤儿不致于饿死在被抛弃的地方”[①]，宣扬了一个姐姐对弟弟的爱，一对老人对一对孤儿的爱。然而上帝的仁慈，并没有惠及众生。这对把一切都献给上帝的老人，竟在老境被新派来的教士取代，并被逐出教堂，他们被上帝抛弃了，“上帝这样欺负好人”。[②]1925 年，五卅惨案发生，郭安仁参加了反帝爱国学生运动，被博学书院开除。他考取过邮局工作，邮局的生活经历也成为他创作的素材。《夜车》记录了他和一位处理邮件的老苦力之间的琐事，寄寓了他对生活在底层的老百姓的同情。他并不喜欢这样的工作环境，不久辞职。1927 年到达上海，到劳动大学里当旁听生。1928

① 丽尼：《丽尼散文选集》，上海：上海文艺出版社，1982 年，第 106 页。

② 丽尼：《丽尼散文选集》，第 110 页。

年，开始写散文和翻译外国文学作品，走上了作家之路。

二十出头，正是爱情向年轻人招手的年纪，丽尼的爱情并不是一帆风顺，反而充满了苦涩和波折。1929 年，他来到福建晋江黎明高中，担任英语教员。一位吴姓女老师爱上了他，但家里给女老师早安排好了，要她嫁给一位有钱的绅士，而且还是该校的校董。他们的这段感情遭遇了巨大的阻力，他被逐出了学校，逃到鼓浪屿；女老师被迫嫁给校董。女老师并不屈服，曾在婚礼前去鼓浪屿找郭，表示要跟随他流浪，永不分离。丽尼没有胆量，也不能给她一个幸福的生活，没有接受她的爱。她绝望地回到家中，两年后郁郁而终。巴金听闻这段爱情悲剧，当成素材写成了中篇小说《春天里的秋天》。这段心灵上的创伤给丽尼以深巨的影响，《贫乏》即是对这段感情的真实写照和心曲袒露。文中写了一个女孩向男孩伸出手，希望得到爱和承诺，女孩伸出的手，是对男孩的逼迫和揶揄，但男孩因为自己的贫乏，或者物质或者精神，请求女孩收回伸出的手，他不想欺骗她。这篇非常隐晦的散文，道出了作者爱而不能的无奈和深切悲伤。“没有不醒的梦，除了永久的长睡以外；然而，在长睡之中连梦也会被忘却的呀！”“等到梦醒的时候，坟墓就覆盖着你了”“我不要求你来给我解释命运之神秘，生命之无常，我不要求你来告诉我黑暗之国底消息，我不要求你来含泪讲述着你自己底故事。但是，你啊，我愿你安息！”[①] 现实中的别离，变成了散文中的伤感呼唤。《悲风曲》《海夜无题曲》《失去》《拉丽山达》《沉默》等篇什都描写了少男少女相爱却不能相守的无奈。沉痛的表白和爱情的绝唱是丽尼早期散文的主调。他的生命被爱唤醒，又被不能掌控的力量重击摧毁，“我只是如同倦旅的人背负着自己底重荷，在黑夜之中独自踯躅于一个荒凉的旷野，无心去细察前面的道路，或者在天空发现一颗星星”[②]，无力感也使作者产生与之偕亡的壮烈，“我不能不希望一个末日底来到啊”，

① 丽尼：《黄昏之献》，《丽尼散文选集》，第 1—2 页。

② 丽尼：《失去》，《丽尼散文选集》，第 13 页。

“我们将希望着毁灭如同一个救赎”[①]。在现实中，丽尼勇敢接受了爱情的第二次眷顾。离开福建伤心地之后，他辗转到武昌艺术专科学校教授英语，课余参加剧联组织的“鸽的剧社”工作，被武昌艺专的学生剧团请来当导演，结识了一位叫许严的女学生，不久两人相恋。许严已有未婚夫，是武昌艺专校长的兄弟，国外留学。两人恋情公开后，学校开除了许严。许父将女儿关起来，逼迫二人断绝关系。许严的母亲和兄弟暗中帮助，许严逃离了家庭，搭船去南京投靠亲戚。丽尼去码头相送，也一路到了南京，并得朋友帮助，让出屋子成全两人在南京结婚了。没有翻版复制前此的遗憾，有情人终成眷属。一家人的日子和和乐乐，不久还生了两个女儿。1928 年到 1932 年间丽尼创作的散文，结集收在《黄昏之献》中。

丽尼的朋友陈荒煤回忆说，“在旧社会旧时代，家庭却又真是一个沉重的负担，会像一副沉重的枷锁，把人压到几乎难以自拔的境地”，他“第一次找到安仁时，敲开了门，我发现他们住的一间很小的亭子间里，似乎除了一张床之外，什么都没有，也是够艰苦的了”。“尽管他并不直接象我们一样去参加许多社会活动，然而毫无保留地给我们以真诚的支持和帮助，是坚决站在我们一边的。”当时，丽尼接济和掩护着左翼作家，陈荒煤、张庚、吕骥、叶紫、司马文森都是他家的座上客。“爱情是真挚的、热烈的，生活是艰苦的，革命的工作是繁重的、危险的。这就是现实，这就是生活中的矛盾和负担，也是斗争。”[②]个人生活的艰辛，和对劳苦大众的关注，丽尼用手中的笔记下了他看到的社会景象。在中断了两年的写作之后，他在 1934 年 9 月至 1936 年 9 月写作的四十九篇散文，先后编为《鹰之歌》和《白夜》两个集子。思想内容上告别了个人遭际的哀愁和苦闷，直面旧中国“人吃人的世界！不让人活

---

① 丽尼:《长夜》,《丽尼散文选集》，第 28—29 页。

② 陈荒煤:《一颗企望黎明的心》，丽尼:《丽尼散文选集》，第 173—180 页。

的世界”[①]。《原野》里，他发现生活是没有希望的循环。虽然老天爷施了恩典，三太爷下乡收租，“湖田八成租”，“这世界是不成一个世界了”。[②]年老被抛弃的老船工感慨“生活真是一副沉重担子，并且这担子是非担负不可的。从堆栈里到轮船底货舱旁边，那不过是一段很短的路程。你咬紧牙，忍住肩上所受的重压，疾忙走着，只想着到了那一边可以得到一个暂时的休息，喘出一口气来，然而，到了那边，岂不正是有着同样的重负在等待着你？无间歇的重负，从今天到明天。明天也许会好一点吧？但是，到了明天，又怎样呢？”[③]

丽尼看到了劳动者的力量，“这显然是长久与机器和车油发生密切关系的人，但是，却是这么年轻”。他质问自己的笔能够为劳动者做些什么？“……你们能同样真切地写点别的么？我看得够了，我受得够了。我听着你每晚叹息，我听着你每晚写。你也许会流眼泪，是不是？寂寞！苦！受罪！为自己，为世人！但是，你能说得明白人吃人肉，人喝人血的事么？你能为那些给人吃给人喝的人回答一些极简单的问题么？你能给他们——我们——一点真的兴奋么？”[④]他看到了“行列在唱歌了：人们全是手挽着手，走向前进。我底手也被挽着，在向前进——那挽着我底手的手，我发觉是渍满着油污的”[⑤]。他被前行者开导，“你战着抖着就过完了这么许多日子么？”去到风暴里面去[⑥]。

丽尼用饱满的热情吟唱，“我确曾看过鹰飞，也曾听过鹰的歌唱：那声音嘹唳，清脆，那姿态也雄健，矫捷；我确曾希望我能学习那样的歌唱和飞翔，然而我不能肯定我自己。一个不能肯定自己的人，结果往往会嘲笑自己的——因此，我疑惑我变成了一只乌鸦”，“在黑色的翼

① 《无业者》，丽尼：《丽尼散文选集》，第 69 页。

② 《平原》，丽尼：《丽尼散文选集》，天津：百花文艺出版社，1992 年，第 151 页。

③ 《秋》，丽尼：《丽尼散文选集》，第 153 页。

④ 《夜间来访的客人》，丽尼：《丽尼散文选集》，第 83–84 页。

⑤ 《行列》，丽尼：《丽尼散文选集》，第 93 页。

⑥ 《急风》，丽尼：《丽尼散文选集》，第 88 页。

上，我飞翔着；在昏暗的林薮里，我休息着。然而，一样地，我怀着一颗企望黎明的心”。[①]

在黑暗中寻找光明，不料，抗战的烽火从东北延烧到了江南。丽尼虽清苦但还可以栖居的家也被迫辗转迁移。全面抗日战争中，丽尼举家迁往武汉。为一家人的生活，丽尼到政府机关谋得一差事，从事军事著作的英文翻译。他的家也随着机关迁移到湖南、广西、四川。在湖南途中，巴金遇到丽尼，向其约稿。丽尼留下手头一篇，回住所去整理其他几篇。不料遇到日军敌机投弹，他的手稿全成了劫灰。这篇留下的发表于巴金在桂林复刊的《文丛》中的《江南的记忆》，成了丽尼散文创作的绝唱。这篇散文一洗过往哀婉愁怨的笔调，以沉郁炽烈的爱国情怀，高歌拿起武器抵抗侵略，保卫美丽的国家。丽尼的笔底下，江南是那般美好：“‘湖的沿岸，是丰饶而和平的土地，从古以来。那里是出名地出产着丝、茶、鱼，和米；人民是那么和平，有些人，在他们一整生也不曾听见过枪声。’真的，湖水是那么温柔，永远只是私语着无穷尽的温柔的故事。大地总是静寂，人们耕作着，从祖父底时代起，在同样的田地。”作者“记忆着那土地。我记得，在一次夜行车上，我曾经一手搂着发热的孩子，用另一只手在一个小小的本子上，握着短短的铅笔，兴奋而又惭愧地，借着月光，写下了几个大字：‘江南，美丽的土地，我们底！’”最后，丽尼写道：“现在，为了民族，为了自己。他们，一个一个地，在他们底手里，拿起了自己的武器”，“在每一个江南的角落里，打游击！”[②]这篇写于抗战期间的散文名作激励了无数的人。“江南，美丽的土地，我们的！”没有豪言壮语的句子，第一个读者巴金读到这，情不自禁地说：“他写得多好啊！……短短的一句话里包含着多么深、多么丰富的感情。在抗战的年代里我不知道多少次反复说着这一

① 陈荒煤：《一颗企望黎明的心》，丽尼：《丽尼散文选集》，第182—183页。

② 丽尼：《江南的记忆》，《丽尼散文选集》，第157—160页。

句话，我常常含着眼泪，但是我心里燃起了烈火。”[①] 此后，在巴金多篇文章中，他多次使用这样的句式用作标题。

丽尼关注国家命运，发出对敌人的战斗呐喊，并不是仅此一篇。1931 年九一八事变后，日寇侵略日亟，丽尼的散文敏感地捕捉到这些，深切委婉地抒发其抵抗的斗志。战争的恐惧摧残人的精神，“那一晚，在小旅馆里面，我一直做了无数的恶梦”。[②]“家园给蹂躏了，如同被污的处女；广大的田野，植满着大豆和高粱的，如今已经变成了异族人底产业”，孤独的旅人，“没有地方，没有地方是你底故乡”。矮小的指挥者，在病中教我们唱，“打回老家去”，“把我们的血肉筑成我们新的长城”。[③]“我们记住，我们是亡国的奴才”。“我们记住：东北不是我们底！”“我们发誓：我们要昂起头，执起我们底武器！”[④]

丽尼的散文在个人情感、生活喟叹和家国关怀三个层面的内容，对应着他的生活经历和人生感悟。爱情绝唱承继着五四以来的美文传统，直抒胸臆，营造出唯美哀伤的“黄昏美”[⑤]。生活白描，保留着散文诗意抒情的笔调，却多了现实生活气息。抗战呐喊，真情倾注，但节制着笔墨，不做口号式的鼓动，不让壮烈、愤怒之火烧掉散文的委婉韵致，而用浅白的句子，成为打动人心的触发点，在阴影重重中，使人看到人间的希望。

丽尼离开散文园地后，一直从事翻译工作。他翻译了屠格涅夫的名著《贵族之家》《前夜》，契诃夫的《万尼亚舅舅》《伊凡诺夫》《海鸥》等。还译过克鲁泡特金的《俄国文学史》，俄罗斯作家小说选集《阴影》，高尔基的《天蓝的生活》和法国纪德的《田园交响乐》等。

---

① 巴金：《关于丽尼同志》，《巴金经典作品集》，广州：花城出版社，2004 年，第 363 页。

② 《恶梦》，丽尼：《丽尼散文选集》，天津：百花文艺出版社，1992 年，第 208 页。

③ 《合唱》，丽尼：《丽尼散文选集》，第 134—135 页。

④ 《我们记住》，丽尼：《丽尼散文选集》，第 155—156 页。

⑤ 佘树森：《黄昏里的倾诉》（序），丽尼著，佘树森、李晓晔编：《丽尼美文精粹》，北京：作家出版社，1991 年，第 1—7 页。

第二节　诗歌

19 世纪末 20 世纪初，旧体诗已然式微，亦俗亦雅的竹枝词呈方兴未艾之势。樊增祥一反曾国藩等提倡的宋诗，兴起中晚唐诗派，他创作的《彩云曲》叙事诗名噪一时。新文化运动之际，旧学深厚的闻一多投身新诗阵营，学习西方艺术，提出三美理论，并与创作相结合，树起新诗中卓异的一帜。1937 年的 7 月是国人深刻的记忆，抗战的烽火开始燃遍中国，集结在《七月》刊物下的年轻诗人，不少来自湖北，他们用自由奔放的诗行，歌颂光明，歌颂战斗的青春。

一、湖北竹枝词

竹枝词是文学中的一朵奇葩，它有别于词，又不是格律诗，亦俗亦雅。广为人知的竹枝词是刘禹锡所作的“杨柳青青江水平，闻郎岸上踏歌声，东边日出西边雨，道是无晴却有晴”，而刘禹锡也成为竹枝词发展史上里程碑式的人物。追溯竹枝词的源头，与湖北渊源匪浅。刘禹锡谈到竹枝词创作缘起时说：

> 四方之歌，异音而同乐。岁正月，余来建平，里中儿联歌《竹枝》，吹短笛击鼓以赴节。歌者扬袂睢舞，以曲多为贤。聆其音，中黄钟之羽。卒章激讦如吴声，虽伧佇不可分，而含思婉转，有淇澳之艳。昔屈原居沅、湘间，其民迎神，词多鄙陋，乃为作《九歌》，到于今荆、楚鼓舞之。故余亦作《竹枝词》九篇，俾善歌者飏之，附于末。后之聆巴歈，知变风之自焉。①

这段话含义很丰富，刘禹锡是在建平听到竹枝。三国东吴时设建平郡，辖今重庆巫县和今鄂西巴东、秭归、兴山等地，郡名相沿到南北

① （唐）刘禹锡：《竹枝词并序》，《刘禹锡集》，上海：上海人民出版社，1975 年，第 250 页。

朝时宋齐政权，郡治曾设巫山、秭归等地。李唐之际，建平范围划入巴东郡，刘禹锡在此听“里中儿联歌”，说明竹枝之歌流行于此地。其二，竹枝是民间之歌，与舞蹈相伴，这是其表现方式。其三，刘禹锡对竹枝进行了改造，创制了竹枝词，后来人听到“巴歈”时，风格已有转变，造成这种转变的是他刘禹锡的改造。其四，刘禹锡改造竹枝歌借鉴了屈原改造楚地迎神之词而作《九歌》，改鄙陋之词为风骚之作，同时他也效法而作《竹枝词》九篇。由此可明，竹枝流行区域在川渝、鄂西一带，竹枝词之体式效法了屈原的《九歌》，竹枝词与荆楚文化有深厚的渊源。

竹枝词名之曰词，但其格式以七言四句为主，也有五言四句的，但极少见到长短句形式，故词的结集中，不收录竹枝词，相反，竹枝词多收录入诗集中。

竹枝词自唐宋后渐次在全国流传，到明清时，竹枝词极为繁盛，中华各地均有竹枝词。清末中外交往频繁，一些游历海外的文化人，甚至创作了咏叹异域风习的海外竹枝词。

值得一提的是，汉口开埠后，新闻媒体业发达，报刊众多，不少报纸在推动湖北竹枝词的创作上作用很大。罗汉的竹枝词是响应 1915 年春《汉口中西报》的征文而作，他说“一百六条题目，恰逢此日征诗”[①]，为此短短一个多月中，他创作了上述竹枝词。到 1922 年 3 月，汉口《大汉报》的楚社日刊，连续刊登了多人多首汉口新年竹枝词，掀起创作竹枝词的热潮。许多报人也是竹枝词创作的好手，如蔡寄鸥，这位两湖师范学堂毕业生，参加过湖北军政府建设，《中华民国公报》的主笔之一。他创作的不少竹枝词，反映女性解放的新风和汉口市井百态。

近代以来，湖北竹枝词反映的内容极为广泛，涉及风俗习尚、风景名胜、诸官百业、历史旧事、方言俚语等，可谓管窥湖北社会历史文化

① 罗汉：《汉口竹枝词》，徐明庭、张颖、杜宏英辑校：《湖北竹枝词》，武汉：湖北人民出版社，2007 年，第 145 页。

的万花筒。

竹枝词被称为“有韵之方志”，以“泛咏风土”为鲜明特色。如咏楚地岁时节庆的，“终岁何曾祭祀供，中元包袱万家同。鬼如求食应饬馁，此地休来做祖宗”①，讲的是湖北民俗农历七月十五烧包袱祭祖。“桂子盈盈白露凉，育儿心切晚添妆。蓬门少妇金闺女，并作瓜田一夕忙。”②“中秋云是闺人节，瓜果中庭礼月华。一路送瓜图热闹，不知喜信应谁家。”③二词作者不同，所咏的都是中秋节送瓜之俗，西瓜子多，取其瓜瓞绵绵之意，故而大受欢迎。“三天过早异平常，一顿狼餐饭可忘。切面豆丝干线粉，鱼餐圆子滚鸡汤。”④湖北过年年俗，三天不吃早饭，以吃面为便。土家族的过年礼俗又有不同，“新正各寨鬼堂开，男女神前摆手来。上自初三下十八，一家歌鼓百家陪”⑤，祠堂祭拜祖先时，男女杂至，击鼓群歌，一起跳摆手舞。

武汉轮轨交汇，沟通四方，移民杂处成为汉口的城市特征，“石填街道土填坡，八码头临一带河。瓦屋竹楼千万户，本乡人少异乡多”⑥。徐志笔下的景象得到了叶调元的认同，“茶庵直上通硚口，后市前街屋似鳞。此地从来无土著，九分商贾一分民”⑦。本地人少，外乡人多，反映了汉口通商大埠的面貌。“徽客爱缠红白线，镇商喜捻旱烟筒。西人不说楚人话，三处从来习土风。”⑧安徽商人、镇江商人、洋商汇集汉口镇，保留各自土风，与本处大不相同。

城乡之间，面貌各有不同。汉口城里买货，沿街可见“洋货新奇广

① 叶调元：《汉口竹枝词》，徐明庭、张颖、杜宏英辑校：《湖北竹枝词》，第 115 页。
② 徐志：《汉口竹枝词》，徐明庭、张颖、杜宏英辑校：《湖北竹枝词》，第 106 页。
③ 叶调元：《汉口竹枝词》，徐明庭、张颖、杜宏英辑校：《湖北竹枝词》，第 115 页。
④ 叶调元：《汉口竹枝词》，徐明庭、张颖、杜宏英辑校：《湖北竹枝词》，第 113 页。
⑤ 郑虎文：《土家竹枝词》，徐明庭、张颖、杜宏英辑校：《湖北竹枝词》，第 370 页。
⑥ 徐志：《汉口竹枝词》，徐明庭、张颖、杜宏英辑校：《湖北竹枝词》，第 106 页。
⑦ 叶调元：《汉口竹枝词》，徐明庭、张颖、杜宏英辑校：《湖北竹枝词》，第 109 页。
⑧ 叶调元：《汉口竹枝词》，徐明庭、张颖、杜宏英辑校：《湖北竹枝词》，第 230 页。

货精，繁华不数汉东京。豪商大贾乘间出，簇簇油舆辟路行”[①]。江陵乡间栽秧，“三餐饭许憩林隈，赤脚双双泥涔回。冯寄狂夫莫姗笑，阿侬辛苦为谁来”[②]。黄梅的湖乡之恋别有韵味，“郎住源湖妾感湖，采菱歌唱月明孤。吃完菱角鸡头熟，郎摘鸡头刺手无”[③]。乡间风俗尚古，五峰土习与他处不同，“衣冠吉祥少鲜华，一作周旋礼数差。惯说乡间平等话，见官称你老人家”[④]。城里习尚西化，“翩翩捷捷少年郎，不着长衫着短装。胡蓄威廉头拿破，文明模样仿西洋”[⑤]。女性也趋时而进，“汉妆毕竟太平常，欲出新奇费忖量。休怪张勋思复辟，文明女子学旗妆”[⑥]，旗袍开始成为时尚。

汉口风味小吃种类不少，“吃新食品较常添，荤素相参价不廉。麻雀头酥鹅颈软，豆黄饼脆藕圆甜”[⑦]。词中的麻雀头是腐皮包芝麻，凸其中而结两首。鹅颈是面皮包咸菜，卷如春饼。豆饼色黄，如围棋子。磨藕和糖，抟如肉圆，叫作藕圆。

各地名胜是竹枝词必有的主题。但凡一地，地方志总记有八景、十景、十二景之类。胡凤丹写《春杪泛舟汉阳即景》，笔下就有鹦鹉洲、晴川阁、月湖、北门渡、龙王庙、米厂、南岸、沙包等景观。[⑧]唐振烈写咸宁通羊八景[⑨]，费尚伊作《沔阳八景》[⑩]。黄陂县八景中之《花柳前川》曰：“整襟敬谒程夫子，因步前川看绿杨。双凤不归云自淡，清风

① 徐志：《汉口竹枝词》，徐明庭、张颖、杜宏英辑校：《湖北竹枝词》，第105页。

② 刘士璋：《栽秧歌十二首》，徐明庭、张颖、杜宏英辑校：《湖北竹枝词》，第287页。

③ 梅雨田：《黄梅竹枝词》，徐明庭、张颖、杜宏英辑校：《湖北竹枝词》，第255页。

④ 王瞰：《五峰土习》，徐明庭、张颖、杜宏英辑校：《湖北竹枝词》，第357页。

⑤ 吴炳焱：《新汉口竹枝词》，徐明庭、张颖、杜宏英辑校：《湖北竹枝词》，第142页。

⑥ 蔡寄鸥：《女子解放》，徐明庭、张颖、杜宏英辑校：《湖北竹枝词》，第56页。

⑦ 叶调元：《汉口竹枝词》，徐明庭、张颖、杜宏英辑校：《湖北竹枝词》，第115页。

⑧ 胡凤丹：《春杪泛舟汉阳即景》，徐明庭、张颖、杜宏英辑校：《湖北竹枝词》，第96页。

⑨ 唐振烈：《通羊八景》，徐明庭、张颖、杜宏英辑校：《湖北竹枝词》，260—261页。

⑩ 费尚伊：《沔阳八景》，徐明庭、张颖、杜宏英辑校：《湖北竹枝词》，第307—308页。

还送落花香。”[1] 词中难忘二程。襄阳杂咏中八景之《岘山》：“风流袭带亦吾师，把酒临江堕泪时。知己一生惟杜预，最多情处是沈碑。”[2] 追思羊祜、杜预。张之洞督鄂，留奥略楼，为后人记载，“南皮相国著风流，为建江干奥略楼。便与白云共千载，也同黄鹤去难留”[3]。三峡之绝胜景致，笔下岂可无诗，“千山千水朝白狗，三朝三暮见黄牛，黄牛白狗色如故，滩上渔人多白头”[4]。白狗峡、黄牛峡，次第相望，排闼而来。

近代转型期各种新型职业层出不穷，新设机构多异往常，竹枝词中不乏介绍。“迢迢水陆话遥通，波底峰头一线中。尔我对谈如觌面，两方答问在天空”[5]。这讲的是电话业。“却从日本别翻新，说法禅宗惯现身。莫作消闲新剧看，声声唤醒梦中人。”[6] 这是文明新戏，即话剧的前身。“兴亡世运系苍穹，革命黎公第一功。营业也思留纪念，银行曾唤作元洪”。兴业银行曾以湖北都督黎元洪而命名。[7] 汉口报界发达，媒体众多，版面内容不够，只好编造耸人听闻的社会新闻了，“访员闭户费神思，社会新闻捏造之。已报沙家双服毒，又闻李女私养儿”[8]。鸦片贩卖为社会严禁，商家逐利，戒烟机关暗中是卖烟土的场所：“卖烟不敢挂招牌，暗地机关刷满街。发卖镇君丸戒引，戒烟人是吸烟来。”[9] 跑马博彩成汉口时尚，“络绎香车去马场，春秋两赛竞华商。先鞭一着齐呼彩，赢得佳人为捧觞”[10]，华商跑马场上女士开香槟，以酬胜者，被

---

① 杨三湘：《黄陂八景》，徐明庭、张颖、杜宏英辑校：《湖北竹枝词》，第 176 页。

② 李元奋：《岘山》，徐明庭、张颖、杜宏英辑校：《湖北竹枝词》，第 181 页。

③ 汪逸：《黄鹤楼偶写》，徐明庭、张颖、杜宏英辑校：《湖北竹枝词》，第 82 页。

④ 王树桐：《西陵峡棹歌》，徐明庭、张颖、杜宏英辑校：《湖北竹枝词》，第 328 页。

⑤ 陈绍竞：《丙寅汉皋即事感时悲世有作兼竹枝词》，徐明庭、张颖、杜宏英辑校：《湖北竹枝词》，第 166 页。

⑥ 罗汉：《汉口竹枝词》，徐明庭、张颖、杜宏英辑校：《湖北竹枝词》，第 151 页。

⑦ 《鄂州兴业银行》，徐明庭、张颖、杜宏英辑校：《湖北竹枝词》，第 149 页。

⑧ 雪、华：《汉口竹枝词》，徐明庭、张颖、杜宏英辑校：《湖北竹枝词》，第 171 页。

⑨ 叶调元：《汉口竹枝词》，徐明庭、张颖、杜宏英辑校：《湖北竹枝词》，第 112 页。

⑩ 罗汉：《华人跑马场》，徐明庭、张颖、杜宏英辑校：《湖北竹枝词》，第 146 页。

视为荣宠。城乡之间，见识不同，“车如流水去来忙，岗警维持手脚慌。乡人不识柏油路，疑是人间打稻场”①。

发生在湖北的重大历史事件也次第记录在竹枝词作者的笔下。胡兆春以一百首诗，描写太平天国时期两军进退交锋情形。其中“仙桃镇上火云飞，转战回戈挽落晖。半杀半烧半沈水，残尸犹着烂红衣”②，描写的是太平军与官军在武汉外围反复争夺的惨状。

清末保路运动，湖北是发起省份之一。密昌墀、刘心源、张伯烈被推举为湖北赴京请愿代表，宦应清写下竹枝词记其事，“一声汽笛火车来，代表争将路款回。军乐杂陈彩旗飏，凯歌高唱殷如雷”③，表现了欢迎三位铁路代表凯旋的盛况。

武昌首义后，武汉是民军和清军交战的主战场，革命军阵亡将士多丛葬汉阳、汉口，有竹枝词《战士冢》记事曰：“涉广纷纷起草莱，江湖亡命揭竿来。几多代价兴民国，白骨如山埋土抔。”④

清朝覆灭，民国肇兴，开始采用公元纪年，新历旧历同时并行，竹枝词记载1912年补祝阳历新年的事：“阴阳两历各无愆，习惯都知看月圆。冬至过完刚十日，大家唤作过新年。”⑤

1915年袁世凯筹划复辟帝制，向各地催缴捐款，竟派及贫民，有诗讽曰：“国体而今易转移，托言民意语多欺。卖儿鬻妇休延缓，莫误新皇即位期。”⑥

湖北是抗日的主战场，傅彦明写《汉皋沦陷纪事诗》四十余首，其一曰：“策马争先据要津，顿时旌旆满江城。小硚口下新街上，划得区

① 雪、华：《汉口竹枝词》，《汉口竹枝词》，徐明庭、张颖、杜宏英辑校：《湖北竹枝词》，第171页。

② 胡兆春：《逢不若诗一百首》四四，徐明庭、张颖、杜宏英辑校：《湖北竹枝词》，第21页。

③ 宦应清：《欢迎铁路代表纪事竹枝词》，徐明庭、张颖、杜宏英辑校：《湖北竹枝词》，第141页。

④ 罗汉：《汉口竹枝词》，徐明庭、张颖、杜宏英辑校：《湖北竹枝词》，第153页。

⑤ 罗汉：《汉口竹枝词》，徐明庭、张颖、杜宏英辑校：《湖北竹枝词》，第155页。

⑥ 熊竹生：《乙卯、丙辰国债》，徐明庭、张颖、杜宏英辑校：《湖北竹枝词》，第255页。

区住难民”，描写汉口划定难民区的景象；其一曰：“虏钞收尽用中储，万贯千元水不如。赖有挨门分配给，区区物料抵房租。”[①] 日伪政权发行纸钞进行经济掠夺的情状，如在眼前。侵凌日亟，中国军民奋起抵抗，中国共产党领导的新四军第五师在汉阳侏儒山袭击日伪军，取得胜利。亲历者张执一在《三打侏儒山》中写道：“三战侏儒敌胆寒，孑遗含泪话辛酸。湖山到处创痕在，血债追还莫让干。”[②] 这些竹枝词是近代湖北历史的侧面写照。

湖北竹枝词粗浅易懂，带有鲜明的地方特色，不少方言、俚语写入词中，显得亲切活泼。“枇杷直欲混琵琶，四十同音听易差。一语相逢离不了，谦称频唤老人家。”[③] 湖北人难以分辨平舌、卷舌音，对人敬称“老人家”。“竹椽茅舍透朝霞，阿母临炊唤细伢。日午犹眠浑不耳，西风绕地落黄花。”[④] 家中小儿通称细伢，不耳意即不理，这都是地道的罗田方言，一幅安谧的乡村景象跃然纸上。

二、中晚唐诗派倡导者樊增祥

诗之一道，延至明清，已非文学主流，但仍占一席之地。晚清道光、咸丰以来，执文坛牛耳的曾国藩等提倡宋诗，学习和模仿宋诗一时成为诗歌主流，但也有文人希望别立门派，自成一家，樊增祥（图 3—3）、易顺鼎等兴起中晚唐诗派，成为清末颇有影响的一支诗歌流派。

---

① 傅彦明：《汉皋沦陷纪事诗》，徐明庭、张颖、杜宏英辑校：《湖北竹枝词》，第 173、175 页。

② 张执一：《武阳夏竹枝词》，徐明庭、张颖、杜宏英辑校：《湖北竹枝词》，第 104 页。

③ 棣华馆主：《鄂垣竹枝词》，徐明庭、张颖、杜宏英辑校：《湖北竹枝词》，第 78 页。

④ 马殿：《罗田竹枝词》，徐明庭、张颖、杜宏英辑校：《湖北竹枝词》，第 259 页。

图 3—3 樊增祥画像

樊增祥（1846—1931），又名云门，字嘉父，号樊山，湖北恩施城关人。出身武官世家。少年勤奋读书，31 岁即取得进士功名，科举之路甚为顺利。自光绪十年（1884）起，辗转任陕西宜川、咸宁、富平、长安、渭南等县知县和渭南知府。光绪二十六年（1900），八国联军入京，慈禧和光绪帝避难陕西，樊增祥以护驾有功，累官至陕西省臬司、布政使，甘肃布政使，江宁布政使，宣统二年（1910）护理两江总督。辛亥革命后，退居沪上，不就军政府职。不久，赴京城任参议员、参政。袁世凯复辟，领班献诗。袁世凯死后，闲居，以诗酒自遣。其一生著述甚丰，有《樊山全集》《樊山公牍》《苏门日记》和小说《琴楼梦》传世。

樊增祥的官声不如其公牍名声。樊增祥久任县官，深悉下情，对民间情弊一目了然，调处纠纷、审理案件，公正廉明，合情合理，加上判词文笔高明，其《樊山公牍》竟成为文墨吏公文的范本，一版再版，十分畅销。樊增祥的公牍名声又不如其诗名，其师张之洞评论樊增祥的文学成就，“诗第一，文次之，词又次之”[①]。在清末民初湖北文坛，他与天门周树模、应山左绍佐称“楚中三老”，与易顺鼎称为两湖诗坛“两雄”。他一生作诗甚多，达三万余首。以“才气奔溢”为人所乐道，然而其才华来自于勤奋。

樊增祥四岁由母亲亲自课蒙。十余岁通声律，能诗文。十三岁家遭变故，樊父为武官，被骆秉章的幕僚左宗棠参劾丢官，一怒之下，让两个儿子穿上女孩衣装，禁止野游，关门闭户读书，严命一定要中举人以上功名，总要高过左宗棠才是。[②]心无旁骛的读书，积淀了樊增祥深厚的学养，是其做诗迅捷的基础。他又勤于动笔，诗思迅疾，“其案头诗稿，用薄竹纸订一厚本百余叶，细字密圈，极少点窜，不数月，又易一本矣”[③]。

樊增祥诗才也来自其未肯轻以示人的作诗心法——“八面受敌”法。他说：“向来诗家，率墨守一先生之集，其他皆束阁不观。如学韩杜者，必轻长庆；学黄陈者，即屏西昆。讲性灵者，则明以前之事不知；尊选体者，则唐以后之书不读。不知诗至能传，无论何家，必皆有独到之处，少陵所谓‘转益多师是汝师’也。人所处之境，有台阁，有山林，有愉乐，有忧愤，古人千百家之作，浓淡平奇，洪纤华朴，庄谐敛肆，夷险巧拙，一一兼收并蓄，以待天地人物，形形色色之相需相感，吾即因以付之，此所谓八面受敌，人不足而我有余也。”[④]广取博览，不专一家，转益多师，再加上“虚衷求益，旬锻季炼”，樊增祥做诗自然如得妙笔，下笔有神了。

“柳色黄于陌上尘，秋来长是翠眉颦。一弯月更黄于柳，愁杀桥南

---

① 钱海岳：《樊樊山方伯事状》，卞孝萱、唐文权：《民国人物碑传集》，第811页。

② 刘禺生撰，钱实甫点校：《清代史料笔记丛刊·世载堂杂忆》，北京：中华书局，1960年，第45页。

③ 陈衍：《石遗室诗话》上，北京：朝华出版社，2017年，第23—24页。

④ 《樊增祥自道诗法》，王揖唐著，张金耀校点：《今传是楼诗话》，沈阳：辽宁教育出版社，2003年，第145页。

系马人。”这首《八月六日过灞桥题壁》，写得清丽脱俗，善用回文，句法新奇。路过馆舍的谭嗣同读过，狂喜，“以谓所见新乐府，斯为第一”①。樊增祥曾自述学诗经历，三十岁以前，嗜好温庭筠、李商隐的诗作，往后学习宋代馆阁文臣的西昆体，即便是明代王彦泓的艳体诗集《疑雨集》、清代黄任的《香草笺》也一并涉猎。这首灞桥题壁很有几分黄任诗作的技巧。

樊增祥等倡导的中晚唐诗，诗风绮丽，对男女风情之事多所着墨。他在民国时期自编《樊山集七言艳诗钞》，定例言称，“此钞各诗，有字皆香，无语不艳。丽而有则，乐而不淫”。②樊增祥对艳体诗的热爱，从少到老，贯彻始终。时人评论他“樊云门诗，如六十美女。盖自少至老，搔首弄姿，矜其敏秀，为一时诸名士所不能及”③。他的艳体诗并非全自生活体验所得，陈石遗说：“樊山诗真所谓作诗矣。生平少山水登临之乐，而闭门索句，能成诗数千首；无歌舞酒色之娱，能成艳体诗千百首，亦奇矣。”④说到底，还是樊增祥博学、兼修之中，善于化用前人诗境，才华敏秀，常人不及。樊增祥还提出“能教绮丽复飞腾，上口依稀学杜陵”⑤观念，在绮丽的内容中，还要学习杜甫的诗歌特色，希望借由李、温的绮丽到达杜甫的平易流畅之境。

中晚唐诗派要求属对工巧，善于用典，才算是“诗之正宗”，要求“无一字无来历，又无一字用僻典，又无一字稍杂凑而不浑成。必如此，方可讲对仗也”⑥。樊增祥见人使用习见的典故入诗，会说这是乳臭小

① 谭嗣同：《论艺绝句六篇》，谭嗣同著、何执编：《谭嗣同集》，长沙：岳麓书社，2012年，第83页。

② 樊增祥：《樊山集七言艳诗钞》例言，上海：广益书局，1917年。

③ 陈锐：《袌碧斋杂记》，钱仲联：《清诗纪事（十八）光绪朝卷·宣统朝卷》，南京：江苏古籍出版社，1989年，第12312页。

④ 黄曾樾：《陈石遗先生谈艺录》，钱仲联：《清诗纪事（十八）光绪朝卷·宣统朝卷》，第12607页。

⑤ 《题寿萱诗集》，樊增祥：《樊樊山诗集》下册，上海：上海古籍出版社，2004年，第1337页。

⑥ 易顺鼎：《琴志楼摘句诗话》，《琴志楼诗集》下册，上海：上海古籍出版社，2004年，第1512页。

儿之作，算不得高明。刻意追求工巧，使樊增祥的诗作不少流于文字游戏，失却了真性情。

中晚唐诗派的代表作之一是樊增祥的前后《彩云曲》，充分展现了该诗派风格绮丽、工于隶事、巧于裁对的特点。《彩云曲》是以游戏笔墨，讲述了妓女傅彩云（赛金花）（图 3—4）的传奇一生。《前彩云曲》作于 1899 年，讲述傅彩云嫁洪钧为妾，相偕出使欧洲，受列国厚遇，回国后，洪钧病故，傅重操旧业，艳名不减当年的事。《后彩云曲》作于 1903 年，由于傅彩云虐死一婢女引发官司，成为社会热点，樊增祥续写彩云曲，讲述八国联军入京，傅彩云与联军统帅瓦德西交好，劝其约束部伍，减少对京城的掠杀和破坏，同时讲到官司因为旧相识多，得以递籍从轻发落。

图 3—4　赛金花

《前彩云曲》起首云："姑苏男子多美人，姑苏女子如琼英。水上桃花如性格，湖中秋藕比聪明。"结句标榜："歌曲休歌金缕衣，买花休买马塍枝。彩云易散琉璃脆，此是香山悟道诗。"《后彩云曲》讲傅彩云救护百姓之功，说道"彩云一点菩提心，操纵夷獠在纤手。胠箧休探赤侧钱，操刀莫逼红颜妇。始信倾城哲妇言，强于辩士仪秦口"。[①]

樊增祥对此二诗自视甚高，认为《后彩云曲》比《前彩云曲》还要工巧，然而"俗眼不知"，只有沈子培（曾植）评论，"的是香山（白居易），断非梅村（吴伟业），亦不是牧斋（钱谦益）"，算得上是真正的行家之论。[②]通观全诗，与白居易的《长恨歌》《琵琶行》，吴伟业的《圆圆曲》相比，虽徵典隶事，尽其对偶工巧之能，思想境界上还是有差距的。

中晚唐诗派是对曾国藩提倡的宋诗派的异趣。在中西文化交融剧烈的晚清之际，中晚唐诗派同样面临着冲击。外国新名词不断见诸报端、辞章之中，旧体诗如何因应？樊增祥对当时"诗界革命"中出现的"今之新学家，专事剪发辫、戴草帽、著窄衣革鞮"现象不以为然，认为使用这些新名词，"其所效者仅形容"，只说到表面，不及思想，提倡不一定要使用新名词，"其不合于时贤者，世皆袭西人之貌，吾则取其意也"[③]，用新理、新意纠正满眼新名词的偏弊。樊增祥笔下，出现了对测量、标本、演讲、飞艇等新事的描绘。中晚唐诗派的另一代表人物易顺鼎则走得更远，认为"时至今日世界已无界，一切界说皆破坏，岂复尚有诗界能存在"？[④]当以"凌乱放恣"态度写作。如他为京剧艺人梅兰芳所做的《万古愁曲》中写道："去年我见朱幼芬，宗之玉树临风皎。今见梅兰芳，使我更倾倒。使我哀贤才，思窈窕，坐对真成被花恼。犹忆尔祖之楹联：几生修到梅花，何所独无芳草。"[⑤]打破了旧体诗格律、形式和音节的束缚，很有几分现代新诗的味道了。中晚唐诗派的发展演变，多少也说明"文学革命"实际在旧体诗等旧文学内部已进行了诸般

---

① 樊增祥：《樊樊山诗集》下册，第 2041—2043 页。

② 钱仲联：《清诗纪事（十八）光绪朝卷·宣统朝卷》，第 12640 页。

③ 樊增祥：《樊樊山诗集》下册，第 2010、1753 页。

④ 易顺鼎：《读樊山后数斗血歌作后歌》，《琴志楼诗集》下册，第 1283 页。

⑤ 易顺鼎：《万古愁曲为歌郎梅兰芳作》，《琴志楼诗集》下册，第 1258 页。

尝试，且在潜移默化中演进，新文化运动的发生并非凭空霹雳一声。

湖北旧体诗作者群不乏其人。“楚中三老”之外，沔阳杨会康与李心地组织“沔城诗社”，邀集同里进士、举人及其他文士，定期吟咏，汇集成《古复诗草》，自费刊行。汉阳密昌墀善诗文，《汉上消闲集》录有其诗。天门胡石庵写下的《三烈士赞》和《甘侯行》长诗，分别歌颂辛亥武昌首义彭楚藩、刘复基、杨洪胜三烈士和阳夏保卫战中民军勇将甘绩熙的事迹，为人所称道。

三、诗人闻一多

旧体诗虽未走上末路，但在西方文化思潮的冲击，新文化运动勃然而兴之后，新诗沛然成为诗歌发展的大趋势。走出湖北的闻一多（图3—5）在近代新诗坛，以其对新诗理论的探索和新诗创作的实践，卓然树出新诗诸派中特异的一帜。

闻一多（1899—1946）谱名家骅，又名多，字友三，浠水闻家铺人。先世业儒，6岁入村塾，以《三字经》《幼学琼林》、四书等启蒙。

图3—5　闻一多

后在改良家塾——春生梅阁就学，除了子曰诗云外，还有博物、算学、美术等科目。宣统二年（1910）考入武昌两湖师范附属高等小学。1912年报考清华学校，当时清华学校学制8年，毕业后可以直接资送美国留学。他的作文《多闻阙疑》大得主考官好评，复试中为鄂籍考生第一。闻一多在校期间表现出多样的文艺才华：1913年在校编演独幕话剧《革命军》，以武昌首义为题材，自扮一革命党人，该剧获全校第二名。习书画，不拘泥于旧法，意之所至，一挥而就。于古文辞颇娴熟，喜欢敷陈奇义，见解不与人同。在《清华周刊》连载《二月庐漫纪》，担任《清华周刊》征稿部主席、《清华学报》中文编辑。随后参加清华文学社工作。其旧体诗功底，可从载于1917年6月15日《辛酉镜》中一首可见：

月夜遣兴

二更漏尽山吐月，一曲玉箫人倚楼。
为怕海棠偷睡去，多心蟋蟀鸣不休。①

以至于闻一多课业中偶作白话诗，被评改的老师批评，你本是“风骚中后起之秀，似不必趋赴潮流”②。但白话诗的流行已成不可阻挡之势，闻一多对此评语表示“真是可笑”。当时他对于新诗的爱好，几近于狂热的地步，甚至郑重《敬告落伍的诗家》，“若要真做诗，只有新诗这条道走，赶快醒来，急起直追，还不算晚呢”③。1919年“五四”运动后，他做新诗《雨夜》《月亮与人》，1920年发表第一首新诗《西岸》，次年尝试写作第一首十四行诗（商籁体）《爱的风波》，又相继发表诗歌评论《本学年周刊里的新诗》《诗底音节的研究》。此时，闻一

① 闻一多：《月夜遣兴》，《闻一多全集》第1卷，武汉：湖北人民出版社，1993年，第280页。

② 闻黎明、侯菊坤：《闻一多年谱长编》，武汉：湖北人民出版社，1994年，第95页。

③ 闻一多：《敬告落伍的诗家》，《闻一多全集》第2卷，武汉：湖北人民出版社，1994年，第38页。

多一方面大力鼓吹新诗，另一方面又对新诗创作的自由散漫、无韵，给予了批评。他认为，写诗要以修辞和旋律为基础，不能如脱缰之马，毫无约束。1922 年年初，返乡结婚，蜜月期间脱稿《律诗底研究》，作为《诗底音节的研究》的姊妹篇，对新诗创作进行反思，自觉探讨新诗艺术性的出路。他认为“文学诚当因时代以变体；且处此二十世纪，文学尤当含有世界底气味；故今之参借西法以改革诗体者，吾不得不许为卓见。但改来改去，你总是改革，不是摈弃中诗而代以西诗。所以当改者则改之，其当存之中国艺术之特质则不可没”①。他以一首《蜜月著〈律诗底研究〉稿脱赋感》七律表达了他的追求：“手假研诗方剖旧，眼光烛道故疑西。洛阳异代疏泉出，谁订‘黄初二月’疑！”②西方的自由体新诗值得怀疑，旧体诗的优长不宜否定，新旧之际需要细细辨别。

闻一多对新诗创作的批评初期主要在同人圈内，以讨论会的方式进行，没有公开发表，对新诗的系统化评论在他留学美国之后。1922 年 7 月赴美，入芝加哥美术学院学绘画。同年转丹佛科罗拉多大学美术系，1925 年再转纽约美术学院。

在美留学期间，闻一多修习的是绘画，但他一直不能忘情诗歌。1922 年 11 月，与梁实秋合著的《〈冬夜〉〈草儿〉评论》在国内出版。在文中他批评早期新诗创作中“自由”高于“技巧”，“得了平民的精神，而失了诗底艺术”，使白话诗沾上“叫嚣粗俗之气”的倾向。③1923 年诗歌评论《〈女神〉的时代精神》《〈女神〉之地方色彩》在国内发表。他通过对郭沫若的诗集《女神》评论，既充分肯定了《女神》与旧诗词相去甚远，最要紧的是他的精神完全是时代的精神——二十世纪的时代精神。又批评“《女神》不独形式十分欧化，而且精神也十分欧化”。他主张“新诗迳直是‘新’的，不但新于中国固有的诗，而且新

① 闻一多:《律诗底研究》,《闻一多全集》第 10 卷，第 166 页。

② 闻一多:《律诗底研究》,《闻一多全集》第 10 卷，第 131 页。

③ 闻一多:《〈冬夜〉评论》,《闻一多全集》第 2 卷，第 69、84 页。

于西方固有的诗。换言之，它不要作纯粹的本地诗，但还要保存本地的色彩；它不要作纯粹的外洋诗，但又尽量地吸收外洋诗的长处；他要做中西艺术结婚后产生的宁馨儿”。诗如同一切艺术，应是“时代的经线，同地方的纬线所编织成的一匹锦”[①]。同年9月，由郭沫若协助出版第一本诗集《红烛》，这本诗集收录的是闻一多创作的自由体新诗。

留洋的经历对他的诗歌内容产生了显著影响。身处外国，美国同学对中国学生友好中的怜悯态度，对中国的偏见，令闻一多在诗中表现出强烈的爱国主义情怀。他用英文写了《另一个支那人的回答》，回应一位美国同学写到中国人有着谜一样的沉默。在诗中他以邀约喝茶的场景，突出了玉杯、丝绸、刺绣、方块字等典型的中国文化符号，展现了中华悠久的文明。1925年6月，闻一多回国，在此前后，他创作了诸如《洗衣歌》《醒呀》《七子之歌》《南海之神》《我是中国人》《一句话》等，都带着浓烈爱国激情。《爱国的心》也是此时的创作，诗曰：

我心头有一幅旌旆，
没有风时自然摇摆；
我这幅抖颤的心旌，
上面有五样的色彩。
这心腹里海棠叶形，
是中华版图底缩本；
谁能偷去伊底版图？
谁能偷得去我的心？[②]

闻一多的诗歌创作理论有很明显的美国意象派诗歌痕迹。意象派

① 闻一多：《〈女神〉之地方色彩》，《唐诗杂论·诗与批评》，北京：生活·读书·新知三联书店，2014年，第165—166页。

② 闻一多：《爱国的心》，《闻一多全集》第1卷，第236页。

提出语言准确通俗、注重节奏、题材自由、重视意象、简练浓缩、含蓄等文学主张，对比闻一多重视诗歌的音乐性、以凝炼的词句构成意象组合、表现画面感的诗学理论，不难发现其中的继承性。

1925 年 7 月，闻一多学成回国，任北京艺术专科学校（中央美术学院前身）教务长，兼任北京大学外国文学教师。1926 年任《晨报》副刊《诗镌》编辑。1927 年秋到上海办新月书店，任《新月》编辑。这段时间，闻一多、徐志摩、饶孟侃、朱湘、陈梦家、卞之琳等，形成诗歌创作的新月派，节制新诗过分自由的表达，让诗有着“音乐的美（音节），绘画的美（辞藻），并且还有建筑的美（节的匀称和句的均齐）”[①]。闻一多提出的“三美”理论，强调诗人应该乐于带着镣铐跳舞，“只有不会跳舞的才会怪脚镣碍事，只有不会做诗的才感觉格律的缚束。对于不会做诗的，格律是表现的障碍物；对于一个作家，格律便成了表现的利器”，这标志着闻一多诗歌创作理论的成熟。

不仅如此，闻一多还是这一理论的践行者。1928 年，闻一多的第二部诗集《死水》由上海新月书店出版，收录了包括《死水》在内的二十八首诗歌。苏雪林对两部诗集做了对比性的评价：“《红烛》注意声色，《死水》则极其淡远；《红烛》尚有锤炼的痕迹，《死水》则到了炉火纯青之候。《红烛》大部分为自由诗，《死水》则都是严密结构的体制；《红烛》十九可以懂，《死水》则几乎全部难懂了。”“《死水》字句极矜炼，然而不教你看出他的用力处，这是艺术不易企及的最高的境界。”[②] 其《死水》一首，堪称典范：

这是一沟绝望的死水，
清风吹不起半点漪沦。

---

① 闻一多：《诗的格律》，《唐诗杂论 · 诗与批评》，第 207 页。

② 苏雪林：《论闻一多的诗》，方仁念：《新月派评论资料选》，上海：华东师范大学出版社，1993 年，第 70—71 页。

不如多扔些破铜烂铁，
爽性泼你的剩菜残羹。
也许铜的要绿成翡翠，
铁罐上绣出几瓣桃花；
再让油腻织一层罗绮，
霉菌给他蒸出些云霞。
让死水酵成一沟绿酒，
漂满了珍珠似的白沫；

小珠们笑声变成大珠，
又被偷酒的花蚊咬破。
那么一沟绝望的死水，
也就夸得上几分鲜明。
如果青蛙耐不住寂寞，
又算死水叫出了歌声。
这是一沟绝望的死水，
这里断不是美的所在，
不如让给丑恶来开垦，
看他造出个什么世界。[①]

音节每一行都用三个“二字尺”和一个“三字尺”构成，顿挫之中有着音乐美；结构上字词均齐，是为建筑美；在对死水的精致描述中，营造出“高贵的反感”的审美效果，创造了绘画美。这本诗集的出版影响的“不是读者，当是作者”[②]，徐志摩、卞之琳、沈从文都承认受过

① 闻一多:《死水》,《闻一多全集》第 1 卷，第 146—147 页。

② 沈从文:《论闻一多的〈死水〉》，张兆和:《沈从文全集》第 16 卷，太原：北岳文艺出版社，2002 年，第 111 页。

《死水》的深刻影响。

闻一多后来在武汉大学、青岛大学、清华大学任教。抗战全面爆发后，清华大学南迁昆明，与北京大学、南开大学组成西南联合大学，闻一多奔赴到校。自《死水》诗集出版后，闻一多投向古籍研究。对《楚辞》用力最多，成就最大。出版《楚辞校补》，用文化阐释方法，从考据、训诂入手，解释字词，揭示诗歌本义，并还原诗歌创作的时代风貌。抗战的烽火，使学院派的学者又看到了新诗的力量，他读田间的诗歌兴奋地说："当这民族历史行程的大拐弯中，我们得一鼓作气来渡过危机，完成大业。这是一个需要鼓手的时代。"[①] 他创作了《八教授颂》等讽刺诗，为时代鼓呼。1946 年，身为民盟中央执委的闻一多，不惧危险，发表演说，痛斥国民党反动派制造一二・一事件、暗杀李公朴的罪恶行径，7 月 15 日被云南地方当局派特务暗杀。

四、七月诗派

1937 年 7 月 7 日，侵华日军发动卢沟桥事变，中国抗日战争全面爆发。为警醒世人不忘国仇，7 月，上海，胡风创办文学旬刊《七月》，刊载新诗。因为八一三淞沪会战停刊。10 月，《七月》在武汉复刊，改为半月刊。武汉会战期间，1938 年 7 月 16 日停刊，次年 7 月于重庆复刊，更改为月刊。由于经费和出版环境恶化，发刊成不定期状态。1945 年，又创刊《希望》，出版两集八期，至 1946 年 10 月停刊。《七月》《希望》先后停刊后，若干小刊物在各地继之而起。《诗垦地》（重庆）、《平原》（成都）、《呼吸》（成都）、《泥土》（北平）、《荒鸡小集》（成都）、《蚂蚁小集》（南京）等文学刊物，发表了大量诗歌，汇集大批年轻诗人，他们是艾青、田间、阿垅、鲁藜、孙钿、牛汉、天蓝、艾漠（贺敬之）、胡征等，还有湖北籍的胡风、绿原、冀汸、邹荻帆、曾卓等（图 3—6），由此形成了一个诗歌流派"七月诗派"。

① 闻一多：《时代的鼓手——读田间的诗》，《唐诗杂论・诗与批评》，第 192 页。

七月诗派不是有组织有领导的文学团体，仅是以《七月》为中心，高举抗日大旗的松散群体。由于文学见解、艺术风格较为接近，自然形成。这一诗派诞生、成长于抗战的炮声，应和着解放战争的号角，欢呼着新中国的成立。

作为《七月》的主编，胡风给予七月诗派的影响是明显的，他的文学主张，引导了七月诗派的诗歌创作。既然是创刊于全面抗战之际，诗歌的内容要真实地反映这个时代，诗人作为不能脱离时代的个人，战士是他们在那时不可交卸的身份，“只有无条件地作为人生的战士，才能成为艺术中有条件的诗人”（冀汸）。[①] 诗的本质是战斗，诗不是唯美的追求，“只有依靠时代的真实，加上诗人自己对于时代真实的立场和态度的真实，才能产生艺术的真实”[②]。这些主张与胡风坚持的“写真实”、发扬“主观的战斗精神”是一致的，因此，七月诗派是以现实主义作为创作原则的。

七月诗派的诗人绝大部分为20岁左右的年轻人，青春不能虚掷，热情要投入到伟大的民族解放事业中去。他们以自己的生活体验，把诗从书斋、讲坛上请下来，深入到生活，深入到抗敌的前线。彭燕郊随新四军辗转，邹荻帆投身大别山中的抗日文工团，阿垅转战淞沪前线，天蓝、艾漠（贺敬之）在延安行进，校园里的绿原、冀汸、牛汉参加了爱国民主运动。被年轻人视为老师的艾青足迹行经大半个中国，田间则来到了晋察冀边区。

---

① 韦晓东：《以笔为枪——重读抗战诗篇》，南京：南京师范大学出版社，2015年，第286页。

② 绿原：《〈白色花〉序》，绿原、牛汉：《白色花二十人集》，北京：人民文学出版社，1981年，第5页。

图 3—6　“七月诗派”作家合影。第一排左起鲁藜、曾卓，
第二排左起徐放、冀汸、路翎，第三排左起杜谷、绿原，第四排为牛汉

在他们的笔下，大量的诗歌呈现了当时全民抗战的社会图景。冀汸，原名陈性忠，湖北天门人，出生于印尼八哇。1942 年出版诗集《跃动的夜》，开篇的是同题诗作，七节，长达三百多行，他通过从城市回到乡下夜间所见到的跃动的景象，“企图歌出我们这个民族不可侮辱与不可征服的潜在力”[①]，在结尾，他充满希望地写道“听，鸡声四野，已经唱出了黎明”。

后起的曾卓，湖北黄陂人，原名曾庆冠，1939 年开始发表作品，这一年，他初试啼声在重庆发表了《门》：

莫正视一眼，
对那向我们哭泣而来的女郎。
曾经用美丽的谎言来哄骗我们的是她；
曾经用前进的姿态来吸引我们的是她。
而她

① 胡风：《〈七月〉编校后记》，《胡风全集》第 2 卷，武汉：湖北人民出版社，1999 年，第 689 页。

在并不汹涌的波涛中，就投进了
残害我们的兄弟的人的怀抱。
今天，她又要走进
我们友谊的圈子。
她说，她现在才知道
只有我们
才是善良的灵魂。
让她在门外哭泣，
我们的门
不为叛逆者开！

诗行中愤怒谴责了通敌卖国的叛徒，表达了拒投降派于门外的鲜明态度。

七月诗派的年轻人耻于谈情说爱，他们的诗作极富男性气质，只有“母亲”作为祖国的象征形象，才会被诗人们反复赞颂和哀痛。早期左翼文学所提倡的“革命加恋爱”的最高浪漫，被抗战的烽火硝烟无形消解，“让玫瑰装饰你的青春，血渍装饰我的青春”①。血与火是抗战时期诗人最深刻的记忆和最明亮的色彩。

政治色彩鲜明是七月诗派的标志。即便在国统区，胡风主编的刊物“更加重视选用那些真实反映根据地和抗日前线生活的作品，并尽量编排在显著位置上”。来到延安的胡征毫不掩饰地礼赞，这是“喷香的城/发光的城/红色的城。红色的好延安/亚细亚的莫斯科/地球上第二个圣地/第二座灯塔/我爱这/五月的城/红色的城”②。绿原获得了“政治抒情诗人”的称号。绿原，原名刘仁甫，笔名刘半九，湖北黄陂人。他在20世纪40年代创作了大量的政治抒情诗。《又是一个起点》诗集中

① 曾卓：《青春》，《悬崖边的树》，成都：四川人民出版社，1981年，第57—58、62页。
② 胡征：《五月的城》，《主席台诗集》，上海：新文艺出版社，1954年，第61—62页。

收录的《终点，又是一个起点》，说明抗战虽然赢得最后胜利，但又是一个起点，要用战斗保卫“用多少回伤心的失败换来的胜利”，[①]用新的战斗迎接未来，敏感地预见即将到来的内战。《给天真的乐观主义者们》则描画了国统区的城市里光怪陆离、醉生梦死的景象，作者“厌弃轻浮的颂歌。叫我赞美那些腐朽的上流社会吗？/等于叫一个犯人去赞美断头台的堂皇：要他的命吧”，在做了长篇揭露之后，他指示了未来的光明：“愿他的希望比他的回忆愉快些！”[②]

在诗的表现形式上，七月诗派的诗人追随着艾青，采用了自由体诗，倾向于诗歌的散文化，偏爱使用口语，崇尚力之美，展现阳刚之气。他们认为格律、辞藻、诗行的排列不是诗的生命，相反是诗的枷锁。这种诗歌创作主张显然是对古典律诗，也是对新月派诗歌理论的反拨，使得七月诗派的诗歌形式更加自由，在感情抒发上热烈粗犷，不事雕琢，但也带来对其粗疏、不精致、冗长的批评。七月诗派自由诗的形式是多样的，艾青、田间、绿原等人诗作一读，即呈其各样诗体，充分体现了诗人多样的个性特征。在创作上他们互相影响、彼此渗透、自成风格。七月派诗人邹荻帆，笔名史纽斯，湖北天门人。1942年《七月诗丛》第一集收编了他的诗集《意志的赌徒》，其诗无论叙事、抒情都带有明朗清透的风格。以1943年创作的《雪与村庄》为例，它讲述一队中国军人隆冬宿营于村庄，购不到柴米油盐，但兵士们意兴豪迈，“虽是贫穷、荒僻、而且寒冷的村庄/但决不让盗贼们栖息”。诗行的开头是：“寒冷的村庄呀/天际是沉坠的灰云/没有飞鸟/银亮的雪地上/风咆哮地滚过了村庄/从雪地里来/又钻向雪地里去/地平线在灰白的云絮里冻结了！”[③]用明快的文字，描绘肃杀、艰苦的环境，极富有画面感。

七月诗派的诗人群体，在20世纪40年代活跃于文坛。新中国成

---

① 刘增杰：《抗战诗歌》，开封：河南大学出版社，2005年，第230页。

② 绿原：《给天真的乐观主义者们》，《中国新文学大系（1937—1949）·诗集》，上海：上海文艺出版社，1990年，第770—772页。

③ 邹荻帆：《雪与村庄》，《布谷鸟与紫丁香》，北京：人民文学出版社，1982年，第34页。

立后，受胡风事件的牵连，多数诗人沉寂了30年。改革开放后，七月诗派20人的诗作以《白色花》结集出版，以表达“要开作一支白色花——因为我要这样宣告，我们无罪，然后我们凋谢”[①]。

第三节 小说与文艺思想

新文化运动的大潮之下，文学革命高唱入云，新旧错杂，中西激荡，文学流派层出不穷，各种文学主张、文学创作纷呈并出。湖北文学中，废名的田园小说特色鲜明，胡风的现实主义文艺理论影响很大。

一、废名的田园小说

废名（图3—7）是从湖北走出的作家，他在作品中摹画湖北乡土风情，他的田园小说在中国近代文学史上占有不应被忽视的一席。废名的小说创作，起于1922年，止于1948年，历时26年，代表作有《竹林的故事》《桥》《莫须有先生传》《莫须有先生坐飞机以后》。与同时代的作家相比，他的小说特色鲜明，辨识度很高。

图3—7 废名

① 绿原:《〈白色花〉序》，绿原、牛汉:《白色花二十人集》，第9页。

废名（1901—1967），原名冯文炳，字蕴仲，湖北黄梅人。黄梅的自然风光是废名小说田园景色的底稿，菱荡，竹林，河上柳，山间云，岳家湾的桥，五祖寺的山门……笔下的景致都来自黄梅的土地，是这个北多丘陵，南接江湖的区域的特有样貌。不但实有其景，且实有其名。废名感慨“只有‘自然’对于我是好的，家在城市，外家在距城二里的乡村，十岁以前，乃合于陶渊明的‘怀良辰以孤往’，而成就了二十年后的文学事业”①。废名的田园小说扎根于乡土，与他的故乡密不可分。

冯文炳自小所熟悉的人情物理，是其创作的不绝源泉。他的祖上是个大家族，三世同堂。家世并不显赫，祖父是篾匠，以手艺为生；父亲是教书先生，曾任过县劝学所视学，后来购置了田产，盖了新屋，在当时当地算得上是小康。他本人谈到，小时的自然与人事，对他影响最深的，一是外家，一是婶母家。外家以其富有，婶母家以其贫，而“她的贫使得我富有”②。冯文炳兄弟姐妹6个。因为大哥冯文鲤溺水夭折，冯文炳排行老二（实际排行老三），“乡间大家庭里头照例是栽培长子长孙的，若非长子长孙，便看得淡漠，受教育也好，不受教育也好，听其自然”。冯文炳“便是一个被看得淡漠的孩子，平常上学不像哥哥诸事受优待”③。小妹7岁病亡，小说《阿妹》的原型来源于此。

早年的教育冯文炳回忆起来，是矛盾而复杂的。1906年家里送他到大南门都天庙私塾，希望他“文章焕然，彪炳可法”，取学名冯文炳。他自述，炳字与五行缺火有关，他对这个名字“一点也不稀罕，——几乎是一桩耻辱，出在口里怪不起劲”④。私塾的教育当然是《三字经》《百家姓》《千字文》《论语》等。小儿是不耐的，常常逃课去摘芭茅，

① 废名：《黄梅初级中学同学录序三篇》，《大公报（天津）》1946年11月17日，第6版。

② 废名：《散文》，《华北日报·文学》1948年2月22日。

③ 废名：《黄梅初级中学同学录序三篇》，《大公报（天津）》1946年11月17日，第6版。

④ 废名：《〈无题之二〉前记和附记》，止庵：《废名文集》，北京：东方出版社，2000年，第38页。

他深感“自有仙才自不知”，这些乌烟瘴气的课本，“把一颗种子被盖住了”。[①]然而，正是这生硬死板的教育埋下了一颗不自觉的读书种子。

早期，他的活动半径不出黄梅境内，多在县城与外家岳家湾之间。13岁到黄梅八角亭初级师范学校就读。1917年考入国立湖北第一师范学校，来到省城武昌，眼界为之大开。在省立第一师范，开始接触新文学，迷恋新诗，想把毕生的精力放在文学事业上面。毕业后任教武昌某小学。期间开始与周作人书信往还，他们亦师亦友的交谊长达半世纪。1922年，考入北京大学预科英文班，得以亲见周作人。从笔墨神交，到耳提面命，再到诗文唱和，直至生活上的周济，伴随冯、周大半生。

冯文炳对周作人十分尊敬，不止一次说过“我自己的园地，是周作人先生的影响”。他的小说每篇都由周作人作序。周作人的文学主张直接影响了冯文炳，“从五四以来，以清淡朴讷文字，原始的单纯，素描的美，支配了一时代一些人的文学趣味，直到现在还有不可动摇的势力，且俨然成一特殊风格的，提倡者与拥护者，是周作人先生”。周作人提倡乡土小说、抒情小说，正与冯文炳同调，不可避免对他产生了影响。以致沈从文评论，“冯文炳君的作品，所显现的趣味，是周先生的趣味”[②]。鲁迅对废名的影响比较复杂，《呐喊》《孔乙己》他很是喜欢，称赞鲁迅是“一个振臂一呼应者云集的英雄”。然而没过几年，他否定了早期的看法，“我曾经为了《呐喊》写了一篇小文，现在我几乎害怕想到这篇小文，因为他是那样的不确实。我曾经以为他是怎样的确实呵，以自己的梦去说人家的梦”[③]。他还署名丁武，与鲁迅之间有过笔战。丁武是丙文的藏字，丙文也是其笔名之一。

署名冯文炳的作品，最早是1922年在《努力周报》上发表的《长

① 废名:《黄梅初级中学同学录序三篇》,《大公报（天津）》1946年11月17日，第6版。

② 沈从文:《论冯文炳》，陈振国:《冯文炳研究资料》，北京：知识产权出版社，2010年，第167页。

③ 废名:《说梦》,《语丝》第133期（1927年5月28日）。

日》。1925 年 10 月，第一本短篇小说集《竹林的故事》出版。1926 年 6 月的一天，冯文炳突然决定“我不要我那名字，起一个名字，就叫做废名”[①]，此后即以废名闻于世。

1927 年，张作霖下令解散北京大学，改办京师大学堂，废名因而失学一年多，卜居西山，在成达中学教日文。1928 年 6 月 8 日，南京国民政府阎锡山第三集团军进入北京，京师大学堂又恢复为北京大学，废名重新入校，仍在英文系读书。毕业后受聘于北京大学中国文学系任讲师。

在北大学习、工作期间，废名从西方文学作品中吸收养分，莎士比亚、塞万提斯、哈代、艾略特都给予了废名启示。他读到哈代的小说时，“总觉得那些文章里写风景真是写得美丽，也格外的有乡土的色彩”[②]，“《毛儿的爸爸》，是读了契诃夫写的俄国的生活因而写我对中国生活的观察”，“就《桥》与《莫须有先生传》说，英国的哈代、艾略特，尤其是莎士比亚，都是我的老师，西班牙的伟大小说《吉诃德先生》我也呼吸了它的空气”。“总括一句，我从外国文学学会了写小说。我爱好美丽的祖国的语言，这算是我的经验。”[③] 热爱外国文学，并没有抛弃传统，周作人回忆：“废名在北大读莎士比亚，读哈代，转过来读本国的杜甫、李商隐，《诗经》《论语》《老子》《庄子》，渐及佛经，在这一时期我觉得他的思想最是圆满。”[④]

1930 年春废名和冯至等创办《骆驼草》文学周刊，“要继承《语丝》的传统。作者自由发表意见，不求一致”[⑤]，主要是由废名主持编务，共计出刊 26 期。1932 年发表了小说《桥》《莫须有先生传》。对于所写

---

① 废名：《忘记了的日记》，《语丝》第 128 期（1927 年 4 月 23 日）。

② 废名：《中国文章》，止庵：《废名文集》，第 190 页。

③ 废名：《〈废名小说选〉序》，陈振国：《冯文炳研究资料》，第 109—110 页。

④ 废名：《〈废名小说选〉序》，陈振国：《冯文炳研究资料》，第 50 页。

⑤ 冯至：《〈骆驼草〉影印本序》，俞子林：《书的记忆》，上海：上海书店出版社，2008 年，第 31 页。

的小说，废名曾说："就表现手法说，我分明地受了中国诗歌的影响"，"到了《菱荡》，真有唐人绝句的特点，虽然它是五四以后的小说"[①]。周作人评论"《莫须有先生传》是一种特别的东西，受到庄子的文章和李义山诗的影响"[②]。

1937年卢沟桥事变爆发，北大遣散员工，废名以讲师身份也在遣散之列，兼以同年母亲亡故，回家奔丧，乡居近10年，以任教黄梅中小学为业。黄梅是禅宗的渊薮，四祖寺、五祖寺遐迩闻名，也是废名乡居常到之地。抗战期间，他任教的县中学直接搬到了五祖寺中，废名认为："就教育说，这个中学教育抵得当年五祖寺具有教育的意义吗？那是宗教，是艺术，也是历史，影响于此乡的莫须有先生甚巨。"[③]这莫须有先生即是废名本尊。《桥》、莫须有先生系列小说中的佛禅气味，得自黄梅。

抗战胜利后，1946年由俞平伯等推荐，受聘北大国文系任副教授，旋发表小说《莫须有先生坐飞机以后》，几乎实录了他在黄梅乡居时的生活。1949年任北大国文系教授，后来长期任教于东北人民大学（后更名为吉林大学）。1967年10月7日病逝于长春。

远离政治的田园社会是废名小说的主要内容。"作者的作品，是充满了一切农村寂静的美。差不多每篇都可以看得到一个我们所熟悉的农民，在一个我们所生长的乡村，如我们同样生活过来的活到那地上。不但那农村少女动人清朗的笑声，那聪明的姿态，小小的一条河，一株孤零零的长在菜园一角的葵树，我们可以从作品中接近，就是那略带牛粪气味与略带稻草气味的乡村空气，也是仿佛把书拿来就可以嗅出的。"[④]这样的农村景象，并"不是著者所见闻的实人世的，而是所梦想的幻景

① 废名：《〈废名小说选〉序》，陈振国：《冯文炳研究资料》，第109页。

② 井上红梅著，董炳月译：《采访周作人》，《鲁迅研究月刊》1999年第8期。

③ 废名：《莫须有先生传》，桂林：广西师范大学出版社，2003年，第315页。

④ 沈从文：《论冯文炳》，《沈从文文集·文论》第11卷，长沙：湖南人民出版社，2013年，第96页。

的写象”[①]，冯文炳（即废名）毫不讳言他的作品“是梦，所以与当初的实生活隔了模糊的界”[②]。而且在这景象中，还隐藏着淡淡的哀伤，“他们的身边总围绕着悲哀的空气”，“小说中的人物，不论老的少的，村的俏的，都在这一种空气中行动”。[③]

尽管废名没能用笔去描摹五四的激情、大革命的狂飙、民族的苦难，然而不能简单认为他的小说不反映现实，脱离了现实。平情而论，“冯君的小说我并不觉得是逃避现实的。他所描写的不是什么大悲剧大喜剧，只是平凡人的平凡生活——这却正是现实。特别的光明与黑暗固然也是现实之一部，但这尽可以不去写他，倘若自己不曾感到欲写的必要，更不必说如没有这种经验”。“冯君所写多是乡村的儿女翁媪的事，这便因为他所见的人生是这一部分——其实这一部分未始不足以代表全体。”[④]

需要指出莫须有先生系列的小说，文字诙谐、尖辣，为同时代作家争议。

废名小说采用了诗化、散文化的表现方式。废名小说没有清晰的故事线，不靠情节推动，废名曾赞梁遇春，说他“文思如星珠串天，处处闪眼，然而没有一个线索”[⑤]。用来自况也合适：“废名所作本来是小说，但是我看这可以当小品散文读，不，不但是可以，或者这样更觉得有意味亦未可知。”[⑥]这种阅读体验得到不少作家的认同，“序中虽称这本书是小说，但读者仅看这一卷，并不觉其为小说，因为读者在这里仅

① 周作人：《〈桃园〉跋》，陈振国：《冯文炳研究资料》，第 155 页。

② 废名：《说梦》，陈振国：《冯文炳研究资料》，第 87 页。

③ 周作人：《〈桃园〉跋》，陈振国：《冯文炳研究资料》，第 155 页。

④ 周作人：《〈竹林的故事〉序》，陈振国：《冯文炳研究资料》，第 152、153 页。

⑤ 废名：《序一》，梁遇春：《中国现代名家散文书系·梁遇春散文》，西安：太白文艺出版社，2013 年，第 225 页。

⑥ 周作人：《中国新文学大系·散文一集·导言》，钟叔河：《周作人文选》（1930—1936），广州：广州出版社，1995 年，第 342 页。

见几个不具首尾的小故事，而不见一个整个的、完全的大故事。读者从本书所得的印象，有时像读一首诗，有时像看一幅画，很少的时候觉得是在‘听故事’，所以有人说这本书里诗的成分多于小说的成分，是不错的”[①]。正因为这诗化、散文化的特征，文学选家将部分废名小说归入散文类。周作人一面称赞其小品散文式的小说，一面又将《桥》中几篇和《菱荡》等篇归入《中国新文学大系》散文集中。后世选家也有类似做法。

晦涩难懂是废名小说的一大风格。“不像透明的水晶球，要看懂必须费些功夫才行。”[②]这种难懂，是“一种令人捉摸不定的幻的境界”，被概括为“曲”、“简”（省略）、“跳”（联想）的[③]；周作人认为是“思想之深奥或混乱，但也可以由于文体之简洁或奇僻生辣”[④]。废名自己举例说明，这晦涩与读者偷懒或领悟力有关，“我最近发表的《杨柳》（《无题》之十），有这样的一段：‘小林先生没有答话，只是笑。小林先生的眼睛里只有杨柳球，——除了杨柳球眼睛之上虽还有天空，他没有看，也就可以说没有映进来。小林先生的杨柳球浸了露水，但他自己也不觉得，——他也不觉得他笑……”，“我的一位朋友竟没有看出我的‘眼泪’！这似乎不能怪我”。[⑤]

读者解读困难以及形式上的简、曲是表象，晦涩的本因还得从作者身上找。废名将晦涩之因归结为“主观”：“晦涩就是主观，不是有目共见的东西，是作者个人脑子里隐藏的一点东西”，“是绞脑汁绞出来的，绞出来以后就一定自己满足，自己把自己封在这个想象的王国里，

---

① 余冠英：《桥》，《新月》1932 年第 4 卷第 5 期，陈振国：《冯文炳研究资料》，第 158 页。

② 周作人：《中国新文学的源流》，止庵：《周作人讲演集》，石家庄：河北人民出版社，2004 年，第 137 页。

③ 《桥》（《现代》书评），陈振国：《冯文炳研究资料》，第 163 页。

④ 周作人：《〈枣〉和〈桥〉的序》，陈振国：《冯文炳研究资料》，第 157 页。

⑤ 废名：《说梦》，陈振国：《冯文炳研究资料》，第 86—87 页。

离开了生活”。[1]写出来的文字是自我满足，并没有过多考虑读者。他进而言之，“文学家是别人告诉他要这样写、那样写的？我深知文学即宣传，但那只是宣传自己，而非替他人说话。文学家必有道，但未必为当时的社会承认”[2]。即便不为社会承认，仍坚持文学呈现自我，这便是废名认同的道。质而言之，晦涩是废名文学观的实证。

在同时代的作家中，废名与左翼作家深切表现现实大不相同。他小说中体现出的观照作家自我的特点，相较于引领、启悟民众的左翼作家的写作方式，确实适成对照。

废名与沈从文、朱光潜等学者型的作家，隐然形成一个文学流派——京派。他们身居校园，瞻顾传统，接引西风，远离政治，追求文学的独立，坚持作家写自己，为“五四”以后中国文坛小说艺术的多样性，涂上了属于京派的绚丽色彩。

废名小说对后世的影响“很大，很深，很远”，“可以开出一系列受过废名影响的作家的名单”[3]。沈从文感慨，“自己有时常常觉得有两种笔调写文章，其一种，写乡下，则仿佛有与废名先生相似处。由自己说来，是受了废名先生的影响”[4]。此后的近百年文坛，在萧红、凌叔华、孙犁、汪曾祺的小说，卞之琳的新诗，梁遇春、何其芳、史铁生的散文中，废名的影子仍然依稀可见。

二、胡风的文艺思想

二十世纪三四十年代，从“九一八”事变，到“七七事变”，日本

① 废名：《废名讲旧诗》，陈建军、冯思纯：《废名讲诗》，武汉：华中师范大学出版社，2007年，第283页。

② 废名等：《今日文学的方向——“方向社”第一次座谈会记录》，《我认得人类的寂寞·废名诗集》，北京：新星出版社，2018年，第203页。

③ 汪曾祺：《从哀愁到沉郁——何立伟小说集〈小城无故事〉序》，赵坤：《汪曾祺全集》（9）谈艺卷，北京：人民文学出版社，2019年，第343—344页。

④ 沈从文：《〈夫妇〉尾记》，《小说月报》1929年11月10日，第20卷，第11号。

从局部侵华演变为全面侵华，在抗日民族统一战线的旗帜下，中国文坛文艺思想异彩纷呈。长期战斗在国统区的胡风（图3—8），形成了他独特的文艺思想，成长为中国二十世纪现实主义文艺理论的旗帜性人物。

图3—8 胡风

胡风（1902—1985），原名张光人，笔名有谷非、高荒、张果等，湖北蕲春人。出身贫苦家庭，18岁后才在武昌、南京等地读中学，参加了五卅反帝爱国运动。23岁进入北京大学预科，因理想主义的追求得不到满足，一年后改进清华大学英文系，不久退学。1929年秋，留学日本东京庆应大学习英文。受日本当时蓬勃发展的普罗文学运动和苏联文学的影响，结交日本普罗作家江口涣、小林多喜二等，参加了日本反战同盟和日本共产党。1933年，因为组织左翼抗日文化团体，被驱逐回上海，在左翼作家联盟任宣传部长、书记。1934年离开左联，走上职业作家之路。编辑了半地下刊物《木屑文丛》，出版《海燕》，在文化读者中引起很大反响。1936 年抗日民族统一战线运动中，提出“民族革命战争的大众文学”口号。后筹集经费出版刊物《七月》《七月诗丛》，主要发表来自共产党所领导的部队和地区的作者的作品。1938 年，汉口成立了联合全国文艺工作者的“中华全国文艺界抗敌协会”，胡风任研究股主任。1945 年，出版文学期刊《希望》。1949 年后，任中国文联委员、中国作家协会理事。20 世纪 50 年代被错误打成“胡风反革命集团”分子，20 世纪 80 年代平反。

置身于 20 世纪风云激荡、民族危难的时代，胡风受五四以来革命文学传统的熏染，留学日本吸收了西方文化思潮，又研读了马克思主义理论，逐渐形成其个性鲜明的文艺理论，其中“精神奴役的创伤”“主观战斗精神”的命题和“现实主义”理论深具特色。

1944 年 10 月，胡风在重庆郊外避法村（赖家桥）中，埋头挥毫写下了《置身在民主的斗争里面》。次年 1 月，该文发表在《希望》创刊号上。文章讨论了作家如何深入人民，他首次明确提出“精神奴役的创伤”这一命题。他说，人民的“生活欲求或生活斗争，虽然体现着历史的要求，但却是取着千变万化的形态和复杂曲折的路径；他们底精神要求虽然伸向着解放，但随时随地都潜伏着或扩展着几千年的精神奴役底创伤”[①]。这一命题成为胡风对作品对象本体的认识，构成了胡风对作家提出历史使命的基础。

精神奴役创伤论，其源头可远溯自日本厨川白村的《苦闷的象征》。厨川白村接引弗洛伊德精神分析中的“创伤”概念，认为生命力的向上突进遭遇强制压抑之力的阻遏，于是产生精神上的伤害，人间痛苦由来于此。而用绝对自由创作出的文艺，以象征的方式，使人从现实的压抑中解放出来了。胡风的命题多少化用了厨川白村《苦闷的象征》的理论，这在他晚年屡有提及。

---

① 胡风：《置身在民主的斗争里面》，王嘉良、颜敏：《中国现当代文学作品选读》上册，上海：上海教育出版社，2004 年，第 494 页。

不可否认的是，鲁迅对胡风的影响更为深远。鲁迅提出中国的变革，首在立人，要改造国民精神上的劣根性。不但在精神上指引了胡风要医治人民群众的“精神奴役的创伤”的理论路径，也以其创作实践给予了胡风这一命题最充分的例证。

在其以后的文学评论中，胡风反复提及并阐发这一重要命题。他寻绎落后的东方，特别是落后的中国病根何在，其中“封建意识”制造了人民“精神奴役的创伤”，“封建意识和复古运动都能在大众里面保存甚至助长‘亚细亚的麻木’；对于劳苦大众底生活欲求的阻碍、压抑，都能减少甚至消灭他们底热情、力量”[①]。

对于人民，胡风保持着客观的态度，他反对将人民过于神圣、美化和抽象化，不对人民的品格做“优美的憧憬”，但并不是在“暴露”中以鄙夷的态度来对待人民。恰恰相反，是要文艺工作者带着最深切的同情，注意到这种精神奴役的创伤，并提供有效的疗救之法。

阿Q精神是中国底层人民几千年被奴役的结果，被欺压凌辱的命运已为人民自己视作了理所当然。作家对此应该理解并同情。“发现了人民也就发现了社会，或者说，发现了社会同时也就发现了人民。”[②]在这里，鲁迅对人民的批判，正是对封建社会的批判。如何理解人民形象在作品中呈现的方式，胡风在同时代作家中是特异不凡的。他不惮于暴露人民的种种“劣根性”，但其目的在于使人深刻认识到这种劣根性正是封建主义造成人民的“精神奴役的创伤”，从而借“暴露”达到批判封建社会的目的。

以精神奴役创伤为基点，胡风对同时代许多作家的创作态度，做了深刻的分析。多年来，知识分子转向人民，但大都在“优美的”主观憧憬里面去设定人民的面貌，按对于人民形象的“一般性的原则”，使

---

① 胡风：《人民大众向文学要求什么？》，《胡风评论集》上，北京：人民文学出版社 1984 年，第 375 页。

② 胡风：《民族战争与新文艺传统》，《胡风评论集》中，第 136 页。

用“善良的，优美的，坚强的，健康的”等词汇描绘人民形象。胡风认为，这种看不到人民的“精神奴役的创伤”，只看到人民的“优美”，就好比“世界上没有只有阳面没有阴面的事物，抛弃了阴面，阳面也一定要成为乌有，即所谓‘观念化了的’东西”[①]。而当作家深入实际之中，又发现人民并非如此，便开始怀疑、苦闷。对于这种文艺创作现状，胡风提出：“应深入进去的是平凡的但却深含着各种各样活的内容的具体的人民，甚至就是你身边左右的人民，不能是憧憬里的概念；要去汲取的是真实但却沉重的、活的、具体的、各种各样的担负生活的永生力量，各种各样的夺取生路的求生愿望，以及怎样把这些力量这些愿望禁锢着、玩弄着、麻痹着，甚至闷死着的各种各样的精神奴役的创伤，甚至在你自己身上也用着另外的或相反的色度沾附着的创伤，不能是憧憬里的清一色的‘优美’。”[②]

如果说，“精神奴役的创伤”命题是关注了作品对象本体问题，那么胡风的“主观战斗精神”论则是对作家本体的凸显。但通观胡风本人的文艺评论，又会发现“主观战斗精神”的提法并不出自他本人，而是对其思想进行批判时使用的，后来也被胡风本人接受。

胡风本人在阐述这一文艺理论时，常用词汇是“主观精神”“主观精神力量”“作家的战斗意志”“战斗要求”和“搏斗”等，在20世纪三四十年代讨论胡风文艺思想时，使用最多的也是“主观精神”“主观论”等。[③]除此之外，诸如作家“献身的意志和仁爱的胸怀”“人格力量和战斗要求”“为民族解放的高扬的热情”等说法，都应容纳其中。[④]

提法虽然多，其理论还是有特定的中心意涵。以《什么是“典型”

① 胡风：《论现实主义的路》，朱立元：《海上文学百家文库》第67（胡风卷），上海：上海文艺出版社，2010年，第336页。

② 胡风：《论现实主义的路》，朱立元：《海上文学百家文库》第67（胡风卷），第335页。

③ 廖超慧：《胡风“主观战斗精神”的意义与价值》，《华中科技大学学报》（社会科学版），2001年第1期。

④ 张联：《胡风现实主义理论的独到贡献》，《社会科学辑刊》2002年第4期。

和“类型”——答文学社问》(1935 年)发端,《今天,我们的中心问题是什么?》(1940 年)集中论述,《置身在民主的斗争里面》(1945 年)有了深入阐述。

胡风提倡突出作家在文艺创作中的主体作用,文艺创作是作家对生活的提炼,作家的“主观活动”所起的“化学作用”不能忽视。他说:“文艺并不是生活底复写,文艺作品所表现的东西须得是作家从生活里提炼出来,和作家底主观活动起了化学作用以后的结果。文艺不是生活底奴隶,不是向眼前的生活屈服,它必须站在比生活更高的地方,能够有把生活向前推进的力量。”①

“在实生活上,对于客观事物的理解和发现需要主观精神的突击;在诗的创造过程上,客观事物只有通过主观精神的燃烧才能够使杂质成灰,使精英更亮,而凝成浑然的艺术生命。”②在生活—艺术创作—作品呈现的创作链条中,作家的悉心观察、深入思考、精心创作,即主观精神活动毫无疑问发挥了重大作用。

主观战斗精神还有另一方面的内涵,作家创作的精神状态也被包含在其中。

在抗战相持阶段,对于由于热情的消减而导致的创作上的客观主义和主观主义倾向,胡风指出:“只要不脱离现实的生活基础,只要在生活战斗里面日新月异地培养自己底热情或精神力量,我相信,为民族为人民服务的现实主义的创作方向一定能够得到胜利的。”③在这里,“主观战斗精神”,更多是指作家表现出来的创作态度,是要作家“培养自己底热情或精神力量”。

胡风提出的“主观战斗精神”并非没有反对声音。胡风在回应批评

---

① 胡风:《文艺站在比生活更高的地方》,《胡风评论集》上,第 300 页。

② 胡风:《关于题材,关于“技巧”,关于接受遗产》,《胡风论诗》,广州:花城出版社,1988 年,第 64 页。

③ 胡风:《关于创作发展的二三感想》,徐乃翔:《中国新文艺大系 1937—1949 理论史料集》,北京:中国文联出版公司,1998 年,第 263 页。

者的一段话中说，"'主观的战斗要求是唯心论'，就是这么一个'唯'法，'精神重于一切的道路'，就是这么一个'重'法，'把艺术创作过程神秘化的倾向'，就是这么一个'化'法的。别的任何东西都可以而且应该'无条件地'抛弃，但这一点'唯'或者叫做'重'或者叫做'化'的，却是无论冒什么'危险'也都非保留不可"[①]。可以看出，胡风不无愤激地坚持的"主观的战斗要求""精神重于一切的道路""把艺术创作过程神秘化的倾向"都是"主观战斗精神"的内涵。

要疗治人民的"精神奴役的创伤"，需要作家发挥"主观战斗精神"，继承、深化以鲁迅为代表的现实主义精神。在现代文学史上，胡风建构了其独特的现实主义文艺思想体系。

它是因应着时代需要，在文艺批评中逐渐形成的。1936年，他在《文艺站在比生活更高的地方》中提出"文艺是生活底反映。能够真实地反映生活的作品，能够真实地反映出生活底脉搏的作品，才是好的，伟大的"，于此已表达出创作的主体（作家）和客体（生活）之间的紧密关系。而且他在鲁迅的文学实践中，看到了现实主义的伟大力量。

在此后的文学评论中，胡风论述的核心无不围绕着现实主义的这一文学主张，1940年在作为笔战论文的《论民族形式问题》中，谈论的是民族形式，但落脚点是在现实主义上。他反对"新质发生于旧质的胎内"的"中心源泉"论，[②]对于接引外来民族文艺的新形式给以极大的肯定，认为"一民族对于其他民族所产生的文艺形式的接受，正是因为它（形式）适合于反映自民族底生活现实的缘故"[③]。民族形式毫无疑问应当体现现实内容，"'民族形式'，不能是独立发展的形式，而是反映了民族现实的民主主义的内容所要求的，所包含的形式。……对于内

---

① 胡风：《论现实主义的路》，朱立元：《海上文学百家文库》第67（胡风卷），第334页。

② 向林冰：《论"民族形式"的中心源泉》，徐乃翔：《中国新文艺大系1937—1949理论史料集》，第535页。

③ 胡风：《论民族形式问题底提出和争点》，徐乃翔：《文学的"民族形式"讨论资料》，南宁：广西人民出版社，1986年，第453页。

容（形式）的真实的把握当然得通过作为主观实践力量的正确的方法，那就是现实主义”。他明确表达，“现实主义，是人类历史累积下来的科学的世界观反映在文艺上的特殊的面貌，所以我们应该积极地接受世界革命文学底经验。现实主义，是认识民族现实的导线”。[①]这篇文章鲜明体现了胡风的现实主义立场。

1948年，胡风回应文坛对他的批评，又作了长文《论现实主义的路》，形成了他现实主义文艺思想。他的立论是建立在对文坛两种文艺创作倾向的清理之上的，正如本文副题所言，是“对于主观公式主义和客观主义的、粗略的再批判”。它们“虽说是现实主义本身的两个偏向，但本质上却是反现实主义的”。他分析了抗战之后，尤其是四十年代以来文坛上的两种倾向，其一，主观公式主义脱离并歪曲了现实，深陷自我陶醉的热情里面。其二，客观主义的主要问题在于“只是凭着‘客观’的态度，没有通过和人民共命运的主观思想要求突入对象，进行搏斗”，由于“没有走进这个斗争，自以为是为了‘暴露’而写出的黑暗，就只能使人站在黑暗外面去欣赏，甚至被它吞没，自以为是为了歌颂而写出的光明，就只能使人从现实浮了起来，‘飘飘然’于光明之上”[②]。

在分别批判了客观主义和主观公式主义后，胡风提出：“坚持反映现实即推进现实，警戒脱离生活的主观公式主义（空洞的狂叫），也警戒奴从生活的客观主义（淡漠的细描），强调思想态度（体现人民底愿望的坚实的爱憎），强调‘不论在什么场合，文艺底问题不仅仅是“写什么”，同时也是和“怎样写”一同存在的’革命的现实主义的要求。”[③]

现实主义文艺思想要求的是反映“广大人民、特别是劳苦人民底负担、潜力、觉醒和愿望”，“这才是在战争发展过程下已经实现、正在实

① 胡风：《论民族形式问题的实际意义》，徐乃翔：《文学的“民族形式”讨论资料》，第509页。

② 胡风：《论现实主义的路》，朱立元：《海上文学百家文库》第67（胡风卷），第285—286页。

③ 胡风：《论现实主义的路》，朱立元：《海上文学百家文库》第67（胡风卷），第267页。

现、将要实现的真正的现实。这样的现实，是内容上包含着苦痛和欢乐的冲激，形象上呈现着平凡但却雄壮的血肉风貌的。对于这样的现实，需要作家抱有真诚的思想要求才能够深入进去，需要作家坚持现实主义的创作方法的追求才能够表现出来”。这是胡风在特定的历史时期（解放战争时期）对于现实主义创作方法的要求。他进而号召要坚持“国际革命文艺传统（高尔基的道路）和中国革命文艺传统（鲁迅的道路）”，现实主义“坚持并加强了从生活实践到创作实践的认识”，从而“反映新民主主义的社会根源和发展前途”[①]。不能不说，胡风长于对现实主义两种偏向的深入批判，而现实主义的边界还有待于进一步明晰。

① 胡风:《论现实主义的路》，朱立元:《海上文学百家文库》第67（胡风卷），第273—274页。

第四章　推陈出新的艺术

湖北地处长江中游，地形地貌复杂，山水重重阻隔，造成了湖北一地南腔北调，方言众多，为地方戏剧种繁多准备了先天条件。人们在劳作之中，歌以抒怀，民间小调于以形成，小调可以即曲填词，倚歌而和，不断翻唱新声。湖北地方戏唱的是关乎“一己之生活”的题材，人是王小六、於老四，是张七姐、二姑娘，事是家长里短，是婚姻家庭，是世俗俚趣，也有以民间立场表演忠孝节义、修齐治平的故事。

以西皮二黄为主调的楚曲，以出将入相的内容登上大雅之堂，汉剧（楚曲）与徽班结合，为京剧定型打下坚实基础。汉剧名角荟萃，而湖北籍的京剧名角余三胜、谭鑫培等名震京城。黄孝花鼓戏（楚剧）随汉水流动，踏着辛亥革命、大革命的节拍走进城市。黄梅采茶戏，跟着逃水荒的难民流，走向四方。天沔花鼓戏，四大门头走出唱哟喂哟的荆州花鼓戏艺人。还有鄂西的柳子戏，恩施灯戏，山二黄、梁山调、堂戏、提琴戏、傩戏、南剧、荆河戏……竞相在湖北上演。湖北地方戏百花齐放，异彩纷呈。

在现代戏剧领域，既有以念白为主，演唱为辅，结合时事表演的文明新戏，也有以批判现实为主要内容的话剧，特别是曹禺以《雷雨》等剧目奠定了中国话剧的基石，还有在传统戏曲和话剧之间的“国剧”，余上沅著文鼓呼带有实验性质的国剧运动。

舞台艺术之外，造型艺术在近代湖北开始转型，艺术的传承方式由师徒传授转向学校培养。一面坚持既有的国画传统，一面又引入西方艺术。既有求用的急切性，也有为艺术而艺术的纯粹性。武昌艺专是湖北艺术的摇篮，见证了湖北美术、音乐发展的清晰脉络。中国共产党在领导革命斗争中形成的革命歌谣不事文字雕琢，不拘泥于格式，用群众喜闻乐见的传统曲调，宣传中国共产党的政治主张，反映和歌唱群众和人民军队的生活和战斗，成为令人瞩目的文艺样式。第二次国内革命战争时期湖北苏区的红色歌谣十分丰富，具有代表性。1938年的武汉，因作为抗战时期的临时首都，成为全国文化的中心，“艺术为抗战服务”是时代的最强音。在国共合作、全民抗战的背景下，国民政府军事委员会政治部第三厅成立，通过这一机构的号召、引领、指导，湖北武汉成为艺术的展演场、盛典地。

第一节　汉剧与京剧

湖北传统戏曲中，汉剧剧目丰富，以历史题材为主，被称为大戏。西皮、二黄是其独特声腔，汉剧艺人进京，加入徽班演戏，奠定了京剧的基础，而皮黄腔成为京剧、汉剧共有的声腔，因此人们称京汉同源。湖北京剧名角人才辈出，从湖北出发唱到京城，最负盛名者，非谭鑫培莫属。

一、汉剧

汉剧，最初称楚调、汉调、皮黄调、楚腔、楚曲。20世纪汉剧学者扬铎认为有三百年历史，具有标志性的源头渺不可寻。史料中较早记载见于湖北公安人袁中道笔下，某日晚上赴一群诗友之宴，“时优伶二部间作，一为吴歈，一为楚调。吴演《幽闺》，楚演《金钗》”[①]。吴歈即昆曲，楚调和昆曲同时并演，花雅争胜。袁中道写作此文在明万历四十三年（1615），于今已历400年了。

楚调主要流传在长江中下游与汉水流域。正如汉水入江，支派朝宗，湖北楚调活动区域由襄阳起步，发展到荆沙，进而德安（今安陆），最后及于武汉，形成襄河、荆河、府河、汉河四大戏路子，即四大河

① 袁中道:《游居柿录》，上海：上海远东出版社，1996年，第243页。

派。[1]

汉水自襄阳以下，称为襄河。襄河派即以襄阳为中心，沿汉水传播，上及郧阳，下到钟祥，远及陕、豫、鲁各省。清严长明说，“弦索流于北部，安徽人歌之为枞阳腔（今名石牌腔，俗名吹腔），湖广人歌之为襄阳腔（今谓之湖广腔），陕西人歌之为秦腔”[2]。襄阳腔成为湖北的代表性地方声腔。襄河派又分两支派，一是以襄阳、樊城为中心的二黄或大二黄；一是以汉中、安康为中心的山二黄。鄂西北的郧阳地区是山二黄流行之地，清末民国当地民谣称：“学唱山二黄，方为读书郎。”襄河派的剧目在当时应该是很有文化水准的。

荆河派以沙市为中心，缘长江传播，上到宜昌，下及城陵矶。远播湘、闽、粤、桂、川、黔、滇，甚至东南亚，在四大河派中流行区域最广。后来的荆河戏、巴陵戏、常德汉剧、南剧都受到过荆河派的深刻影响。

府河流经德安（今安陆），以德安为中心传播的楚调称为府河派，流传于随州、枣阳、孝感、应城、云梦、大悟、黄陂，以及河南南部、山西晋阳。府河派剧目丰富，大部头戏多，演员中饱记师傅很多。以前农村中盛行赌博戏，一唱一两个月，每天换戏，不能重复，许多戏班视此为畏途，而府河派则完全可以胜任。

汉河派以武汉为中心，流传于天门、潜江、仙桃、黄冈、鄂南，以及赣、皖、浙、闽等省。汉河派班社多，影响大。“梨园子弟众交称，祥发联升与福兴。比似三分吴蜀魏，一般臣子各般能。”[3]叶调元在《汉口竹枝词》中，描绘了三个汉班的声名。当时的会戏、神戏、湖戏、谱戏、灯戏多半请汉河派演出。汉河派艺人不少走出湖北，前往京师搭徽班演出，如米应先、谭志道等，徽汉合流，为京剧的诞生准备了条件。

---

① 刘小中实地考察汉剧传播源流，有此一说。

② 严长明：《秦云撷英小谱》，傅谨：《京剧历史文献汇编·清代卷》一，南京：凤凰出版社，2011年，第10页。

③ 叶调元著，徐明庭、马昌松校注：《汉口竹枝词校注》，第142页。

楚调依傍水路而兴，顺着长江、汉水的商贸风帆欢歌而去，最终将戏路绵传至辽远之境。汉口是各路商贾贸易之地，也是各路楚曲汇集之所，商帮在汉口修庙宇、建会馆、立公所，在商洽生意、酬神祭祖之际，楚曲上台助兴，娱人耳目。楚曲艺人自各地依水路，循商路，扩展着戏路。荆州沙市的余洪元、余洪奎，通山的朱洪寿，府河的吕平旺，黄陂的刘炳南……来到汉口搭班唱戏，楚调最终在此地成熟。1912 年，扬铎撰写《汉剧丛谈》，将以汉口为中心流行的“楚调”定名为“汉剧”，为同行认可，名字沿用至今。

独特的声腔是地方戏的重要特征，“皮黄调”是汉剧的别名，西皮二黄调是汉剧的主要声腔。竹枝词中记载：“曲中反调最凄凉，急是西皮缓二黄，倒板高提平板下，音须圆亮气须长。”[①] 西皮腔特点是“高而急”，二黄则缠绵沉稳。

据扬铎和欧阳予倩考证，西皮脱胎于西北的秦腔，传至襄阳而变成襄阳腔，再变成西皮。二黄的产地则说法不一，有说是宜黄腔的音讹，有说是产自湖北黄冈、黄陂，也有说是“二黄”的变异，为源自安徽的土调。但西皮、二黄经由湖北艺人加工创造而成为汉剧的唱腔，则无异议。

汉剧的声腔多少是在融合各地声腔基础上形成，它随着汉剧艺人进京搭徽班唱戏，为京剧产生作出了不小的贡献。1790 年，乾隆朝四大徽班进京，改变了昆班独霸剧坛的局面，到了“嘉庆以还，梨园子弟多皖人，吴儿渐少”[②]。楚伶携汉调入京，搭班唱戏，皮黄调丰富了徽班的声腔，并最终在京剧声腔中，留下汉调的印记。

汉调的板腔体突破了昆腔曲牌体的限制，以上下对句的形式，多变的节奏，灵活的结构，使剧情铺叙、情绪表达更为便捷、充分，最终形成了京剧“郢曲声声妙，燕言字字清”的汉调京白特点。汉调也受到昆

① 叶调元著，徐明庭、马昌松校注：《汉口竹枝词校注》，第 144 页。

② 蕊珠旧史：《长安看花记》，张次溪：《清代燕都梨园史料》（上），第 8 页。

腔的影响，据统计，《汉剧曲牌》中，搜集整理汉剧曲牌144支，昆腔同名曲牌占三分之一以上。

汉剧主奏乐器最初是笛子，“月琴弦子与胡琴，三样和成绝妙音”[①]，汉剧伴奏乐器不断添加新品。汉剧艺人对胡琴巧加利用，加入皮黄伴奏之中，再经加工改造，形成了京剧的主奏乐器京胡。

《扬州画舫录》中，对元院本脚色有详细介绍，副末开场，以下有老生、正生、老外、大面、二面、三面；老旦、正旦、小旦、贴旦；打诨（杂），这是江湖十二脚色。汉剧对此进行调整，有十大行当之说，曰：一末（老生），二净（大面），三生（正生），四旦（正旦），五丑（三面），六外（老外），七小（小生），八贴（小旦），九夫（老旦），十杂（二面）。十“杂”与院本脚色之“杂”不一样，杂实即副，俗称二花脸，也就是明传奇中的副净，[②]也就是二面。这比其他剧种生、旦、净、末、丑五大类完备，规制谨严。

脚色之中，汉调最重老生、花脸，一扫雅部的昆班、花部的秦腔、徽班中以旦角为主的局面，以老生为主的剧目多了起来。

相比而言，汉剧剧目相当丰富，素有“八百出”之称。题材以历史和民间传说为主，历史剧在其中占有绝大比重，内容涵盖从东周列国，到先秦两汉魏晋南北朝，直到隋唐五代宋元明清，几乎是一部简约的中国通史。正所谓汉剧只有“三本半戏”，即封神列国一本，秦汉三国一本，唐宋元明清一本，野史外传半本。鄂西北郧阳地区清末当地民谚有“常居二簧万字班，胜过一朝太史官”[③]，足见历史剧在汉剧剧目中的分量。

东周列国故事有《鱼藏剑》《临潼斗宝》，其事见于《史记》。以刘秀、姚期为主角的《上天台》，事无可考，人为东汉人物。《英雄志》

① 叶调元著，徐明庭、马昌松校注：《汉口竹枝词校注》，第143页。

② 周贻白：《中国戏剧史长编》，上海：上海书店出版社，2007年，第532页。

③ 《谚语·口诀·行话·楹联》，《中国戏曲志》编辑委员会、《中国戏曲志·湖北卷》编辑委员会：《中国戏曲志·湖北卷》，北京：中国ISBN中心，1993年，第509页。

《祭风台》《辕门射戟》《曹公赐马》《东吴招亲》是三国故事，人名见于《三国志》。《新词临潼山》《李密降唐》是隋唐故事，人物见于新旧唐书。《闹金阶》《杀四门》《洪羊洞》《杨四郎探母》《杨令婆辞朝》是宋代故事。这些剧目中的历史人物有伍子胥、刘秀、诸葛亮、曹操、关羽、李渊、李世民、李密、王伯当、赵匡胤、高怀德、杨家诸将、包拯。三国、说唐、杨家将是汉剧津津乐道的英雄故事。其中三国戏最为突出，从桃园结义到三国归晋，大小剧目计有一百多出，占汉剧剧目的八分之一。

这些剧目来源很杂，有的根据杂剧、讲史小说、传奇改编而来，也有的是对昆曲的直接继承。随着汉剧楚伶进京加入徽班，汉剧剧目又直接为京剧承袭、借用。对照李世忠《梨园集成》《车王府曲本》《戏考》等京剧与 29 种《楚曲》同名剧目，其中《鱼藏剑》《祭风台》《打金镯》《新词临潼山》《大审玉春堂》等，除少数场次有所调整外，在剧作结构、人物、情节、唱词等方面几乎全部沿袭的是楚曲。①

相较于传奇中的“十部九相思”的言情戏，和以小人物为主题的地方小戏，汉剧注重历史题材，遂登大雅之台，作为大戏，在庆典、节日和庄重场合中演出。唱堂会中，必有加演的汉剧饶头戏，常演的有《跳加官》《扫台》《福禄寿》《万寿无疆》等吉祥节目，目的在于接福讨赏，表晋吉兆。这并非汉剧独创，而是有清一朝，无论官民演剧都采用的套路。不过，其他的花部小戏，则不能有此殊荣，汉剧独得其厚，历史剧目丰富是关键原因。这个特征也替花部诸戏扫去了“怪诞悖乱之事”“淫亵怪诞，最为风俗人心之害”的污名。

汉剧艺人的来源途径较多，科班是其主要的正途。汉剧较早的科班有天、双、喜三届，如老天字科培养了一末任天泉、五丑汪天中等名角，老喜字科如六外陈旺喜、七小黄双喜。辛亥革命后，陈国新等在汉

① 丘慧莹：《清代楚曲剧本及其与京剧关系之研究》，中国台湾高雄师范大学 2005 年博士学位论文，第 26 页。

口满春茶园创办了天、春、长、顺四届科班，每班六七十人左右，培养了吴天保、周天栋、余春衡、王长顺、刘顺娥等名角。

汉剧班社向无女艺人。1927 年，汉剧打破陈规，吸收女艺人参演，武汉第一个汉剧女艺人是叶慧珊，艺名七龄童。此后，八大家汉剧坤伶竞相在汉口登台献艺。到 1928 年，黄双喜、陈月仙、潘云山等在汉口新舞台举办训幼女学社，即新化女科班，在汉口市教育局备案，招收学员 50 名，专以培养汉剧女艺人为职志，以刘本玉为饱记先生。出科艺人都以新化二字冠名，出科名人有陈伯华（艺名新化钗）、黄化龙（新化龙）、童金钟（新化觉）等。

艺人出科后，要加入班社演出。汉剧最初的戏班为草台班，又称江湖戏班、乡班、水陆班子，主要是由乡村宗族组织，搭成二三十人的班子，“十八人演全套”“三十四人闯江湖”。根据不同目的，应邀演出不同类型的戏剧，如庆祝诸神生日的神戏、许神还愿的愿戏、为宗族修谱的谱戏、为活人做寿和扫坟祭祖的寿戏、靠赌博抽头给戏价的赌戏，以及每月唱的会戏等等。

随着汉剧进城之后，汉口戏子街（今人和街）成立楚班公所，成为湖北各地汉剧艺人集议、交流的活动场所。虽经太平天国和辛亥之役的两次火毁，旋即修复。公所供奉老郎神主，究竟是谁，说法不一，有说是唐玄宗李隆基，有说是后唐庄宗李克用，也有说是优孟。汉剧早期著名班社福兴班，又称福星班，原设于楚班公所，小生杨福庆主持，一末任天全、五丑汪天中担任管事。各地来汉的汉剧艺人，一般都要到福兴班挂号。福兴班名角齐全，每天都有几场会馆的会戏。在戏园兴起之前，福兴班极有声势。

由于汉口有实力的茶园渐次约请汉班艺人驻场唱戏，福兴班组织无形瓦解。1901 年，徽商创办于汉口花楼街笃安里的天一茶园，首创京汉合演之例，京剧名角汪笑侬、吕月樵等，汉剧名角余洪元、汪天中、李彩云、陈旺喜等同台演出，汉剧登上了汉口茶园舞台。不到两年，茶园不慎烧毁，再未恢复。药店老板刘子陶，长于文学，嗜好汉剧，独资创办满春茶园，专演汉剧。其演出阵容相当齐整，据扬铎回忆，一末是余洪元、蔡炳南；二净是连春元、余洪奎；三生是张花子、吴宗保；四旦是李彩云、王云凤；五丑是汪天中、詹蛇蚤；六外是陈旺喜；七小是刘正文；八贴赛黄陂；九夫刘子林；十杂张天喜等。[①]此后，茶园、戏园层出不穷，有贤乐茶园、怡园、新舞台、荣华茶园。辛亥革命后，有新民茶园、立大舞台、长乐茶园、丹桂第一台、美成茶园、天声茶园等。

为加强汉剧艺人的凝聚力，傅心一倡议成立汉剧同业组织，余洪元、钱文奎、李彩云、陈旺喜、陈国新等人赞同。拟依托原楚班公所旧址建立汉剧公会，扬铎起草章程，以"提高人格，改良习惯"为宗旨，加强汉剧艺人间的联系，协调艺人间搭班唱戏，共同祭祀老郎神。1920年，汉剧的艺人组织——汉剧公会正式成立。

1926年，北伐节节胜利之际，傅心一倡导成立湖北剧学总会，得到王梦生、朱双云等人的赞同。他们认为"戏剧本含有通俗教育之性质，无如世风浇漓，戏剧为迎合心理，违背原旨，遂发生种种之怪象"，为此必须"改良戏剧，提高人格"，"组织戏剧大联合"。[②]10月，湖北剧学总会成立，并在教育部备案。总会包括汉剧公会、汉剧学会（业余）、楚剧进化社、京剧公会、新剧公会、影剧宣传社、杂剧（曲艺）公会、剧场业公会等八个团体。选举傅心一为主席，朱双云、章再鸣、王梦生、邓天澜、樊笑天、欧阳蟾园、王若愚等为执行委员会委员，邓天澜兼秘书。总会组织文艺活动庆祝北伐攻克武汉，援助上海工人起义及慰劳北伐军伤员举行义演，审查改编剧本，支持女演员登台演出，协调戏园与艺人之间的经济纠纷，争取艺人权益等。后因经费困难，总会自行解散。1931年武汉发生大水，汉剧艺人流落他乡。水退回汉，十多家汉剧剧班只剩半数。日军侵华对汉剧发展破坏较大，抗战爆发后，汉剧十

① 扬铎著、扬宗珙整理：《汉剧在武汉六十年》，《武汉文史文丛》第一辑，北京：中国档案出版社，2001年，第18页。

② 朱伟明、陈志勇：《汉剧研究资料汇编（1922—1949）》，武汉：武汉出版社，2012年，第39页。

班辗转流离，胜利后回汉，只组成四班，人员不足两百，行当亦不齐全。

除专业演出的汉剧班社外，汉剧还有票友组织，如汉口基督教青年会由扬铎主持的青年剧社，原唱京剧，后改唱汉剧。大革命后汉剧票友成立了怡怡业余汉剧社。这说明汉剧在武汉的受欢迎程度。

汉剧的繁荣少不了名角的弘盛。第一个不能不说票友出身的“汉剧泰斗”余洪元（图 4—1）。余洪元（1876—1937），又叫经庸，号丹圃，咸宁孙家畈人。余自幼痴迷汉戏，常随民间艺人赶庙会。不化妆，不走台，唱“围鼓”，有时在田头击板唱曲。其妻以为有辱门楣，极力反对，余遂离家。早年曾拜汉剧一末胡双喜为师，去汉口搭福兴班，在潮嘉会馆首次登台，唱《沙滩会》《大五台》，后在天一茶园再次登台，崭露头角。1901 年天一茶园开京汉合演先例，余与京戏汪笑侬同台，受益颇多。《大汉报》主笔胡石庵对余的念白台词益多指教。余字正腔圆，无倒字，无别字。1916 年，领衔赴京义演助赈，在汉剧《群英会》中扮演诸葛亮，谭鑫培、梅兰芳誉之为“活孔明”。1920 年，汉剧公会成立，被推任为首任会长。余洪元还率大汉班于 1916 年、1926 年两次到上海，1921 年北上京城献艺，赢得一片赞誉，使汉剧出现了以末角领班、各行竞技、名角如云的局面。

图 4—1　余洪元

汉剧十角，素以重唱的三生为首。一末重衰、重念、重做，不重唱，自余洪元出，除保持汉剧一末传统外，开创性地发展了一末的唱功，将汉剧末角艺术推向高峰，一举夺占了三生首席。余糅合荆河与汉河二派，学习生、旦、末的板、眼与行腔，独创出深沉苍劲的余派唱腔，黎元洪曾赠之以“慷慨悲歌”之匾，很能见其特色。余能结合情境修改唱词、设计唱腔。《李陵碑》中杨继业唱道：“兵不到，子不归，好似箭穿心。”余改为“望兵兵又不到，望子子又不归，好一似狼牙箭穿之在我的心”。添字造腔，增其绵长不尽的悲怆之感，别有韵味。而仪式感很强的汉剧开锣戏《兴汉图》，经余洪元加工，成为唱做俱佳的精品。余洪元恃才自负，不肯收徒，身故后，余派唱腔竟成绝响。

八贴牡丹花原名董瑶阶（图4—2），1888年生于沔阳（今仙桃）新里仁口。家境贫寒，7岁学唱花鼓、汉剧，习花衫。18岁与汪天中合演《过关》，百代公司为之录音灌片。1929年，以汉剧十大名角之一赴上海献艺，大受欢迎。董瑶阶表演独出心裁，扮相嗓音出众，被武汉民众誉为“花衫状元”。

图4—2　董瑶阶

其艺术造诣得益于对生活的体验，他以“街头巷尾妇女，村头溪边小姑为师”，博采众长。对所演角色悉心揣摩，把握人物个性。他初演娃娃旦，后演风骚旦，对《坐楼杀惜》之阎惜姣、《挑帘裁衣》之潘金莲、《翠屏山》之潘巧云，按其出身不同——阎是娼妓，潘金莲是丫鬟，潘巧云是寡妇，表演各有分寸，拿捏十分到位，刻画细致入微。不仅如此，他对剧目进行创造性的改造。如《打花鼓》原本是主旨不明的玩笑戏，经其改成卖艺夫妇巧戏曹相公，表现对封建势力的嘲讽。田汉评论:《打花鼓》经董瑶阶、李春森两位一演，全国闻名。《老背少》原名《哑夫背妻》，是沔阳庙会上的传统剧目，一人兼扮男女二角，董增加情节，变一人唱为旦、末兼唱，别开生面，效果突出。1952 年，董去世。小牡丹花（陈伯华）为其义女，承其衣钵。

争取汉剧艺人的地位和权益，倡导汉剧表演新风，提携培养汉剧新人，不能忘记傅心一（图 4—3）。傅心一（1888—1958），艺名小（筱）玉堂，天门岳口人。他出身梨园世家，其父习汉剧三生，后改九夫、一末。1904 年到汉口满春茶园演唱，拿手戏有《挑袍》《荥阳城》《四郎探母》《磐河桥》，兼司鼓操琴。1908 年曾入博学书院附属实学学校读书，学习英文和汉语，成为当时屈指可数的有文化有新思想的汉剧演员。加之他善辞令，广交游，急人所困，被汉剧同行称为老板、挡首、傅先生。

辛亥革命前夕，曾任满春戏院经理，后投新军，以唱戏鼓吹革命，还冒险救护过新军革命党人聂豫。新戏艺术家刘艺舟来汉，傅心一与其合作，参与演出《新华宫》《石达开》等新剧，讽刺时政。1915 年提议修缮楚班公所，后改名汉剧公会会馆。五四时期，曾聘欧阳予倩、梅兰芳、程砚秋、马连良、周信芳和新剧演员顾无为、蒋岩石、张竹泪等来汉公演，促进各剧种间交流。汉剧公会成立，他担任干事长。

图 4—3　傅心一

汉剧坤伶登台得其臂助。1923 年傅收汉剧第一个女演员七龄童（叶慧珊）为徒弟，助其到汉口天声舞台演出。1928 年，倡议开办汉剧首届女科班——新化班，陈伯华等优秀女演员出自该科。1930 年，带领以坤角为主的汉剧戏班赴川演出，推动了汉剧的发展。

他关心国家大事，组织汉剧团体参加公益活动和大革命、抗敌宣传活动。撰有《关于汉剧班社请台、戏箱和戏台制度》，录制唱片有《挑袍》等。

汉剧开宗立派的大师，紧承余洪元之后者是吴天保（图 4—4）。吴天保（1903—1967），汉阳索河人。喜到茶馆听汉戏。1915 年私自跑到汉口，投考汉口天字科班，习三生，艺名小天保。因乡音太重，唱念之中很是吃力，学戏较慢，有“木头人”之讥，然而吴专心致志，以勤补拙。1919 年出师，在满春舞台首演《文昭关》，一举成名。在三生表演艺术上唱、做并重，唱腔上吸取京剧之长，并融会汉剧生、末、净、旦的优点，独创吴派唱腔，蜚声汉上，有“汉剧大王”之称。

图 4—4　吴天保剧照

吴擅演失意英雄、末路王孙。《哭祖庙》是吴天保的代表作，极能体现吴派艺术特色。吴演唱此剧数十年，精心设计唱腔和表演，上演时改变重唱不重舞的旧习，加强表演的身段，板式布局更加合理，旋律优美，唱腔悲壮激越，将刘谌的绝望之情表现得真挚动人。本剧曾在抗战时的陪都重庆上演，使这部传统戏有了针砭时弊、痛斥投降的时代感，大受欢迎。后来摄成影片，辑录入艺术纪录片《留住汉宫春》中。

1926 年，吴天保继余洪元任汉口汉剧公会会长。他革新艺术形式，推动汉剧演出连台本戏，讲究故事性、完整性、观赏性，大胆运用灯光布景。1933 年在长乐剧院首演大型连台本戏《薛仁贵征东》，开创汉剧连台本戏之先例。董必武对汉剧表演艺术题诗赞曰：“尊重吴陈（吴天保、陈伯华）派，宏传江汉声。”

陈伯华（图 4—5）是承继吴天保弘传汉剧的创派代表人。陈伯华

1919 年生于武汉，祖籍汉阳。1928 年进入汉剧训幼女学社（新化班）学戏，学演花旦、青衣，取艺名新化钗。后拜牡丹花董瑶阶为师，又有小（筱）牡丹花之称。1930 年出科后，先后在武汉乃园、共和等剧院演出，是汉剧青衣“陈派”创始人。1934 年，刘艺舟编剧创作《霸王别姬》《风尘三侠》，以筱牡丹花的艺名主演，轰动汉上。此后因嫁为人妇，退隐舞台 16 年。中华人民共和国成立后，重新登台演出，其拿手戏《宇宙锋》《二度梅》《秦香莲》《柜中缘》，代表了其艺术表演的成就。

图 4—5　陈伯华剧照

汉剧名角还有“青衣大王”李彩云，监利杨林关人。出自荆门石牌科班，习四旦，李敢于创新，唱腔、舞蹈、化妆均有特色，《汉伶杂谈》称其“咬字行腔均为上乘”。能戏甚多，同行目为“饱记”。其女弟子万仙霞（本名钱华），早年以演《宇宙锋》《贵妃醉酒》《斩窦娥》等戏剧蜚声艺坛。其表演朴实自然，善于表现人物内心世界，敢于创新。为许多汉剧传统剧目设计上百段唱腔，汉剧界誉为“钱派唱腔”。

汉剧发展史上还有不少名家、名角。有多次主办科班传授技艺的舒二喜，共举办寿、正、才、梁等12期，名优辈出。二净朱洪寿擅演《定军山》《小五台》《二进宫》《斩雄信》等，时人誉为“二净中之一代宗师”。武丑李春俵以气功硬功闻名，拿手戏有《盗甲》《盗杯》《盗鸡》，为汉剧府河派五虎将之一的铁老虎。名丑大和尚（本名李春森）擅长剧目有《打花鼓》《审陶大》《活捉三郎》。“红生大王”陈春芳擅演《水擒庞德》《古城会》《白马坡》《临江会》《挑袍》《盘貂》等。还有外角演员翟双平。汉剧坤角中主演《翠屏山》的叶慧珊被称为汉剧第一位女演员。文武花旦花牡丹则被视为“第一批女演员中的榜眼花旦”。

二、京剧

京剧是戏剧交流的产物，它吸收了汉剧、昆曲、梆子等各剧种的养分。其中汉剧对京剧的定型和发展起了至关重要的作用，在唱腔、剧目、演员等方面，贡献尤多。

京汉同源，主要是从声腔上说明京剧与汉剧的渊源关系，皮黄唱腔为汉剧独有，后为京剧所采用。汉剧剧目众多，为京剧改编、移植剧本提供了丰厚的基础，如《贵妃醉酒》《四郎探母》等剧目。京剧与汉剧采用极为相似的场次安排、矛盾设置和音乐运用，此外汉剧中不少的字韵也为京剧所吸收。作为一种艺术表演形式，演员是声腔、字韵、剧本的最重要载体，近代湖北籍的演员在京剧名角中占有极为重要的席位，谭鑫培是代表性人物，透视其经历，可以看出汉剧对京剧的深刻影响。

湖北籍的京剧名角最负盛名的首推谭鑫培（图4—6），他从湖北出发，唱到京城，其艺术造诣为祖籍故乡增色不少。

图 4—6 谭鑫培《定军山》剧照

谭鑫培（1844—1917），湖北江夏（今武汉市江夏区）人。父志道，唱汉班出身，嗓音高亢，有“叫天子”之称。谭鑫培年幼习艺，因避太平天国战乱，随父到天津一带唱戏。11岁，入金奎科班，习文武昆乱。出科登台，艺名“小叫天”，充下手，唱武生。中途倒嗓，至京郊演出野台戏，难以糊口。至丰润，替人看家护院。嗓音复原后，入京搭三庆班演武生、武丑。班主程长庚指导挂须习老生，技艺精进。后赴沪半载，无所声名，再回三庆班。后改搭四喜班，与孙菊仙每日轮唱大轴；又与余岫云合组胜春班，渐渐以须生享誉京城。光绪十年（1884）再赴沪，演出两月。光绪十三年（1887），同周春奎、王八十等组织同春班。光绪十六年（1890），与老旦孙秀华、正旦陈德霖、小丑罗寿山等选入宫廷演剧，受西太后赏识。光绪二十七年（1901），赴上海，与孙菊仙同时演出，被称为“南孙北谭”。光绪三十一年（1905），应北京丰泰照相馆之请，饰演《定军山》中黄忠，片长三本，为我国自行摄制的第一部舞台纪录片。辛亥革命前后第四、五次赴沪，海报称为“伶界大王”。后至富连成科班教授子弟。早年门生有老伶工王月芳，晚年有余叔岩。五子嘉宾，艺名小培，亦习老生，与子富英继其业。谭生平擅长剧目300余出，最著名者有《空城计》《定军山》《四郎探母》《问樵闹府》《战太平》《李陵碑》《文昭关》《捉放曹》《洪羊洞》《珠帘寨》等20余种。

谭鑫培对京剧的重大贡献体现在其文武兼擅，集皮黄老生之大成，唱念做打融合无间。与孙菊仙、汪桂芬合称老生“新三杰”，享誉30年不衰。

在唱腔上，谭取程长庚、余三胜之长，创悠扬婉转、略带感伤的唱腔，是为“谭派”。演唱含蓄蕴藉、沉郁顿挫，行腔别有韵味。其唱腔与须生角色浑然天成，用在浪漫、多情、哀婉的小生和旦角身上未必合适，用于具有丰富人生经历的老生，其阳刚之气，苍凉悬挚，尤其是演失败英雄，末路王孙，其无奈和荒凉之感尤其动人。以此，谭鑫培饰演《碰碑》中的杨令公、《卖马》的秦琼、《洪羊洞》中的杨六郎，将角色人生中最黯淡的时刻展示得光彩耀眼。其唱腔与时代相应，时又值晚清末年，就成了狄楚青《庚子即事》中的“家国兴亡谁管得，满城争说叫天儿”。程长庚尝对人言：“吾死，鑫培必享名，惜音甘且偏柔靡，非盛世音也。”[①] 日本学者波多野乾一有持平之论，他认为“关于谭之声调，其批评者，不啻汗牛充栋”，“许多批评家以程长庚、汪桂芬、孙菊仙为兴国之音，谭为亡国之音。虽不无多少理由，别具见解。然对谭则稍有不胜惋惜之感。以余观之，谭之技巧，为古今第一人”。[②] 谭的声腔确实

① 湖北省地方志编纂委员会：《湖北省志人物志稿》第1卷，第941页。

② 波多野乾一：《伶界大王谭鑫培》，《京剧二百年之历史》，上海：上海科学技术文献出版社，2019年，第38页。

是取人之所长，补己之所短，形成其独特的谭派唱腔，实不宜苛责之。

谭以武生出道，又曾多次拜武师习艺，为其后将武功融于表演之中，打下基础。其开蒙戏有《夜奔》《探庄》《蜈蚣岭》《打店》等剧。他还将武术中的六合刀法用于《翠屏山》，入宫演此戏，得慈禧喜爱，赐名"单刀叫天"。谭擅长将老生戏、武戏的技法融于文戏的表演当中，给文戏注入一种武戏的精神和气势，兼具意韵、神形之美。如《挑滑车》一剧，在"闹帐""观阵"场中，运用眼神、身段、唱念和表情，将高宠孤傲的性格、求战心切、跃跃欲试的神态诠释得惟妙惟肖。沈容圃在名画《同光十三绝》中，谭独以武生位居十三名伶之列。

谭鑫培的表演深得帝王青睐，受慈禧太后的眷顾，获得"内廷供奉"的桂冠，入值昇平署。赏金不在考虑，其殊荣为艺人看重。慈禧欣赏谭鑫培，上有所好下必甚焉，推动了京剧在社会的传播，提升了京剧艺人的社会地位，也带来京剧班社的组织结构变化。以往班社采用脚色制，不论工于哪门脚色，不论名气，地位是对等互补的。名角制则强调名角在班社中的地位、作用。以光绪十三年（1887）谭鑫培等人组织同春班为标志，传统班社的脚色制开始向名角制转变，这是京剧班社中特有的现象。名角制是一把双刃剑，它既产生了明星效应，同时也让京剧的发展偏离了方向，班社在剧目上演、角色安排，甚至唱词的分量上都有所轻重，甚至走向卖弄技巧的末流。

然以谭鑫培的艺术造诣，在京剧一门中，其地位、影响是无可替代的，1914 年正月，梁启超曾赋七律赠谭。其一曰：

> 四海一人谭鑫培，声名卅纪轰如雷。
> 如今老矣偶玩世，尚有俊响吹梁埃。
> 菰雨芦风晚来急，五湖深处寄烟笠。

何限人间买丝人，枉向场中费歌泣。[1]

京剧名角还有祖籍汉川城关的汪桂芬，他出身梨园世家。其父汪连宝是清道光、咸丰年间春台班武生。七八岁时汪桂芬父母双亡，他到春茂堂习艺，习老生、老旦。其天分极高，十一二岁就能上台，演老生、老旦的重头戏。中途曾因倒嗓，随琴师景泰习操琴，自此多年为程长庚伴奏，耳濡目染，竟然暗中习得程派唱腔之神韵，一次，程长庚演《天水关》上台之前突然病倒，汪桂芬自告奋勇上台，一句“代理山河掌丝纶，运筹帷幄”就获得满堂彩。汪桂芬在宗程派之中，自成“汪派”风格，其嗓音高亢浑厚，善运丹田气，巧发脑后音，唱则响遏行云，念则吐字清晰，发音饱满，韵味十足。其腔激昂雄浑，慷慨悲壮，如《文昭关》里的伍子胥和《骂曹》里的祢衡。他与谭鑫培、孙菊仙并称为老生“后三杰”。汪桂芬代表作有《长亭会》《文昭关》《战长沙》《让成都》《华容道》《捉放曹》《群英会》等。汪桂芬个性耿介，负气任性，或不守信用，临场逃遁辍唱，或不守合同，改唱他园，在上海屡上公堂，输了官司。最后生活困窘，贫病之中，英年而逝。

湖北本地京剧最初有徽班在汉口演出，京剧在京城唱响之后，在20世纪初返回湖北，带动湖北京剧的发展。民初以后来汉的名角不少，如孙菊仙、陈德霖、杨小楼、梅兰芳、程砚秋、盖叫天、余振庭、龚云甫、余叔岩、王凤卿、马连良、芙蓉草等。自上海来武汉的则有刘永春、王洪寿、汪笑侬、吕月樵、麒麟童、七盏灯等。

汉口的茶园、戏园是湖北京剧成长的摇篮。汉口醉乐茶园有五月鲜、刘茂林、邱玉成、张胜奎等合伙“一锅熬”唱京剧。丹桂茶园、贤乐茶园紧随其后。天一茶园开京汉同台演出先河，汉剧余洪元、赛黄陂、何彩凤等和京剧刘永春、汪笑侬等同台献艺，促进了艺人之间的

① 梁启超：《谭伶自绣像作渔翁乞题》，《梁启超全集》九，北京：北京出版社，1999年，第5472页。

交流，汪笑侬从余洪元学习汉剧《刀劈三关》，余洪元汲取汪笑侬京剧《哭祖庙》的经验。何继成在三元殿组建满春茶园，先后请来京剧名角夏月润、夏月珊兄弟，余叔岩、小保成等，最后通过余叔岩请来谭鑫培唱《汾河湾》，一时将湖北京剧推向鼎盛。华俄道胜银行买办江寿春在老特一区创设群仙茶园，邀请上海京剧艺人林黛玉、王克琴等演出，班底全为女角，开创京剧女演员在武汉演出的先声。受此影响，咏霓茶园、怡园都以女角唱京剧，获利丰厚。有诗描述当时怡园的盛况，“残钟隐隐夜风熏，灯月乾坤莫辨分，最是怡园京戏好，歌声冲破九天云”[①]。

1926 年，新戏艺人刘艺舟在汉口新市场组团，京剧女演员赵昆甫、陈佩卿等加入，这是武汉京剧男女合演的先例。当时欧阳予倩来汉义演，演旦角，与他配戏的都是女角。赵子安主持汉口大舞台，请京剧艺术大师梅兰芳首次来汉演出，同来的有王凤卿、朱素云、姜妙香、李寿山、姚玉英等。不久，余叔岩来到汉口大舞台，唱了九回八本《雁门关》。汉口新市场从上海请来陈筱穆、良艳芳、张月亭等外江名伶。

全面抗战前夕，武汉逐渐成为文化中心，汉口新市场大舞台登台不少京剧名伶。梅兰芳同谭富英、金少山在此演出京剧《廉锦枫》《四郎探母》《凤还巢》《法门寺》《宇宙锋》《霸王别姬》。马连良、李万春、周信芳等应聘来此演出。京剧红生林树森演出过《关公走麦城》。武汉沦陷期间，和记大舞台、天声大舞台有徐鸿培和汪梦兰改编的《鬼断家私》，刘五立和小奎官演出《林冲夜奔》《宁武关》《济公传》等，但生意清淡。后从上海请来麒派文武老生王椿柏、武生白云亭、武旦马金鸿等，王椿柏主演《追韩信》《斩金堂》《打严嵩》等剧，同时还请来了京朝派老生王鸿福、花旦姜云霞等演出《失空斩》《四郎探母》和他们最拿手的《胡迪骂阎罗》等戏，颇受欢迎。

① 闵惠明：《汉口元夜竹枝词》，丘良任、潘超、孙忠铨等编：《中华竹枝词全编》（五），北京：北京出版社，2007 年，第 519 页。

抗战后武汉有名的京剧剧院有新记大舞台、民众乐园大舞台、天声舞台等。

第二节 地方戏

小生、小旦、小丑三种脚色能演一台戏，戏里唱的是邻里琐事，男女恋情，一般不登大雅之堂，被目为三小戏。湖北地方戏中许多是从三小戏演变而来，其后不断壮大。其中影响较大的是定名为楚剧的黄孝花鼓戏，发源于鄂东南的黄梅戏以及荆州花鼓戏。

一、楚剧

楚剧是地方花鼓戏的一种，起源于湖北黄陂、孝感一带，通常在农村元宵节玩灯时演唱，俗称灯戏，又称黄孝花鼓戏、西路花鼓戏。以当地的小调，唱些农村的家长里短、儿女情长的故事，讲些民间普遍接受的传统道德准则，加上一些诙谐讽喻的表演，深受老百姓喜爱。这是一种具有平民化、乡土性、生活化的地方剧种。早期不成班子，多为农民、手工业者自娱自乐。后来有农闲时演出的麦黄班，渐渐出现了常年演出的四季班。

沿着水路、商路，在人口密集、商业贸易繁华的集镇里，黄孝花鼓戏有了专业化的戏班子，开始从自娱谢神向卖艺谋生转化。较早的戏班据说是在黄陂的彭家冲和横店，紧靠大都市汉口，戏路沿着商路延伸。“土荡约看花鼓戏”，汉口的土荡成了看花鼓戏的好去处，这里是水码头，汇集了各地来汉口讨生活的商帮，打铜、打铁的，挑脚、马车夫，提篮小卖、洗衣补衣的，是听花鼓戏的基本群众。[①]

花鼓戏历来为官府查禁，不能进城，一经发现，会立即派员拿获，然而汉口租界是法外之地。1902年，魏报应、黄子云聘请沙口戏班，组

① 叶调元著，徐明庭、马昌松校注：《汉口竹枝词校注》，第150页。

成同庆班，向德国租界当局申领清正茶园兼唱花鼓戏的营业执照，叫“挂洋旗领照会”。茶园不卖戏票，只收茶钱，艺人则自茶水费中提成。这种经营方式很受欢迎，生意极好，每夜满场，可卖300壶左右。各租界的茶园争相效尤，开唱黄孝花鼓戏，最盛时有17家之多。

黄孝花鼓戏影响日著，一些精明的茶园老板开始将茶园改为戏院，修建舞台，将八仙茶桌改成面向舞台的长条桌，进园买戏票。1912年，在租界经营东华园浴池的宁波商人郑善生看到商机，不顾政府禁令，邀朱福全、严少卿、江秋屏等组建戏班驻园常年演出，将浴池楼上改建为演出场所，取名共和升平楼，这是汉口第一家戏院。1914年，位于车站路的玉壶春茶园改成戏园子，前台经理是李保记，后台领班是李百川，有演员孙文芳、章炳炎。玉壶春后改为春仙，不久改名为天仙。1915年，徐鑫培、黄汉翔、余文君等，又在法租界天声舞台组成以花鼓戏艺人为主的班底唱戏。一时在汉口形成楚剧戏园三足鼎立的局面。三家争聘名角，改革音乐、舞台布景、化妆，编排本子戏、移植戏，花鼓戏在汉口租界一隅竟大放异彩。

黄孝花鼓戏实现了从乡村到城市，从自娱到营业的重大转变，而它的定名定型，从松散到有组织，则与政府管控关系密切。

花鼓戏最初只能在夜半三更开演，在法外之地租界登台，官府查禁造成的这一局面，与花鼓戏的剧目和内容大有关系。当时下层百姓的娱乐手段极其有限，花鼓戏有相当部分的剧目迎合低级趣味，在演出形式、表现内容上确有弊病。“上自天、沔、京、潜一带，下迄黄孝以及黄州等处，每届新年藉酬神演唱花鼓，甚至组织临时赌场，一般男女趁此闲月，如醉如狂，伤风败俗已达穷极。行政官屡次示禁，直如具文，加以少数劣绅把持其间，致一切效力具失。”[①] 有些剧目如《晒罗裙》《刁刘氏》等，宣扬封建迷信，有违公序良俗。这正是清代和民初官府查禁，花鼓戏迟迟不能进城，难登大雅之台的根结所在。

① 《汉口大中华日报》1917年1月5日。

席卷中国的大革命风潮，改变了这种局面。1926年，北伐军克复武汉，各行各业兴起工会组织，黄孝花鼓戏艺人申请成立工会，汉口市总工会定名为“花业工会”，不为艺人接受，根据陶古鹏的建议，取名“湖北进化社”。9月10日，湖北戏曲界筹备成立“湖北剧学总会”，花鼓戏的同业工会“湖北进化社”更名为“楚剧进化社”。楚剧进化社没有选择在汉口市总工会备案，而是在汉口市教育局备案。教育局以李少仁为楚剧进化社指导员，楚剧同行又选举了章炳炎（兼审查组组长）、王若愚（兼对外交际组组长）、李百川（兼组织组组长）、陶古鹏（兼财政组组长）、徐鑫培（兼出版组组长）、黄汉翔（兼宣传组组长）、夏金堂、陈月仙、段殿坤九人为委员，朱福全为委员长。设会址于汉口俊杰里二号楼，建立与地方教育当局的桥梁，维护楚剧艺人的权益。1927年2月2日，受中央人民俱乐部主任李之龙的支持，以公开招标的方式，陶古鹏率楚剧天仙班凭借每月1 200元包银中标，应聘中央人民俱乐部（血花世界）公演。在李之龙大力支持下，楚剧走出租界，打破长久以来官府对楚剧的禁锢，取得在汉口本地街公演的合法地位。

然而事有反复，大革命失败后，楚剧没能合法留在血花世界，又退出本地街，回到租界。李百川、章炳炎、沈云陔回天仙戏园，余文君等回天声舞台。不仅如此，社会掀起了取缔花鼓戏的舆论。南京国民政府改变前清以来的严行禁止政策，实行加强管理的新办法。汉口市政府成立了戏剧审查委员会，对戏剧艺人进行登记注册，审查演戏资格，组织成立戏剧演员培训班，受训合格后颁发毕业证。对上演剧目和戏院演剧资格均进行审查。

1928年，因未获审查通过，汉口市公安局因此禁演了69出楚剧常演剧。1929年，汉口市政府逮捕了楚剧演员72人，他们都来自法租界天仙、天声两家戏院。原因是他们没有受训取得演出资格。楚剧史称他们为“七十二杰士”[①]。被政府改造后的楚剧，地位日渐上升，到1933年，“现在楚剧的地位，日见澎湃，居然可以和平、汉剧分庭抗礼了”[②]。

楚剧艺人往常是以戏班子为活动单元，1929年汉口市政府社会局、教育局派唐性天筹办楚剧训练班，训练班的开办使组成覆盖本行业的同业工会成为可能。1930年6月，由参加楚剧演员训练班的第一期学员胡喜堂、陶古鹏等二十人发起组织汉口特别市戏剧演员训练班楚剧组同学研究会，简称“楚剧同学会”，成为楚剧艺人的同业公会组织。此后，楚剧艺人在同业工会的组织下，参加了政府主导的公益性文化演出活动，这在1938年前后武汉作为抗战临时首都时期有充分的展示。

1937年12月31日，在武汉成立中华全国戏剧界抗敌协会，选出99名理事，楚剧界王若愚、李百川当选，王若愚担任该会楚剧组组长。会后又增补沈云陔、袁璧玉、徐俗文为理事。楚剧界参加了政治部第三厅领导下的抗敌文艺宣传活动，演出《平津血战记》《血战卢沟桥》《梁红玉》等剧目，参加了武汉三镇抗日游行。以公演的方式宣传、支持抗战，在近一年48场公演中，楚剧有20余场。楚剧界还组成了问艺、曙光、楚艺、青年、合力、问艺二队六个宣传队，辗转各地，坚持义演和劳军演出活动，宣传抗敌。

楚剧在内的湖北戏剧界活动，尤其是抗战时期的抗敌宣传，得到了各界的高度评价。大革命时期，在汉口主持中央人民俱乐部的李之龙认为“楚剧是平民的艺术，楚剧是民间的文学”，将楚剧从官方禁演的泥淖中拔出来。全面抗战时期，郭沫若对戏剧艺人，特别是楚剧艺人也有很高的评价，他说：“旧剧艺人们是很热心的，平常有什么号召的时候，他们赞助得很起劲。如象演剧献金的义举，他们是不惜功力的。受

① 王若愚：《楚剧奋斗史》，《〈文艺志〉资料选辑（二）》，湖北省志《文艺志》编辑室，1983年，第198页。

② 《楚剧组织女子训练班》，《戏世界》1933年10月19日。

训的时候，他们也很热心听讲，在武汉撤守时，如楚剧班，抛弃了自己多年的生活地盘，随军撤退，流亡到四川去了。这不是很可感动人的事吗？”①

政府对楚剧的管理，对楚剧的发展产生了巨大的影响。政府通过引导文艺创作、演出，极大强化了戏曲的宣传功能。1927 年李之龙主持中央人民俱乐部时，敏锐注意到戏剧的教育功能，他认为“枪炮只能攻城，艺术可以攻心，搞戏剧工作就是革命”。② 国民政府实行许可证管理制度，颁发许可证的先决条件是艺人参加培训，培训的主旨是党化教育，戏剧承担起革命化、民众化的使命，要借戏剧平台达到对民众教育的目的。

楚剧起于民间，楚剧艺人文化程度普遍不高，缺乏专业的编剧人才，曲目多为传唱民间已久的小调、小本，其不可登大雅之堂的曲目一经查禁，就会出现剧本荒的局面，这使得楚剧剧本创作成为关系楚剧发展的关键环节。“剧本荒”反倒在客观上促进了楚剧剧本的改编整理和创作，增加了楚剧的时代感，加速革除楚剧的粗俗之病，比如旧花鼓戏中妇女自称奴家、小奴，训练班老师说这是封建的，要一律改称我。旧戏中的荤词一律取消。

楚剧传统剧目是“三个辞店四个楼”，即《蔡鸣凤辞店》、《胡宴昌辞店》（又名《十里亭》）、《张德和辞店》、《东楼会》、《西楼会》、《南楼会》、《北楼会》。还有《送端阳》《白扇记》《大反情》《小反情》《雪梅吊孝》《喻老四拜年》《张监生调情》等数十出。

改编整理楚剧剧目不能不提到湖北沔阳（今仙桃）人李之龙（图4—7）。他早年考入武昌外国语专科学校、烟台海军军官学校学习。1921 年加入中国共产党。作为黄埔军校一期学员，在校期间，就和蒋先

① 郭沫若：《洪波曲》，《郭沫若选集》第 1 卷下册，成都：四川人民出版社，1979 年，第 207—208 页。

② 《中国戏剧志》编辑委员会、《中国戏剧志·湖北卷》编辑委员会：《中国戏剧志·湖北卷》，第 550 页。

云、陈赓等组织血花剧社，被推选为社长，具有表演经验。中山舰事件后出狱，派往北伐军总政治部负责宣传，兼任新剧团主任。北伐军克复武汉后，任中央人民俱乐部（血花世界）主任，兼血花日报社社长。在任职 10 个月的时间里，对楚剧发展起了积极推动作用。楚剧能在血花世界演出，与李之龙给予了极大的支持分不开。而改变楚剧剧目思想性不高的痼疾，李之龙作出了表率。他以革命诉求对楚剧进行了大胆改造，主张楚剧表演社会问题，如恋爱与婚姻问题，妇女解放问题，大家庭制度的问题，遗产继承问题，纳妾蓄婢、童养媳制度的问题。楚剧《小尼姑思凡》成为李之龙践行其主张的样本。《小尼姑思凡》原是《目连救母劝善戏文》中的一折，是表现目连救母行孝之事的宗教剧，全剧一百折，其中尼姑下山一节，成了楚剧《思凡》张本。剧本内容是年轻尼姑独守空庵，向往世俗的家庭生活，抛弃佛珠、袈裟，毅然下山。李之龙改编的剧本中有"未曾耕，未曾种，每日三顿。既不纺，又不织，袈裟齐整。不劳动，不生产，需要供应。我佛门，真个是，社会寄生。……下得山去到农家，到农家去种庄稼"。借小尼姑数落师傅之口，痛斥不劳而获的剥削者，歌颂劳动光荣。《汉口民国日报》连续七天刊登改剧演出广告，称赞是"楚剧革命第一声""平民艺术革命的新纪元"。李之龙还对楚剧的编导提出几个颇有见地的主张，主张参考"白话剧与歌剧的方法"，不要"尽量去模仿京汉戏"，京剧《乌龙院》等戏"不必拿到楚剧中演"，不要"把自己的特长帮腔丢了"。[1] 经过大规模整理旧剧目，"将旧有的风情戏一律淘汰，或予以删节、改编，以适应时代需要"[2]。在楚剧发展中，李之龙功不可没。

---

① 李之龙：《我对于楚剧的几个具体主张》，《戏剧研究资料》第 18 辑，湖北省艺术研究室 1990 年编。

② 扬铎：《楚剧形成在武汉》，《武汉文史》，武汉市文史研究馆 1989 年编，第 116 页。

图 4—7 李之龙

从其他地方剧种移植也是扩充楚剧剧目的方法之一。1921—1922 年来自西安的易俗社到武汉演出，其《蜜蜂计》《软玉屏》《三滴血》等剧目被楚剧移植过来，成为楚剧第一批本子戏。此后巴陵汉剧《夜梦冠带》、川剧《杀狗惊妻》、锡剧《庵堂认母》、河北梆子《打金枝》，也为楚剧改编。从京剧、汉剧、新剧移植改编了《三笑姻缘》《姊妹花》。大革命时期外国戏也被楚剧改编。1927 年，楚剧进化社将德国歌德的话剧《史推拉》，改编为《费公智自杀》，楚剧艺人着长褂、旗袍表演，影响颇大。日本作家菊池宽的著作《父归》改编为《父之归家》，也搬上楚剧舞台，陶古鹏主演，着西装革履，戴金丝眼镜，神情毕肖。

还有一批剧作家开始动笔改写、编写剧本，如龚啸岚、戴琢章、沈振洪及楚剧艺人李百川等编写了一批剧本。[①] 鄂豫边区楚剧队也创作了《赵连新归队》《新古城会》《赶杀记》《反共害民记》。《赶杀记》在黄陂建安集演出，群众叫好，伪军惭愧。

① 王若愚:《楚剧奋斗史》,《〈文艺志〉资料选辑（二）》, 第 204 页。

楚剧唱腔主要有三种。正腔中是看家腔迓腔，即哦呵腔，还有来自汉腔的悲腔、四平等。小调约一百多个，如叹五更、十枝梅、站花墙、思凡等。高腔是中华人民共和国成立后发展出来的。

楚剧表演初期是采用一唱众和，用人声帮腔，锣鼓伴奏。1923 年，章炳炎率楚剧团到上海演出，人声帮腔不太为上海观众接受，遂接受王无恐的建议，试用胡琴伴奏，废除人声帮腔接腔。回汉口后，物色到汉剧琴师严少臣，严为盲人，记忆力超群，充当算命先生，后来改学拉琴，为汉剧名伶牡丹花、刘顺娥伴奏。此时应陶古鹏、李百川、章炳炎聘请，谱工尺，定过门，合鼓点，反复演练，在天仙茶园上演的《白扇记》中一举成功。此后，唱楚剧的共和升平楼、天声茶园也纷纷效仿。20 世纪 20—30 年代由高亭和百代唱片公司录制的楚剧唱片中，八成为严少臣操琴伴奏，他成为当之无愧的楚剧第一琴师。

楚剧发展史中有几位代表性艺人。江秋屏（1886—1939），艺名小宝宝，黄陂祝家湾人。1919 年，梅兰芳来汉公演，授以化妆艺术，赠送点翠头面和水片等物，花鼓戏自此在装扮上向京剧看齐。江被人称为“花鼓戏中的梅兰芳”。抗战期间组织楚艺抗敌宣传队，辗转于湖南、广西、贵州，以贫病客死贵州。

章炳炎（1893—1967），艺名筱桂芬，孝感高兴乡人。习花旦，以演出《翠花女检过》出名，后改小生。其唱腔讲究“一字清”唱法，表演力求体现人物个性。在《吕蒙正赶斋、泼粥》中饰吕蒙正，用十种出指动作，刻画了穷酸秀才形象。

李百川（1896—1943），艺名小官宝，黄陂泡桐店袁李湾人。有秀才功名，这在楚剧艺人中不多见。早年习花旦。编有《天宝图》《三门街》《瓦岗寨》《天雨花》《杨家将》《文武双球》《刘金定》等 20 余部连台本戏提纲本。李善演小家碧玉，所创鼻音小花腔、西江月新腔为剧界沿用。上海“百代”“高亭”公司为其剧目灌制有唱片。

陶古鹏（1896—1967），黄冈阳逻（今新洲）人。早年学唱小生，改编演出《父之归家》《费公智自杀》等外国剧目，发起组织同业公会，著有《楚剧概言》(合著)、《楚剧演员生活五十年》。

沈云陔(1905—1978),艺名十岁红,黄冈周铺镇人(图4—8)。工旦角。全面抗战时期,组织问艺楚剧抗敌宣传第二队,在四川演出《岳飞》《新雁门关》等剧。郭沫若曾诗以赞之:"一夕三军尽楚歌,霸王垓下叹奈何。从兹艺事浑无敌,铜琵铁板胜干戈。"1943年任中华全国戏剧抗敌协会理事。沈致力于楚剧改革,将剧目由"花鼓戏开了锣,不是喻老四便是张德和",发展到古装、时装、文戏、武戏、连台本样样都有。演员脚色也由三小(小旦、小生、小丑),发展到生旦净末丑一应俱全。[①] 与章炳炎合演的《泼粥》被拍成电影。

图4—8 沈云陔

高月楼(1908—1953),艺名小叫天。汉阳人。以《安安送米》《李才万下书》成名,参加抗敌宣传二队赴川演出7年。塑造舞台形象近百个,被誉为"性格演员",有"楚剧大王"之目,行家赞其为"楚剧的

① 严昌洪,肖志华:《武汉掌故》,武汉:武汉出版社,2012年,第182页。

麒派”。高自练“倒僵尸”“吊毛”一类“毯子功”，丰富了表演手段。其弟子不少，负盛名者有李雅樵、袁璧玉、高少楼等。

此外黄陂王若愚热心公益，积极争取楚剧艺人的权益，被赞为“楚剧事业的护花神”。黄陂杨少华参加新四军五师楚剧队，善演喜剧。汉阳余文君是楚剧武戏的开创者，擅演文武花旦、文武小生，其主演的连台本戏《十三妹》大受观众欢迎。刘巧云主演连台戏本《西游记》，是楚剧舞台的“猴王”。王春祥在《济公活佛》中，以丑角主演济公，成楚剧的“活济公”。楚剧真旦较出名者有夏银秀，人称夏大娘，民间有“不管忙不忙，也要看看夏大娘；不管累不累，要看二姑娘的戏”的谚语。

二、黄梅戏

黄梅戏是发源于鄂东南的地方戏种，最初叫黄梅采茶戏、采子、采茶、黄梅调、黄梅腔、花鼓戏、二高腔，形成于黄梅、广济一带。鄂东南地多丘陵，黄梅以北紫云、垅坪、多云等俱为山区，适合种茶，种茶必有茶歌。《黄梅竹枝词》有“多云山下稻菽多，太白湖中鱼出波，相约今年酬社主，村村齐唱采茶歌”[①]。即便到今天流传的黄梅戏传统剧目中，与茶有关者尚有10多部，如《小和尚挖茶》《姑嫂望郎》《打茶园》《送香茶》，以茶园、茶为主要背景和道具。《私情记》《大辞店》中的主人公余老四、张德和都是黄梅县载入志谱的茶人。余老四要卖茶园，张德和去下江贩茶等情节都是在真人真事基础上编制而成的[②]。这也足证黄梅戏与采茶调之间的渊源。

采茶调往往即兴发挥，奔放自由，或一抒胸臆，或借曲传情。一地有一地采茶调，各处采茶调各有不同，所以采茶调必冠以地名加以区别，不比京剧、越剧，不管何处传唱，皮黄、工尺都保持不变。清朝外地人高植途经黄梅，以笔墨记载他听过的黄梅调：“沿途耕获爱田家，

① 别霁林：《黄梅竹枝词》道光九年（1829），范晓君：《中国采茶音乐文化研究》，广州：暨南大学出版社，2014年，第228页。

② 张玲：《黄梅楚性——楚文化视野下的黄梅戏艺术》，福建师范大学硕士学位论文，2006年。

黄麦青秧胜看花，听得无腔郊外曲，隔江空自怨琵琶。”[①]高植不识无腔郊外曲，说明了采茶戏的本土特色。而乾隆进士陈奉兹在1766年观看黄梅、九江元宵灯会，明确点出了歌曲的名目，“灯火照龙河，鱼龙杂绮罗，偏怜女儿港，一路采茶歌”[②]。

此调属于山歌，演唱者不着装扮，也并非角色，是以第三者的身份出现。内容属叙事性质，没有完整的故事支撑，许多是用唱十二月来完成，如《打哈吧》《苦媳妇自叹》。

黄梅采茶戏产生于乡间，创作者和观众都是普通社会民众，视野所限，关注的是农村生活中日常所见，如《打豆腐》《打猪草》《补碗》《补背褡》《观灯》等，罕有王侯将相、列国交征的大事件，多属家长里短，家庭矛盾等生活小事。人物也属下层，村姑、农夫、小商小贩、木匠、铁匠、补匠、染匠等。其场景多山清水秀，极少见大漠戈壁、海潮沙滩。黄梅采茶戏堪称乡野吹来的风，带着泥土的气息和山花的芬芳。

黄梅采茶戏根在湖北黄梅，其花开在别处，其果落在安徽。黄梅为长江环绕，“背山面湖，民田尽薮泽中，江汉直注，彭蠡旁射，水患岁有”[③]。以乾隆五十一年（1786）水患为大，受灾之民，相扶逃荒，靠卖唱乞讨为生，唱的就是采茶调。这在黄梅戏的传统小戏《逃水荒》中得到印证。戏中讲的是逃荒的二八女遇到姓蔡的屠户，蔡得知其为黄梅人，就要她唱曲，又主动提出为她帮腔。

安徽怀宁（今属安庆）是通商大邑，各地农副产品集散于此，客商来来往往，人流量大，为卖唱提供了市场。黄梅灾民驻唱于此地，产生了黄梅戏最早的班社——仁义社。自此，黄梅采茶戏在安徽广泛传播开来，1931年怀宁大水，黄梅戏艺人涌入安庆市区，走进了省会。对黄

① 高植：《从封廓州到小池口》，《德化县志》卷49，同治版，第72页。

② 陈奉兹：《浔阳乐》，江西省九江县县志编纂委员会：《九江县志》，北京：新华出版社，1996年，第643页。

③ 石崑玉：《桂公堤碑记》，湖北省人民政府文史研究馆、湖北省博物馆：《湖北文徵》第3卷，武汉：湖北人民出版社，2014年，第206页。

梅采茶戏的传播情状，有记载称："今皖上各地乡村中，江以南亦有之，有所谓草台小戏者，所唱皆黄梅调。戏极淫靡，演来颇穷形尽相，乡民及游手子弟莫不乐观之。但不用以酬神，官中往往严禁搬演，他省无此戏也。"[①] 进入安徽后的黄梅采茶调，与当地民间艺术结合，形成戏曲形式——黄梅戏。

黄梅采茶戏影响并非只及安徽一地，据调查："黄梅采茶戏传至赣东地区，与铅山、弋阳的灯戏相结合，即变成赣东采茶戏，再从赣东传至赣中地区又变成了抚州、吉安和宁都采茶戏。"[②] 还有学者比较了各地采茶戏，发现了与黄梅采茶戏之间的关联。如南昌采茶戏，采用三角班（小生、小旦、小丑），剧目《张七姐下凡》与黄梅戏《天仙配》（图4—9）相似。武宁采茶戏，又叫黄梅北调，黄梅采茶戏艺人梅金玉在辛亥革命前后在江西鄱阳教戏。景市采茶戏，其剧目《过界岭》《攀笋》《补缸》《补碗》《卖棉纱》等，与黄梅戏名目相同。浙江睦剧（三脚戏）《偷笋》类同黄梅戏《打猪草》，《南山种麦》类同黄梅戏《点大麦》。而湖北花鼓戏（楚剧）中的《狗油锥子》和黄梅戏《沙子岗》，情节安排、人物设置相同，表演风格也极其相似。[③] 很难说这些地方剧种是直接承袭了黄梅采茶戏，但彼此间相互影响应是不争的事实。

黄梅采茶戏演唱是以锣鼓伴奏，人声帮腔，正腔有七板、二行、火工、花腔、高腔、还魂腔等，而小调很多，至今仍存60多种。其早期语音完全是本地的方言，且为日常生活中的口语，后来，采用武汉话作为韵白，据《黄梅采茶戏志》记载，清末民初的黄梅采茶戏艺人李世寿，善演包公戏，重念白，以武汉话为之，口齿清晰、抑扬顿挫、节奏分明。在搭班演出的班社中采用何种语言作为念白，遵循"四不拗六"的传统，即班子中哪个地方的人多，就用哪种语言。

① 天柱外史氏：《皖优谱》卷一，太原：山西人民出版社，2018年，第8页。

② 《中国戏曲志·江西卷》，北京：中国ISBN中心出版社，1998年，第24页。

③ 洪非：《黄梅戏与其亲缘剧种》，《黄梅戏艺术》1982年第1辑。

图 4—9　黄梅戏《天仙配》剧照

黄梅戏的传统剧目以“三小”戏为主，有《送香茶》《打猪草》《多云山摘茶》《王小六打豆腐》《王瞎子捉奸》《割肉还母》《二姑娘观灯》《吴三保游春》《罗凤英拾柴》《张先生讨学钱》《烟花女自叹》《毛子才滚烛》等代表性剧目。值得一说的是，黄梅戏《天仙配》改编自《董永卖身》，原剧本是书生董永卖身葬父，其孝行感动上天，玉帝命七仙女许配给董永。中华人民共和国成立后，对剧本进行改编，董永的身份由不事生产的书生，改为自食其力的农民。七仙女是偷逃下凡，自主婚配。玉帝和王母娘娘成了干涉婚姻自由的封建家长。改编之后，立意顿高。再经严凤英、王少舫精彩演绎，遂成为传唱不衰的黄梅戏经典剧目。

早期见记载的黄梅采茶戏艺人是邢绣娘，她被视为黄梅戏的鼻祖。邢绣娘（1793—1858），黄梅孔垄人。自小与兄嫂出门卖唱，工小旦，以扮演《蔡鸣凤辞店》中的卖饭女、《上天堂》中的祝英台、《白扇记》中的胡金莲等出名，赢得“不要钱，不要家，要听绣娘唱采茶”，“不接京城大戏王，愿请黄梅邢绣娘”的美称。

罗运保（1825—1904），黄梅小池人。早年读过私塾，成年后拜师学艺，嗓音洪亮，唱腔纯正。青年时唱小生，中年唱老生，善演稳重老成、纯朴角色，如《董永卖身》中的董永，《山伯访友》中的梁山伯，《珍珠塔》中的方卿，《血掌记》中的林忠德。整理、改编了《张朝宗告经承》《乾隆皇帝游苏州》。

帅登明（1878—1946），字和清，黄梅新开人。早年师从族叔、采茶戏艺人帅师信，后拜梅金玉为师。工小旦，唱功出色，人称“铁喉咙”，组织班社巡演于鄂、赣、皖诸县，深受民众欢迎，成功塑造了七仙女、祝英台、花魁、方金定、卖饭女等舞台形象。他广收门徒，能登台者有两百多人。

余海先（1905—1966），黄梅濯港人。早年父母双亡，酷爱采茶调，12 岁能唱诸多折子戏。1917 年师从采茶戏艺人李四盛，三月后登台配戏，人称戏剧界奇童。后师从采茶戏名伶吴毛女，结识艺界名流，戏艺大进。余擅演苦情戏。以演采茶戏多次坐牢，仍不改其志。晚年整理黄梅采茶戏资料，其中《白布楼》《葵花井》两剧，被收入《安徽省黄梅戏传统剧目汇编》，挖掘整理黄梅采茶曲牌 200 余种、文曲戏唱腔 170 余种。

三、荆州花鼓戏

荆州花鼓戏，俗称“花鼓子”，流行于江汉平原天门、沔阳（今仙桃）一带，也称沔阳花鼓。艺人都是农民，忙时下地劳动，农闲时方开锣唱戏，故也称为“犁尾戏”“麦黄戏”。江汉平原，迭遭水灾，谚云：“沙湖沔阳州，十年九不收。”沔阳花鼓戏艺人外出逃荒，“穿村过市流浪苦，沿门乞生唱花鼓”，因此又有“沿门花鼓”之名。通常以小车挂锣鼓，边敲边唱，又称为“架子花鼓”或“推车花鼓”，也称“地花鼓”。根据花鼓戏《汪家门徒师承谱》推算，在清朝道光年间已具有戏剧雏形，在迎神赛会、喜庆时节演出，故又称“神戏”“灯戏”“会戏”。1954 年定名天沔花鼓戏，1981 年改今称。

花鼓子艺人起初以演唱曲艺、百戏为主，做起“推车花鼓、采莲船、唱小曲、打连厢、瓦子板营生”[1]，演出形式有独唱的《十枝梅》《思儿》。有小丑、小旦合演的《打连厢》《绣荷包》。以后发展成三五人的班子，用方桌拼成舞台，演出三小戏，称为“平台花鼓”或“拖平台”。此后规模扩大，可搭起“六根杆”的戏台，隔出前后台演出，戏班艺人人数增加，有“七慌八忙九停当”的说法，七人班子，艺人兼任数事，到九人班子，则各任一事。辛亥革命时期，花鼓子民间班社有10多个，发展很快，范围也扩大到武汉近郊，远及湘北、豫南。当时花鼓戏艺人陈新苟、陈家林、谢春成、姚玉春（艺名灵芝草）和黄黑狗、沈四等都曾到汉口演出，与楚、汉剧演员同台，谢春成擅长《酒醉花魁》，沈四擅长《蓝桥会》。“辞店访友、蓝桥醉酒”，成为沔阳花鼓戏经典剧目。当局对地方戏由严行禁止转到发证管理，不少花鼓子艺人或被迫散班归家，或与楚剧、汉剧同行组成“三合班”“二合班”四处流浪，或径改演楚、汉剧。到1949年，已几无正式花鼓子戏班。中华人民共和国成立后，花鼓戏才重获新生。

花鼓子戏有“高腔”“蕲水腔”“四平调”“打锣腔”四大主腔和100多种小调，各腔都有相应的剧目。高腔又名骷髅腔，从沔阳州一带秧歌、薅草歌等劳动歌曲演变而来。如《陈世美不认前妻》《斩经堂》《秦雪梅》等。蕲水腔与鄂东兴起的哦呵腔大同小异，受其影响，其相应的剧目也是以楚剧中出现的张德和、喻老四、张朝宗等人物为主。四平腔与打锣腔，也是由鄂东花鼓、采茶戏腔调发展而来。花鼓子戏旋律优美，有谚云：“听了花鼓子哟喂哟，害病不吃药。”花鼓子戏帮腔有“哟喂哟”等衬字。

荆州花鼓戏所演剧目有“十八个水半本”的说法，移植其他剧目，选取数则，多至半本演出，其全本戏极少，如《陈世美不认前妻》《秦雪梅》《赶子放羊》《大清官》《赶斋泼粥》《柳林写状》《青风亭》等。或者以数则戏随编随唱（水词，无定本）的方式串演成本，《送香茶》

① 中国戏曲志编辑委员会、《中国戏曲志·湖北卷》编辑委员会：《中国戏曲志·湖北卷》，第87页。

与《贩马记》串演就成了《赶子放羊》。

花鼓子戏传承有“四大门头”（图 4—10），分别是汪春保、史望、黄二生、贺侠年，他们传徒授艺，推动了花鼓子戏的传播和发展。根据沔阳艺人刘天党保存的《汪家门徒师承谱红帖》来看，汪家第一辈艺人叫“汪源发，五名家小，（因）官府捉拿，‘无家可归，隐姓埋名，姓王名水发，入了江湖，总是传戏。……传与儿子汪兰子’”。[①] 汪春保是汪家第八代传人，生于道光十二年（1832），十三岁拜师汪凯学戏，成名之后，开班授徒，成了天沔花鼓戏四大门头之首。史望是秀才出身，黄二生原为汉剧艺人，改唱花鼓戏，20 世纪 20 年代到 40 年代，沔阳艺人崔松先后在监利、沔阳农村办了七届科班，共培养了 80 余名演员。

图 4—10　荆州花鼓戏四大门头剧照

旦行谢春城因在汉口演出《思凡》《秦雪梅》《掐菜薹》等，受观众欢迎，获得“赛湖北”美名。女艺人段凤姐，演旦角情真意切，观众称“南三（艺人曾三）北四（艺人沈四），不如凤凰展翅”，遂以“真凤凰”

① 中国戏曲志编辑委员会、《中国戏曲志・湖北卷》编辑委员会：《中国戏曲志・湖北卷》，第 87 页。

为其艺名。女艺人王乾、吴翠、蒋金、黄金秀、李再安等亦在花鼓戏舞台上深受欢迎。

第三节　现代戏剧

唱念做打的传统戏曲为国人喜闻乐见。20 世纪国门初开后，西方戏剧传入中土，说白的分量加重，剧本的内容也有变化，传统受到了冲击。文明戏着时尚装，讲当时事，辛亥革命时期登黄都督刘艺舟（图 4—11）上台演戏，暗讽时政，轰动一时。余上沅钟情传统戏曲的写意，批判当时戏台上流行的道理灌输，发起了“国剧运动”。曹禺创作的《雷雨》《日出》等剧目，以对话为表现手段，为中国话剧定型奠定了基础。

一、刘艺舟与文明戏

20 世纪初年，西方文化潮流随着留学生的回国传播和租界的窗口展演，为内地国人所知。借西方戏剧理论和表演形态，出现了文明新戏，又叫时事新戏，也称时装新戏。

图 4—11　刘艺舟（右）与潘月樵

据徐半梅描述，这种戏剧“采用现代的故事为剧情，而登场人物悉穿现代服装，所用对白，抛弃中州韵，以京白与苏白为主（苏白虽非标准语，但一向在昆剧中，采用第二种说白。中州韵之外，用苏白，术语称为‘小说白’。），有时亦用各地方言。剧中唱皮黄的，还是唱皮黄，不过唱得较少。剧本的编制和场子等等，完全与原有的皮黄戏无异；所不同的，就是剧情不用古代故事，打扮不用古代衣冠，而说白不用中州韵。即此三点，在伶人看来，已觉大为革新；在观众看来，已颇与现社会接近了”[①]。

曹禺回忆，文明戏“也没有什么脚本，演戏只靠墙上贴的一张幕表，幕表规定好这出戏共有多少场，有多少人物，每一场大概演些什么内容，都有哪些人物上场，头天晚上大家商量好，第二天就登台演出了。参加演出的都是男演员，文明戏中有一种‘言论正生’，专门在台上发表激昂慷慨、愤世嫉俗的言论，都是即兴的言论，一套一套的，往往他演说完了，观众就报以极为热烈的掌声”[②]。这种将时局穿插于剧中的演说，诚为文明戏难说优劣的鲜明特色。

当时文明新戏在武汉演出十分活跃。郑正秋的新民社，王无恐的醒民社，顾无为、朱双云的导社，刘艺舟的木铎剧社，是文明新戏的倡导者和实践者。他们的表演在艺术上不免粗糙，但开了风气。

其中刘艺舟对武汉文明新戏的推动，作用尤大。刘艺舟（1877—1937），原名必成，号木铎。鄂城（今鄂州）沼山人。早年东渡日本留学，入早稻田大学，加入同盟会，课余喜看话剧团体春柳社演出。光绪三十三年（1907）归国后，即与王钟声等通过合演新剧，在东北、天津等地宣传爱国思想，主演《黑奴吁天录》中的老黑奴，予人深刻印象。

① 徐半梅：《话剧创始期回忆录》，北京：中国戏剧出版社，1957 年，第 5—6 页。

② 曹禺：《我的生活和创作道路》，田本相、刘一军：《曹禺全集》第 5 卷，石家庄：花山文艺出版社，1996 年，第 87 页。

辛亥革命期间，与关外都督蓝天蔚在东北、山东革命，率部克山东登州、黄县，被推为登黄都督。民国成立后，离职赴沪，与夏月珊、潘月樵等合作演出新剧，孙中山赠以“光复登黄伟人”金丝绒戏幕，“都督演戏”一时成为沪上美谈。

刘艺舟在汉口大舞台演出过《吴禄贞被刺》，因为目睹当时湖北军政府内部，革命党人争权夺利，借吴禄贞之口抒愤：“寄语南方同志，革命前途，阻碍尚多，务望同心协力，切莫争权夺利，自起党争。”[①]台下观众多首义同志，一时掌声雷动。袁世凯当国，帝制自为，刘艺舟起而反对，被捕入狱。袁世凯死后才得出狱，即编《新华宫》（即《皇帝梦》），在汉口满春茶园演出。他模仿京剧名角刘鸿声的腔调，唱一段西皮：“孤王酒醉新华宫，杨皙子生来好玲珑，宣统退位孤的龙心动，哪怕他革命党的炸弹凶。孙中山革命成何用，黄克强本领也不中。天下的英雄虽然众，哪一个逃出孤的计牢笼。梁士诒理财真有用，虽然是民穷孤的库不空……”刻画出袁世凯帝制自为的丑态，在武汉轰动一时。1922年，编演《哀江南》（即《石达开》），正值军阀混战，国将不国之际，他借石达开之口唱“请看今日之域中，竟是谁家之天下”。[②]

由于刘艺舟演戏最擅长即景生情，借题发挥，暗刺当道，时常为当局捕拿。刘艺舟的表演，重在表达人物的感情，不墨守成规，自编自唱，不依剧本，一般的戏曲琴师与他不易合作。曾有一鼓师能随机应变，合作无间，但不久也分手了。刘艺舟一生创作剧本数十卷，多为针砭时事之作。演出过《花子拾金》《太平天国》《明末遗恨》《年羹尧》等历史剧，常自言：“当在讴歌俚曲之间而觅爱国励群之道。”“吾国一

① 中国戏曲志编缉委员会、《中国戏曲志·湖北卷》编辑委员会：《中国戏曲志·湖北卷》，第529页。

② 梅兰芳：《戏剧界参加辛亥革命的几件事》，《辛亥革命回忆录》第1集，北京：文史资料出版社，1981年，第365、366页。

日不强，吾舌一日不弊。”①

二、余上沅与“国剧运动”

新文化运动掀起反对旧文化的风潮，传统戏曲作为旧文化的一种，受到不少知识精英批判。戏剧路在何方？在 20 世纪 20 年代出现了一种不同凡响的戏剧改革主张——国剧运动，余上沅（图 4—12）是推动国剧运动的关键人物。

图 4—12 余上沅

余上沅（1897—1970），湖北沙市人，家境清贫，父亲是沙市布店的员工，薪俸微薄，一家人糊口很有些捉襟见肘。余上沅早年上过私塾，为补贴家用，12 岁就到布店当学徒。1912 年他一心向学，遂不告而别，来到省城武昌，考入美国圣公会创办的教会学校——文华书院。

① 刘艺舟：《组织励群社小启》，大连市戏曲志编纂委员会：《大连市戏曲志》，大连：大连出版社，1991 年，第 509 页。

当时文华书院为吸引学生报名，开出免收学费和住宿费，给予衣食，每人每天还发放几个铜板零花钱的优惠条件，这让余上沅读书多少免除了经济上的后顾之忧。在校八年期间，他学习勤奋，成绩优异，从中学升到大学二年级，修读英国文学专业。此外，他还担任了校学生会主席。1919 年五四运动爆发，消息传到武昌，武汉学生起而呼应，余上沅被推选为武汉三镇的学生代表，到上海出席全国学联成立大会。在大会上他宣读了《武汉学生联合会对于全国学生联合会意见书》，并将意见书发表于上海《时事新报》，此事为湖北当局察知，回武汉后，即被勒令退学。幸而得到陈独秀、胡适推荐，转入北京大学英文系读书，1922 年毕业后在清华学校教务处当职员。“五四”以后，现代话剧在北京十分流行。“爱文学尤其爱戏剧”的余上沅在此后一年中，于北京《晨报副刊》发表了近五十篇剧论。

1923 年，余上沅取得清华学校半官费资格，同时又得到父亲的朋友贺先生的资助，他得以与冰心、许地山、梁实秋、熊佛西、顾一樵等同船赴美留学。在美国，余上沅先就读匹兹堡卡耐基大学美术学院戏剧专科，后转纽约哥伦比亚大学研究院，修习西洋戏剧文学与剧场艺术，再到阿美利加戏剧艺术学院诺曼贝尔格迪斯技术所学习舞台技术。留学期间，他观摩了百老汇剧场的演出，与中国留学生排演话剧，撰写一组题为《芹献》的剧论，发给北京《晨报副刊》，将西方戏剧介绍到中国。由于余上沅热衷于戏剧学，未能践行资助人贺先生要求其修读政治学的建议，被停止了资助。1925 年，余上沅提前回国，同行者有湖北同乡闻一多等。

国剧运动是一批留美学生回国倡导的改造中国戏剧的活动。对于“五四”以来，打倒包括旧剧在内的一切旧文化，喝过西洋墨水的余上沅并不完全认同。早在他留洋之前，就思考“怎样处置旧戏”的问题，他说，“我爱戏剧（文明戏），同时也重视旧戏。旧戏有它历史上的地位，有它维持不绝的势力。即到现在，‘新中华戏剧’的旗帜已经举起两三年了，试问除了少数知识阶级之外，不受他影响的人有几个？我们常常咬定牙关说铲除旧戏，其实它的势力不但不曾铲除，而且依然照常膨胀。……我希望‘国粹派的戏剧家’猛省，把编制《狸猫换太子》《诸葛亮招亲》一类的精神，转向改良音乐、改良词句、改良材料、改良格局诸方面去。我尤其希望我们研究戏剧的同志，肯认定‘怎样去处置旧戏’，也是我们决不能不顾及的一个问题”[①]。

回国之后，他鲜明指出，“每个地方各有它差异的历史背景、风俗习惯，绝对不可强同。艺术与戏剧正是如此。……如果我们从来不愿意各国的绘画一律，各家的作品一致；那末又为什么希图中国的戏剧定要和西洋的相同呢？中国人对于戏剧，根本上就要由中国人用中国材料去演给中国人看的中国戏。这样的戏剧，我们名之曰国剧”[②]。这个解释不免含混，但标举出了国剧的民族性。“院本在金代，杂剧在元代，传奇在明清，或者可以说它是国剧”。昆曲、皮黄、秦腔在当时显然不能完全承担起国剧之名，一个时代应有一个时代的国剧。“艺术虽不是为人生的，人生却正是为艺术的。有了现代这样的人生，运会一到，自然要迸出一朵从来没有开放过的艺术鲜花。”这朵艺术鲜花，正是余上沅期待的新时代的国剧，“这样的希望，这样的热忱，我们名之曰运动”[③]。国剧运动实乃改造中国戏剧的倡导和呼吁，是理论上的探讨。

余上沅期许的艺术，是写意的，而非写实的。中国的旧戏恰恰是有写意特征的，他举例说，旧戏中有“许多符号，许多象征，大家都一望而知，不假思索。譬如演员上场拿了一根马鞭，你便知道他是骑着马。……凭着演员的自身，至多拿一根不像马鞭的马鞭，他能够把骑在马背上的各种姿势，各种表情，用象征的方法，舞蹈的程序，极有节奏，极合音乐地表现出来……这不能叫作动作，应该叫作舞蹈，叫作纯粹的艺术”。旧戏能够经批判而不倒，“站立如此之久；它的原因，不

① 余上沅：《读了庄士敦〈中国戏剧〉之后》，《晨报副刊》1922年11月6日。

② 余上沅：《国剧运动序》，《余上沅戏剧论文集》，武汉：长江文艺出版社，1986年，第196页。

③ 余上沅：《国剧运动序》，《余上沅戏剧论文集》，第196—197页。

在剧本而在动作，不在听而在看。一出不与文学发生关系的《青石岭》，可以支持几多年，可以令人百看不厌，而同时又可以叫演员终身不能穷其技，尽其长，所以只要它越接近纯粹艺术，越站立得稳，哪怕在文学上，在内容上，它是毫无所谓”。

他区分了不同的演员类型，写实的演员有两种，“一种是扮什么人便像什么人，决不像他自己；一种是扮去扮来，总脱不了他自己”。“他们不但不承认什么都是假，而且不承认台下有观众在看他们。和他们相对的还有另一种演员，他老实承认他不过是一个演员，台下有许多人在看他，他的目的只是要用他的艺术去感动这些人。这种演员叫作非写实派或是写意派。”中外写意派演员“莎士比亚、莫里哀、加力克、多尔马、余三胜、谭鑫培，都是老老实实在做演员，决不是在做剧中人；因为一丛烛光之下，台上台下都能够互相看见。那时演员与观众，彼此联为一体，没有隔膜。……非写实的中国表演，是与纯粹艺术相近的，我们应该认清它的价值”。

“写实派偏重内容，偏重理性；写意派偏重外形，偏重情感。只要写意派的戏剧在内容上，能够用诗歌从想象方面达到我们理性的深邃处，而这个作品在外形上又是纯粹的艺术，我们应该承认这个戏剧是最高的戏剧，有最高的价值”[①]。“国剧运动”的目标正在于此。

余上沅对戏剧的改造，体现在两方面。一是发扬并增强旧剧的写意性。余上沅并非旧剧的狂热支持者，并不是文化上的保守主义，他认识到，“旧戏在中华民族里已经占了一个地位，谁也无法抹煞这件事实。……倒不如因势利导，剪裁它的旧形式，加入我们的新理想，让它成功一个兼有时代精神和永久性质的艺术品”。旧戏当如何裁剪得宜？首先，要把旧戏做成纯粹艺术。他设想，“假使旧戏的唱（音乐）是抽象，做（动作、舞）是象征的，布景等等又是非写实的，彼此调和，没有破绽，那末我们说它‘有做到纯粹艺术的趋向’，也并非过誉吧”。再

① 余上沅：《旧戏评价》，《余上沅戏剧论文集》，第151—155页。

者，“去掉唱的部分，只取白，是说也好，是诵也好，加上一点极简单的音乐，仍然保持舞台上整个的抽象，象征，非写实。一方面免除了昆曲的雕琢，一方面免除了皮黄的鄙俗，把戏剧的内容充实起来，叫它不致流入空洞”[①]。

同时，他批判当时流行的新剧写实风格。余上沅痛心疾首于当时戏剧界风行的“易卜生运动”，余上沅认为戏剧界的“易卜生运动”靠着灌输理念以改造生活，而不是艺术地表现生活，倒置了因果，不是“国剧运动”。他认为通性上，戏剧与人生关系密切、接近，但价值高低，“仍然不得不以它的抽象成分之强弱为标准”。个性上，“要取摭艺术的材料——人生，向荒岛出发，向内地出发，决不是一条错路，虽然不是唯一的路。我们要用这些中国材料写出中国戏来，去给中国人看；而且，这些中国戏，又须和旧剧一样，包含着相当的纯粹艺术成分”[②]。从通性上的写意抽象，到个性上的中国特色，指明了“国剧运动”的方向。

在国剧运动热潮消退之后，1928 年美国纽约出版的《戏剧艺术月刊》上，刊登了题为《中国的新剧场》一文，引起余上沅的强烈共鸣，他引用文中所称“中国剧场在由象征的变而为写实的，西方剧场在由写实的变而为象征的。也许在大路之上，二者不期而遇，于是联合势力，发展到古今所同梦的完美戏剧”。而促成古今同梦之实现，“途径在迩而不必求诸远，就是乐于实验”[③]。

理论上倡导的“国剧运动”，由于目的错误，不明方法，缺乏经济，余上沅坦陈是失败的。理论终归要落实到实践上来，余上沅古今同梦的理想缺乏必要的实证。

在留学美国期间，余上沅、赵太侔、闻一多、张嘉铸等组织纽约、

① 余上沅：《中国戏剧的途径》，《余上沅戏剧论文集》，第 202—203 页。

② 余上沅：《国剧运动序》，《余上沅戏剧论文集》，第 198 页。

③ 余上沅：《中国戏剧的途径》，《余上沅戏剧论文集》，第 201、205 页。

波士顿的中国学生合演了五幕英语话剧《杨贵妃》，又名《长恨歌》，在各国学生表演竞赛中，成绩超出预料，胜过其他各国的一切表演，为国家争取到光荣。三天后，以上四人彼此告语，决定回国，并以“国剧运动”作为口号。[①] 这次演出似可作为“国剧运动”的最初尝试。

回国后余上沅等筹办国立艺术专科学校戏剧系，其意义深远，剧作家洪深也认为，这是“我国社会视为卑鄙不堪之戏剧，与国家教育机关发生关系之第一朝”，是中国戏剧运动发展中的一个重大事件。[②] 但戏剧系排演的田汉《获虎之夜》、丁西林的《压迫》和《一只马蜂》，都不是余上沅心目中的国剧。在第二学期，由于增加了旧剧的“唱工”“台步”“科白”等课程，遭到学生抵制。左明、张兰璞（张寒晖）、黄云谷、王瑞麟、常小英等离校，成立“五五”剧社，抵制旧戏。并在《世界日报》撰文反对把戏剧系办成富连成科班，不能容忍国粹“纯艺术”任意摧残现代剧的嫩芽！

1929 年，余上沅在北京创建了“北平小剧院”，惨淡经营三年多，曾借协和医院礼堂演出《伪君子》《压迫》《秦公使的身份》《一只马蜂》《求婚》《兵变》《最后五分钟》《茶花女》等剧目，均非余上沅提倡的国剧。

此后，余上沅主持国立戏剧学校十四年，从事话剧教育。国剧运动作为一种缺乏充分实验支撑的戏剧改革理论，在中国传统的旧剧和西方的话剧之间挣扎，未能找到合适定位，在“五四”之后昙花一现，国剧之梦，终难实现。无论如何，“上沅先生是最早把西方戏剧介绍并移植到中国的重要人物之一，对中国现代话剧的建立和壮大有不容抹煞的功绩。二十年代他和一些著名的文学家和艺术家提倡‘国剧运动’，在当时是起了很大影响的”[③]。

① 余上沅:《致张嘉铸》,《余上沅戏剧论文集》，第 140 页。

② 洪深:《中国新文学大系·戏剧集导言》，蔡元培等著:《〈中国新文学大系〉导言集》，贵阳：贵州教育出版社，2014 年，第 310 页。

③ 吴祖光:《余上沅戏剧论文集序》,《余上沅戏剧论文集》，第 5 页。

三、曹禺与话剧

20 世纪初年，辛亥革命的烈火推翻了清王朝的统治，也摇撼了文化上的旧传统。国门打开之后，来自国外的各种思潮涌入中国土地，文艺思潮和戏剧类型都得为争取一席之地而争鸣会演。“欧洲的文艺史潮，在中国毫未开演，而又像已经一一演过了。”[①]戏剧里，旧戏遭到新文化运动的主将们同声批判。不以唱，而以对话为主要表现手段的话剧，经留学生的强力推介，应和着时代的节拍，迅速落地开花。

刘艺舟等人表演过的“文明新戏”“新剧”“爱美剧”是话剧的源头，在 1928 年，经洪深更名为“话剧”，得到认同，沿用至今。话剧经过二三十年的传承和演练，迎来了一位与话剧共同成长，并使话剧最终定型的关键人物——曹禺（图 4—13）。

图 4—13　曹禺

① 鲁迅：《〈奔流〉编校后记》，《鲁迅文集全编》，北京：国际文化出版公司，1995 年，第 1883 页。

曹禺（1910—1996），原籍湖北潜江，原名万家宝，字小石，笔名曹禺是由繁体“萬”字上下拆分而成。其父万德尊早年留学日本士官学校，回国后在军界高层供职，家境优渥。曹禺出生于天津万公馆，在他出生三天后，其母因产褥热去世。因为“从小失去了自己的母亲，心灵上是十分孤单而寂寞的”[①]。尽管少爷们有自己的用人，自己的书房。住得相当舒服，但是闷得很；每天可以听到和看到很多乱七八糟的事。周学熙家与万家为世交，在天津也有公馆，周公馆是英租界一幢很大的、古老的房子，摆设很气派。封建大家庭的环境，曹禺十分熟悉。

曹禺小时没有入过学堂，请了老师讲解经史。他的许多社会经验来自于保姆段妈，经常给他讲起农村的情况，“一个好的保姆，真像一个人一生的启蒙老师”[②]。少年经历给予他艺术创作的养分，并不限于上述环境。

曹禺的继母是他的姨妈，带着他看过不少传统戏曲和文明戏。曹禺说，我“从小就是一个戏迷，看的戏多极了。谭鑫培谭家的戏，从谭鑫培、谭富英到谭元寿我看了四代。余叔岩的《打渔杀家》，龚云甫的《吊金龟》，刘鸿声的孔明，杨小楼的黄天霸，许多曹操戏，还有韩世昌的昆曲《夜奔》等等，多得数不清”。后来曹禺还演过京戏，《打渔杀家》演肖恩，《南天门》演曹福。对于文明戏的记忆，曹禺在印象中看过《新茶花》《洪承畴》，还有秦哈哈演的戏，他的演技绝妙，至今还有印象。[③]

出了万公馆，曹禺走进了天津南开中学，这里是他从事话剧的开端。校长张伯苓回忆，南开中学一直提倡新剧，“早在宣统元年（1909）。最初目的，仅在藉演剧以练习演说，改良社会，及后方做纯艺术之研究”。“其后张彭春君自美归国，负责指导编译名剧多种，亲

① 曹禺：《我的生活和创作道路》，田本相、刘一军：《曹禺全集》第5卷，第84页。

② 曹禺：《我的生活和创作道路》，田本相、刘一军：《曹禺全集》第5卷，第85页。

③ 曹树钧：《为戏剧大师曹禺送行》，李玉茹、钱亦蕉：《倾听雷雨：曹禺纪念集》，上海：上海文艺出版社，2000年，第193页。

自精心导演。当《国民公敌》《娜拉》及《争强》诸剧演出之时，艺术高超，大受观众欢迎。当时出演者，有今名编剧家万家宝（曹禺）君。而南开新剧团之名，已广播于海内矣。"[①] 这番叙述得到了曹禺本人的印证，他说，"从 1925 年，我 15 岁开始演戏，是我从事话剧的开端。感谢南开新剧团，它使我最终决定搞一生的戏剧，南开新剧团培养起我对话剧的兴趣。当时新剧团的指导老师张彭春先生，给我许多帮助"[②]。

1934 年 7 月，大型文学刊物《文学季刊》上刊载了曹禺的话剧剧本《雷雨》，中国话剧界升起了一颗闪亮的新星。在随后的几年，《日出》（1935 年）、《原野》（1936 年）、《北京人》（1940 年）相继问世，奠定了曹禺作为中国现实主义悲剧大师的地位。

《雷雨》是发生在周公馆里两代人的爱情悲剧故事。曹禺评说，他"想通过一个家庭的毁灭，表达自己一种复杂而原始的情绪，表现宇宙里斗争的残忍和冷酷。在这斗争的背后，也许有一个主宰，它就是上帝或说是命运，近代称它为'自然法则'。究竟是什么，我也说不清。它太宏阔，太复杂。我总觉得有一种汹涌而来的感情，催动着我发泄长期压在心头的愤懑"[③]。这样的悲剧思想，"与其说是受近代人的影响，毋宁说受古代希腊剧的影响"[④]，在剧中，"他们怎样盲目地争执着，泥鳅似地在情感的火坑里打着昏迷的滚，用尽心力来拯救自己，而不知千万仞的深渊在眼前张着巨大的口。他们正如一匹跌在沼泽里的羸马，愈挣

① 张伯苓：《四十年南开学校之回顾》，《张伯苓自述》，合肥：安徽文艺出版社，2013 年，第 139、140 页。

② 曹禺：《我的生活和创作道路》，田本相、刘一军：《曹禺全集》第 5 卷，第 89 页。

③ 《文学报》1993 年 7 月 2 日。

④ 曹禺：《致雷雨导演者们的一封信》（1935 年），范耀升：《著名艺术家书信鉴赏》，济南：泰山出版社，1996 年，第 238 页。

扎，愈深沉地陷落在死亡的泥沼里”。[①] 曹禺感叹：“我念起人类是怎样可怜的动物，带着踌躇满志的心情，仿佛自己来主宰自己的运命，而时常不是自己来主宰着。受着自己——情感的或者理解的——捉弄，一种不可知的力量的——机遇的，或者环境的——捉弄；生活在狭的笼里而洋洋地骄傲着，以为是徜徉在自由的天地里，称为万物之灵的人物不是做着最愚蠢的事么？”[②]

在另一方面，曹禺的话剧，也深受西方的现实主义思潮浸润，因应着时代的需求，承担起文艺匡时济世的功能。《日出》讲述了银行家包养的交际花陈白露失望于“损不足以奉有余”的世道而自杀的故事，展现了当时大都市上层贪婪盘剥、下层备受欺凌的社会生活图景，具有极强的纪实性特点。曹禺对《日出》中妓院生活的描写，说道，“写作不只是靠着某个观念，是要流着心血写的。这是多少年的生活感受，多少年的思想感情积累起来的，不是一时的冲动，不是从理性上接受了某种道理就能写出作品的”[③]。这种来源并高于现实生活的话剧创作，赢得了读者、观众的广泛共鸣。

日本剧作家秋田雨雀在观看曹禺作品后，认为曹禺“是中国唯一的古希腊悲剧的研究者”，“近代中国的社会与家庭悲剧，由这位作者赋予以意义深刻的戏剧形象”。[④]

据考证，曹禺的话剧最早搬上舞台的，是浙江上虞春晖中学于1934年12月2日在校内公演的《雷雨》（图4—14），旋即在平津广泛流行。不仅如此，《雷雨》还远赴他国，获得了极高的国际影响。1935年4月

① 曹禺：《我如何写〈雷雨〉》，王钟陵：《二十世纪中国文学史文论精华·戏剧卷》，石家庄：河北教育出版社，2000年，第164页。

② 曹禺：《我如何写〈雷雨〉》，王钟陵：《二十世纪中国文学史文论精华·戏剧卷》，石家庄：河北教育出版社，2000年，第164页。

③ 曹禺：《我的生活和创作道路》，田本相、刘一军：《曹禺全集》第5卷，第98页。

④ 秋田雨雀：《〈雷雨〉最早的日译本序》，刘柏青等：《日本学者中国文学研究译丛》第2辑，长春：吉林教育出版社，1987年，第224页。

23、28、29日，由吴天、刘汝醴、桂镇南（即杜宣）导演，主要以留日学生为演员阵容的《雷雨》，在日本东京上演，一时成为舆论热点，日本评论家影山三郎观剧后，认为此剧的展演，表明“中国戏剧已经跨过了梅兰芳阶段，进入了一个新时期”[①]。

图4—14 《雷雨》剧照

根据统计，20世纪三四十年代里，《雷雨》《日出》《原野》在国外演出极为频繁，“1946年7月，《雷雨》在汉城演出，连演70多场；同年12月，《雷雨》译成越南文，在越南公演时场场客满；1948年韩国革命剧场公演《日出》创造了当时演出时间最长的纪录”。“1939年10月，在新加坡演出的《原野》，是由中国武汉合唱团在南洋巡回演出时

① 曹树钧：《走向世界的曹禺》，成都：天地出版社，1995年，第136页。

排演的”[①]。

20世纪以来，中国剧坛上戏曲和话剧并驾齐驱，如果说梅兰芳的表演代表着中国戏曲的辉煌成就，曹禺的剧作为中国话剧成型奠定了一块最厚实的基石。

第四节 书法、绘画、音乐

近代以来，西学东渐，中国传统文化遭遇巨大挑战，独书法反其道而行，以碑代帖风头甚健，竟至于引发了日本书道的变革。造就艺术工作者，除师承外，最有效的当数学校教育。湖北近现代美术、音乐人才溯及渊源，会不约而同指向一所学校——武昌艺专。第二次国内革命战争时期，湖北苏区政治宣传和艺术创作结合，唱响了红色歌谣。近代湖北艺术盛事中，1938年三厅领导下的抗战文艺宣传有口皆碑，其创作团队群英荟萃，作品观众人山人海，艺术效果感人至深，影响至今犹存。

一、心画东传

“言，心声也；书，心画也。”[②]近代文化传输的路径，多以西学东渐为主，独于书法一道，湖北成为面向东邻日本的输出之源。张裕钊和杨守敬是重要的推动者。

湖北人文兴盛，书道渊源深厚，襄阳米芾名列“宋四家”。近代仕宦湖北多有娴于书道者，张之洞、端方、梁鼎芬俱有书名。湖北教育发达，奔走科举仕途的士子为数不少，一手“馆阁体”是必备技能，这是科举考试的标准字体。它要求字形大小统一，字体方正，墨色乌黑，卷面光洁。馆阁体是干禄的工具，许多人科场坎坷，并非经文、策论不妙，而是书法不入考官法眼，以致名落孙山。士子不能熟练掌握馆阁

① 曹树钧：《论曹禺剧作在世界舞台上》，刘勇、李春雨：《曹禺评说七十年》，北京：文化艺术出版社，2007年，第372页。

② 扬雄：《法言》，北京：中华书局，1985年，第14页。

体，在科场很难有出头之日。馆阁体在书写标准化、普及化上功不可没，但因束缚个性，艺术性不足，亦为读书人诟病。

学习馆阁体，通常从临帖开始。自二王以来，帖学兴盛了千年。到了清代中晚期，以嘉庆、道光时期阮元的《南北书派论》《北碑南帖论》，包世臣的《艺舟双楫》，以及光绪时期康有为的《广艺舟双楫》为理论先导，迅速掀起习碑的热潮，到了咸丰、同治朝，“碑学大播，三尺之童，十室之社，莫不口北碑，写魏体，盖俗尚成矣”[①]。碑学大家张裕钊应时而起，他开创了一种新书体“南宫体”。

张裕钊主讲多家书院。光绪十二年（1886）河北南宫县文庙重修，他为之撰写碑文并书丹，碑文题名《重修南宫县学记》，该碑被视为“文字双美，刻镌兼优”。碑文批判当今士子只埋头科举之文，不知古今，不重实践，呼吁有识之士倡导“明体达用之学”，改变积弊。这篇文章让张裕钊颇为自得，它体现了桐城派古文心怀天下，文以载道的风格。碑文还体现了张裕钊书法的鲜明特点，文字外方内圆，结体紧严，布局疏密有致，点画不苟，线条流畅，磨圆了魏碑的锋芒，吸纳了帖学的流丽神韵，是张体书法的代表作。该碑拓片印行甚广，风行海内外，习者不在少数。

运用中锋是其独到心法。他的弟子对此领会极深，“中国书法从汉至唐称所谓古法，全部是用中锋书写，至宋以后中锋绝迹，开始用片锋（偏锋、侧锋）。领会了宋以后废绝一千年之久的中锋，使古法重新复活的人就是张廉卿先生”[②]。理论感悟虽说如此，运笔之法非亲眼目见不能开悟茅塞，其弟子回忆说：“我多年来看了先生不少的书法作品，反复研究是怎样书写的，自信已领会先生的笔法时，第一次观看了先生的笔法，结果大吃一惊。因为他与我从前自己研究解释的结论相差甚远。

① 康有为：《广艺舟双楫·尊碑第二》，《万木草堂论艺》，北京：荣宝斋出版社，2011 年，第 9 页。

② 叶贤恩：《张裕钊传》，北京：中国三峡出版社，2001 年，第 259 页。

以至于几十年后的今天追想起来，反复玩味，便觉先生之正确。”[①] 碑学大家康有为细细研读张氏书法后，大悟其笔法，“审其落墨运笔，中笔必折，外墨必连。转必提顿，以方为圆。落必含蓄，以圆为方。故为锐笔而实留，故为涨墨而实洁”[②]。

张裕钊书学成就很高，其自视也高，“惟书法则自谓能悟千年绝学”[③]。但张裕钊几乎没有系统的书法理论传世，书而不论，个中不无原因。张裕钊个性谨慎内敛，他对弟子贺涛言：“吾文不逮古人十一，而所书则独与古会，非唐后诸家所能到。然未尝轻以其法语人，恐其骇且怪也。”[④] 其书法复古，与帖学主流不相合，担心深陷时论物议中，所以不打算将学书心法轻以告人。另一方面，张裕钊以道德文章自任，认为书法是弘文之技，不值得过分张扬。

书家的声名应由同道评判、赋予。张裕钊的书法声誉鹊起，得到诸多名家首肯。碑学同好康有为不吝赞美之词，“湖北有张孝廉裕钊廉卿，曾文正公弟子也。其书高古浑穆，点画转折，皆绝痕迹，而意态逋峭特甚，其神韵皆晋、宋得意处。真能甄晋陶魏，孕宋、梁而育齐、隋，千年以来无与比”[⑤]。章太炎说，“先生书，世所传宝，得此真如百斛明珠”[⑥]。于右任赞“书家自古如名将，一代天生不几人”[⑦]，沈尹默评“廉卿先生一代文宗，不薄书学，其结构虽随时尚，而笔致迥别，精心点画，多所创获，遂以有成，扬声奕世，可谓豪杰之才，出类拔俗者矣”[⑧]。

张裕钊一生主讲多地书院，门生满天下，其书艺也经此流传，弟

① 叶贤恩：《张裕钊传》，第 262 页。
② 康有为：《述学第二十三》，《广艺舟双楫》，北京：中国书店出版社，1983 年，第 56 页。
③ 张后沆、张后浍：《哀启》，张裕钊：《张裕钊诗文集》，上海：上海古籍出版社，2012 年，第 592 页。
④ 《张裕钊年谱》，张裕钊：《张裕钊诗文集》，第 670 页。
⑤ 康有为：《述学第二十三》，《广艺舟双楫》，第 56 页。
⑥ 章炳麟：《张濂卿先生诗文稿序》，沈云龙：《近代中国史料丛刊续编》第 10 辑，台北：文海出版社，第 1 页。
⑦ 于右任：《张濂卿先生诗文稿序》，沈云龙：《近代中国史料丛刊续编》第 10 辑，第 6 页。
⑧ 沈尹默：《张廉卿草稿跋》，《沈尹默论书丛稿》，广州：岭南美术出版社，1981 年，第 200 页。

子有范当世、朱铭盘、张謇、刘心源等。刘心源是湖北嘉鱼人，治金石有名，亦工书法，曾任四川夔州知府，三峡“夔门”石刻、都江堰“离堆”石刻、成都武侯祠篆书《出师表》是其代表作品，为世所推重。

晚清时张裕钊书法在日本流播，影响很大。鄂州人朱峙三习张体书法，几可以假乱真。当他还是两湖师范学堂学生时，堂中的日本教习三泽力太郎请他写五十副署名张裕钊的作伪对联，带回国送人，许以重酬，但为朱所拒。①

宫岛咏士是推动张氏书法在日本流传的桥梁。宫岛咏士之父宫岛诚一郎是日本兴亚会的中坚，是明治政府中的中国通，担任过外交职务，对中国文化极为热心，他要求儿子咏士学习汉语。曾门四学士之一黎庶昌曾担任清国驻日大使，张裕钊的儿子是黎庶昌的女婿，以使馆随员同往日本。宫岛咏士得张氏之子推荐，拜在张裕钊门下，追随张学习中国文化，除中途一年回国省亲、结婚外，前后7年与张裕钊朝夕共处，辗转于各书院，直至张去世。宫岛回国后，开善邻书院，传授中国孔教（儒教），编写汉语教材《急就篇》，他继承了张裕钊的中锋书法，独步日本书坛，是推动张氏书法在日本传播的得力之人。其弟子多在日本各校教汉语。② 宫岛咏士在明治、大正、昭和时代深具影响力，日本政界名流犬养毅即深受影响，他死后的纪念碑书额和书丹都是宫岛咏士手笔，深得张裕钊笔法。宫岛咏士的弟子上条信山为弘传张氏书法，1962年创办了“书象会”，这是专门研习张体书法的学校，学员多达万人。

日本何以流行张体书法？这是中日文化交流史上有趣的时间差现象。黎庶昌任驻日大使时，日本书法界也是奉二王的帖学为经典，书风柔弱有余，劲健不足。日本书道也在寻找变革的方向，清国的碑学勃兴几十年了，日本的书体变革才起步。宫岛咏士带回的张氏书法适逢其会，受到日本书法界的推重。但成为日本近代书道转折点的关键人物是

① 胡香生辑录、严昌洪编：《朱峙三日记》，武汉：华中师范大学出版社，2011年，第288页。

② 鱼住和晃：《张裕钊与宫岛咏士间的情谊》，《书法报》1985年8月7日。

杨守敬，他给日本书道界刮起了一阵旋风。

杨守敬与张裕钊有较深交谊，张裕钊曾致信同门黎庶昌，推荐杨守敬担任使馆职务，并请杨守敬在海外代为管教自己的儿子。张裕钊曾有一联推许杨守敬，联曰：蟠胸武库杜元凯，指掌舆图郦善长。杜元凯是三国时魏朝的政治家、军事家、学者，名杜预，字元凯，其人不但文韬武略，且精于治《春秋》，通刑律、历法、水利，多才多能，人称“杜武库”。郦善长即地理学家郦道元，以著《水经注》闻名。杨守敬和弟子熊会贞编著的《历代舆地图》《水经注疏》是地理学杰作，他又在金石学上成就突出，编辑出版了多种金石学著作，他还在书法创作、书法理论上颇有建树。张裕钊的这副对联，是对杨守敬学问博通，精通舆地的高度概括。

杨守敬重视书法理论总结，晚年他撰述《学书迩言》（图 4—15），在绪论中劈头提出“学书五要”：

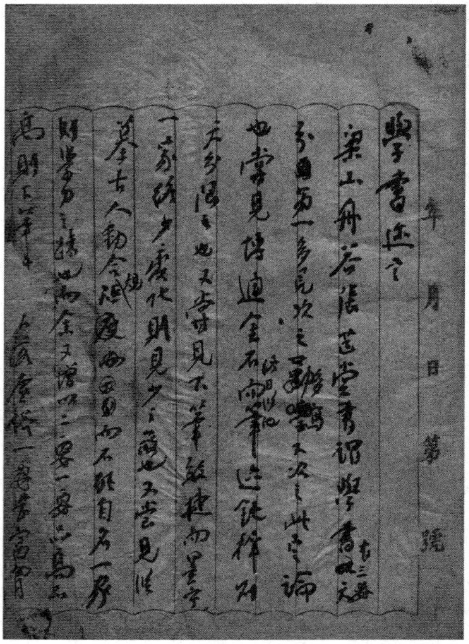

图 4—15　杨守敬撰《学书迩言》手稿

梁山舟答张芑堂书，谓学书有三要："天分第一，多见次之，多写又次之。"此定论也。尝见博通金石，终日临池，而笔迹钝弱，则天分限之也；又尝见下笔敏捷，而墨守一家，终少变化，则见少之蔽也；又尝见临摹古人，动合规矩，而不能自名一家，则学力之疏也。而余又增以二要：一要品高，品高则下笔妍雅，不落尘俗；一要学富，胸罗万有，书卷之气，自然溢于行间。古之大家，莫不备此，断未有胸无点墨而能超轶等伦者也。[1]

梁同书提出的天分、多见、多写，加上杨守敬补充的品高、学富，构成了"学书五要"，杨守敬以自身的经历践行了五要。杨守敬学书天分不足，馆阁体非其所长，早年考秀才，自负文论，但几次不中，原因在于他书法草率，不入考官之眼。他即寻师习字，19岁考取了秀才，23岁高中了举人。天分不足，就后天勤笔多写以补之。在京城期间，他师从潘存学习古人用笔之法，到处访碑、访帖，奔走于琉璃厂和同好门中。因为资财有限，他搜罗到精品，研究完毕即卖出去，再买更多的碑帖。1869年在荆州府城一估衣店中，他一次性购洪洞刘青园所藏的金石文字，盈箱累箧，不下数千种。一次车过汲县，他发现后魏卢无忌修太公庙碑倒在路旁，车到站后，已是夜晚，"月颇明，乃携毡墨独自返太公庙拓之，并拓碑阴"[2]。经过多年搜求，杨守敬俨然成碑帖的收藏大家，他自许是兼收碑帖的佼佼者，"好金者多不好石，好钟鼎者多不好古钱，好碑者多不好集帖，好集帖者多不好碑"，"唯碑与集帖，颇称博览，大约于诸人中亦能树一帜"。[3]

① 杨守敬：《绪论》，谢承仁：《杨守敬集》第8册，武汉：湖北人民出版社、湖北教育出版社，1997年，第477页。

② 杨守敬：《邻苏老人年谱》，沈云龙：《近代中国史料丛刊》第76辑，台北：文海出版社，第18页。

③ 郑务本：《杨守敬与日本书法家笔谈录》，《枝城市文史资料》第5辑，枝城：枝城市新华印刷厂，1991年，第201页。

他收藏碑帖，不为藏富获利，而是别有深意，“金石之学，以考证文字为上，玩其书法次之。顾淹雅之士，未暇论及点画；而染翰之家，又或专注集帖，不复上窥汉魏。余谓天下有博而不精者，未有不博而能精者”①。首先，他对碑帖进行考证，当成学问对待，通过整理、研究碑帖，同治年间他撰成《激素飞清阁评碑记》《激素飞清阁评帖记》，收录碑刻288种，帖96种，是秦汉至隋唐间有代表性的书法作品。光绪年间他与潘存合著《楷法溯源》，辑录魏至五代646种碑刻、82种法帖中的楷字或行书字体，钩画摹写，共约2万字，不计重复的单字3 499个。其次，研究之余，则对碑帖书法加以揣摩，领会古人笔法。杨守敬研究金石，见多识广，打下了成为书法大家的基础。

品高、学富是精神追求层面，杨守敬激赏苏东坡。他担任黄冈教谕，在东坡赤壁筑屋而居，取名邻苏堂，晚年自号邻苏老人。对苏轼书法，杨守敬深有体会，“余尝谓坡公无一笔俗气，乃知其浸淫于六代深也”②，追慕前贤，超脱俗境。

杨守敬身处之时，碑学勃兴，他犹能持论公平，碑帖并重。他说钟鼎遗文、篆隶章草，渊源相同，不能偏废，“夫碑碣者，古人之遗骸也；集帖者，影响也，精则为子孙，不精则刍灵耳。见刍灵不如见遗骸，见遗骸不如见子孙，去古已远，求毫芒于剥蚀之余，其可必得耶？故集帖之与碑碣，合之两美，离之两伤”③。

杨守敬在赴日之前，其书学理论和书法并无太大影响，但其学者的声名在同道中有口皆碑。后来他的碑版在日本面世，极大震撼了日本书法界。当时日本书坛领袖有日下部鸣鹤、岩谷一六、松田雪柯等，他们听闻金石学家杨守敬随驻日公使到来，决定去求教。日下部鸣鹤回忆，“当时他不懂日语，我们也不通北京话，只得全部用笔谈。可是最

① 杨守敬：《激素飞清阁评碑记自序》，谢承仁：《杨守敬集》第8册，第529页。

② 王靖宪：《中国书法艺术·魏晋南北朝》第3卷，北京：文物出版社，1996年，第212页。

③ 杨守敬：《前言》，谢承仁：《杨守敬集》第8册，第519页。

初三人都不认为他是个如何的大学者，内心还看不起他。但是随着交往增多，他在学问上的远见卓识的确使人叹服。尤其有幸的是，杨带来了一万好几千的拓本，得以饱览的机会，这对当年的吾辈而言，实可称做金科玉律的研究资料”[①]。

不仅如此，杨守敬还与日本书道界交流运笔之法。岩谷一六说，得闻妙［缔］谛，使三十年之疑团冰释[②]。杨守敬使用羊毫，习碑派书法，在日本书法界形成六朝风，被视为“新派”书法。杨守敬与日本书道界友谊深厚，光绪七年（1881）5月24日，为松田雪柯归乡饯行，一众同道举行了南浦赠言活动，方式相当于兰亭雅集，特别请杨守敬书写留言册的开头，岩谷一六、日下部鸣鹤等依次为松田献上诗作。

杨守敬收藏的拓本和书论给日本书道以深刻影响。《日本书法史》中评论，“杨守敬的书学造诣是继承阮元、包世臣的北碑书论的，他摒斥南朝式的柔媚风气，赞美充满了野性力量的北朝书法的雄浑美。毫无疑问，他的书论对于正在以苟延残喘的幕府末期书风徒劳地回旋着的日本书坛而言，具有极大的冲击力”。日本书道界“一面摄取着杨守敬的书论，一面在实践中追求北朝碑刻的壮丽风格，毫不留恋地急剧转向新颖的体势”，待四年后杨守敬归国，日本已经形成了北碑书风兴盛局面。[③]

无意间成为中日文化交流使者的杨守敬，在日本书法界声望极高，因为由他“带来的北碑书法，作为新兴潮流不可遏止，基于这种意义，

① （日）杉村邦彦：《杨守敬的来日以及与日本书法家的交流》，《中日比较文化论集》，长春：吉林教育出版社，1990年，第151页。

② 穆毅：《杨守敬与岩谷一六之笔谈》，陈上岷：《杨守敬研究学术论文选集》，武汉：崇文书局，2003年，第281页。

③ 榊莫山著，陈振濂译：《日本书法史》，上海：上海书画出版社，1985年，第95、97页。

杨守敬是日本近代书道的恩人”[①]，是“日本书道近代化之父”[②]。

光绪八年（1882）杨守敬结束在日本使馆工作，日本汉学家冈千仞父子一同随他回国，杨为他们引荐中国书法名家，冈千仞回日本后，开馆弘传杨守敬的书道。武昌起义爆发后，日本人寺西秀武特请黎元洪保护杨在武昌的家宅和藏书。日本福冈的书法家水野疏梅也一路追随杨守敬，杨守敬写下《学书迩言》以指教，水野带回日本后刊印，并且作诗以表敬意。诗曰：

> 钦仰风容玉样温，胸无城府共谈论。夏彝周鼎精稽古，秦碣汉碑远溯源。介绍一生翰墨妙，奇书万卷草堂尊。殷勤向我传心画，正是深高海岳恩。[③]

时至今日，杨守敬在日本书道界的影响仍有声势。《中国书法史》的著者宇野雪村评论，“杨守敬的《学书迩言》，以及他的另外两部著作《激素飞清阁评碑记》《激素飞清阁评帖记》，作为近年来日本书法爱好者最易觅得的指导性经典书籍，其发挥出的作用远胜在中国的影响”。[④]

张裕钊是桐城派古文大家，杨守敬以舆地、金石学者自任，身处碑帖代兴之时，因缘际会，他们的北碑书法、碑拓实物、碑学书论传入日本，推动日本书坛变革，这是近代较为少见的文化交流现象，足令湖北为之自豪。

二、武昌艺专

近代湖北的艺术发展处于转型期。美术的传承方式发生大转变，以

---

① 《书论》杂志主编杉村邦彦在 1992 年杨守敬纪念馆中日书法联展开幕式上的讲话，见郑务本：《杨守敬》，北京：中国文联出版社，1999 年，第 22 页。

② 陈传席主编：《中国书法全集·清代编》，北京：荣宝斋出版社，2012 年，第 59 页。

③ 杨守敬：《邻苏老人年谱》，沈云龙：《近代中国史料丛刊》第 76 辑，第 52 页。

④ 陈振濂：《中日书法艺术比较》，长春：吉林教育出版社，1991 年，第 159 页。

往是师徒传授，其法是私授之，徒弟临帖，然后模仿创作，所谓师古人（临帖）、师造化（自然）。到了近代，美术纳入学校教育体系之中，学校教育成为规模培养美术人才的主要途径，这其中又分为普通学校的美术教育、美术师范教育和美术专门教育等。

中国文人画，注重文化底蕴，学习绘画技法，往往兼修诗词格律和书法，毛笔是绘画、题款的共同工具；学校教育中的西洋画，注重技巧，从素描入手，进而写生，然后走向创作，对文化水平不做过多要求。这种重视文化和重视技巧的路径差异，是近代美术发展的两途。

美术教育还存在两种不同的培养目标。受晚清经世致用影响，最初美术教育归入实业一路，是关乎“国计民生”的。美术课程设置，以工艺美术为主，追求美术的实用价值。而在一群新式青年的提倡下，主张美术教育的艺术导向，1912 年刘海粟创办上海图画美术学校时，宣称“第一，我们要发展东方固有的艺术，研究西方艺术的蕴奥；第二，我们要在极惨酷无情、干燥枯寂的社会里尽宣传艺术的责任，因为我们相信艺术能够救济现在中国民众的烦苦，能够惊觉一般人的睡梦；第三，我们原没有什么学问，我们却自信有这样研究和宣传的诚心”①。求实用，还是为艺术，这成为近代美术教育的两个方向。

湖北的近代美术发展，正是在师承与学校，国画与西画，实用与艺术之间一路走来，武昌艺专的曲折发展历程，恰好见证了近代湖北美术发展史。

湖北的美术教育，溯源可早至清末洋务运动。张之洞督鄂期间，大兴农务、工业学堂，采用西法，“以开风气，而广利源”②，1898 年开设的湖北工艺学堂中，有十门技艺，其中翻沙、绘图、木作、打铁、打铜等，涉及美术，艺术设计列入了学校教育之中。1904 年，癸卯学制

① 刘海粟：《上海美专十年回顾》，赵力、余丁：《中国油画五百年》（第 2 卷），长沙：湖南美术出版社，2014 年，第 178 页。

② 张之洞：《札委张道鸿顺等督办农务、工艺学堂》，赵德馨：《张之洞全集》第 6 册，第 114 页。

实施，主系列分级教学中，明确初等小学堂，在主修课程外，视地方情形，可增加手工、图画 1 科或 2 科。高等小学堂，则明确图画为必修课程。而在实业学堂中，尤其是工业学堂中，图稿绘画是主要学习科目之一。

癸卯学制没有女学地位。光绪三十三年（1907），清朝学部颁布了《女子小学堂章程》，遵此，湖北开设女学校。光绪三十四年（1908）成立于汉口观音阁的“淑贤文艺女学校”，尤注重于女工，科目设“图画、编物、裁缝、造花、刺绣”课程。[①]总之，在此时期，学校的美术教学注重实用，目的在“兴工艺而维利源”，是解决毕业生的生计问题。

1912 年临时政府教育部公布民国教育宗旨：“注重道德教育，以实利教育、军国民教育辅之；更以美感教育完成其道德。”[②]美育正式纳入教育体系当中。在中小学的全部课程中图画、手工等美育课程比重加大；同年 10 月 22 日，教育部公布专门学校令，“以教授高等学术，养成专门人才”为宗旨[③]，明确美术专门学校为其中一类，专门学校按出资主体，有国立、公立和私立三种。据 1916 年 11 月，全国教育行政会议公布，湖北此时已有私立美术学校 2 所，学生 102 人。[④]

1920 年 4 月，武昌美术学校在武昌芝麻岭成立，初创之际，设函授和中等两部，不过是一所美术培训性质的中等学校。起初，风气不开，学员不多，次年举办成绩展览会，人们“渐知艺事为学术之一端”。[⑤]1922 年 11 月，呈报教育部立案。次年，开办专门部，改称“武

---

① 许奋：《当前办好高等工艺美术教育的对策思考》，《湖北美术学院学报》2015 年第 1 期。

② 《教育部公布教育宗旨令》（1912 年 9 月 2 日），中国第二历史档案馆编：《中华民国史档案资料汇编·第 3 辑·教育》，南京：江苏古籍出版社，1991 年，第 22 页。

③ 张援、章咸：《中国近现代艺术教育法规汇编（1840—1949）》，上海：上海教育出版社，2011 年，第 111 页。

④ 《全国教育行政会议各省区报告汇录》（1916 年 11 月），沈云龙：《近代中国史料丛刊三编》第 10 辑，第 151 页。

⑤ 《武昌艺术专科学校校史》，《〈文艺志〉资料选辑（七）·美术专辑》，武汉：武昌中山美术印刷厂，1986 年，第 250 页。

昌美术专门学校”，康有为曾题匾“武昌美专”。[①]1924 年 8 月，在武昌水陆街动工兴建校舍，次年落成迁入。1930 年按照南京国民政府教育部颁布的《专科学校规程》重新立案，更名为“私立武昌艺术专科学校”。1938 年武汉会战期间，敌机扰武汉，因于宜都古老背设立第二部。二十七年（1938）八月武昌校舍被炸，迁移宜都，后因宜都接近战区，再迁四川江津，在德感坝租屋上课。三十四年（1945）八月抗战胜利，筹备迁回。三十五年（1946）三月开始运送图书模型回鄂。九月间租汉口府东五路宁波同乡会，暂充校舍。十月全部迁竣。

武昌艺专的办校采用大美术、实用型相结合的方针。实用型续接了自晚清工业学堂的教授工艺美术的传统，致力于培养学生的就业本领。最初的函授部即专为此目的。在学制改革过程中，武昌艺专曾编制有西洋画系本科、绘画科、师范科，后改为艺术教育系、绘画系等。抗战回迁后，设三年制、五年制艺术教育科，辖图工、图音两组；绘画科，辖中画、西画两组，附中高级艺术职业部艺术教育科（有图工、图音两组）和初中部。

学生学习的科目是混合兼修的。据武昌艺专的毕业生阮璞回忆：“武昌艺专的学生学的是‘大艺术’，分图工组、图音组，反正是以绘画为主，一兼学工艺美术（做手工），一兼学音乐（但也有人以音乐为主，图画就请人帮忙）。唐义精的老师，管老先生，手工的竹雕、木雕和铸铁，都蛮傲，其他纸工、泥工，就更不在话下。锯个竹筒，留个竹底，交给学生，由他们自己去发挥。比如，在上面镌刻、雕琢、做细致的图案等。这些都是为将来去当中学老师、或谋生准备一套吃饭的本领。即使你画得再好，排了这些课，那你是非学不可的。”[②]

武昌艺专由蒋兰圃、唐义精、徐子珩三人创办。蒋兰圃参加过辛亥武昌首义，担任湖北军政府的集贤馆馆长。创立美术学校后，他担任

① 阮璞、阮旭东：《武昌艺术专科学校部分人和事》，《新美术》2001 年第 3 期。

② 阮璞、阮旭东：《武昌艺术专科学校部分人和事》，《新美术》2001 年第 3 期。

校长，为筹集经费，将自家湖北藕池口五百亩田产和武汉到金口一艘小火轮的股票全部卖掉，充作办学基金，其“毁家办学”的义举，为人称道。武昌美术学校创办时，唐义精任教务长，与武昌艺专相始终。其弟唐一禾早年也在该校就读，后留学巴黎，学习西洋绘画，回国后担任武昌艺专教务长、教授。1944 年唐氏兄弟乘坐“民惠轮”参加中华全国美术会年会，不幸轮舟翻覆而罹难，国民政府行政院、教育部分别明令褒扬，赞兄弟二人，服务武昌艺专，“育才綦众”，“成材甚多”。[①] 唐氏兄弟遇难后，蒋兰圃临危受命，再任校长。唐化夷短暂主持校务后，张肇铭接掌校长。

武昌艺专的师资力量很强，除上述外，如湖北花鸟画开启者和铺路人的“湖北三老”——张肇铭、张振铎和王霞宙，人称“两张一王”，还有短暂执教武昌艺专的艺术家，如闻一多、庄子曼、曾以鲁、关良、倪贻德等。

武昌艺专不仅培养美术人才，还设有音乐专业。缪天瑞、贺绿汀、陈田鹤、冼星海、吕骥等曾在艺专任教，其中贺绿汀在艺专教学的一年中，翻译了《和声学理论与实用》一书。陈田鹤为《武昌艺术专科学校校歌》谱了曲。

武昌艺专的艺术影响，主要通过艺术社团、美术展览、艺术刊物等方面彰显。

民间结社是文人雅士举行活动的传统方式，辛亥革命后，此风仍旧。1913 年成立于武昌三佛阁的中华美术学会是湖北近代较早的美术社团，无论男女，只要“关各种美术，但精于一艺，或有心研究，及热心提倡及赞成者”都可以入会。[②] 该社组织者和具体活动不见记载。此后湖北美术社团与武昌艺专均有不解之缘。1927 年成立的梅社，以“阐扬

① 中国第二历史档案馆:《中华民国史史料长编·民国 34 年（一）》，南京：南京大学出版社，1993 年，第 490 页。

② 《楚学杂志》第 1 期，1913 年 7 月。

国故，振起艺术”为宗旨，发起同仁中有唐义精、张肇铭、王霞宙、欧志先、钟道全、方康直、赵合俦等，他们均为武昌艺专的师生。梅社作品多画花鸟，对湖北花鸟画的繁荣发展推动不小。1930 年，由武昌艺专学生钟道泉、唐一禾等发起创办武美艺术研究会，以研究艺术，兴起优越之人生观，增进社会道德为宗旨，全面抗战之前，举办了 6 次书画展览会。1931 年以提倡、研究金石篆刻为主旨的艺甄社创立，其创办人易均室担任过武昌艺专的金石书画科教员。胡绍轩在 1945 年组织的武汉文艺社、1947 年组织的中华全国美术会武汉分会，也有武昌艺专的师生参与其中。

举办学生成绩展览会，既是对教学成绩的检验，也是向全社会开展美术教育的举措，还是扩大学校影响力的方式，武昌艺专极为重视。在美术学校时期，1921 年办过第一届学生成绩展览会。武昌美术专门学校时期，1924 年举办过学生成绩展览会。武昌艺专时期，除战争等不可抗拒力因素外，举办过成绩展览会、毕业生画展、师生画展以及校庆复员书画展览等等，其中部分师生的作品参加过教育部组织的两次“全国美术展览会”。

武昌艺专师生编印的刊物也不少。有《武美》（1928 年创刊）、《歌笛湖》（1929 年）、《艺术旬刊》（1931 年）、《煤坑》（1931 年）、《武昌艺术专科学校校刊》（1933 年）等，介绍艺术理论，推介中西艺术，发表艺专师生作品。

武昌艺专是中国近现代高等美术教育的发源地之一，与同时代的艺专相比，教学上有其注重点，“那时国内好像有一个比较普遍的看法：武昌艺专、苏州艺专的基本功都还是蛮深的；上海就是搞‘海派’”[①]。与国立的北平艺专、杭州艺专相比，私立武昌艺专一直存在着经费支绌的难题，南京国民政府教育部视察时，有“预计岁出数超出预计岁入

① 阮璞、阮旭东：《武昌艺术专科学校部分人和事》，《新美术》2001 年第 3 期。

数，核算有欠周密”[①]的考语，校董、同仁勉力维持，使湖北艺术教育文脉得以绵传。

武昌艺专前后立校30年，毕业学生难以准确统计。从档案中可约略看到各阶段的毕业生人数，1934年统计，“前后毕业学生，专科各系一百一十七人，预科十一人。旧制师范科、绘画科及高中艺术师范科二百二十一人，高中普通科十四人，初中部一百八十二人”[②]，共计545人。1947年，全校在校生261人。[③]综计其毕业人数当不下于千名。从毕业生去向看，1934年“服务各中小学教师，及省内外各关学校者，所在多有，至留学法日，亦各有数人”[④]。武昌艺专结束于中华人民共和国成立之初，它对美术人才的造就需要时间来见证，在纪念唐义精、唐一禾罹难40周年之际，有文章中列举了武昌艺专桃李满天下的名单。[⑤]而在音乐方面，也造就了陆华柏等一大批音乐专门人才。

武昌艺专是湖北近代艺术教育的中坚，其30年的校史，汇聚了湖北地区的艺术学子，培养了湖北地区艺术教育、艺术创作人才，为湖北近现代美术、音乐教育的发展奠定了基础，并作出了开拓性的贡献，无愧于其校歌的咏叹：

晴川历历汉阳树，
芳草萋萋鹦鹉洲。
大江流日夜，
大别龙蛇走。
危楼百尺名黄鹤，

① 《训令私立武昌艺术专科学校》（1940年12月28日），孙继南：《中国近现代音乐教育史纪年（1840—1989）》，济南：山东友谊出版社，2000年，第316页。

② 《武昌艺术专科学校校史》，《〈文艺志〉资料选辑（七）·美术专辑》，第252页。

③ 《第二次中国教育年鉴》，第786页。

④ 《武昌艺术专科学校校史》，《〈文艺志〉资料选辑（七）·美术专辑》，第252页。

⑤ 杨立光：《纪念唐义精、唐一禾先生》，《〈文艺志〉·资料选辑（七）·美术专辑》，第124页。

矗立江岸碍中流。
河山好，
风景幽，
自古有才生三楚。
吾校惨淡经营立，
发扬文化绵悠悠。
舞乐八方，
粉绘千秋。
愿吾侪齐努力全修，
复兴我伟大民族。

三、红色歌谣

20 世纪二三十年代，为了反抗国民党的统治，中国共产党领导的工农武装建立起革命根据地，传唱着内容丰富、曲调多样、数量众多的革命歌谣。荆楚红色沃土创立了鄂豫皖、湘鄂西、湘鄂赣、湘鄂川黔、鄂豫陕等苏区，红色歌谣流行于这些地区，其中《八月桂花遍地开》《三大纪律八项注意》《马桑树儿搭灯台》等脍炙人口，传唱至今。

红色歌谣是中国共产党政治宣传和动员民众的重要方式。早在建党初期，马克思主义者认识到农村的重要性，发起"到民间去"运动，鼓励"我们青年应该到农村里去"，"作些开发农村的事"，[①] 对农民进行启蒙，发动农民参加革命。中国共产党成立后，高度重视宣传工作，大众文艺成为宣传的切入点，歌谣进入宣传的视野。1925 年，中共中央提出要将"编辑通俗的小册子歌曲等，翻译马克思主义的书籍"，作为宣传鼓动的根本工作。[②] 中共第六次全国代表大会制定《宣传工作的目前

① 李大钊：《青年与农村》，《李大钊全集》编委会：《李大钊全集》第 3 卷，石家庄：河北教育出版社，1999 年，第 180 页。

② 《宣传问题议决案》，中共中央文献研究室、中央档案馆：《建党以来重要文献选编》（1921—1949）第 2 册，北京：中国文献出版社，2011 年，第 530 页。

任务》，充分考虑群众的文化水平，“注意程度浅劣的工农，最好编成歌谣韵语”[①]。湖北苏区贯彻执行了中央的精神，鄂豫皖苏区在实践中对比各种宣传形式，“传单的效力不及标语和歌曲的。大标语的效力又不及歌曲”，“这些歌声已普遍于苏维埃区域田野，随时随处皆可听到”。[②]鄂西特委报告中央：“在工农群众中最容易发生效力的是歌谣及一切有韵的文字，因为最适合他们的心理，并且容易记忆”，“在许多环境比较好的地方，都可以听见农民把这些歌调提起喉咙高唱”。[③]

红色歌谣在宣传中作用显著，不少苏区领导人带头创作。湘鄂西苏区的贺锦斋创作了《澧源歌》《老子本姓天》等歌谣，后一首写道：“老子本姓天，家住澧水边。有人来拿我，除非是神仙。刀口对刀口，枪尖对枪尖。有你就无我，你死我上天。”[④]段德昌创编《我到红军把兵当》，宣传红军纪律。歌曰：“大马刀，红缨枪，我到红军把兵当。革命纪律要遵守，共产党教导记心上。行动听指挥，团结又友爱，官兵同甘苦，平等来互助，吃苦抢在前，享受放后头。大马刀，红缨枪，我到红军把兵当。革命纪律要遵守，共产党教导记心上。爱护老百姓，到处受欢迎，遇事问群众，买卖讲公平，一针和一线，不损半毫分。”[⑤]鄂豫皖苏区的成仿吾创作了《识字运动歌》。苏区的文化宣传干部根据各阶段的任务，大量创作歌谣。为便于普及，他们还整理出歌谣集，鄂豫皖

---

① 《宣传工作的目前任务》，中央档案馆：《中共中央文件选集》（1928）第4册，北京：中共中央党校出版社，1989年，第421页。

② 《麻城县委报告——政治经济形势、群众斗争情况、党务工作》，中央档案馆、湖北省档案馆、河南省档案馆等：《鄂豫皖苏区革命历史文件汇集》（1927年—1934年），中央档案馆等1985年编印，第247页。

③ 《鄂西工作报告——政治经济形势、群众斗争、军事问题》，中央档案馆、湖北省档案馆、湖南省档案馆：《湘鄂西苏区革命历史文件汇集》（1928年—1932年），中央档案馆等1987年编印，第135页。

④ 贺锦斋：《诗一首》，萧三：《革命烈士诗抄续编》，北京：中国青年出版社，1982年，第61页。

⑤ 段德昌：《我到红军把兵当》，《血染的诗文——益阳地区烈士诗词书信选》，中共益阳地委党史资料征集研究办公室1987年编印，第82页。

苏区编印了《土地革命歌曲集》《革命歌选》等，散发到各部队、各地方，教唱红军士兵和广大群众。在革命氛围的熏染下，红军战士、工农群众也成为歌曲的创作者，1929 年鄂东北特委在给中央的报告中说：当地“所编的歌甚多，大都是由农民自己或区委、支部等下级同志编成，他们来得很自然”，偶有歌词“意义词句稍有错误，经上级同志修改过”①。农民用自己的语句唱出的歌，是道尽了农民心里想说的话，既容易被群众理解，也能为大众传诵。比如，红军的纪律要求在群众的口碑中成了歌谣：“红军纪律管得严，拿了东西要把钱；挑水劈柴抢着干，天下第一好兵官。”②

红色歌谣内容极为丰富，涉及党的革命主张，工农群众和红军士兵的现实关切等多方面。“红军三大任务：打倒帝国主义，铲除封建势力，实行土地革命。从新建立无产政权，各尽所能，各取所需。红军纪律重要，战士皆须记牢：反动豪绅财产，一律没收归公……”③这首口号歌谣宣传共产党的革命任务和红军纪律。以《小放牛》调创作的歌谣为例：“男：《共产党宣言》什么人起草？十月革命什么人领导？什么人是中国工运的首领？什么人在中国做农运最早？女：《共产党宣言》马克思起草，十月革命列宁来领导，苏兆征是中国工运的首领，毛泽东在中国做农运最早。”④一问一答，普及了中国革命的基础知识。

动员民众，首先要引导他们分析自身悲惨境遇的根源，《农友十想》唱道：“一想务农人，种田受苦情，做下谷米白如银，劣绅剥干净。二想大地主，坐吃未动手，吃喝穿戴样样有，喉咙伸出手。三想劣绅们，

① 《何玉琳给中央的报告——鄂东北特区最近以来工作概况（一九二九年八月）》，中央档案馆、湖北省档案馆：《湖北革命历史文件汇集（特委文件一）》，1985 年编印，第 117 页。

② 谢正芬：《唱响土地革命时期的革命最强音——试论麻城红色歌谣的历史作用》，《中国纪念馆研究》2019 年第 2 辑。

③ 《红军三大任务歌》，江流：《大别山区红色歌谣选集》，合肥：安徽人民出版社，1958 年，第 52 页。

④ 《大放马》，中国民间文学集成全国编辑委员会、中国歌谣集成江西卷编辑委员会：《中国歌谣集成江西卷》，北京：中国 ISBN 中心出版社，2003 年，第 111 页。

做事无良心，一心勾结土匪军，残害务农人。四想团防局，劣绅搬来的，对我穷人毫无益，只会刮地皮。五想土匪们，纯是乱刀人，吃喝穿戴无有门，拿枪抢我们。六想共产党，革命有主张，乡乡组织赤卫队，农友拿起枪。七想红军到，农民翻了梢，白军土匪不敢来，劣绅无处逃。八想老红军，打仗有精神，杀尽土豪和劣绅，江山才太平。九思贫农团，为民作打算，分田分地分财产，农友都喜欢。十想苏维埃，红旗插起来，镰刀斧头空中飘，农友笑开怀。”[①]

红军是歌谣中的主角。有流传在鄂豫皖根据地反映红军生活的，“高山大石是我们的床，青枝绿叶是我们的房，野菜野果是我们的粮，游击队员的意志坚如钢”。[②]有流传在英山反映红军打胜仗的，“城是纸扎的城，人是铁打的人，到处打仗到处胜，活捉那敌人”。[③]有流传在鹤峰反映军民关系的，“睡到半夜深，门口在过兵，又不要茶水，又不喊百姓，只听脚板响，不听人做声。伢们不要怕，这是贺龙军。媳妇你起来，门口点个灯，照在大路上，同志好行军”。[④]有反映苏区青年男女爱情的，如流传于湘鄂川黔根据地的歌谣《马桑树儿搭灯台》，表现了红军士兵与妻子之间的真挚情感和革命必胜的信念。

男：马桑树儿搭灯台，写封书信与姐带。郎去当兵姐在家，我三五两年不回来，你花儿移到别处栽。

女：马桑树儿搭灯台，写封书信与郎带。你一年不来我一年等，你两年不来我两年挨，钥匙不到锁不开。

① 《农友十想》，丹江口市民间文学集成办公室、丹江口市文化馆：《丹江口市歌谣分册》，丹江口市民间文学集成办公室1989年编印，第55—56页。

② 《游击队员的生活》，中共安徽省委中级党校党史教研室等：《红色歌谣集》，合肥：安徽人民出版社，1959年，第61页。

③ 《打胜仗》，湖北省采风委员会：《太阳出来满天红（老根据地革命歌谣）》，武汉：湖北人民出版社，1958年，第26页。

④ 《贺龙军》，湖北省采风委员会：《太阳出来满天红（老根据地革命歌谣）》，第34页。

合：郎去当兵姐在家，二人心中别牵挂，姐在家中勤生产，郎在前方把敌杀，英雄模范戴红花。[1]

湘鄂西根据地还传唱过一首红军军属的歌谣："要脑袋，你就取，奴家怎能对你把头低？湖东湖西去打听，谁不知我是红军妻！"[2]刚烈坚贞的形象跃然纸上。

不少红色歌谣歌唱妇女解放。一首《自由歌》（图 4—16）唱道："您我女介（界）同胞起来，大家莫（谋）解放，产（铲）除阶级，打到（倒）礼教，女权才提唱（倡），快去读书，速将足放，女权才高撑（涨）……"

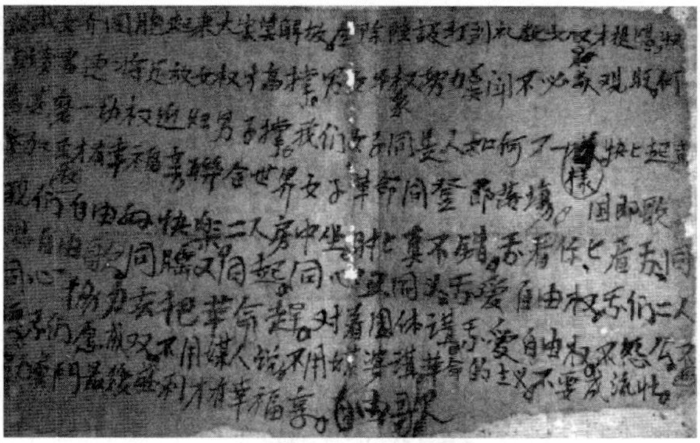

图 4—16　《自由歌》手稿（湖北省档案馆藏）

策反敌军也是红色歌谣的内容。这是在皖西苏家埠战斗中对敌唱出的小曲："白军士兵好可怜，官长拿你不当人，张口骂来动手打，饿死

① 《马桑树儿搭灯台》，《湘鄂川黔根据地革命文化史料汇编》，湘鄂川黔根据地革命文化史料汇编编辑小组 1991 年编印，第 306—307 页。

② 《红军妻》，古源搜集整理，湖北省监利县志编纂委员会办公室：《监利苏区歌谣——扛起梭标跟贺龙》，北京：中国民间文艺出版社，1988 年，第 166 页。

他乡无人问。哎呀呀，好可怜！又何必，为他卖命？！”[①]

流传在湖北革命根据地的红色歌谣多为新词旧曲。大别山区流行很多传统曲调，“这些大别山的歌谣，曲子多是当地流行的山歌、车水歌、薅秧歌等民间小调，填上带有革命内容的新词，就成了一只歌，唱起来顺口，又好记，易于普及，很能调动阶级感情。这是大别山的‘土特产’”。[②]广为流传的《八月桂花遍地开》，歌词反映了大别山组建工农武装，成立苏维埃政府，建立革命根据地的情景，唱起来活泼、欢快，洋溢着胜利的喜悦，其曲调套用了大别山地区民歌八段锦调。《长征歌》十三段，每段四句，用的是孟姜女调唱的。[③]此外，有些歌谣套用了外国歌曲曲调，如《上前线去》旋律来源于苏联歌曲《布琼尼骑兵队》。

红色歌谣的政治宣传效果明显。由于红色歌谣好听易唱，苏区民众都能够唱，秦基伟忆及黄麻起义前后，“革命歌曲也流传得很快很广，不仅青年人会唱，连小孩子也会唱几首”，他最早学会了《发动歌》。[④]利用红色歌谣，开展面向民众的政治宣传，成效得到了检验，鄂东北特委给中央的报告中总结，“从经验中歌谣的宣传效力最大，因为各种文字宣传识字者最少，意义又深，又少味，农民最喜欢唱歌。现在赤色区域所有农民都尽唱革命歌，妇女、小孩没有一个不记得一两首来唱。所编的歌甚多”[⑤]。红色歌谣还起到振奋精神，鼓舞士气的作用，红军战士徐光友讲，“那时候，我们青年战士也有自己的歌，走到哪唱到哪。

① 《记六安人民支援苏家埠战役》，皖西革命斗争史编写组：《皖西革命回忆录——第二次国内革命战争时期》上卷，合肥：安徽人民出版社，1980 年，第 226—227 页。

② 《泼陂河志 1622—1985》，光山县史志编纂委员会编辑室、泼陂河镇修志领导组，1986 年，第 126 页。

③ 徐海平：《父亲徐兴华留下的〈长征歌〉手抄稿》，《新民晚报》，2006 年 8 月 30 日。

④ 秦基伟：《秦基伟回忆录》，北京：解放军出版社，2007 年，第 8 页。

⑤ 《何玉琳给中央的报告——鄂东北特区最近以来工作概况（一九二九年八月）》，中央档案馆、湖北省档案馆：《湖北革命历史文件汇集（特意文件一）》，第 117 页。

有时一天行军打仗百多里，一唱歌就觉得浑身有使不完的劲儿”。[①] 歌谣还是瓦解敌军斗志的武器之一，早在楚汉相争之际，十面埋伏的项羽在四面楚歌中而自刎乌江边。土地革命时期，红军围困敌军后，战斗的间隙用红色歌谣宣传，比如困守皖西苏家埠的敌军在歌声中出来投诚了。[②] 中央苏区的敌军流行一首顺口溜：一怕红军刀枪镇，二怕兴国山歌声。刀枪镇来头落地，山歌声来勾掉魂。充分说明了红色歌谣的政治宣传效果。

红色歌谣有很强的艺术生命力。一般来说，红色歌谣以其鲜明的政治性，传唱范围基本不出根据地。随着国民党军队的数次围剿，中央苏区、鄂豫皖苏区、湘鄂西苏区的红军开始战略转移，红色歌谣随着红军的队伍，沿途唱到了陕北，红军长征带动了红色歌谣的传播。“红军来了晴了天，红色歌谣万万千；唱个歌子走天下，一人唱过万人传。”[③]《八月桂花遍地开》《三大纪律八项注意》就是这样从大别山传到陕北，进而传唱到全中国。另一方面，一首红色歌谣上口好听，曲调变化较小，而文字内容会根据需要不断修订。如流行于鄂豫皖苏区的《土地革命完成了》曲调，1935 年经红十五军团政治部秘书长程坦填词，改成了《三大纪律八项注意》。[④] 又如《黄安谣》最初唱响于清咸丰年间，当时黄安组织团练曾打败过太平军，流传有“小小黄安，实在难缠。铜锣一响，四十八万”之谣。黄麻起义成功后，党的宣传部门将其改为“小小黄安，真不简单。铜锣一响，四十八万，男将打仗，女将送饭”。20 世纪 50 年代，鄂豫皖苏区领导人郑位三撰写革命回忆录，将“真不简单”

① 《革命歌曲威力大》，中共中央党史研究室：《红军长征纪实丛书红二十五军卷》3，北京：中共党史出版社，2016 年，第 1150 页。

② 《记六安人民支援苏家埠战役》，皖西革命斗争史编写组：《皖西革命回忆录——第二次国内革命战争时期》上卷，第 226—227 页。

③ 《红色歌谣万万千》，贾芝：《中国新文艺大系：1949—1966 民间文学集》上集，北京：中国文联出版公司，1991 年，第 597 页。

④ 刘华清：《刘华清回忆录》，北京：解放军文艺出版社，2007 年，第 73—74 页。

修订为“人人好汉”,《黄安谣》自此定型。[①]

四、第三厅与抗战文艺

抗日战争是近代中华民族深刻的历史记忆。湖北地处中原腹地，虽有地利，并不能远离战争。1937 年底南京沦陷后，国民政府各机构陆续迁驻湖北，武汉成为中国的战时首都，当时汇集了来自全国各地的文艺人才，在国民政府军事委员会政治部第三厅的组织下，谱写了抗战中辉煌的艺术篇章。

面对日本侵略，团结抗日成为全国人民的共同心声。1937 年 7 月 17 日，蒋介石在庐山发表《对卢沟桥事件之严正声明》抗战讲话，表示“如果战端一开，那就是地无分南北，年无分老幼，无论何人，皆有守土抗战之责任，皆应抱定牺牲一切之决心”。9 月 22 日，《中国共产党为公布国共合作宣言》的发表表明以国共合作为基础的抗日民族统一战线正式形成。

文化界的大联合也在形成之中。1937 年底，剧协成立，田汉撰文称“在敌人眼中，京派海派同为亡国之音；在朝在野同在屠杀之列。因此我们不能不要求我国有血性、有觉悟的戏剧界人士，捐除一切成见，巩固这一超派系、超职业、超地域的团结”。[②]

1938 年 1 月 17 日，国民政府修正《军事委员会组织大纲》，设军令、军政、军训、政治四部。其中政治部下设总务厅，秘书处，第一、第二、第三厅。第三厅负责战地服务，及民众的组织和宣传。其组织架构如下：

政治部部长：陈　诚

副部长：周恩来、黄琪翔

第三厅厅长：郭沫若

---

① 红安县革命史编写领导小组办公室:《红安革命歌谣选》，武汉：武汉大学出版社，1986 年，第 1—2 页。

② 田汉:《中华全国戏剧界抗敌协会成立宣言》,《抗战戏剧》1938 年第 1 卷第 4 期。

副厅长：范寿康、范 扬

办公室：主管行政事务，协助郭沫若处理日常工作。

第五处：处长胡愈之，管一般宣传。

一科：科长徐寿轩，主管文字编纂。

二科：科长张志让，主管一般宣传。

三科：科长尹伯休，分工印刷发行。

抗战宣传队。

第六处：处长田汉，管艺术宣传。

一科：科长洪深，管戏剧音乐。

孩子剧团团长：吴新稼。

抗战演剧队。

二科：科长郑用之，担任电影制作发行。

电影放映队。

三科：科长徐悲鸿，负责美术宣传（未到职）。

漫画宣传队。

第七处：处长范寿康，管对日宣传和国际宣传。

一科：科长杜国庠，担任日文翻译。

二科：科长董维健，担任国际宣传。

三科：科长冯乃超，担任对日文件起草。

从领导层人选看，部长陈诚，副部长周恩来、黄琪翔，分别来自不同政党，体现了党派的大联合。不仅如此，第三厅的人员结构也反映了文艺各界的大联合，郭沫若任厅长是众望所归，各方接受，三厅工作人员是群英荟萃，汇集了中国文化界的大批人才，三厅被当时人称为“人才内阁”或“名流内阁”，肩负起领导文化抗敌的任务。

三厅是政治部领导下的文化宣传机构，副部长周恩来实质上直接领导、主导了第三厅的工作。他在指导第二期抗战宣传周中说：“在艺术宣传上，要更加普遍、深刻和激越感人。怎样才能普遍？要使各剧团、各电影放映队能不取任何报酬地分配到各个伤病医院、难民难童收容所、近郊兵营学校中去露天演映，要使各歌咏团体能出动到、漫画能张挂到各个公共场所及交通要点。怎样才能深刻？不论演剧、漫画、放映电影，都要使人听了看了永不能忘。怎样才算激越感人？要使看戏的、听唱的感动得当场落泪，兴奋得矢志报仇，有钱的掏钱应捐，有力的报名杀敌。一切宣传能做得这样深入，最后一天的游行才能动员起武汉三镇多数的民众，有组织地参加行列，对宣传周中的一切要求，也才能保障它的继续和发展，保障它每一个任务的完成。”[①]

在这样的强力组织和动员下，文化界行动起来，投身到以艺术进行抗敌宣传的洪流中来。

美术科是三厅下设机构，其中一项重要任务是组织全国性的美术界抗敌协会。全国性的美术协会组织次第成立。1938 年 6 月 6 日，在汉口成立了中华全国美术界抗敌协会，协会宗旨为“团结全国美术作家，推动抗战工作，发展民族革命美术”，蔡元培、冯玉祥、郭沫若、田汉、陈树人、何香凝、叶恭绰、高剑父等为名誉理事，张善子、唐义精、徐悲鸿、唐一禾、汪日章、孙福熙、吴作人、倪贻德、陈之佛、高龙生、叶浅予、力群、马达、罗寄梅等 43 人为理事。田汉致辞中号召，“通过美术的手腕，来动员广大民众抗战”。[②]

6 月 12 日，中华全国木刻界抗敌协会成立，“组织全国木刻作者，发挥集体力量，争取中华民族的自由解放，并巩固中国木刻运动的基础”，蔡元培、冯玉祥、田汉、胡风、唐义精等为名誉理事，马达、力群等任理事。[③]当时，还成立了中华全国漫画抗敌协会，叶浅予担任负责人。这些全国性美术组织的负责人，不少即在三厅工作，他们开展的艺术活动与三厅密切相连。美术界在武汉会战期间的活动，主要是举办

---

① 周恩来：《怎样进行二期抗战宣传周工作》，赵春生：《周恩来文化文选》，北京：中央文献出版社，1998 年，第 6—7 页。

② 《新华日报》1938 年 6 月 7 日，武汉地方志编纂委员会办公室：《武汉抗战史料》，武汉：武汉出版社，2007 年，第 573 页。

③ 《武汉抗战史料》，第 574 页。

展览会，组织巡回宣传队，受命承担各类美术创作任务。

全国美术界抗敌协会、全国木刻抗敌协会成立期间，均举办有大型的展览活动，前者汇集有200多件展品，题材约分：（一）关于增强必胜信念者。（二）关于暴露敌人兽行者。（三）关于宣传军民合作者。（四）关于发扬民族抗战精神者。材料分油画、水彩画、素描、国画、漫画、版画等。[①] 全国木刻抗敌协会除开办展览外，还深入农村宣传，他们采用农民喜闻乐见的方式，“利用民间年画这一形式，以宣传抗战为内容，尝试新年画的创作，结果受到群众的欢迎，产生了较大的影响”[②]。全国木刻抗敌协会负责人卢鸿基自制大布袋，随身携带木刻协会展品，转移之中随时展出，先后在武汉、衡阳、桂林举办展览，展品最后在桂林被敌机轰炸损毁。

美术家迸发出高度的爱国热情和蓬勃的艺术创造力，创作出一批影响巨大的美术作品。张善子创作了巨幅国画《怒吼吧，中国》，画中一群猛虎，携风带电，直扑而来，右下题字“雄大王风，一致怒吼；威撼河山，势吞小丑”，寓示中国人民奋勇抗击的决心，日本必将败亡的命运。这是一幅用国画进行抗日宣传的经典之作。油画家唐一禾在武汉街头创作了一幅大布画《我们向万恶的倭寇索取血债》，一个裸体巨人高举大斧，劈向身前的敌人。巨人解剖结构精准，姿态孔武有力，象征着英雄的中国人民。这幅带着西洋色彩的画作，予人深刻印象。武昌黄鹤楼墙上的“全民抗战”壁画是三厅美术工场的杰作。1938年夏秋，由田汉主持，倪贻德、王式廓、李可染等十余位画家集体创作，十五天完成，这幅抗战壁画，“皇皇巨构，长达十五丈，竟将整个城墙都涂成画面，中有人物三百，表情均生动深刻”[③]。武汉沦陷后，这幅巨画被日军涂损。

---

① 《新华日报》1938年6月7日，《武汉抗战史料》，第573页。

② 罗工柳：《关于抗战美术的几点回忆》，《美术》1995年8月。

③ 赓雅：《田汉畅谈戏剧及其他》，《申报》（香港版）1939年3月1日第2版。

第二期抗战扩大宣传周活动中，在4月10日美术日举行了各类美术展览会，有张善子正气歌图像展览会、廖冰兄抗战连环漫画展览会、抗战漫画标语印刷品及大布画展览会，当晚，还举行了美术歌咏火炬游行大会，“观者如堵，热烈情况，异乎寻常”[①]。

“战时的武汉完全可说是美术化了，整个的都市就宛如一个大的展览会场。不论在街头，在闹市，在车站，在轮渡码头，到处都张贴着色彩强烈的，线条粗犷的宣传的招贴、布画、壁报、标语，以及大幅的壁画。各团体的美术工作人员，像在竞赛地表现着艺术的伟大力量。根据他们的经验，知道要供给前线军队以精神上的粮食，连环画的小册最受欢迎；农村中的宣传以张贴壁报和招贴为适宜，而在大都市中，却需要大幅的布画和壁画。所以战时的武汉街头，几乎每一座墙壁，每一块广告牌，都被利用到了”[②]。当事人倪贻德的这段回忆给我们展示了当时美术创作的速写和全景。

中华全国歌咏协会是全国性的音乐界组织，1938年1月17日成立于武汉。黄自、李惟宁、刘雪庵、冼星海、吕骥、沙梅等35人担任理事。会上发表宣言称：“用歌咏去发动民众，组织民众，把他们唱上战场，为中华民族的解放而斗争。”[③]由于理事流动大，实际开展活动是在三厅成立之后。冼星海进入三厅第六处任中校主任音乐科员，张曙直接参与三厅工作。

冼星海等音乐人组织了数百个抗日救亡歌咏团体，领导、参与组织了大规模的群众歌咏活动。歌咏活动，相较于文宣、美术、戏剧，更具有广泛的参与性，极受群众欢迎，“这时的武汉，工农商学兵、老少中青妇，几乎人人都引吭高歌”[④]。歌咏音乐会、五四歌咏大会、献金

---

① 《第三厅在汉活动概况》（节录），《武汉抗战史料》，第504页。

② 倪贻德：《黄鹤楼的大壁画》，《星岛日报》（香港）1938年10月29日。

③ 《汉口新闻报》1938年1月18日。

④ 阳翰笙：《第三厅——国统区抗日民族统一战线的一个战斗堡垒》，《阳翰笙选集·革命回忆录》第5卷，成都：四川文艺出版社，1989年，第233页。

音乐大会、广场万人大合唱、水陆火炬歌咏大游行等等，成为武汉街头的壮观景象。在第二期抗战扩大宣传周中，歌咏日的活动盛况空前，武汉各歌咏团体，如海星、三八好（女子）、乐余、孩子剧团等以及到场群众，受“冼星海及张曙指挥，由全体歌唱党歌、义勇军进行曲、牺牲已到最后关头、大刀进行曲、救国军歌、中华民族不会亡及救亡进行曲等”，然后开展游行歌咏（图 4—17），在“市郊街头及公共场所歌咏。……晚 7 时并在光明大戏院举行大合唱”[①]。

图 4—17　1938 年 8 月 9 日，武汉市民举行声势浩大的“保卫大武汉”歌咏大游行

三厅在武汉短短一年时间，却是许多音乐人创作激情高涨、作品丰富的黄金时期。冼星海创作了许多脍炙人口的抗日歌曲，包括《祖国的孩子们》（赵启海词）、《游击军》（先珂词）、《到敌人后方去》（赵启海

① 《第三厅在汉活动概况》（节录），《武汉抗战史料》，第 615 页。

词)、《新时代的歌手》(光未然词)、《赞美新中国》(光未然词)、《江南三月》(施谊词)等等，张曙作曲的《五五纪念歌》(常任侠词)、《壮丁好》(沫沙词)、《当兵去》(安娥词),《保卫大武汉》(沙旅、尔东词，郑律成曲)也广为传唱。早前创作歌曲，如聂耳的《义勇军进行曲》(田汉词)、麦新的《大刀进行曲》也在歌咏活动中反复唱响，其中前者成为中华人民共和国的国歌。光未然是抗战时期涌现出的重要词作者，他是湖北老河口人，原名张光年，肄业于中华大学，早在1935年，他创作的诗歌《五月的鲜花》被谱曲后，迅速传唱到全国。1937年在上海结识冼星海，开始合作创作歌曲，三厅工作期间，光未然奉命率“抗敌演剧第三队”辗转开赴陕西，进行抗敌文艺宣传，途经黄河壶口，震撼于船工的团结协力和黄河的磅礴气势，1939年由光未然作词，冼星海作曲，创作出了《黄河大合唱》，成为振奋民族精神的英雄史诗。

电影和唱片公司也对抗日歌曲传唱起到了积极推动作用。任光执掌百代唱片公司音乐部，有决定录制唱片曲目的权力，他促使当时许多电影明星学唱进步的电影插曲，形成不唱进步歌曲不吃香的氛围。周小燕独唱的《长城谣》、武汉合唱团《满江红》《打回东北去》等歌曲，中国电影制片厂录制成歌唱短片播放。一批音乐人刘雪庵、巫一舟、贺绿汀、王人艺等组织“怒潮乐社”为抗战宣传片配乐。

1937年12月31日，中华全国戏剧界抗敌协会成立，洪深、朱双云等被推选为常务理事。呼吁放弃门户之见，派别之争，巩固团结，进行抗敌宣传。1938年1月29日，中华全国电影界抗敌协会成立，阳翰笙、应云卫、郑用之等担任常务理事，以团结电影界人士，发展电影文化，从事抗战为宗旨。虽早于三厅，但各组织负责人都是后来三厅的骨干。

在三厅的组织下，训练旧剧演员，开办“战时歌剧演员讲习班”，一方面施以抗战教育，另一方面改良戏剧，数百名旧剧艺人参加了学习。《战时歌剧演员讲习班班歌》中唱道，“我们要把舞台当作炮台，要把剧场当作战场。让每一句话成为杀敌的子弹，让每一位观众举起救亡的刀枪”[①]。他们组织抗敌演剧队，深入街头、乡间，进行抗日动员。从上海辗转而来的孩子剧团，演出街头话剧，极大地感染、鼓舞了群众。

从第二期抗战扩大宣传周的会演中，可以看出演剧盛况。话剧演出了《最后一计》《团结抗日》《日兵暴行》《青纱帐》《东北之家》《放下你的鞭子》《难民曲》《大家一条心》《八百壮士》《打鬼子去》等。歌剧包括评剧、汉剧、楚剧、杂剧，剧目有岳飞、文天祥、八百壮士、卧薪尝胆、木兰从军、平倭传、梁红玉、汉奸末路、戚继光等。还有汽车化装游行，表演我敌两军对峙疆场，及我后方民众踊跃捐献的情形。演出地点遍及武汉三镇，大受群众欢迎。[②]

电影工作者通过摄制抗战影片，播送抗战歌曲、军政领导人的抗战演讲片，实现对民众的动员。扩大宣传周第六天为电影宣传日，他们派出巡回放映车，在预定合适地点放映，遇到警报，解除后仍然放映，观众热情很高，场面拥挤。

三厅领导下的抗战文化宣传虽然只有短短数年，但它对我国近代艺术创作尤其是美术、音乐产生了深刻影响。

第一，艺术具有浓厚的政治色彩。抗战时期的艺术人士是被政府组织起来，三厅“是政府机关中设立的宣传美术品的制作和供应部，从政治部设立以来便存在的”。美术工场“也就是政府的美术宣传机关”[③]。艺术人士在政治部三厅的领导下从事创作，艺术作品是政治宣传的有效工具，创作主题应和着时代，服务于国家的重大任务——抗战。

第二，艺术作品的受众是广大人民群众。由于战时艺术视为政治宣传，它不只是思想情感的传达，而“是从政治上宣传鼓动群众，用说

① 阳翰笙：《第三厅——国统区抗日民族统一战线的一个战斗堡垒》，《阳翰笙选集·革命回忆录》第5卷，第223页。

② 《第三厅在汉活动概况》（节录），《武汉抗战史料》，第504页。

③ 卢鸿基：《抗战三年来的中国美术运动》，《卢鸿基文集》1，杭州：中国美术学院出版社，2008年，第103页。

明的方法动员群众，参加一定的政治运动与斗争”①。动员群众，必须面向群众。这与以往艺术作品的受众群体不太一样，传统美术观众群体是小圈子，是同好之间的雅集、鉴赏、收藏、交游，作品的价值高低是由同好、同行、圈中人品鉴。抗战使艺术从象牙塔中走出来，到了街头乡间和广泛的群众中去，并与群众的喜怒哀乐一起律动。群众是最主要的观众，有时还是重要的参与者。三厅组织扩大宣传周把武汉变成了全民投入的抗战宣传大舞台，艺术家的作品与民众游行的长龙交相映照，台上的演员与台下的观众浑然一体。田汉作诗曰：“演员四亿人，战线一万里。全球作观众，看我大史戏。”②

第三，艺术家接受了战火的洗礼，创作观念发生转变。抗战的烽火打破了艺术家宁静的艺术之梦，正如冯乃超所言，“以前的艺术家是为艺术而艺术，大多数人是躲在象牙塔里，做着纯艺术的梦。现在三厅的美术家画了很多抗战的宣传画，把自己的艺术与国家的命运联系在一起”③。冼星海向友人坦承，不能将自己视为“一个音乐作曲者就罢了，我们得要懂得时代的动向，更要会利用自己的艺术去领导民众抗敌，才成为有效的艺术。我们要用深刻的音调来描写抗敌，来歌颂神圣的保卫国土的战争。我们要用歌声传遍都市和农村，鼓励他们忠诚抗战，用那雄壮的歌声遮盖他们的炮声”④。艺术家与时代同呼吸，与国家共命运。

第四，艺术表现手法转向新写实主义。参与黄鹤楼壁画创作的倪贻德说，武汉黄鹤楼的大壁画“可说是新写实主义的开端，也是抗战绘画中划时代的作品”⑤。冯乃超也“预感到，一次新的艺术革命即将到来。

---

① 郭沫若：《战时宣传工作》，重庆：重庆青年书店，1940年。

② 田汉：《为湘剧宣传队题字》，《田汉全集·第十一卷·诗词》，石家庄：花山文艺出版社，2000年，第265页。

③ 王琦：《一个美术工作者对冯乃超先生的回忆》，《文艺理论与批评》2002年第1期。

④ 冼星海：《致盛建颐的信》（1937年8月27日），《冼星海全集》第1卷，广州：广东高等教育出版社，1989年，第308页。

⑤ 尼特：《从战时绘画说到新写实主义》，《美术界》一卷二号，1939年。

伟大的民族解放战争把无数有良心、有正义感的美术家吸引到新现实主义的艺术道路上来，将掀起一个新现实主义的高潮，为我国的美术开辟远大光明的前景”[①]。冯乃超的预言得到了同道的认同，徐悲鸿肯定“吾国因抗战而使写实主义抬头”[②]。而脱离时代，超功利性的纯艺术创作难以受到群众的欢迎。

1938 年是中国近代艺术史上重要的时间节点，这一年全国性的文艺社团组织次第成立，实现了文艺界的大联合。“艺术为抗战服务”，艺术与时代的联系从未如此密切，艺术家的自觉与面向群众的取向实现了完美结合，那段时光为 20 世纪中国艺术史留下了丰厚遗产。

① 王琦：《一个美术工作者对冯乃超先生的回忆》，《文艺理论与批评》2002 年第 1 期。

② 《徐悲鸿讲艺术》，南昌：百花洲文艺出版社，2016 年，第 107 页。

第五章　异彩纷呈的新闻出版图书馆事业

以近代百年来看，湖北新闻事业发展有明显的阶段性特点。

晚清之时，外国人办、官办、民办报纸是汉口报纸的三大类型。外国人出资开办的报纸，有英文、中文之别，其用途既有传教的目的，也有广播新闻时事的功能，关键时刻、关键题目上，潜藏着各自的国家利益。外国报纸以英国的英文《楚报》和日本的《汉报》为典型。官办报纸代表当局的声音，覆盖政治、学务、商务、农学等各方面，销售方式主要为摊派包销，新闻价值上不足以与民办报纸争胜。民办报纸则品类繁多，革命派报纸或标榜或潜藏反清革命主张，被视为“黑血金鼓”。立宪派报纸则鼓吹地方自治和预备立宪，开启民智。还有一些专载青楼花事和诗词小品的消闲小报等。除本土报纸外，由湖北留日学生主编的报刊《湖北学生界》在东京发行，爱乡爱国，鼓起了湖北革命潮。

辛亥革命前后，党派林立，各有政治见解。舆论与军队相辅助，一举成功发动了辛亥武昌起义。民初湖北政治派别各挟报纸为言论机关，相互政争，因言获罪，报案频兴。《汉口中西报》则以持论公允，超然于政治之外，以纯商报而风行江汉 30 余年。

国民政府时期，湖北报刊党派色彩浓厚。国民党中宣部旗下的《武汉日报》是国民党在华中的舆论阵地，中国共产党创刊的《群众》周刊和《新华日报》为抗战而呼号，《武汉报》与《大楚报》是汪伪政权为日本侵略而张目的工具。

湖北近代出版繁荣，湖北官书局收并崇文书局，刊刻典籍，译介西书，发行新式教材，出版乡邦文献，刻书数量和种类在清末官书局中名列前茅。湖北私人刻书亦有传统，出现杨守敬、甘鹏云等刻书大家。湖北地图出版不落人后，为编纂《大清会典》，湖北舆图总局筹建，邹代钧总掌其事，完成《湖北舆地记》。总局撤销后，邹氏在武昌创办亚新地学社，出版地图畅行不衰。晚清以至民国，纂修《湖北通志》议论数起，然而均无下文。章学诚曾纂修《湖北通志》，虽无全本，但他所创的方志三书体例，为后世遵循，备受史学界称赞。

湖北近代图书馆事业特色鲜明，既有韦棣华开风气之先创办的文华公书林和文华图书馆学校，也有公立湖北省图书馆，还有革命色彩浓厚的仲恺图书馆，以及众多的私立图书馆，湖北图书馆园地可谓百花争艳。

第一节　新闻

我国很早就有邸报、宫门抄，它们是发布皇上旨意、政府政令的渠道，供官员阅读，受众群体有限，不是现代意义的新闻报刊。随着列强入侵中国的步伐，裹挟着西学西风，城市里出现了以新闻、时事评论为主，面向大众的新闻报纸。汉口是湖北近代新闻报刊的重要和主要汇集地。近代湖北报刊以“立言”“载道”为主，经济功能次之，其政治倾向明显，屡次掀起笔战或报案。绝大多数报纸寿命不长，旋起旋没。这些特征贯穿于近代湖北报刊发展的不同历史时期。

一、晚清报刊

自汉口开埠之后，湖北近代报刊开始兴办。据估算，湖北近代创办有 300 多种报刊。在同治五年至宣统三年（1866—1911）期间，湖北创办 103 种报刊，按报纸实际控制人分类，官办 14 家，民办 62 家，还有外国人办的报刊 27 家。仅光绪三十四年（1908）一年新创办报刊有 17

家。[1]湖北的新闻事业发展迅速。细考其原因，有以下数端。

汉口开埠，新风拂面，湖北新闻事业初基于此。传教士是湖北近代新闻业的拓荒者。他们为通情报、传福音、造声势开办了报馆，最初是外文报纸，仅服务来华传教士。湖北首家近代报纸是创刊于同治五年（1866）1月的英文《汉口时报》（Hankow times），美国人汤普生任编辑，富瑞德管排印，日报性质。同治十一年（1872），基督教伦敦会创刊《谈道新编》，月出一册。主编沈子星、杨鉴堂虽为中国人，但都具有教会身份，前者是杨格非（Griffith John）的中文秘书，后者服务于汉口基督教仁济医院。[2]这是较早在湖北创办的报刊。

都市是近代传媒业发展的深厚土壤。汉口辟为通商口岸，得风气之先，商业繁盛。武昌为省会，乃政治文化中心。“没有都市中心，大众媒介不可能产生；同样，没有大众媒介，都市中心的发展恐怕也不会成功。”[3]商人需要沟通商情，士绅愿意了解新闻，官员有必要了解舆情，市民也想有消闲的谈资，需求催生生产，生产迎合消费，一个良性互动的传媒链条在以武汉为代表的都市中形成。

技术革新是湖北新闻传媒业发展的助力。雕版印刷为铅活字印刷替代，大大节省了成本。引进包括卷筒纸轮转铅印机、自动铸排机等西方先进的印刷设备，加上采用动力，为报刊的印刷提供了快捷便利的技术支持。

辛亥革命前的报纸可分为三类，外国人办、官办和民办。

外国人创办的报刊，除前面提到的《汉口时报》《谈道新编》，荦荦大者尚有报纸《汉报》、英文《楚报》（Central China Post）、《汉皋日日新闻》、英文《汉口日报》、《中国传教士》等。报纸语言，有中文和外文两种。《汉报》为外人创办的中文报纸。英文《楚报》创刊于光绪

① 刘望龄：《辛亥前后湖北报刊的若干特点》，《中南民族学院学报》（哲社版）1991年第5期。

② 刘望龄：《黑血·金鼓——辛亥前后湖北报刊史事长编》，第1页。

③ ［美］J·赫伯特·阿特休尔著，黄煜、裘志康译：《权力的媒介》，北京：华夏出版社，1989年，第42页。

三十年，设馆于汉口英租界新昌里，英国传教士计约翰主办，直至日军占领武汉四年后，1942年才被迫停办，前后近40年，是在湖北地区经营最长的外文报纸。这些外人报刊，带着鲜明的出资方背景。有的服务于教会，介绍中国闻见，交换传教信息，传播主的福音。如《中华传教士》为英文季刊，服务教会和侨民，内容是教会活动和中国见闻之类，其出版经费来自捐赠。有的服从国家利益。以中文出版的外国报纸，如《字林汉报》，虽标榜博访时务，了解万国情状，“意取公平，议归正大，务愿中国因本有之长，以渐致富强”[①]。但在涉及本国利益问题上，则潜藏制造舆论，转人耳目的手法。

官办报刊，由官方创办、经营，作为湖北地方当局的舆论喉舌，传达着其政治意志。不可否认，也有开民智的功用。张之洞认为“官报与民间开设之报馆不同，务须宗旨纯正，体裁谨严，凡所录必裨实用，凡有记载力戒虚枉，庶足以正人心而开民智，息邪诐而助政教”[②]。

官报从总量上看，大大少于非官办报纸。但从控制舆论、以正视听的目标出发，官报几乎覆盖了政、学、农、商各类报纸，如光绪二十九年（1903）创办的《湖北学报》、光绪三十年（1904）的《蚕学月报》、光绪三十一年（1905）的《湖北官报》和《湖北教育官报》、光绪三十二年（1906）的《公论新报》和《农工商报》、光绪三十三年（1907）的《两湖官报》、光绪三十四年（1908）的《武昌日报》、宣统二年（1910）的《湖北农会报》和《湖北自治公报》等，均有官方的背景。

由于有官府的支撑，甚至以强制摊派、免费分发的方式，官报的发行量并不低。官报也收买民报，如商办的《汉口日报》在吴沃尧主笔政时期，“平日尚能主持清议，官场多因畏而憾之”[③]，后因支持爱国学生的拒俄运动，被官府强制收归官办，虽然开办经费比商办时增加一倍，

① 刘望龄：《黑血·金鼓——辛亥前后湖北报刊史事长编》，第6页。

② 刘望龄：《黑血·金鼓——辛亥前后湖北报刊史事长编》，第90页。

③ 《详纪汉报改归官办事》，《苏报》1903年6月12日。

但因为“精神大减，新闻均极庸腐且歌功颂德”[①]，“有识者皆唾弃不观”，销量暴跌，“资本大亏”。最后只得由总督强令各州县承销。[②]

自同治十二年（1873）艾小梅在汉口创办《昭文新报》始，湖北民办报纸蓬勃兴起，数量之多，内容之驳杂，辐射面之广，影响之大，一举打破了官报控制、垄断舆论的局面，在全国堪称佼佼者。官报、民报的不同作用，时人曾指出，官报“其作用专以备宣布文件、供人调查之用，故但有命令而无要求，有诫谕而无督责”；民报的责任在于“对于国民而为向导，对于政府而为监督者”[③]。站在与官报不同的立场，民办报纸按内容可分为革命派报纸、立宪派报纸、专业性报纸以及消闲小报等。

按出资人看，外国人办的《汉报》，官办的《湖北官报》，民办的《昭文新报》《湖北学生界》，具有代表性，体现了同类报纸的基本特点，以下按报纸成立时间先后为序，略作分述。

《昭文新报》 《昭文新报》是湖北，也是中国最早由华人自办的报纸，现在罕见该报原件。但在同时代报刊和时人笔下，约略可窥见其一鳞半爪。

该报创办之初，曾给上海《申报》馆邮寄报纸，《申报》以《汉口创设昭文新报馆》进行报道，可知该报创刊于同治十二年（1873）8月8日。[④]报纸创办人是艾小梅，使用活字木刻排印，是大小为十折的小型报纸，使用黑墨水印刷[⑤]。最初是每日发印，销售给各地。“然汉皋向无此举，今骤仿行，未免人情未习，取阅者不能坌集，后遂改为五日一

① 《鄂事汇志》，《苏报》1903年6月16日。

② 刘望龄：《黑血·金鼓——辛亥前后湖北报刊史事长编》，第82页。

③ 《汉报》1907年1月10日，刘望龄：《黑血·金鼓——辛亥前后湖北报刊史事长编》，第118页。

④ 《汉口创设昭文新报馆》，《申报》1873年8月13日。

⑤ 内田佐和吉：《武汉的文化机关史》，刘望龄：《辛亥首义与时论思潮详录》上卷，武汉：华中师范大学出版社，2011年，第5页。

期，装订成书，改用白鹿纸，墨水亦较腴润。”[①] 但这不能扭转《昭文新报》倒闭的命运。对于该报作为新生事物遭遇的困难，同时代的日本记者内田佐和吉评论说，“当时社会情形，十人中九人可以说是文盲，到乡间去更为蔽塞不堪，毫无事业之可言。至于新闻一事，更无成立之必要。若谈到在新闻纸登载广告，在商人方面，绝无此种思想，在那种情形之下，无论鼓着如何的勇气，怀抱着如何的方法，要想经营这样新闻事业，不过是虚掷金钱、付诸流水就是。其后改为五日发行一次，亦无有购读者，新闻仿佛是无用之物，莫不等闲的看待结局，不得已步入停刊之途”[②]。

《昭文新报》“所采录则奇闻轶事居多，间有诗词杂作”[③]。《申报》曾转载该报的两首诗，给我们留下了这份报纸难得的遗痕，兹照录如下：

> 前阅《申报》见诸君子有和杨子式闰六月初七夜月诗，因次原韵二首。
>
> 蕉衫葵扇足风流，闲卷珠帘月在钩，兔魄哉生刚入夜，雁书迟到未传秋，漫将余闲占蓂荚，直欲先期拜女二，待得娥眉重画好，还邀多伴上鍼楼。
>
> 望断银河影欲流，上弦蕊吐月如钩，三庚底事偏逢闰，一叶于今未报秋，却爱清辉悬顾兔，错将佳会约牵牛，广寒宫里堪消暑，拟借姮嫦白玉楼。[④]

《汉报》　最初是英国人在湖北汉口创办的中文报纸，光绪十九年（1893）3 月 23 日创刊。原名为《字林汉报》，日报，每份售 10 文钱。从上海聘任姚文藻、梅问羹为主编。《汉报》的论说、新闻往往与

① 《记汉口新报改章事》，《申报》1873 年 10 月 2 日。

② 内田佐和吉：《武汉的文化机关史》，刘望龄：《辛亥首义与时论思潮详录》上卷，第 5 页。

③ 《记汉口新报改章事》，《申报》1873 年 10 月 2 日。

④ 《申报》1873 年 9 月 11 日。

上海的《字林沪报》共享，俨然《字林沪报》的汉口分馆。版面正文设论说、谕旨、电传、西报汇译，余皆为广告，介绍商情等。在新闻报道中，申论“有闻必录，靡事不书”，而且对“盗贼灾荒诸事，并载编中”[①]。

《汉报》经营不善，姚文藻等转手贷给林松塘，一年后又难以为继，日本人宗方小太郎与之接洽，光绪二十一年十二月（1896 年 2 月），以 1 000 元接办《汉报》，并呈请湖北当局备案，成为“日本人在清国境内创办中文报纸之嚆矢”[②]。报馆比邻汉口河街茶业公所，宗方小太郎任社长，冈幸七郎（冈西门）等任主笔，其他员工尽用华人。报纸除报头添列一条明治纪元外，其他一仍其旧，不做任何变动。

宗方小太郎接手《汉报》另有隐衷。东亚同文会在《对支回忆录》中说，宗方小太郎自光绪十六年（1890）以来，将“发行报纸作为对中国的指导机关为当前急务”，由于中日甲午战争爆发，时机未成熟。战后，在日本政界及海军省的援助下，收购了《汉报》，在“江汉之间摆出严正的阵势，以鼓吹中国官民的觉悟”[③]。

所谓“觉悟”，指的是甲午战败之后，中国朝野对日人感情不睦，竞相痛骂，《汉报》从中“遂力辩支那各报之妄，抨击崇拜俄国热潮，申明唇齿辅车之议，极力融和朝野官民之感情”[④]。

日办《汉报》公开鼓吹“警醒国民之昏睡，唤起天下之公论，使四万万之民统一其所向，而合同一致以救济大局，是报馆当力行之急务也”，“开发中国之风气，鼓舞中国之士民，振作政治教育，劝兴农工商

① 《纪杞忧生书述乱民滋扰事》，《汉报》1896 年 2 月 8 日。刘望龄：《黑血·金鼓——辛亥前后湖北报刊史事长编》，第 10、11 页。

② 濑川浅之：《有关当地发行报纸状况》，刘望龄：《辛亥首义与时论思潮详录》上，第 95 页。

③ 东亚同文会：《对支回忆录》，刘望龄：《黑血·金鼓——辛亥前后湖北报刊史事长编》，第 11—12 页。

④ 濑川浅之：《有关当地发行报纸状况》，刘望龄：《黑血·金鼓——辛亥前后湖北报刊史事长编》，第 41 页。

务，使中国四万万之民，脱欧人将吞之虎口，以欲全同文同种同洲之义务天职”[①]。表面看堂堂正正，实质则在向日本政府的呈报中讲得清清楚楚，其宗旨：“一、介绍日本之实情于支那之官民，使彼等产生对日之信赖；一、明唇齿辅车之义，举一脉相承之实；一、抑制旧党，援助新党，以助长维新之气运。”[②]

如前所述，《汉报》极力鼓吹维新，对戊戌政变持猛烈抨击态度，事后仍力主光绪亲政，梁启超评论说，戊戌之后，“《汉报》以日本之力，大声疾呼于汉口”[③]。因此，触犯慈禧太后，加之“《汉报》每日所揭载的记事新闻，触犯武昌官宪忌讳的不少”[④]，虽然无法直接查封《汉报》，湖广总督张之洞奉上谕，逮捕承销《汉报》的中方报纸发卖人和访员，禁阻《汉报》发行。光绪二十六年（1900）9月28日，无法经营的《汉报》只得以3 000两价银转让给湖北当局，宣布闭馆。

《湖北官报》　清末民办报纸如雨后春笋，勃然而兴。由于托庇租界，议论纵横，政府难于管控。当局除颁布报律，强行控制外，还开始创办官报，引导舆论。袁世凯创办的《北洋官报》是第一份官方报纸，而张之洞督鄂创办的《湖北官报》，特色鲜明，其办报凡例，成各省官报的标杆。

《湖北官报》出版比《北洋官报》晚了四年。早在1901年底，张之洞痛感“乱党”各报，“诬善谋逆”，“邪说流行”，惑乱人心，委派王仁俊办理《湖北官报》，附于《湖北商务报》出版，经费由善后局支给，并亲自斟酌办报宗旨，“一曰崇正黜邪，二曰益智愈愚，三曰征实辨诬，

---

① 《停报辞》，《汉报》1900年9月28日，刘望龄：《黑血·金鼓——辛亥前后湖北报刊史事长编》，第51页。

② 濑川浅之：《有关当地发行报纸状况》，刘望龄：《黑血·金鼓——辛亥前后湖北报刊史事长编》，第42页。

③ 梁启超：《中国各报存佚表》，《清议报》第100号。

④ 刘望龄：《辛亥首义与时论思潮详录》上卷，第105页。

以定民志，以遏乱萌”[1]。但迁延多年，直到光绪三十一年（1905）4月5日《湖北官报》才正式发行。

《湖北官报》既为官办报刊，其总办由官方委任。江汉关道梁嵩生任总办，任承纪为总纂，沈宝枢掌收支，善后局每年拨发两万元专款经办。创办目的是与民办报纸争夺舆论主导权。为此，张之洞详定《湖北官报凡例十则》，规定“以正人心，增学识为宗旨”，“凡邪诐悖乱之说，猥鄙偏谬之谈，一概不录”。报纸内容分为“政法、学说、兵事、财用及农工商渔各实业，暨交涉要端”等六个方面，包含十二个门类，分别是列朝圣谟、近日邸抄、重要电音、本省公牍、京外公牍、各省报章、各国报章、前人论说、时人论说、往事鉴戒、各省记事、辨正谬误等。按凡例，《湖北官报》为旬刊，但从第二册起改为半月刊。《湖北官报》不以盈利为目的，规定“本报邮寄各省官商，代为分送，不取分文”[2]。《湖北官报凡例》刊出之后，各省奉为圭臬，多以此为蓝本办理官报。

《湖北官报》创刊号发行2万余册，印数之多，冠绝湖北诸报。由于“分文不取”，湖南还咨呈“再加赠千本，以备颁发各学各营”[3]。这种不计成本的发行方式，难以长久支撑，到宣统三年（1911）初，湖北咨议局有议员提出议案，即行停止发行《湖北官报》，“免致以有用之金钱，作无益之费用”[4]。同年2月18日，湖广总督瑞澂饬令“短少页数，改为每日发行”[5]，勉强支撑着《湖北官报》到辛亥武昌起义爆发而停办。《湖北官报》发行6年半之久，总计162期。

《湖北学生界》 张之洞奖劝留学，湖北学子公派、自费留学日本人数最多。光绪二十九年（1903）1月29日，留日湖北同乡会在日本东京创办《湖北学生界》，作为同乡会刊物。这是我国最早以省区命名的

---

① 张之洞：《札商报馆兼办湖北官报》，赵德馨：《张之洞全集》第6册，第402页。

② 《湖北官报凡例十则》，《湖北官报》第1册，1905年4月5日。

③ 《湘抚请发官报》，《申报》1905年5月17日。

④ 刘望龄：《黑血·金鼓——辛亥前后湖北报刊史事长编》，第225页。

⑤ 刘望龄：《黑血·金鼓——辛亥前后湖北报刊史事长编》，第225页。

海外刊物。

爱国必自爱乡始，张继煦在创刊《叙论》中指出，中国已成各国竞争的中心点，湖北尤为“中心点之中心点”。呼号合群团结，爱国爱乡。刊物设论说、学说、政法、教育、军事、经济、实业、理科、医学、史学、地理、小说、词薮（楚风、楚言）、杂俎、时评、外事、国闻、留学纪录等栏目。附湖北调查部纪事，提倡社会调查，以“湖北人谋湖北”的发展，“发其智，通其情，兴其利，剔其害”①。宗旨归结为“输入东西之学说，唤起国民之精神”。

第一期由王璟芳、尹援一主编，刊物撰述以湖北留日学生同仁就其所学的科目，“择门分任，撰译兼行”，②张继煦、但焘、范鸿泰、权量、蓝天蔚、屈德泽、刘成禺、李步青、金华祝、程明超、李书城、万声扬等是主要撰稿人。除第一期文章署名外，其余几期均无署名。刊物资金自筹。月刊，每月初一出版，厚数百页。售洋二角，在武昌、上海、东京分设总发行所，并于湖北、江苏、安徽、江西、广东、四川、直隶、山西、湖南、浙江等地分设代派所 30 余家。另通过海外邮寄、留学生回国等途径，广为分发。

6 月，发行闰月增刊《旧学》，潜伏着刊物宗旨的渐变，该册辑录宋明两代的旧籍，刊有岳飞、文天祥等民族英雄的作品，并在内芯空白处插入“人心思汉、天意扶明”，“不许夷狄入主中国”等警句。光绪二十九年 7 月 24 日《湖北学生界》改名《汉声》，但序号不变，编为第六期。由窦燕石担任主编，编撰由留美、留法博士担任，声言其“所学既出于独立民主之母国，其立论必有高出前数期万万者”。③确实如此，《汉声》已与爱国爱乡的《湖北学生界》不同，公开揭橥出民族革命的大旗，“冀唤醒睡师之灵魂，挽长流而溅异族之污染兮，以光复祖国而

① 程明超：《附湖北调查部纪事·叙例》，《湖北学生界》第 1 期。

② 《湖北学生界开办章程》，《湖北学生界》第 1 期（1903 年 1 月）。

③ 刘望龄：《黑血·金鼓——辛亥前后湖北报刊史事长编》，第 78 页。

振大汉之天声"[①]。9 月 21 日，第七、八期合刊发行，再未见续出，至此终刊。

留学生创办刊物于域外之邦，脱离了清政府的管控。张之洞对《湖北学生界》在国内传播严行禁止，然而禁令适成广告，刚问世时，《湖北学生界》"阅者寥寥。自张之洞一禁，骤销至数千份"[②]。以至于第四期刊登《再版广告》宣布，"本报第一次出版，风行一时，数千部均已售尽"，拟再版数千部。[③]

二、辛亥革命时期的党报与商报

梁启超曾说，"武汉起义，不数月而国体丕变，成功之速殆为中外古今所未有"。"问其何以能如是，则报馆鼓吹之功最高，此天下公言也。世人或以吾国之大，革数千年之帝政，而流血至少，所出代价至薄，诧以为奇。岂知当军兴前、军兴中，哲人畸士之心血沁于报纸中者，云胡可量？然则谓我中华民国之成立乃以黑血革命代红血革命焉可也"[④]。起着"黑血革命"作用的正是一大批前仆后继的带有革命色彩的报刊。

发刊词最能揭示报刊宗旨。对革命刊物而言，这并不明显，在清政府统治之下，昌言革命是不被允许的，故而在发刊词中，笔锋多有收敛。光绪二十九年（1903）创刊的《湖北学生界》以"输入东西之学说，唤起国民之精神"为宗旨。光绪三十四年（1908）创刊的《江汉日报》，只宣言"越天下之喉舌，而张自由之帜"，尽管其后微有暗示，不要等闲看待本报，因为"天下事必其始之平淡无奇者"，而后必有"掀天揭

① 《汉声·发刊词》1903 年 7 月。

② 《学生界之鹳雀敔》，《江苏》1903 年第 2 期。

③ 《湖北学生界再版广告》，《湖北学生界》第 4 期。

④ 梁启超：《鄙人对于言论界之过去及将来》，《梁启超全集》第 4 册，北京：北京出版社，1999 年，第 2508 页。

地之事业，惊世骇俗之举动”，[1] 并未公开鼓吹革命。同年的革命派报纸《湖北日报》《湖北女学日报》《通俗白话报》，宣统元年（1909）的《汉口商务报》，宣统二年（1910）的《雄风报》《政学日报》，宣统三年（1911）的《大江白话报》《大江报》《夏报》《武汉白话新报》《新鄂报》等，宗旨上不免掩饰，但言论和报道的事件颇能体现其革命色彩。

嘲讽、揭弊是革命报纸惯常采用的手法。宣统元年春《湖北日报》刊发政治漫画《石龙》，题句曰：“这石龙，真无用，低头潜伏南山洞，尽日高拱不动，徒享地方香火奉。纵有爪牙总是空。吁嗟夫！无怪事事由人弄”；《怪物图》题词为“似虎非虎，似彪非彪，不伦不类，怪物一条。因牝而合，与獐同槽，恃洞护身，为国之妖”。前者嘲讽庸碌无能的鄂督陈夔龙，后者讥笑攀附张之洞的新军统制张彪。[2]《汉口商务报》被公认为“鼓吹革命，言论激昂，抨击无所忌讳”[3]。

翻译转载，巧避管制，借外人之口，做生动的革命宣传，是其另一宣传方式。《江汉日报》翻译连载日本《大阪每日新闻》文章《清国之革命党》，系统介绍孙中山、同盟会、华兴会，以及反对革命党的康梁派政治主张和活动，变相为革命进行了鼓吹。

代表士绅言论，鼓吹地方自治和立宪的报刊也不少。光绪三十四年（1908）创刊于日本东京，由湖北留日学生创办的《教育新报》《湖北地方自治研究会杂志》，是海外宣传立宪的刊物。宣统元年4月创刊于汉口的《趣报》旨趣两端，“提倡风月，催促宪政，保黄种之凌夷，挽世道之衰弱”[4]，宣统二年创刊汉口的《宪政白话报》，是汉口“请愿速开国会同志会”的机关刊物，以“宣传立宪，开通民智”为主旨。[5]

① 刘望龄：《黑血・金鼓——辛亥前后湖北报刊史事长编》，第144—145页。

② 刘望龄：《黑血・金鼓——辛亥前后湖北报刊史事长编》，第196、197页。

③ 喻的痴：《楟园漫识》，刘望龄辑：《辛亥前后武汉报纸新闻资料简辑》，《辛亥革命史丛刊》第4辑，北京：中华书局，1982年，第200页。

④ 刘望龄：《黑血・金鼓——辛亥前后湖北报刊史事长编》，第198页。

⑤ 刘望龄：《黑血・金鼓——辛亥前后湖北报刊史事长编》，第219页。

政治派别之外，尚有持论允和的报纸。如光绪三十二年（1906）5月创刊汉口的商办《汉口中西报》。专业报纸有光绪三十四年创办的《湖北女学日报》，“专为增进女学之文明，启发女子之知识为宗旨”①，是湖北第一家女界报纸。宣统二年5月创刊的《湖北农会报》，以“研究农学，改良农业，补助农政为宗旨”②。《扬子江小说报》是文艺专刊。《不缠足会画报》是汉上创办的第一家画报。

还有种消闲小报，专门刊载妓女花事和诗词小品。光绪三十二年底创刊于汉口的《现世报》是第一家这样的小报，名字透露出旨趣，献丑于世，嬉戏顽皮，内容是游戏文字，平章风月。类似的报纸还有《艺林报》《繁华报》等。

辛亥武昌起义爆发后，武汉报纸报馆集结地汉口成为战场，不少报纸或停刊，或因兵燹馆毁人散。但也有胡石庵的《大汉报》和湖北军政府的机关报《中华民国公报》趁势而起，它们在报道首义消息，呼吁各省响应，宣示革命政权政令上不遗余力，为中外媒体所称道。民国成立后，湖北报刊如雨后春笋，竞相成立。伴随着民初湖北政坛派系林立，报纸成为各派言论机关，彼此攻讦不休。

张樾从《中华民国公报》中脱离出来，创办《震旦民报》。他与张振武同乡，所以《震旦民报》成了张振武派的言论机关，与《中华民国公报》对峙，后来张振武为袁世凯杀害，该报得到谭延闿、李烈钧的资助成为国民党党报。

孙武、蒋翊武、张振武，素不相能，三武各有舆论机构。孙武主持《中华民国公报》，蒋翊武则以《民心报》为舆论阵地，形成同盟会与民社对垒态势。创办于汉口的《民国日报》，得到国民党的资助，是国民党的言论机关。《共和民报》为张国溶所办，是民主党的言论机关。《国民日报》《天声报》《正谊报》《新中华报》，以驱逐鄂督王占元、声讨袁

① 刘望龄：《黑血 · 金鼓——辛亥前后湖北报刊史事长编》，第183页。

② 刘望龄：《黑血 · 金鼓——辛亥前后湖北报刊史事长编》，第221页。

世凯为主要宗旨，只能局促于汉口租界内发行。

五四运动时期，湖北武汉出现支持学生运动、工人运动的报刊。武汉学联创办了《学生周刊》，恽代英、黄负生是主要撰稿人。1921 年 1 月 2 日《武汉星期评论》创刊，这是早期中共党组织主持的一份报刊，恽代英还创办了《互助》和《我们的》。1921 年，国民党员杨绵仲创办的《江声报》，鼓吹反帝反封建。1922 年由湖北省工团联合会创办的《真报》，支持工人运动和学生运动。

辛亥革命前后，各种政治势力借舆论宣扬政见，其鲜明的政治立场，导致湖北报案频发，《大江报》《大汉报》即是代表。也有超然政治之外，稳健中立的《汉口中西报》，能风行江汉三十余年。以下略作介绍。

《大江报》 孙中山回顾辛亥革命经历，曾感慨“此次民国成立，舆论之势力与军队之势力相辅而行。故曾不数月，遂竟全功”[①]。清末创办于汉口的《大江报》正是舆论与军队结合的典范，且因为“敢言”，迭罹报案而名垂新闻史。

《大江报》原为《大江白话报》，宣统二年（1910）由黄梅人胡为霖创办于汉口歆生路，詹大悲（图 5—1）、何海鸣分任正副主笔，小报性质，日出一张。不久，因为报道英国水兵殴毙汉口人力车夫吴一狗案，主办人担心惹祸上身停办。詹大悲另筹措资金三千元，于宣统三年（1911）春接办该报，删除报名中“白话”二字，扩大版面，日出两大张。湖北革命团体振武学社、文学社倚之为机关报，报纸在湖北新军营中很有市场。

《大江报》以“提倡人道主义，发明种族思想，鼓吹推倒满清罪恶政府”为宗旨，遇事敢言，每日“著论攻刺时政，鼓吹革命不稍讳”[②]。

① 孙文：《致武汉报界联合会函》，广东省社会科学院历史研究室等：《孙中山全集》第 2 卷，北京：中华书局，1982 年，第 336 页。

② 喻的痴：《樗园漫识》，《辛亥革命史丛刊》第 4 辑，第 201 页。

报社声誉日著，销路大畅。地方官吏“畏报如虎，恨报刺骨”[①]。同年7月26日该报刊登署名“奇谈”（黄侃）的时评《大乱者救中国之妙药也》，文曰：

图5—1 詹大悲

中国情势，事事皆现死机，处处皆成死境，膏肓之疾，已不可为。然犹上下醉梦，不知死期之将至。长日如年，昏沉虚度。软痈一朵，人人病夫。此时非有极大之震动，极烈之改革，唤醒四万万人之沉梦，亡国奴之官衔，行见人人欢戴而不自知耳。和平改革既为事理所必无，次之，则无规则之大乱，予人民以深创巨痛，使至于绝地，而顿易其亡国之观念，是亦无可奈何之希望。故大乱者，实今日救中国之妙药也。呜呼！爱国之志士乎！救国之健儿乎！和平已无可望矣！国危如是，男儿死耳！好自为之，毋令黄祖呼佞而已。[②]

① 温楚珩：《辛亥革命实践记》，中国人民政治协商会议湖北省委员会：《辛亥首义回忆录》第1辑，武汉：湖北人民出版社，1979年，第52页。

② 《汉口大江报被封情形》，《时报》辛亥闰六月十二日（1911年8月6日）。

公然鼓吹大乱的言论，殊为“大逆不道”，湖广总督瑞澂以“宗旨不纯，主意嚣张”，[①]“淆乱政体，扰害治安”等“谋乱”大罪，饬令湖北巡警道在8月1日查封报馆，“永禁发行”[②]。同时逮捕詹大悲、何海鸣，投汉口礼智司狱中，酿成震动全国的报案。武汉舆论界群起声援，连日来在报馆门前张贴“安慰之纸条，哭吊之短文”，湖北当局最后将二人改判刑事处分，监禁一年半。但《大江报》为辛亥武昌起义所做的舆论动员，为人所称道，胡石庵曾誉之以“大江流日夜，鼓吹功不朽”。

武昌首义后，詹、何被迎候出狱，组织汉口军政分府。1912年春詹大悲在汉口后花楼街重组《大江报》，聘凌大同、何海鸣为编辑。该报延续“敢言”的办报作风，对黎元洪“时加抨击，持论甚激昂”[③]。不久，因为刊登江亢虎鼓吹“社会主义”的文稿，黎元洪以此为口实，指责“《大江报》出版以来，专取无政府主义，为图谋不轨之机关，立（擅）造妖言，摇惑人心，废婚姻之制度，灭父子之大伦，无国家，无家族，无宗教，无男女。近乃益肆猖狂，毫无忌惮，至有除去政府，取消法律之邪说，实属大逆不道，悖谬已极”[④]。8月8日，派巡警查封报馆，捕拿何海鸣、凌大同等人归案，凌大同不幸被捕，被秘密处死。

《大江报》在民国成立前后两次被封禁，成为当局粗暴压制舆论的典型事例。

《大汉报》　1911年10月10日，武昌起义一夕奏功。长江汉水隔断三地，连日来消息不通，人心惶惶。天门人胡石庵（图5—2）率先在汉口创办《大汉报》，以革命舆论机关自居，传播湖北军政府的声音。

---

① 《汉口大江报被封情形》，《时报》辛亥闰六月十二日（1911年8月6日）。

② 《再志汉口大江报被封情形》，《时报》辛亥闰六月十三日（1911年8月7日）。

③ 喻的痴：《樗园漫识》，《辛亥革命史丛刊》第4辑，第201页。

④ 《大江报因取无政府主义被封》，《申报》1912年8月15日。

图 5—2　胡石庵

胡石庵毕业于武昌经心书院，擅长笔墨，有“鄂中奇才”之誉。长期活跃于报界，当过汉口《中西报》《公论报》《扬子江小说报》主笔。宣统二年（1910），集资在汉口歆生路创办大成汉记印刷公司，印刷发行多家报纸。武昌首义次日，他以手写传单通告《大汉报》即将出版，粘贴于街道。10 月 15 日印刷出版，每天一小张，初期编务、采访、印刷、发行，都由胡石庵一人承担。该报有着鲜明的革命色彩。没有采用通行的宣统纪年，而是采用革命政权的黄帝纪元，与公元历法并用。办报宗旨是“以言论造成民国”，张大革命影响。创刊号出版，在信息真空的汉口引起轰动，再版六七次，销售 2 万多份，创造湖北报史上日销售的最高纪录。

10 月 29 日，清军大举进攻汉口，《大汉报》报馆被焚烧，发行 14 期被迫停办。11 月 8 日，《大汉报》迁到武昌继续出版，湖北军政府拨款 5 000 元，胡石庵任编辑兼发行人，张越任经理，馆设武昌斗级营，不久迁到贡院前街。报馆规模扩大，日出三大张。12 月 1 日，清军炮轰武昌，黎元洪出走葛店，城内出现混乱。为稳定民心军心，《大汉报》编造了一些假新闻。当时武昌城有童谣唱道，“大汉报，真个巧，见了他，胆大了”，“大汉报，胆真大，人人怕，他不怕”。外媒赞扬《大汉报》是“民国之第一张报纸”“革命军之先锋”。[①] 革命党人则赞誉“胡石庵一枝笔，胜过吾辈三千毛瑟枪”[②]。

《大汉报》因为揭载段芝贵以女伶贿送袁世凯之子的消息，为段衔恨。1914年3月14日，以该报开辟《中原狼祸纪》专栏为藉口，编造报馆私通白朗，抓捕胡石庵等12人下狱。经黎元洪疏通，判决胡石庵监禁三年十个月。袁世凯死后，胡石庵出狱。1916年5月11日，召集原班人马重组报馆，改名为《天声报》，辟有副刊《楚些》，刊登诗文。12月恢复原报名，复刊《大汉报》。1926年8月，“因言论偏于赤化”，被湖北当局取缔，[③]《大汉报》终刊。

《汉口中西报》 湖北近代历时最长的国人所办报纸非《汉口中西报》莫属。自光绪三十二年（1906）创刊到1937年底终刊，前后三十余年，在汉上报纸旋起旋没环境之中，堪称“不倒翁”。其发行超过万号，在湖北居首位，在全国排于《申报》《新闻报》《大公报》《时报》《时事新报》之后，列第六位。在该报任事多年的胡祖舜评论说，“此其为功，不仅言论态度须十分公正稳健，不为多方所嫉视，且经营组织，要亦不失于商业经济化，始能发荣滋长”[④]。

《汉口中西报》原为德商经营，光绪三十二年5月，黄冈人王华轩（王国光）接办此报，并与自己创办的《武汉小报》合并，聘任凤竹荪为总编，王痴吾、曾莘庐、贡少芹、朱钝根、胡祖舜等先后参与编辑。报纸以“开通风气，提倡商务学务”为宗旨。言论上“以公理正义为依归，持和平公正之态度，不为利诱，不为威屈”。政治上不偏不倚，“超

① 倪琴舫等：《〈大汉报〉历史记略》，《武昌起义档案资料选编》二卷，武汉：湖北人民出版社，1981年，第225—228页。

② 胡赞：《辛亥史话》，中国人民政治协商会议湖北省委员会：《辛亥首义回忆录》第1辑，第220页。

③ 《大汉报被鄂当局取缔》，《益世报》（天津）1926年8月25日。

④ 胡祖舜：《中西报八千纪念号与汉口报业之历史观》，《辛亥革命史丛刊》第4辑，北京：中华书局，1982年，第224—225页。

然于党政之外”，[①]“绝对不卷入政潮之漩涡”。“纯粹商办”，[②]独资经营。

武昌首义后，《汉口中西报》徘徊观望，试刊报道中，坚持“稳健”“中立”态度，守“不清不浊主义”[③]。既不用清政府的宣统年号，也不用革命政权的黄帝纪元。称武昌起义为“起事”“争战”，称革命军为南军、汉军，清军为北军、旗军。民国成立后，武汉诸多报纸代言各政治派别，大开笔战，《汉口中西报》持论公允，“记载则趋重事实，不为捕风捉影之谈；批评则力主公平，不涉谩骂丑诋之语”[④]，以此为湖北当局所容。

《汉口中西报》在政治上持中立态度，在经营上很有门道。以一半以上的篇幅用于刊登广告、货物行情、商业信息，以此获利；开辟副刊，登载各类小说，开辟“花事”专栏等，招徕读者；自办印书局，承揽印刷业务。经理王华轩用人行政，慎重得宜，作者群实力雄厚，不滥用非人。开源节流，管理有方。

《汉口中西报》曾举办发行2000号、3000号、5000号、8000号、1万号纪念活动，广征题词。在一万号纪念中，于右任、孙科、居正等党政要人、社会名流纷纷题词祝贺，以“万志竞响”“名重中西”“风行江汉”等相称誉。1937年12月，抗日战火渐近，《汉口中西报》无力经办，主动终刊。

三、抗战之际的报刊

抗战之际，华中地区国民党以《武汉日报》为政府喉舌。武汉沦陷后，国民党在湖北省战时省会恩施创办了《新湖北日报》。

南京沦陷后，武汉一度成为全国抗日的政治中心，一大批以宣传

① 武汉地方志编纂委员会：《武汉市志·新闻志》，武汉：武汉大学出版社，1991年，第26页。

② 刘望龄：《黑血·金鼓——辛亥前后湖北报刊史事长编》，第102页。

③ 《报界一席话》，《民立报》1911年10月28日。

④ 喻的痴：《汉口中西报三十年经过大概》，《辛亥革命史丛刊》第4辑，第227页。

团结御侮、全民抗战的报纸在武汉创刊。1937 年 12 月底中国共产党在汉口创刊《群众》周刊，1938 年元旦创刊《新华日报》，它是中国共产党在国统区公开出版的大型机关报。在此期间还有邹韬奋主编的《全民抗战》，胡绳主编的《救中国》周刊，范长江主编的《新闻记者》月刊。这些刊物后来因武汉沦陷，西迁到鄂西、重庆等地出版，中国共产党还在敌后抗日根据地创办了《七七报》等，继续高举全民抗战的旗帜，为巩固抗日民族统一战线鼓与呼。

七七事变之后，一些具有全国性影响的大报在沦陷区无法立足，也转移到武汉复刊出版。1937 年 9 月 18 号，《大公报》汉口版创刊。1938 年 1 月 15 日《申报》在武汉复刊，发行该报汉口版。

日伪政权在武汉创办报纸《武汉报》《大楚报》，标榜和平、睦邻，替日军侵略辩护，为其合法性进行宣传。

《武汉日报》 《武汉日报》是国民党中宣部直接领导的华中地区最大的报纸，与南京《中央日报》、北平《华北日报》、广州《中山日报》，并称为国民党报系“四大金刚”。

1929 年，汉口特别市党部奉命接收、改组《湖北民国日报》。6 月 10 日，利用《湖北民国日报》报社设备和社址，曾集熙负责筹办的《武汉日报》创刊，萧若虚任总编辑。《武汉日报》报头原由胡汉民题写，后改为邵元冲的题名。初期发行量每天 2 000 多份，影响不彰。胡伫玄任总编后，学习国内知名大报做法，引进设备，革新版面，扩大新闻来源，聘请名人为副刊撰稿，经其努力，该报日出对开三张，12 个版面。其中 8 版新闻和副刊。1933 年曾经增办晚刊。《武汉日报》发行量大幅上升，日销量达到 2.3 万多份，居华中地区首位。[①]1933 年胡病死，总编辑王亚明接任社长。

1937 年底，南京沦陷。国民党政府为了加强武汉的舆论阵地，当时

---

① 徐叔明：《〈武汉日报〉概述》，中国人民政治协商会议湖北省委员会文史资料委员会：《湖北文史集粹 · 文化艺术》，武汉：湖北人民出版社，1999 年，第 263 页。

的中宣部加强了对《武汉日报》的控制，增加人员，更新设备，使之成为武汉地区人员最充足、资金最为雄厚、印刷设备最先进的一家报纸。

1938年10月武汉沦陷前夕，王亚明将《武汉日报》一部分最好的设备和人员撤退至其老家贵阳，创刊《中央日报》贵阳版。武汉沦陷，总编辑宋漱石继任社长，在宜昌发行《武汉日报》宜昌版。1939年日军西进，《武汉日报》宜昌版转移至恩施出版，1939年曾经在汉口出版过地下版，1941年在湖北黄冈县增出鄂东版。抗战胜利后接收日伪的《武汉报》，改出对开一张半。1949年5月，该报终刊。

《新华日报》与《群众》周刊 抗日战争爆发后，国共实现第二次合作。经两党多次交涉，《群众》周刊和《新华日报》先后在武汉创刊，成为在第二次国共合作期间，中国共产党在国统区公开出版的报刊。

1937年12月11日，中共中央的理论月刊《群众》创刊于汉口成忠路，潘梓年为发行人，出版宗旨为“以巩固和扩大抗日民族统一战线为立场，对于国内一般政治问题提出明确回答；对于国际问题作出系统分析；对于抗战政策设施，战时民运的检讨和实际工作的研究，皆提出很直率的贡献”。[①]

实际上，《群众》周刊是《新华日报》出版发行的探路者。其编辑、出版、发行是由筹办中的《新华日报》同仁办理，潘梓年不但是周刊社社长兼主编，也是筹办的新华日报社社长。12月18日，周恩来从延安来到武汉，为《新华日报》出版受阻事与国民党代表多次洽谈，国民政府当局最后同意《新华日报》注册。12月23日，中共中央长江局成立，《新华日报》受长江局直接领导。1938年1月11日，《新华日报》正式在武汉创刊。

《新华日报》在“发刊词”中揭示宗旨，“本报愿在争取民族生存独立的伟大的战斗中作一个鼓励前进的号角”，“更将尽其所能为巩固与扩大抗日民族统一战线而效力”，“愿与全国一切志切救国的抗日的战

---

① 武汉地方志编纂委员会：《武汉市志·新闻志》，第55页。

士与同道，互相勉励，手携手地共同为驱除日寇争取抗战最后胜利而奋斗”。[①]报名是由国民党元老、书法家于右任题写。周恩来为《新华日报》出版题词“坚持长期抗战，争取最后胜利”。华岗、吴克坚先后任总编辑。徐迈、熊瑾玎先后任总经理。参加编辑的有秦邦宪、何凯丰、章汉夫等，不少社论由王明、周恩来撰写。报纸出有《新华副刊》（综合性）、《青年生活》《妇女之路》《团结》等副刊和《友声》专栏。

1938年10月，日军加紧进击武汉。10月22日，新华日报社租用“新升隆”号轮船沿长江西迁重庆，次日轮船被日机轰炸，其中《新华日报》16位工作人员遇害。10月25日，武汉沦陷。当天《新华日报》和《群众》周刊（第2卷第12期）即在重庆与读者见面。1947年2月28日，《新华日报》被国民党政府封闭，前后共出版9年。

《新华日报》对巩固抗日民族统一战线，宣传中国共产党的政治主张，发挥了重要作用被誉为“茫茫黑夜中的一座灯塔”[②]，毛泽东称赞“《新华日报》如同八路军、新四军一样，是党领导下的又一个方面军”[③]。

第二节　图书出版

图书出版，嘉惠士林，历来为官方注重。湖北近代出版以湖北官书局的典籍、教材，湖北舆图总局的地图最为出名。晚清官修的《湖北通志》数次动议纂修，终究难成。

一、湖北官书局

鸦片战争之后，中国步入动荡时期，战乱不断，兵燹处处，尤其是

① 《新华日报发刊词》,《保卫大武汉——纪念武汉抗战六十周年专辑》,《武汉文史资料》1993年第3辑，第164、165页。

② 甘惜分:《甘惜分文集》第2卷，北京：人民日报出版社，2012年，第217页。

③ 熊复:《新华日报的历史地位及其特点》,《新闻与传播研究》1981年第4期。

席卷江南十多年的太平天国运动，对地方文教产生较大冲击，“公私藏书，荡然无存；未刻的著述稿本，散亡的更不少”①。为重兴文教，各地相继设立官书局，刊印书籍，官刻书籍出现中兴气象。有学者指出，“近百年刻书业则始于洪杨事变之后，随曾、左而起”②。

同治六年（1867）江苏学政鲍源深上《请购刊经史疏》，认为“各省经兵燹，书多散佚”，士子求学，苦无书籍，建议刊行书籍，“士子读书以穷经为本，经义以钦定为宗”。“至穷经之外，读史为先。”③选本以钦定的经史书籍为先。

清政府完全采纳了他的奏议。6 月 3 日，同治帝谕令，“现在地方已就肃清，亟应振兴文教”。“着各直省督抚转饬所属，将旧存学中书籍广为购补，并将列圣御纂钦定经史各书先行敬谨重刊，颁发各学，并准书肆刷印，以广流传。”④南方诸省积极贯彻政令，掀起了筹设官书局的热潮。

湖北设置官方书局在此之先。早在咸丰九年（1859），出于军事需要，湖北巡抚胡林翼在武昌开设书局，从《左传》《通鉴》《明史》等书中摘录军事内容，纂辑《读史兵略》，由汪士铎总揽其事，莫友芝、张裕钊、丁取忠、张华理、胡兆春分任编校，次年辑成。同时还拟刊印《水经注图》《大清一统中外舆图》等。不仅如此，他还联络曾国藩等，倡议设书局，得到赞同，形成了在封疆大吏的支持下湖北官书局接力发展的态势，正所谓“当初议开设书局，动自胡文忠公（注：胡林翼），而湘乡曾文正公（注：曾国藩）赞之，曾忠襄公（注：曾国荃）渐行之，至李文忠公（注：李鸿章）实集其事”⑤。

---

① 梁启超：《中国近三百年学术史》，上海：上海古籍出版社，2013 年，第 25 页。

② 卢前：《书林别话》，叶德辉：《书林清话》，上海：上海古籍出版社，2012 年，第 300 页。

③ 鲍源深：《请购刊经史疏》，陈弢：《同治中兴京外奏议约编》，上海：上海书店影印，1985 年。

④ 王炜：《清实录科举史料汇编》，武汉：武汉大学出版社，2009 年，第 918 页。

⑤ 黄嗣艾：《湖北省立官书处本末记》，阳海清、汤旭岩：《湖北官书局版刻图录》，武汉：湖北教育出版社，2014 年，第 239 页。

同治六年十月十五日（1867 年 11 月 10 日），湖广总督李瀚章、湖北巡抚曾国荃奉上谕，在武昌开设湖北官书局，局址位于候补街正觉寺内。不久，又“将湖北绅耆原设之崇文书局收并在内，为吾楚右文之会”[1]。因此湖北官书局又称崇文书局。

此后时局日艰，库款支绌，书局维持不易，为省经费，崇文书局改为经理官书处。刊印的书籍（图 5—3），署名“湖北官书处”或“湖北官书局”。1912 年，局址由正觉寺迁到武昌巡道岭，1926 年 10 月北伐军克复武昌，书局营业一度停止，次年又恢复。1936 年 6 月，官书处旧址改为湖北省图书馆崇文书局保管处，书局人员、板片、藏书悉归之。70 年的崇文书局走入了历史。

图 5—3　崇文书局刻本图书

官书局管理层级分明，书籍刊印有总纂，事务总管为提调，下设校勘，以候补官员、儒生充用。湖北官书局“派委候补道张炳堃、候选道

① 黄嗣艾：《湖北省立官书处本末记》，阳海清、汤旭岩：《湖北官书局版刻图录》，第 239 页。

胡凤丹妥为经理”①。

胡凤丹，字月樵，浙江永康人。性好聚书，咸丰六年（1856）以贡生任兵部员外郎，同治五年（1866）为候选道，客居武昌正觉寺，为李瀚章、曾国荃延请，主持湖北官书局开办之事，胡凤丹自述“余于丙寅夏游鄂，侨寓寺之西偏。越岁，适奉各直省创设书局之旨，时署楚督者为合肥李小荃中丞，抚楚者为湘乡曾沅浦宫保，以余好藏书，命承乏其事”②。当时，正觉寺破败不堪，胡凤丹和寺僧筹资重修后，于寺中辟屋为官书局，“初建瓦屋数十间，以栖手民”，后来椠板日多，又添造书楼四所。③胡凤丹主持书局，勤慎奉职，“丹黄铅椠，日不去手”④，尤其注重校勘，“每一书成，校勘精核，有诸本不一者，必加按语，衷于一是”⑤。经胡凤丹之手编印的书籍，校订精审，嘉惠士林颇多。胡凤丹主持书局期间，刻书已达237种，约占湖北官书局出版图书总量七成。早期经理崇文书局的除胡凤丹之外，还有张炳堃、沈棠溪等人。

书局宗旨称“凡一切有用之载籍，补残而印，求善而刻，不惜乎度支之繁费也”。立局刻书，经费支持必不可少。同治九年（1870）李瀚章曾以“绅督官佐制”方式经营官书局。张之洞督鄂后，每年由善后局拨款4 000两银充作经费，他还拨银4 000两，从赵尚辅手中购得《湖北丛书》板片交付官书局。

进入民国之后，湖北官书局经营日形困难。曾主持局务的杨蔚光说，“吾鄂官书处始自清代，用便邦人读书稽古，定价极廉。近年工料腾贵，原价仍未更张，出入迴殊，因之亏折”，申请自1923年5月1日

① 李鸿章：《设局刊书折》，顾廷龙、戴逸：《李鸿章全集3·奏议三》，合肥：安徽教育出版社，2008年，第450页。

② 胡凤丹：《重修鄂垣正觉寺碑记》，阳海清、汤旭岩：《湖北官书局版刻图录》，第234页。

③ 胡凤丹：《添修正觉寺书楼碑记》，阳海清、汤旭岩：《湖北官书局版刻图录》，第234页。

④ 王葆心：《续汉口丛谈》卷4，第121页。

⑤ 黄红萍：《武汉旧志序跋校注》，武汉：武汉出版社，2009年，第325页。

按工本核价出版。[①]

据不完全统计，湖北官书局刊刻出版图书382种以上，其中经部50种，史部54种，子部98种，集部82种，杂著24种，丛书74种。[②]诸子之书数量位列各省官书局之首。而刻书的种类，在清末数十家官书局中，可与浙江书局、广雅书局相颉颃。

创办之初期，经史典籍是刊刻的重点。鲍源深奏章中钦定的经书有《孝经》《周易折中》《书》《诗》《春秋》《孝经集注》《周易述义》《诗义折中》《春秋直解》《三礼义疏》等；史书有《通鉴纲目》《御批通鉴辑览》等。[③]这些都是各省刊刻的重点。李鸿章总督湖广，向朝廷报告了书局刊刻书籍情形，“除《四书》《十三经》原注读本，为童蒙肄习之书，业经刊刻，颁行各学外，……《钦定七经》《御批通鉴》，集经史之大成，尤为士林圭臬。其余《说文》《文选》、牧令、政治等书，亦皆切于日用，节经访觅善本，次第开雕”[④]。基本是遵循上谕，主要刊刻经史。

由于史书部头很大，一省之力难以完成，李鸿章报告“现在浙江、江宁、苏州、湖北四省公议，合刻《二十四史》，照汲古阁《十七史》版式、行数、字数，较各家所刻者为精密。拟即分任校刊，选派朴学员绅，悉心核对，添募工匠，陆续付梓”[⑤]。议定后，湖北崇文书局承担刊刻《新五代史》《旧五代史》和《明史》三种，后又陆续刊印汲古阁本《新五代史》、武英殿本《旧五代史》《明史》。

崇文书局刊刻了不少子部书籍。最有名的是光绪元年（1875）刻成《子书百家》，汇辑先秦至明代子部著作一百种，其中儒家23种、兵家

① 杨蔚光：《湖北官书处新编书目·前言》，1924年湖北官书处铅印本。

② 朱士嘉：《官书局书目汇编》，北京：中华图书馆协会1933年编印；江陵：《试论湖北崇文书局的刻书业》，《孝感学院学报》2009年3月。

③ 鲍源深：《请购刊经史疏》，陈弢：《同治中兴京外奏议约编》，1985年。

④ 李鸿章：《设局刊书折》，顾廷龙、戴逸：《李鸿章全集·奏议三》，第450页。

⑤ 李鸿章：《设局刊书折》，顾廷龙、戴逸：《李鸿章全集·奏议三》，第450页。

10 种、法家 6 种、农家 1 种、术数家 2 种、杂家 28 种、小说家杂事类 3 种、小说家异闻类 13 种、道家 14 种。

集部书籍较少，有《文选》《唐文粹》《正续古文辞类纂》《诗比兴笺》《乐府诗集》《文章轨范》《唐宋八大家类选》等。崇文书局还辑印了几部有影响的丛书，如《崇文书局汇刻本》（即《三十三种丛书》）、《正觉楼丛刻》。

崇文书局刻印的医书不少，有《徐氏医书六种》（雍正名医徐大椿的六部著作《难经经释》《医学源流论》《神农本草百种录》《医贯砭》《伤寒类方》《兰台轨范》）《沈氏尊生书五种》《医宗备要》《温热经纬》《伤寒审症表》《巢氏病源论》《重订霍乱论》《外科》《傅青主男科》《傅青主女科》《产孕集》《拯婴图说》等 20 余种。

崇文书局后期，受西学新学影响，编译了自然科学书籍和新式教材。湖北武备学堂编译的《湖北武学》（20 种），即由崇文书局刊印，清政府兵部索取该书作为开办兵学馆的教材。《经心书院集》《经心书院续集》《图画临本》等作为教材也很受欢迎，其中《图画临本》还被学部选为全国小学生暂用课本。

出版乡邦文献是崇文书局的鲜明特色。光绪三年（1877）书局刊行地方名绅贤士著述汇编的《鄂局丛书》（78 册）。光绪二十六年（1890）张之洞购买《湖北历代名贤著述》板片，以《江汉丛书》刊印。书局还刊刻了湖北科考佳作汇编成的《江汉炳灵集》（5 集），张之洞著《辅轩语》等。而章宗源撰《隋书经籍志考证》向无刊本，湖北崇文书局刊刻流传，有功于世。

崇文书局图书流传广泛。书局图书“除在本地批发与零售外，还销往全省及上海、天津、吉林、河南、四川等地，是我国内地出版和销售的中心”[①]。甘肃曾“派员赴鄂省购置经史子集各书七十二种，共计

① 皮明庥：《武汉通史・晚清卷》下，武汉：武汉出版社，2005 年，第 278 页。

五百套之多”[①]。“相传初时民间购读官本者门无停轨。”[②]这与其廉价销售策略有关，图书排版行款密集、字体扁平，每页容量更大，压缩了部头和页码，降低了成本，有利于寒畯学子购买。但也因此受版本学界诟病，认为无清新悦目之感。

崇文书局刻本还远播海外。光绪四年（1878）曾纪泽出使英法，调取湖北等官书局刻本，储放于驻英、法使馆，以“备查考而壮观瞻”[③]。值得一记的是，光绪三十年（1904）美国圣路易斯举行万国博览会，张之洞将湖北官书局的经籍刻本送去参展，获得博览会大奖（Grand Prize）。这批湖北官书局的参展图书（图 5—4）现今保存在美国国会图书馆。

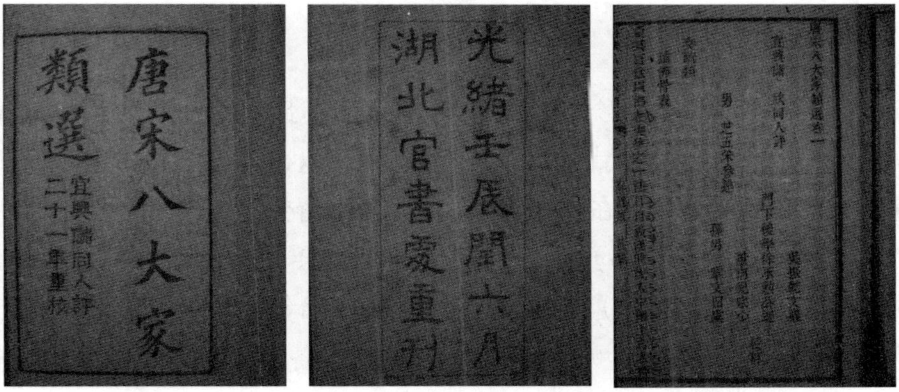

图 5—4　美国圣路易斯举行万国博览会中湖北官书局刻本图书

湖北出版业除官书局之外，湖北私家刻书有数十家，刻书者多为官员、宿学通儒。郦学名家宜都杨守敬影绘、刊刻舆图和舆地之作、日

① 《陕甘总督至湖北买书奏片》，宋原放：《中国出版史料》近代部分第三卷，武汉：湖北教育出版社、济南：山东教育出版社，2004 年，第 299 页。

② 黄嗣艾：《湖北省立官书处本末记》，阳海清、汤旭岩：《湖北官书局版刻图录》，第 239 页。

③ 曾纪泽：《巴黎致总署总办论事七条》，曾纪泽著，喻岳衡点校：《曾纪泽集》，长沙：岳麓书社，2008 年，第 151 页。

本珍藏汉籍等，武昌柯逢时刊刻《武昌医学馆丛书》，沔阳卢靖、卢慎兄弟刊刻有慎始基斋丛书和《湖北先正遗书》，汉阳叶志诜、叶名澧刊印有金石、文学、经学、医学等书籍。潜江甘鹏云刻书亦复不少。甘鹏云（1862—1941），早年中举，光绪三十二年（1906）赴日本早稻田大学留学，回国后在财政界任事，1918 年，“年五十六即挂冠不复出，耽心著述”[①]。他热衷藏书，1888—1902 年，购藏有 10 万卷书，1903—1917 年又积书 20 万卷，以此为基础，他校刻编订典籍数百卷，汇辑纂述数十种，刊行的有《崇雅堂丛书初编》（含《谈经》《鲁文恪公集》《大隐楼集》《竟陵先贤传》《素风居士集攟遗》《逸楼论史》《楚师儒传》《潜江旧闻》《潜庐类稿》《潜庐诗录》《潜庐随笔》）、《花隐老人遗著》《经学源流考》《国学笔谈》《潜江贞石记》《方志商》《潜江书征》等。

二、湖北舆图总局

“莅政行军，莫先形势，开方计里，尤重舆地。”[②]同光之际兴起洋务运动，清政府对编绘地图一事非常重视，拟在全国开展一次全面测量，编绘各省舆图，并在此基础上，编制《大清会典舆图》。

光绪十二年（1886），清政府在北京成立会典馆，着手会典编撰事务。光绪十五年（1889）十月二十八日会典馆给各省下发通知，“颁钦定舆图格式，限期一年，测绘省图、府厅州县图各一分，附以图说，解送到馆”。显然会典馆没有考虑测绘事务的繁难复杂，各省纷纷上折，奏称“州县谙悉舆地之学者甚少，又无测绘仪器，以故茫然无从下手”，[③]要求宽限。光绪十七年（1891），会典馆又下发“续定章程五条及表格一纸”，使各省舆图编制具备了可操作性。五月，张之洞在武昌成立湖

① 刘孝平：《湖北近代出版家甘鹏云刻书考略》，胡银仿：《图书馆事业科学发展》下，武汉：湖北科学技术出版社，2009 年，第 363 页。

② 乔志忠、朱洪斌：《增订中国史学史资料编年·清代卷》，北京：商务印书馆，2013 年，第 598 页。

③ 乔志忠、朱洪斌：《增订中国史学史资料编年·清代卷》，第 571—572 页。

北舆图总局。

湖北刊刻舆图的基础较好。湖北宜都人杨守敬著有《禹贡本义》《历代舆地沿革险要图》《水经注图》《水经注疏》《汉书地理志补校》《隋书地理志考证》《辑古地志》《晦明轩稿》等舆地著作，对古地理名著，进行过考证注疏。其中《历代舆地沿革险要图》是用科学方法绘制的完整的历史地图集，影响了后世历史地理学的研究和历史地图的绘制。湖北枝江曹廷杰致力于边疆地理学，著有《东三省舆地图说》，是关于东北考古、地理、民族、边疆等问题的学术札记结集，影响也很大。

湖北官方很早就编印地图，清乾隆二十九年（1764），湖北刊印《湖北郡邑道里图》（即《湖北舆图》），此后陆续刊印《鄂省州县驿传全图》《皇朝一统舆图》《大清中外一统舆图》，最有影响的是同治三年（1864）湖北巡抚胡林翼编、严树森续编的《大清一统舆图》（31卷），成为后世制作舆图的蓝本。然而，“前抚臣胡林翼因绘本省舆图，推及各直省，画图悉遵内府图式，惟当军务倥偬之际，未暇详求测算”，因此需要对湖北地理进行重新勘测，“详慎从事，方能精确适用”。[①]

湖北舆图总局成立后，首先配备人员。张之洞委派道员锡璋、蔡锡勇，会同布政使、善后局官员遴选人才，运作舆图总局。邹代钧（图5—5）被委任为总纂，统管舆图编制；湖北即用知县刘翰藻为提调，掌管事务。招选32人，分为4路，每路8人，测量一州或一县。选派3名员绅，驻守舆图局，专司校定图稿之事。

① 张之洞：《测绘舆图恳请展限折》，《张之洞全集》第2册，第512页。

图 5—5 邹代钧画像

选用邹代钧为湖北舆图总局总纂，可谓慧眼识珠。如前所述，邹代钧是邹氏舆地世家第四代传人。早年到欧洲学习近代地图学。光绪十五年（1889），邹代钧回国。他上书建议会典馆兼采中西地图测绘法，受到赞赏，被推荐担任会典馆纂修。湖北舆图总局成立，张之洞特地奏请借调他来湖北主持全省地图测绘事宜。邹代钧不负重托，制定《湖北测绘地图章程》，带领侄子邹永煊等局员随同测绘。经全局上下努力，编绘出《湖北全省分图》，并附有详细解说，是质量很高的舆图。

其次，湖北舆图总局还购备了各种测量仪器。有经纬仪、度时表，“以测天空各曜高弧，并校求时差，定各州县治所及山川险隘、市镇之经纬”；测向仪、记里轮、铜链尺，“以测地面鸟里，及人行里、水道，湖堤、山势之远近”；有夺林仪、风雨表，“以测山峰之高低”。[1] 这些科学测量仪器，国内不能生产，都是购自国外。

最后，保障经费。购买测量器材的费用，人员、交通运输开支，都由湖北舆图总局发放，不给测绘的州县增添负担。

为详细测绘，以求精当，保证舆图编绘质量，张之洞上奏建议以设

① 张之洞：《测绘舆地恳请展限折》，《张之洞全集》第 2 册，第 511 页。

局后两年内完成。最后，在张之洞的支持下，邹代钧等人专司其事，湖北舆图经三年测绘告竣。共绘制有省图一、府图十、直辖州图一、州县图六十八，总计图八十幅，分成八册，装为一函。光绪二十年（1894）湖北舆图总局制作了《湖北舆地记》24 卷，记载湖北各府、州、县沿革区划建制。光绪二十七年（1901）以善后局的名义付梓发行。

在完成湖北舆图编绘之后，湖北舆图总局还应安徽省邀请，派员协助安徽完成“天度”（经纬度）测量事务。

由于湖北舆图总局是为编绘大清会典总图而设，并不是常设机构，光绪二十年在完成湖北舆图编绘后即行撤销。根据咨报善后局核销的经费统计，湖北舆图总局自开办到撤销，共计开支银 37 727.315 36 两，钱 23 262 串 944 文。光绪二十五年（1899）依据各省呈报的各省舆图，会典馆编制的《大清会典・舆地图说》告成。

邹代钧身兼数职，他是两湖书院的主讲，还与陈三立、汪康年、吴德潇、邹世可等人在武昌横街头成立了舆地学会。舆地学会并非学术交流的团体，其工作是绘制地图。光绪二十五年，新化邹氏在武昌创办了亚新地学社，以邹永煊为社长。邹永煊参加了湖北舆图的编绘。亚新地学社在上海、南京、广州、长沙等地设有分店。中华人民共和国成立后，1953 年公私合营，该社与多家地图社合并。它是我国近代开办时间最早、经营时间最长、影响最大的民办地图出版社，共出版地图和地理学书籍 300 多种。

三、官修志书《湖北通志》

志书官修是历代传统，在国家有一统志，各省则有通志，府州县亦各有志。且后者总是修纂前者的基础。乡邦文献，代远无征。一般来说，各省数十年会重修通志，但因时局变迁，这并非定制和惯例。近代以来，湖北省修纂通志屡生波折，但在通志编修体例上有其特色。

有清一代，关涉到湖北的通志前后有数部。康熙朝拟修《大清一统志》，令各省先修通志，以总其成。各省奉令唯谨，诸省通志成书年代不齐，涉及湖北的通志是清康熙二十三年（1684）的刻本，为《湖广通志》，共有80卷本。修纂通志，由官方主持，总督、巡抚往往是通志的主修，总纂则聘请文坛领袖、宿儒饱学之士担任，这几成历朝惯制。康熙版《湖广通志》由湖广总督徐国相、丁思孔先后主修，宫梦仁、姚淳焘总纂。本志为湖北、湖南两省合志。雍正十一年（1733）由湖广总督迈柱主修，夏力恕、柯煜总纂的《湖广通志》刻印出版，全书120卷、首1卷。该志包括湖北、湖南两省。嘉庆初年，湖广总督吴熊光奏请编修《湖北通志》，获得朝廷许可，嘉庆九年（1804）《湖北通志》纂成刻板，这是“湖北有志之始”[①]。本志100卷，首5卷。主修吴熊光、吴烜，陈诗等总纂。

此后百年余，《湖北通志》尽管倡修的议论数起，然而波折横生，终未成稿。王葆心在《方志学发微》中，缕述个中曲折。

光绪初年，彭祖贤由京兆尹调任湖北巡抚，因“主修《顺天府志》，克著声称”，履新后，倡修湖北通志。先后聘张之洞、张裕钊、樊增祥、陶方琦、左绍佐、汪宗沂担任总纂，但其人或拒或退，难竣其事。中途仅出版过《金石志》一编。裕禄总督两湖，修志时裕禄对“乃翁青麟失机伏法事，碍于直书”，只得中止。随后又曾“移志局都门”，“但分月糈，而书仍阁置”。张之洞督鄂，一般人对其寄予厚望，但也只是“分储金，资遣游客”，无所作为。借着会典馆要求各省测绘舆图，邹代钧主持编绘了《光绪湖北舆地记》及图若干卷，算是湖北多年修省志的唯一亮点。陈夔龙督鄂时，又有倡修通志之议，他聘请张仲炘为主纂，修有志稿。正待开局刊印，辛亥武昌起义爆发，“局稿全毁”，幸亏黄小鲁家藏有副本。民国成立后，张仲炘再度出山，重金求购副本，对“旧稿略加点窜，稍补近事，草草成书”。所成之书是宣统本《湖北通志》（图5—6），1921年湖北省长公署刊刻出版，172卷、首1卷、末1卷。王葆心对此感慨不已，近百年修纂《湖北通志》，“因官绅无一可恃，遂落

① 刘承恩：宣统《湖北通志序》，吕调元、刘承恩：《湖北通志》，上海：商务印书馆，1934年。

他省之后”[1]。

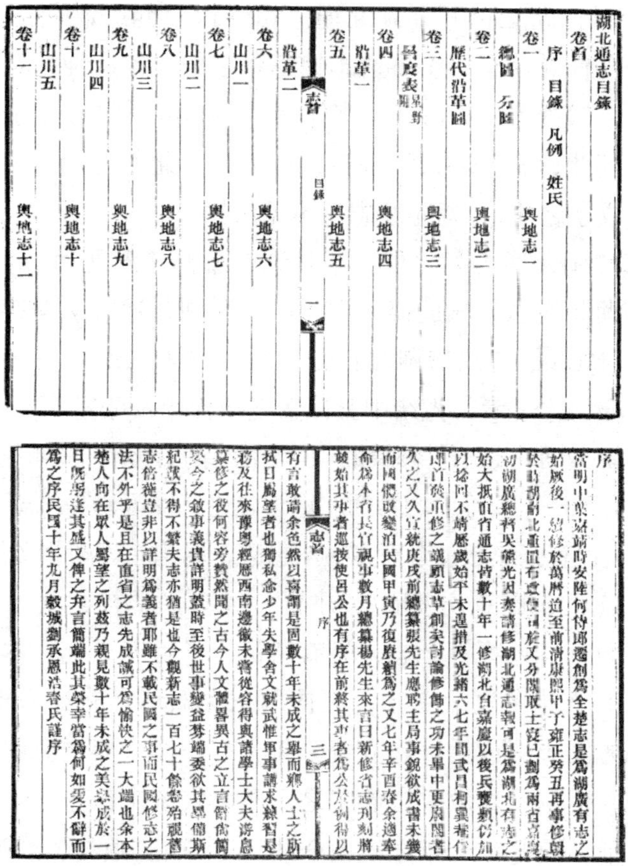

湖北通志目錄

卷首　序　目錄　凡例　姓氏

卷一　輿圖　分縣　輿地志一

卷二　歷代沿革圖　輿地志二

卷三　晷度表 星野　輿地志三

卷四　沿革一　輿地志四

卷五　沿革二　輿地志五

卷六　山川一　輿地志六

卷七　山川二　輿地志七

卷八　山川三　輿地志八

卷九　山川四　輿地志九

卷十　山川五　輿地志十

卷十一　　輿地志十一

志首　目錄　一

序

當明中葉嘉靖時安陸何侍郎遷創爲全楚志是爲湖廣有志之始厥後一修於萬曆迨至前清康熙甲子雍正癸丑再事修纂癸亥時湖北重置布政使司於是又分闈取士設已劃爲兩省嘉慶初湖廣總督吳熊光因奏請修湖北通志報可是爲湖北有志之始大抵直省通志皆數十年一修湖北自嘉慶以後兵燹頻仍加以捻回不靖歷歲始平未遑措及光緒六七年間武昌柯巽菴侍郎首發重修之議頗志草創矣討論修飾之功未畢中更廢閣者久之又久宣統庚戌前總纂張先生應聘主局事銳欲成書未幾而國體改變洎民國甲寅乃復蔵續爲之又七年辛酉春余適奉命來本省長官視事數月總纂楊先生來言曰新修省志刊刻將竣始其事者巡按使呂公也有序在前終其事者爲公其例得以有言敢請余色然以喜謂是固數十年未成之舉而鄉人士之所拭目屬望者也獨私念少年失學舍文就武惟軍事講求綦習是務及往來豫粵經歷西南邊徼未嘗從容得與諸學士大夫游息纂修之役何容旁贊然聞之古今人文體略異古之立言貴簡備要今之敘事義貴詳明蓋時至後世事變益夥端委欲其畢備斯紀載不得不繁夫志亦猶是也今觀新志一百七十餘卷殆視舊志倍蓰豈非以詳明爲義者耶雖不載民國之事而民國修志之法不外乎是且在直省之志先成誠可爲愉快之一大端也余本楚人向在眾人屬望之列茲乃親見數十年未成之美舉成於一日既焉逢其盛又俾之弁言簡端此其榮幸當爲何如爰不辭而爲之序民國十年九月穀城劉承恩浩眷氏謹序

志首　序　三

图 5—6　民国十年重刊张仲炘等编《湖北通志》局部图

其后，南京国民政府亦有各省修志之指令。1928 年 10 月，国民政府文官长古应芬，提议各省通志应令行各省设局修理，得到第 11 次国务会议同意，遂下达训令，启动各省修志。次年，内政部颁布《修志事例概要》，指令“各省应于各省会所在地，设立省通志馆”，省政府聘请

① 王葆心：《纂校取材兼论四》，《方志学发微注析本》，湖北省地方志编纂委员会办公室 1984 年发行，第 116—117 页。

馆长、副馆长，办馆经费、志书凡例、修志年限等，“送由省政府转报内政部查核备案”[①]。

遵照指示，湖北拟开办湖北通志馆。1932 年，聘任王葆心为湖北通志馆筹备主任兼总纂，主持通志馆筹备工作，他广搜博览全国志书达 14 000 余卷，辨抄袭、正谬误、审体例、寻因革，撰为《方志学发微》。又撰《重修湖北通志条例议》一卷，作为修湖北通志的方案。但在中华人民共和国成立之前，《湖北通志》不见付梓。

除官修《湖北通志》之外，章学诚曾纂修《湖北通志》，但仅存嘉庆年间纂《湖北通志》未成稿一卷，以及《湖北通志》检存稿 4 卷，未见全书。王葆心说，“独惜湖北自分省后，纂志二次：先有乾隆末章实斋名家志稿寝搁之不幸，光绪中又以遭变革而李戴张冠”[②]。

参加宣统《湖北通志》修纂的硕学鸿儒除张仲炘、杨承禧外，还有钱桂笙、姚晋圻、杨守敬等，均为湖北饱学之士。民国修纂《湖北通志》者，除王葆心外，也有张继煦、李廉方、毕惠康、屈德泽等湖北文化名流。

宣统《湖北通志》分舆地、建置、经政、学校、武备、祥异、艺文、金石、职官、人物等十志，另有杂记，子目五十七。本志大受方家诟病，王葆心直指“宣统一志，但据两三次旧草，略加增辑，唯各府、州、县自同光间志书成后，迄宣统三年，有三四十年之时间，宣统志竟未重予采访，但以‘新政’二卷了之。明为宣统末截止，实则已截止于二三十年以前，致此数十年之事项全缺”[③]。偷工减料，断限时间不实。另外，王葆心在《重修湖北通志条议》、甘鹏云在《湖北通志义例商榷书》中指出宣统《湖北通志》还存在不少疏漏之处。

南京国民政府时期，湖北亦重修《湖北通志》，事虽未成，但 1943

---

① 《修志事例概要》（1929 年），赵庚奇：《修志文献选辑》，北京：北京燕山出版社，1990 年，第 125 页。

② 王葆心：《纂校取材兼论四》，《方志学发微注析本》，第 118 页。

③ 《湖北通志十书考略》，徐孝宓、刘昌润：《湖北省地方志考略》，吉林省地方志编纂委员会、吉林省图书馆学会 1988 年发行，第 32 页。

年湖北通志馆制定的《湖北通志》凡例，体现了修志的一些新变化。

首先，详于民事作为纂志之主旨，改变以往志家“多偏重于政典文献，而与民生休戚漠不相关”的倾向，新志要写出“本省民族发达变迁史”。

其次，继承了章氏方志义例，略加变通。“章实斋修《湖北通志》，创为纪二、图三、表五、考六、略四、传五十三之体，别以掌故、文征翼之，书未成而中辍。迨谢蕴山修《广西通志》，取法章氏，而微加变通，凡为典一、表四、略九、录二、列传六，自是以后，《广东通志》《安徽通志》，皆仿其体”，新纂《湖北通志》“拟区分图、表、记，略、传为全书统类，用前例也。而图、表则加详焉”。章氏修志之法得到认同和延续。

最后，从材料来源看，因旧志历史中断，官府档案缺失，旧闻新事难于收集，“其能完备与否，尚难言也”[①]。大概这也是新《湖北通志》难产的原因之一。

第三节　图书馆

湖北公共图书馆的建立，始于美国人韦棣华在武昌创办的文华公书林。省立图书馆最初是作为教育的副产品，逐次向全社会开放而发展起来。大革命时期，仲恺图书馆带有鲜明的政治宣传色彩。民间热心文教人士设立了不少私人图书馆，如杨太夫人纪念图书馆等等。

一、文华公书林

近代以来，普及文化教育除新式学堂开办外，图书馆作为新型的文化传播载体开始出现。湖北现代意义的公共图书馆，并非内生而成，而是美国人韦棣华（图 5—7）给予湖北，也是中国的一份馈赠。

① 湖北通志馆：《湖北通志凡例》1943 年 3 月 27 日，通字第 638 号，赵庚奇：《修志文献选辑》，第 142—145 页。

图 5—7　韦棣华

光绪二十五年（1899），北方义和团运动兴起，一股仇洋仇教的风潮席卷中国。在湖北武昌地区传教的美国圣公会教士韦德生的安危，牵系着他远在美国家人的心。他的姐姐韦棣华专程来华，看望弟弟。本年底，她见到了平安如故的弟弟，自此她也就将自己的后半生与中国紧密联系在一起了。

在韦德生的动员之下，韦棣华在圣公会创办的思文学校当起英文教员。她看到学校缺少图书馆，出于职业的本能，让她有了在中国建立一座图书馆的强烈愿望。

韦棣华出生于 1861 年 8 月 22 日[①]，其兄弟姐妹众多，又非富有之家，她没有条件接受正规完整的学校教育，断断续续在一些公立、私立学校念书，包括巴达维亚中学。但她勤奋好学，阅读面很广，尤其喜爱

① 陈碧香在《韦棣华生平考辨》中，考证韦棣华父系族谱《马萨诸塞州康科德镇伍德家族族谱》与母系族谱《美国汉弗莱家族族谱》而得。

英美文学，因此具有相当的文化水准。因为好读书，光绪十五年（1889）她被理奇蒙得纪念图书馆聘任为馆长，从事图书馆管理工作。

在她看来，异国他乡筹建一座图书馆，并非不可能完成的任务。1901年，她在思文学校内建起八角亭图书室，为学生的课外阅读提供便利。思文学校后来并入文华书院，韦棣华从事书院里的藏书室建设。她发现在全中国没有一所可以正确地称为公共图书馆的设置，遂萌生了建立一所不仅供学生用，也供大众用的图书馆的念头。

筹建图书馆，经费是首要问题。韦棣华利用回国休假的机会，多方游说募捐，光绪三十二年（1906），她在美国募得一万美元的捐款和大量赠书。重回武昌文华学校，她在学校图书馆基础上，增加馆舍空间，开设“文华公书林”（图5—8），作为文华中学、文华大学的学校图书馆。宣统元年（1909）6月1日，文华大学举行文华公书林奠基典礼。宣统二年（1910）5月16日落成。初创的文华公书林以“十万元之建筑，三万册之图书”著称于知识界。其“建筑巍峨、书籍繁富”，是“中国最早之新式图书馆”。公书林的门额上刊刻着“仰之弥高钻之弥

图5—8　文华公书林

坚，博我以文约我以礼”的格言，正中是“智识诸宝咸蕴基督”，[①] 体现了教会图书馆的特色，也潜藏着韦棣华的图书馆建设理念。韦棣华一生未婚，自称“嫁给了中国”。为了筹募图书馆开办经费，她生活简朴，身无长物。

文华公书林设施齐全，设编目室、参考室、阅览室、报纸杂志室、书库。馆藏图书据统计，1918 年收藏有中文书籍 1 012 种，11 771 本，每季阅书人数为 7 238 人；外文书籍 6 704 本。1921 年扩建时，文华公书林藏书总计有中文普通各科书籍 20 799 册，专门图书馆学及目录学书籍 935 册；英文普通各科书籍 27 411 册，专门图书馆学书籍 1 435 册，有普通中英文杂志 151 种，共有 2 673 册，专门图书馆学中英文杂志 36 种，共有 548 册。[②] 到全面抗战前夕，公书林收藏的中外书籍达到 44 560 册，其中外文书籍占有 7 成以上，达到 33 260 册，尤以英文居多。中文书籍为 11 300 册。

此外，文华公书林外文书籍专藏室极具特色，公书林辟有韦氏参考书专藏、罗公瑟士纪念室（原哥伦比亚大学校长 Dr. Seth Low 为建立文华公书林首捐 1 000 美金，特辟纪念室）西文汉学专藏，以及孙公纪念室商学专藏等。图书馆学中英文专业期刊有 640 册，《图书馆杂志》《公共图书馆》《图书馆联盟》、文华图书科编辑出版的《文华图书科季刊》等期刊基本齐全。图书馆学书籍包括中文 700 册，外文 18 000 册，图书馆专业收藏在国内罕见。

韦棣华的努力得到知识界的充分肯定，蔡元培曾评价“文华公书林于众图书馆中，乃如老成先进，弥负重望”[③]。

文华公书林的“公”字，体现出开放性，使其具有公共图书馆的性

---

① 李静：《武汉图书馆》，天津：天津大学出版社，2017 年，第 47 页。

② 李希泌、张椒华：《中国古代藏书与近代图书馆史料（春秋至五四前后）》，北京：中华书局，1982 年，第 530—531 页。

③ 蔡元培：《裨补学界，潜滋暗助——纪念美国友人韦棣华女士》，《图书馆学通讯》1980 年第 3 期。

质。尽管最初它是文华书院的附属图书馆，是专为学校师生服务的。但韦棣华志不在此，她说，“我们现在希望将我们的影响力扩展到文华大学校园以外，推进我们所处的这个重要的学术与军事中心的这场声势浩大的教育运动。除了创办一家既有英文书籍也有中文文献的大型公共图书馆以外，我们还可能做得更好”。这就表明，文华公书林不仅仅要作为学校的图书馆，还要向社会开放，“使社会上一般人士也能享受它的便利”。

为实现这一目标，韦棣华和她的助手沈祖荣等加强宣传，令民众认识公书林。他们深入武汉各学校，动员各校校长和教职员，欢迎前来阅览。但开办于教会学校内的图书馆令人心存疑虑，以为是劝人入教的宣传，多数师生都是观望不前。韦棣华就以公书林为讲堂，聘请名人每月两次定期演讲，向各校赠送门票，借此宣传公书林，介绍藏书，鼓励使用公书林。同时举办音乐会，赠送阅览卡，经过坚持不懈的努力，阅览者渐多，声名远播于文华大学校门之外。

巡回书库活动是公书林服务社会，推动民众教育的实际举措。方法是由学生服务团课余以流动车的方式运载图书，深入武昌各机关团体、商店和社区，“屡向武汉市住户商家赠阅书籍，到处皆受热烈之欢迎”[①]。据《美国图书馆手册（1917—1918）》介绍，1915—1916 年文华公书林总共设立了 18 个小型巡回文库。创设分点，辐射服务范围是文华公书林的新举措。他们在校外的圣迈克尔氏教堂和三一教堂各设立一间阅览室，以吸引附近读者就近借阅图书。

为力保图书馆的公共性，韦棣华在 1930 年 12 月 10 日立下遗嘱四条，其中第一条便是“文华公书林不作为华中大学（注：1924 年文华大学改组为华中大学）图书馆，必须保持独立，为民众服务”[②]，文华公

---

① 程焕文：《中国图书馆学教育之父——沈祖荣评传》，台北：学生书局，1997 年，第 365 页。

② 毛坤：《悼韦棣华女士》，《毛坤图书馆学档案学文选》，成都：四川大学出版社，2000 年，第 186 页。

书林真正做成了“武汉三镇各机关、各学校、各人士皆得而应用之公共图书馆”[①]。

文华公书林作为中国第一家公共图书馆，其意义在于扩大了中国传统的私人藏书楼、学校图书馆的服务对象，使图书馆由文化传承的单一功能转变到兼具文化传播的复合功能上来。它的创办对国内公共图书馆的建立起到了积极示范作用。

文华公书林在图书管理上颇多创举。它最初是照搬了美国图书馆的做法，使用开架式阅读，实现馆际互借，还全盘采用美国式图书馆的分类方法，中西图书均用杜威书目十类法编定目录，“中书大半改作西式装订，以便陈列，且易检阅”[②]。沈祖荣作为韦棣华的助理，从未受过图书馆专门训练，对此深有体会，他说，“一切均很隔膜”，全部工作全靠摸索，“类分书籍，编制目录，就是取美国国会图书馆目录卡，依样画葫芦，由之知之，诚属莫名所以”[③]。但行之既久，日见其便，确比中国传统的四库分类法更为科学，其图书分类法在国内得到了推广实行。

文华公书林还是中国图书馆人才培养的摇篮，是新图书馆学的发源地，对近代中国图书馆界产生了深远影响。

早在创办文华公书林之初，韦棣华深感图书管理技能的不足和人才的匮乏。她自己身体力行，在两次回国休假期间，先后进入普拉特学院与西蒙斯学院进修图书馆学。同时着意培养图书馆人才，1914 年和 1917 年，资助选送文华学校学生沈祖荣、胡庆生赴美国攻读图书馆学，1916 年沈祖荣获得哥伦比亚大学理学学士学位，成为中国历史上第一位图书馆学学士，1917 年归国后，协助韦棣华管理文华公书林。在沈祖荣、胡庆生相继回国后，1920 年 3 月，韦棣华与他们一道，依托文华大学创办了文华大学图书科，又称文华图书馆学校。招收修满大学二年级课程的

① 李静：《武汉图书馆》，第 47 页。

② 沈祖荣：《中国全国图书馆调查表》，《沈祖荣集》，武汉：武汉大学出版社，2016 年，第 18 页。

③ 沈祖荣：《在文华公书林过去十九年之经验》，《沈祖荣集》，第 98 页。

学生入学，再修两年专业课程后毕业，这是中国第一所图书馆学教育机构。国内办校的意义，正如沈祖荣所言："海外留学，所费不赀，远涉重洋，谈何容易？纵令虚往实归，而橘枳变异，势所必然。所学之件，在国外虽称合法，在中国不能完全采用。由是言之，欲推广图书馆之事业，务须在中国组织培养人才机关，将来学业有成，可以充图书馆之应用。"[①] 文华图书科由韦棣华担任首任主任，以"智慧与服务"（wisdom and service）作为校训。继韦棣华之后，沈祖荣长期主持校务，为中国图书馆事业发展作出了卓越贡献，被誉为"中国图书馆学教育之父"。图书馆学校首届招收了 6 名学生，人称"快乐六君子"（The Happy Six），即裘开明、陈宗登、黄伟楞、查修、桂质柏与许达聪。学员中还有徐家麟、周连宽、房兆楹等后来成为著名图书馆学、文献学专家。为维持和发展图书馆学校，韦棣华四处募捐，创立韦棣华基金会。1926 年至 1929 年间，她设立助学金资助 25 名学生，每名年金为国币 200 元。

1927 年 5 月，教会学校华中大学受政局影响停办。沈祖荣坚持开办文华图书馆学校，当时武汉国民政府准予立案。1929 年沈祖荣将文华图书馆学校独立出来，正式成立私立武昌文华图书馆学专科学校（Boone Library School），并经南京国民政府教育部核准立案。经费来自中美庚款补助和公私赞助，学制二年。自此与华中大学脱离关系。中华人民共和国成立后，并入武汉大学。

二、湖北省图书馆

在中国，图书馆一词最早出现在晚近，它与中国古代的藏书楼在名称和内涵上差别很大。它是西方的坚船利炮挟带而来的。

光绪二十八年（1902），湖广总督张之洞会同湖北巡抚端方等人，在湖北省筹办设立文武实业各学堂，同时，"又创立图书馆一所，专庋

① 沈祖荣：《民国十年之图书馆》，《沈祖荣集》，第 43 页。

古今中外有用书籍、图画之属，以备学者浏览”[①]。作为兴办教育的延续和补充，湖北拟开办图书馆。

同时，学界也有人士建议成立图书馆。光绪二十九年（1903），《湖北学报》上有文章提出：“京师大学校及各省会各立大图书馆一所，各府、厅、州、县亦每处立一所（其规模可小于省立者），以藏中、东、欧、美新旧图籍，任人观看。凡欧、美所出新书及民间新译新著，购入以期完备。”[②]

光绪三十年（1904），位于武昌的武当宫道院，“业经改为图书局，并委梁太守督办其事”[③]。计划于8月开放。梁太守就是梁鼎芬，他是张之洞的心腹幕僚。

早期湖北图书馆的业务驳杂，既有教育博物馆的功能，又有劝业场的功能。湖北巡抚端方在湖北图书馆开办之初，曾派人到上海购买各种书籍，还派人去日本购办“图书、标本、形模等件”运到湖北陈设之。[④]

鉴于“省城学堂林立，各属中小学堂亦渐多开办，各该学堂需用图书、仪器、表尺、纸笔、石板、标本、模型、桌凳，以及工艺需用之刀板、衣物一切等项，种类繁多。或须购自上海，或须购自外洋，必经旬累月始能运到。且各学生有须自备之参考图书，道远购迟，费亦加重，于劝学之道尚形不便”，亟须设立学堂应用图书馆，将学校用品，广为储备，由各学堂随时购用，并且对学校打折销售。[⑤]张之洞任命湖北试用知县张汝漪主持馆务。光绪三十一年（1905），在武昌兰陵街学堂应用图书馆旁，又购买附近民房十多间，“专储儿童教育品物，以启智慧，

① 端方：《学堂筹建完备折》，《光绪朝东华录》三十年（1904年）二月。

② 罗振玉：《学制私议》，璩鑫圭、唐良炎：《学制演变》，上海：上海教育出版社，1991年，第160页。

③ 《图书设局》，《湖南官报》（第592号），光绪三十年正月二十八日。

④ 《纪鄂垣图书馆》，《湖南官报》（第731号），光绪三十年六月二十二日。

⑤ 张之洞：《札学务处立学堂应用图书馆》，赵德馨：《张之洞全集》第6册，第443页。

并加名曰豁蒙室”①。

早期的湖北省立图书馆既储存图书，又陈列、销售教育物品，是集藏书楼、博物馆和带展销性质的劝业场为一体，功能较多，严格地说，还不是近代意义上的图书馆。

宣统元年（1909），北京筹建京师图书馆。次年，《京师图书馆及各省图书馆通行章程》颁布，确立图书馆以“保存国粹，造就通才，以备硕学专家研究学艺，学生士人检阅考证之用。以广征博采，供人浏览为宗旨”②，规定其任务是收藏图书和服务读者。关于各省开办图书馆，章程从开办目的、馆址选择、机构设置、图书收藏范围、开放接待、经费筹拨等方面均作了明确规定。它是我国最早的图书馆专门法规，推动了省立图书馆的建立和规范化。

光绪三十四年（1908），湖北省立图书馆迁入武昌兰陵街的博文书院并开放。宣统三年（1911），武昌起义爆发，在炮火中，图书馆遭到损失，书籍多有散佚。民国成立后，湖北当局每年拨给经费，由最初的每年 5 500 元，到 1919 年减少到一千四五百元不等。1926 年北伐军克复武昌，在省图内附设有革命文化图书馆③，钱介磐、李达先后任湖北省图书馆兼任革命文化图书馆馆长。大革命失败后，革命图书馆馆藏荡然无存。

20 世纪 30 年代，图书馆开办经费一直不足。根据统计，“一九二八年，月支二千五百九十元，其中购书费为一千元。一九二九年，月支二千二百元，其中购书费为六百元。一九三一年，月支二千一百五十元。一九三二年，月支一千五百四十元，其中购书费四百元。一九三七年，月支一千七百一十元。经费逐年在减少”④。同时，由于藏书增加，

① 《鄂垣图书馆扩充》，《湖南官报》（第 93 号），光绪三十一年二月初三。

② 《京师图书馆及各省图书馆通行章程》（1910 年），王振鸣：《图书馆法规文件汇编》，河北大学图书馆学系 1985 年编印，第 3 页。

③ 《汉口民国日报》民国十六年一月八日血光社讯。

④ 湖北省图书馆：《湖北省图书馆八十年》，《图书情报知识》1984 年第 3 期。

库房日显逼仄，1934 年经谈锡恩馆长多方呼吁，湖北省政府决议筹建新馆，选址武昌蛇山抱冰堂下空地。1936 年 9 月新馆建成，总面积超过二千平方米，其中书库四层，一千平方米。次年全部装上钢制书架，预计可藏书四五十万册。尚未开放，抗日战争全面爆发，1938 年 6 月，省图书馆奉命西迁。11 月，省馆图书运到秭归，中西文重要图书存放在秭归、兴山交界的游家河岩洞内，并在秭归新滩杜家祠开辟阅览室。同时接收了杨守敬藏书，藏于兴山兴隆寺。1939 年，省图书馆随湖北省政府迁到恩施，在五峰、土桥坝、舞阳坝等处，开放了阅览室。

抗战胜利后，1946 年 1 月，省教育厅决定省图书馆回迁武昌，改称“湖北省立武昌图书馆”。留下部分图书，建立“湖北省立恩施图书馆”。8 月，省馆图书全部搬回武昌。当年开放报章杂志阅览室，次年二月开放临时图书阅览室。1948 年 1 月 10 日，挂牌“湖北省立武昌图书馆”，正式对外开放。因为战乱不断，经费支绌始终是图书馆发展的瓶颈，据不完全统计，“一九四二年全年经费由省教育厅拨给五万二千四百四十元，按月平均为四千三百七十元。此外每月有‘战时加给费’六百三十元，所以每月开支经费五千元。除薪饷外，每月尚余一千八百四十元做办公费和购书费”[①]。1947 年湖北省馆全年仅购书 91 册，期刊 582 本，报纸 35 份。

中华人民共和国成立初期，省图书馆隶属湖北省文化局领导，定名为“湖北省图书馆”。

湖北省图书馆的管理架构，遵循着《京师图书馆及各省图书馆通行章程》（1910 年）、《通俗图书馆规程》（1915 年）、《图书馆规程》（1915 年）、《图书馆条例》（1927 年）、《国民政府教育部一七七五二号部令》（1947 年）等法规。行政隶属关系上，在清代隶属湖北省提学使[②]，民国

① 湖北省图书馆：《湖北省图书馆八十年》，《图书情报知识》1984 年第 3 期。

② 《京师图书馆及各省图书馆通行章程》（1910 年），王振鸣：《图书馆法规文件汇编》，第 3 页。

时期“省区立图书馆，以省区教育行政机关为主管机关”①。图书馆的开办经费均由地方政府拨付。晚清是“各省由提学使司核定筹拨，撙节开支”②；民国时期规定“公立图书馆之经费，应于会计年度开始之前，由主管机关列入预算，呈报大学院，但不得少于该地方教育经费总额百分之5”③，而实际上并未严格执行。按照1927年的《图书馆条例》规定，馆长是图书馆的负责人，资格有详细规定：“1. 国内外图书专科毕业者；2. 在图书馆服务3年以上而有成绩者；3. 对于图书馆事务有相当学识及经验者。”④1929年，毕斗山出任湖北省图书馆馆长，1931年到1941年谈锡恩继任，此后相继有刘子亚、林振声、张翮和舒澄宇等主持湖北省图书馆。

衡量一个图书馆的地位，一个重要指标是收存的图书种类、数量和质量。湖北省图书馆的建设之路虽然坎坷曲折，但收藏宏富，确无愧于“楚天智海”之美誉。

湖北省图书馆图书来源，除购买之外，“先后囊括两湖书院之宝笈，湖北官书局之名椠，后复对私家旧书，广征捐赠”。湖北省图书馆库房里今日依旧珍藏着大书南库、北库字样的原两湖书院书柜，藏书钤两湖书院北书库藏、两湖书院南书库藏印者不胜枚举，钤湖北经心书院珍藏、经心书院监院钤记、江汉书院藏书等印者亦为数不少⑤。湖北官书局撤销后，向湖北省图书馆移交书籍10 186部，版片75 467块。抗战胜利后，接收兴亚研究社汉口分社的日文图书5 228册，又接收敌伪湖北

① 《图书馆条例》（中华民国十六年十二月二十日大学院公布），王振鸣：《图书馆法规文件汇编》，第7页。

② 《京师图书馆及各省图书馆通行章程》（1910年），王振鸣：《图书馆法规文件汇编》，第4页。

③ 《图书馆条例》（中华民国十六年十二月二十日大学院公布），王振鸣：《图书馆法规文件汇编》，第8页。

④ 《图书馆条例》（中华民国十六年十二月二十日大学院公布），王振鸣：《图书馆法规文件汇编》，第8页。

⑤ 汤旭岩、马志立：《湖北省图书馆早期历史（1904—1908）之考察》，《国家图书馆学刊》2013年第1期。

省武昌图书馆的图书十余万册。

此外，湖北省图书馆收购和接受了湖北藏书家的批量捐赠，荦荦大者如下：

1939 年湖北省图书馆收藏宜都杨守敬藏书共 6 093 册，图 80 幅。1944 年收藏枝江张继煦藏书 261 种 2 098 册。其中有明正德十五年揭文富刻本《揭文安公文集》、抄本《焦理堂丛钞四种》等珍善本。1947 年接收蕲春黄侃家人捐赠的图书 4 996 册。

中华人民共和国成立后，陆续收藏有黄冈刘卓云、武昌柯逢时、蒲圻（今赤壁）张国淦、孝感秦应逵、汉阳刘传莹、嘉鱼刘心源、鄂城（今鄂州）王家璧、武昌徐行可藏书。其中张国淦无倦斋所藏中国地方志 1 698 部 18 696 册，武昌徐行可藏书 10 万册，强化了省馆古籍收藏特色。

关于藏书的数量，1918 年沈祖荣统计湖北省图书馆有汉文 139 933 册，日文 531 册，西文 210 册，[①] 共计超过 14 万册。"一九二八年的藏书，估计为十万余册。其中古籍旧书七万余册，中文新书一万余册。一九三二年十月的统计是新旧书十一万零九百四十三册。一九三五年藏书为：古籍九万多册，善本书三千多册，新书二万多册，西文书三千多册，日文书一千多册，杂志一千多种一万多册，儿童书四千多册，共计十三万一千多册。"[②] 湖北省图书馆馆长刘子亚不无自豪地宣称，到 1940 年底该馆"拥有古今中外图书十一万册以上。抗战以后，省立各馆，无出其右者"[③]。

概括而言，湖北省图书馆在开办经费不足的情况下，以收藏古籍为特色，利用湖北藏书家众多的优势，适时接受捐赠和实行友情转让，丰富了馆藏。

---

① 沈祖荣：《中国各省图书馆调查表》（1918 年 3 月），《沈祖荣集》，第 36 页。

② 《湖北省图书馆八十年》，《图书情报知识》1984 年第 3 期。

③ 汤旭岩、马志立：《湖北省图书馆早期历史（1904—1908）之考察》，《图书馆史研究》2013 年第 1 期。

判别图书馆优劣的另一指标是服务。图书馆读者的广泛性和服务读者方式的有效性，检验着图书馆的水准。湖北省图书馆逐步由封闭走向开放，实现了公共图书馆的应有职能。

创办之初，湖北省图书馆服务于教育，对象主要是“备学者浏览”①。开办的湖北学堂应用图书馆，“学界以外，人皆未得窥内容”②，1910年《京师图书馆及各省图书馆通行章程》也宣称图书馆是“备硕学专家研究学艺，学生士人检阅考证之用”，③读者群狭窄而有限。到1918年，沈祖荣调查湖北省图书馆，读者借书必须领券，每券取资铜元1枚，一年收入2 491元。④反观沈祖荣供职的文华公书林，不领券，不收费，其间服务上的差距是很大的。

受新图书馆运动的影响，湖北省图书馆逐步转变服务方式。1929年毕斗山任湖北省图书馆馆长表态，“图书馆为民众公共求知之所，包罗万有，贯通中外古今，无论男女老幼，贵贱贫富，聋哑残废，皆随时随地顺其个性之所近，以自动阅读研究”。“远取欧美图书馆学最新研究之良法，一扫古代扃秘保存，视藏书为点缀品之陋习，以期达到美国图书馆格言所谓‘以最好书籍，用最经济方法，流通到最多数人民手里，之目标”⑤。此前省图“供众阅览，进门买票”的做法废止。在《湖北省立图书馆借书规则》中，可以看到借书证不需要付费，仅需要找一家“殷实商店盖章”担保即可，开放时间“除例假及特别事故外，每日规定上午九时至十二时，下午二时至五时”⑥。

---

① 端方：《学堂筹建完备摺》，《光绪朝东华录》三十年（1904年）二月。

② 《鄂垣图书馆扩充》，《湖南官报》（第934号），光绪三十一年二月初三。

③ 《京师图书馆及各省图书馆通行章程》，王振鸣：《图书馆法规汇编》，第3页。

④ 沈祖荣：《中国各省图书馆调查表》（1918年3月），沈祖荣：《沈祖荣集》，第36页。

⑤ 毕斗山：《湖北省立图书馆概况叙》，《文艺志资料选辑（四）图书馆专辑》，湖北省志《文艺志》编辑室1984年编印，第222—223页。

⑥ 《湖北省立图书馆借书规则》，杨宝华、韩德昌：《中国省市图书馆概况（1919—1949）》，北京：书目文献出版社，1985年，第328页。

抗战胜利后，湖北省图书馆开辟有报章阅览室、杂志阅览室、中文图书阅览室，开架陈列图书一万册，供大众自行取阅。根据1948年1月至5月的统计：阅图书3 118人次，阅杂志1 607人次，阅报6 269人次。五个月发放了275个借书证，借书者1 527人次，借书3 664册次。①

在图书分类管理上，湖北省图最初使用的是中国传统的四库分类法。由于收录外文书籍和新的科学书籍，四库分类法已不能适应图书管理的需要，使用科学的图书分类法势所必行。随着武昌图专的开办，西方图书馆学思想影响日深。湖北省立图书馆在图书管理上，折衷中外，除所藏线装古籍的分类继续沿用四库分类法外，收藏的中外文新书则全部改用了美国杜威十进制图书分类法。

与同时代的文华公书林相比，湖北省图书馆是内生型的本土图书馆，从藏书走到流通服务，中经多次渐变，从传承到传播的理念转变也非一朝一夕。在图书管理模式上，坚持了传统的四库分类法。从收藏的图书类型来看，省图以中文、古籍为主，而文华公书林则相反。文华公书林是一座移植到湖北的西式公共图书馆，湖北省图书馆是在承继中国藏书楼传统的基础上，向西方学习而发展出来的公共图书馆。

湖北省图书馆是在新政兴文教，育人才的时代背景下创办的，最初服务于教育，以后逐渐扩大受众，逐步彰显了公共图书馆的功能。自创办以来，即面临着经费支绌的难题，但依托湖北书院众多，私人藏书丰富的文化基础，在战乱频仍的年代不断增加馆藏，成为国内省立图书馆以古籍收藏见长的特色馆。湖北省图书馆的发展之路，鲜明体现了近代中国文教事业从传统走向现代，既保留中国特点，又不断向西方学习的时代特征。

三、仲恺图书馆及其他

湖北近代图书馆事业发达，除完全西化的文华公书林和调和中西的

---

① 湖北省图书馆:《湖北省图书馆八十年》,《图书情报知识》1984年第3期。

湖北省立图书馆外，近代还出现了一些较有特色的公立、私立图书馆。如革命色彩浓厚的仲恺图书馆、通俗图书馆，私人设立的杨太夫人纪念图书馆和余实甫图书馆等。

仲恺图书馆是伴随着大革命的浪潮而建立的，它带有鲜明的革命色彩。国共第一次合作之后，1926 年 10 月，北伐军克复武昌城。部分国民党中央执行委员、国民政府委员进驻武汉，召开联席会议，筹划建立武汉国民政府。

12 月 17 日，国民党中央执行委员会最高顾问鲍罗廷提议，要“设一大规模民众俱乐部，作各种方法的宣传机关”[①]，经几次会议讨论，认为“汉口新市场房屋颇多，作为大规模之俱乐部，颇觉相宜”[②]，遂定名为中央人民俱乐部，“委任血花剧社主办，并由特别市党部宣传部、市教育局会同办理”，“俱乐部名称拟系以血花世界字样，设有教育、宣传、娱乐营业种种”，并“拨开办会（费）贰千元”。血花剧社负责人李之龙负责经营。[③] 血花世界突出强调了政治宣传功能，将原本的游艺场所改造成了政治宣讲的中心。

血花世界有四层楼，原是武汉有名的游艺场所。二层楼东边改造成各种协会组织的俱乐部，“将雍和厅改为总理纪念堂，预备中央党部及政府委员常来讲演与党部召集各界举行纪念周之所”，三楼“设美术馆，四层楼建筑仲凯［恺］图书馆，扩充原有博物馆，陈列动植矿物及各种标本，以谋文化教育之进展”[④]。仲恺图书馆即开办于此喧闹的游艺场

① 《中国国民党中央执行委员、国民政府委员临时联席会议第三次会议录》（1926 年 12 月 17 日），《武汉临时联席会议资料选编（1926.12.13—1927.2.21）》，武汉：武汉出版社，2004 年，第 51 页。

② 《刘文岛同志请明令指拨新市场为俱乐部，并请拨款筹备函》，《武汉临时联席会议资料选编（1926.12.13—1927.2.21）》，第 85 页。

③ 《中国国民党中央执行委员、国民政府委员临时联席会议第七次会议议事录》（1926 年 12 月 29 日），《武汉临时联席会议资料选编（1926.12.13—1927.2.21）》，第 148 页。

④ 《汉口民国日报》1928 年 1 月 25 日。

中。仲恺图书馆是为纪念国民政府原财政部长、军事委员会常务委员、广东省政府财政厅长廖仲恺而设立的。1925年孙中山逝世后，廖仲恺因奉行三大政策，密切同中国共产党人合作，支持工农革命运动，坚持国民革命，为国民党右派所仇视，8月20日被暗杀。国民政府自此每年对廖仲恺开展纪念活动。

仲恺图书馆设有成人阅览室和儿童阅览室。为适应儿童身体特点，儿童阅览室专门制作了童桌童椅，方便儿童阅读。藏书以当时出版的政治读物为主，阅览架上陈列孙中山的著作。图书馆附设编辑部和印刷所，编辑出版有《廖仲恺先生纪念册》，摆放于馆中供人阅览。但是，由于它所在的血花世界，其机构角色定位摇摆不定，以至时人感慨“其为公共娱乐之场所乎？抑为宣传党义之机关乎？或以注重营业等之财政所属之征收局乎”？[①]其职能也存在着同样的问题，在图书馆职能之外，强化了党化宣传的政治色彩。

1927年湖北还创办了公立的通俗图书馆，其图书馆规程第一条明白宣称，图书馆的目标是“为便利民众阅览图书，扩大党的宣传”。各馆配备两名馆员，要求馆员“一、对于图书管理法略有研究；二、了解革命过程及意义，能担任宣传工作”[②]。当时在武昌、汉口各创办有五所通俗图书馆。

1928年，通俗图书馆的创设向各县延伸。湖北教育厅命令各县限期成立通俗图书馆，指出通俗图书馆在“政治常识之贯输，普通智识之注入”，作用很大，尤其是“一般人民对于本党主义信仰尚未坚定，歧途徘徊，深滋危惧”之际，各县要“多设图书馆，广储关于三民主义宣传

---

① 傅才武:《近代化进程中的汉口文化娱乐业（1861—1949）》，武汉：湖北教育出版社，2005年，第208页。

② 《湖北省立通俗图书馆规程》（1927年3月），田子渝:《武汉国民政府史料》，武汉：武汉出版社，2005年，第552页。

书籍，俾供流览，促其觉悟”[①]。

由此可见，大革命时期作为传播、传承文化功能的图书馆，被赋予了鲜明的时代特色，成了革命的宣传工具。

私人创立的图书馆以其鲜明的特色，实现了对公立图书馆的补充，在湖北近代较出名的私立图书馆有两所。其一是杨太夫人纪念图书馆。

杨太夫人纪念图书馆，位于湖北谷城，是图书馆学家杨昭悊及其胞兄杨昭恕共同创办的湖北省第一家私立图书馆。

杨昭悊，早年留学美国伊利诺斯大学，获图书馆学博士学位。回国后任教上海暨南大学、浙江大学。其著述有《图书馆学》，翻译《图书馆馆员守则》《图书馆学指南》《图书馆馆员之训练》等。杨昭恕留学日本，回国任教于湖北省立高级中学、湖北省立教育学院、安徽大学、上海大夏大学、暨南大学、浙江大学、国立湖北师范学院等校，后担任郧阳第八高中校长。著有《教育哲学》，翻译《伦理学说史》。[②]

两兄弟在外多年，未能随侍父母。1927 年其母七十寿诞之际，两人决议建立纪念图书馆，拟附设于襄阳第二师范。因为战乱未能实施，其母同年病故。次年，杨昭恕返乡，“决定节省丧葬靡费，建立纪念图书馆”，作“永久之纪念”，以“表先母之遗德”。他发出讣告，要求亲友，不送葬仪物品，改赠书籍、报章，创办“杨太夫人纪念图书馆”[③]。图书馆设于谷城杨母寓所。

杨昭恕起草的《本馆要项》，对开办费做如下安排：“将先母七旬寿庆筵资及丧葬縻费全拨移作本馆开办费用。计改建费八百另七元，设备费七十元，书籍费二百元”。“将先母所创遗之田产划完四十亩，作为本馆经常费用，以每年所出百分之六十为馆中员役薪俸及办公费，以百

① 《令各县教育局长：令限期成立通俗图书馆由》（1928 年 3 月 24 日），《湖北教育公报》1928 年第 1 卷第 1 期，第 163 页。

② 苏光照：《“杨太夫人纪念图书馆”的兴衰》，《襄樊史志简报》1984 年第 7 期，第 23 页。

③ 严守利：《“杨太夫人纪念图书馆”始末》，《谷城文史资料》第 1 辑，1987 年，第 100 页。

分之二十为添购图书费，又以百分之二十为修葺及添置器具费。”[①]按照杨昭恕拟定的《杨太夫人纪念图书馆简章》《董事会章程》规定，图书馆设馆长一人，办事员若干人。设立董事会，指导和解决图书馆一切事宜。图书馆对社会开放，不收取费用，任人阅览。

图书馆开办时藏书五万余册，杨氏兄弟在外地工作，又不断寄回书籍，丰富了馆藏。图书馆有杨氏家族珍藏的线装书，订购的平装书，英、日文书籍，地方文献也是馆藏的内容，还有京、津、沪、汉出版的报纸，类型丰富。其中商务版的“万有文库”“百科小丛书”“儿童文库”“四部丛刊”，多到数千册。[②]

因时局不靖，时有部队驻扎，20 世纪 30 年代图书馆即停办。七七事变后，杨昭恕回乡，整理图书，尚存 6 000 余册，捐赠给郧阳第八中学。中华人民共和国成立后，谷城县文教科将搜集的杨太夫人纪念图书馆图书 5 100 册送交湖北省文管会襄阳分会收藏。杨氏兄弟创办的杨太夫人纪念图书馆，管理有序，收藏有方，对外免费开放，以一家族之力，践行了公共图书馆的理念，这在当时诚属难能可贵。

另一所值得一提的私立图书馆是余实甫图书馆，馆设于汉口中山公园内。湖北郧阳籍人士余公胄，曾佐助张之洞创办汉冶萍公司，嗜好藏书，“所至辄留意收购，得宋元明善本书一千七百八十六部，清代专集杂记三千四百二十一部，抄本占十之三”，传至其孙余锦梯。锦梯与其兄余实甫合办图书馆，1929 年春正式对外公开阅览。此后，得到各界学者的捐输，“计得二千八百三十六部，价值五万六千余元规模大具”。可惜的是，1931 年湖北发生大水，藏书损失殆尽。[③]

此外，还有 1932 年太虚法师创办的世界佛学苑图书馆，1934 年黎元洪家族捐资修建的武汉大学图书馆，也在湖北图书馆史上留下光彩的一笔。

---

① 《〈文艺志〉资料选辑（四）·图书馆专辑》，第 172 页。

② 严守利：《“杨太夫人纪念图书馆”始末》，《谷城文史资料》第 1 辑，1987 年版，第 99—101 页。

③ 《湖北全省图书馆概况》，《〈文艺志〉资料选辑（四）·图书馆专辑》，第 284 页。

第六章　风格多样的建筑

鸦片战争前后，湖北建筑还是中式传统建筑的天下。湖北传统建筑向由泥木匠承担，风格蕴含天人合一理念，呈现天井布局、跌级或官帽型山墙、高台或干栏型台基、屋脊起翘夸张等特点。像开埠以前的汉口建筑样式，“均以立帖式木构架为主体，砌以砖墙，冠以青瓦”①，同时还有一套传统工艺和营造方式。但在鸦片战争后，特别是汉口开埠后，西式建筑开始逐渐植入荆楚大地。

西式建筑是随着列强的坚船利炮传入中国的。西方人足迹所到之处都大兴土木，留下各种风格的建筑。总体来看，西式建筑兴自西方在武汉、宜昌等城市开设的租界，其中有领事馆、工部局、教堂、学校、工厂、医院、洋行、住宅、俱乐部等建筑，后来逐渐扩展到其他地区。不过，西式建筑在湖北的地区分布极不均衡，且主要集中于武汉三镇，尤其是汉口。

总体上，西式建筑在荆楚地区的发展大体可分为形成（1861—1911）、兴盛（1912—1926）、成熟（1927—1937）及衰落（1938—1949）四个时期。其中，形成期的西方建筑规模较小，多为砖木结构，建筑样式多为券廊式。这一时期洋风初入，中西混杂。兴盛期出现了钢筋混凝土建筑，建筑风格以西方古典主义、折中主义为主，建筑立面构图严谨，装饰线脚丰富，代表建筑主要有江汉关、汉口汇丰银行等。成熟期的西式建筑向现代主义趋势过渡明显，建筑立面追求简洁、自由，四明银行、中国实业银行建筑是其中的代表。1938 年日本侵略者攻占武汉前后进入西式建筑的衰落期，这一时期的西式建筑活动基本处于停滞

① 吴传健：《汉口的变迁及其建筑模式》，《武汉文史资料》2004 年第 5 期，第 54 页。

状态。[①]

与湖北传统建筑相比，这些与西方文化相联系的洋式建筑，无疑是一个显著的突变。这种突变不仅给湖北带来了新的建筑风格，还造就了湖北建筑的独特景观，给时人带来强烈的视觉冲击，同时也影响着湖北人的建筑设计理念，最终使湖北建筑呈现中西合璧的局面。

第一节　西方建筑的植入

出于政治控制、经济掠夺及自身生活的需要，西方侵略者在汉口、武昌、宜昌及一些城镇乡村建造了各式各样的西式建筑。因而，湖北建筑的近代化是以殖民式建筑与西方教堂的植入作为重要标志而开始的。

一、租界与领事馆

湖北建筑近代化与西方人在湖北设立租界密切相关。租界是近代西方国家在中国独立于中国行政和法律管辖之外的特殊领地，享有司法管理、军队通过、赋税征收等大权，俨然“国中之国”。租界中的民政、交通、警事、税务、邮政，均由相关国家的领事综理。西方国家在中国设立租界的历史，始于道光二十五年（1845）上海英租界的设立。第二次鸦片战争后，西方国家在中国设立租界达到高潮。湖北的汉口、宜昌、沙市以其优越的地理位置成为近代西方国家对湖北乃至长江中上游地区进行经济、政治、文化侵略的三个重要据点，其在湖北设立的租界自然也就在汉口、宜昌及沙市这三个地方。

汉口租界区位于汉口沿江大道中段，即江汉路以北，麻阳街下码头以南，滨长江西北一带，沿江共长 3 600 米。（图 6—1）按地理位置由西南向东北顺序，先后为英、俄、法、德、日五国租界。

① 李百浩：《湖北近代建筑》，北京：中国建筑工业出版社，2005 年，第 15—16 页。

图 6—1　1926 年的汉口租界外滩

西方领事馆是近代西方国家设立的领事机构。咸丰十一年（1861）汉口正式对外开放，各国商人纷纷来汉开市。清朝总理衙门根据湖广总督官文的咨请，制定章程，规定："凡各国商船往各通商口岸，必须设有领事官管理，如该国无领事官，准托别国领事官代理，亦须别国领事官允管，方许开舱贸易。如任意往来，不惟不准贸易，即该国人民有被人凌害者，地方官一概不理。"[1] 据此，英、德、俄、法、日等 5 国纷纷在各自租界建造了领事馆、工部局、巡捕房等办事机构，美国、葡萄牙、荷兰、比利时、意大利、丹麦、瑞典、挪威、墨西哥、芬兰等 10 国也在五个租界内建造了部分领事馆。除在汉口外，西方人在宜昌、沙市也设立了数量不等的领事机构。

近代西方领事馆一般占地面积较大，包括办公馆舍、官邸和辅助建筑等，用装饰优美的院墙或栏杆围合成封闭庭院，内部环境优美。如英国驻汉口领事馆、法国驻汉口领事馆等。领事馆办公馆舍布局可分为"一"字形和"回"字形。建筑入口的设置虽然随建筑布局形式的不

① 张笃勤：《汉口英租界概述》，《武汉文史资料文库》第五卷（租界洋行），武汉：武汉出版社，1999 年，第 20 页。

同而有所变化，但多居中设置，如德国驻汉口领事馆、俄国驻汉口领事馆。

领事馆建筑一般多为 2 至 3 层，砖木结构。建筑样式多为殖民式券廊风格，一般在建筑四周做拱券围廊。外廊用于遮阳、挡雨、纳凉、观赏风景，内廊主要用于内部的交通。

英国领事馆 又称“英国工部长官官舍”。咸丰十一年（1861）英国在汉口英租界宝顺街（今天津路）与吉祥路（今合作路）之间建造，属汉口最早、也是湖北最早的领事馆建筑。

英领事馆共有房屋 4 栋，其中领事官邸 13 间，办公室、住宅 23 间，雇工房 7 间，面积共约 1 813 平方米。领事官邸为砖木结构，底层为半圆拱内廊，第二层为外平台，底层木地板下有半空，外墙拉毛粉饰，红瓦面，上有气屋。

总体来看，英国领事馆建筑显示出典型的 19 世纪殖民特色。它既有英式民舍的古朴典雅，又综合了东南亚、南亚热带地区房屋的券廊风格，游廊宽大，露台宽阔，是汉口兴建的第一栋具有近代建筑特点的房屋，并引领汉口乃至湖北近代建筑的潮流。

德国领事馆 位于德租界鄂哈街（今洞庭街）与飞腾街（今沿江大道）之间，光绪二十一年（1895）建成。由德国设计师韩贝礼设计。

德国领事馆（图 6—2）为两层砖木混合结构，坐西朝东，建筑面积 3 202 平方米。馆舍采用双层券廊处理，黄色拉毛外墙，红瓦坡屋面，色彩绚丽，带有日耳曼民居的建筑风格。主入口设在正中，有门斗凸出，正面用条石砌筑台阶，两边做坡道可直接驶进汽车。屋顶中部设有塔楼，塔楼四侧开半圆形天窗，既满足了室内采光要求，又丰富了建筑立面。塔楼上有一座镏金鹰鸟，屋顶四角各建有一个像“萝卜头”的小圆尖塔。这种尖顶在天津路旧俄国东正教堂也有，这是西洋建筑中用来表示东方风格的一种形式。馆舍内部木工精细，并雕有精美花饰。园内还建有一座附楼，二层砖木结构，除无塔楼外，基本与正楼相似。

图 6—2 德国领事馆

德国领事馆属典型的殖民地风格建筑，不仅具有德式建筑风格，同时针对武汉的地域因素作了一些调整。“按照欧洲的立面结构理论，古典主义在建筑立面的上层多半是采用柱式，到了武汉，则变成了一个大的回廊和阳台。德国建筑专家认为这种改变是为了适应本地气候，因为需要通风。”①

法国领事馆 位于法租界吕钦使街（今洞庭街 41 号）。同治四年（1865）建法式二层砖墙青瓦房一栋，光绪十七年（1891）被大水冲毁。次年重建二层砖木结构，坐西朝东。

在汉口领事馆建筑中，法国领事馆较为别致，呈四方形，正面有内廊，门前有回道及门罩，锥形屋顶、绿色、上面镏金鹰鸟国徽，外墙为黄色水泥拉毛，窗框作水泥线脚。入口为方柱门楼，门楼上层为阳台。红瓦屋面，墙面粉饰麻石。屋内有壁炉。一层办公，二层住人，院内有车库及门房。

俄国领事馆 俄国领事馆先设于汉阳，光绪十七年迁至汉口俄租界鄂哈街（今洞庭街）、领事街与飞腾街（今沿江大道）之间（今洞庭

① 蒙涯：《探寻汉口租界建筑与建筑风格》，《中外建筑》2012 年第 2 期，第 60 页。

街 218 号)。新馆舍正式建成于光绪二十八年(1902),后陆续添建新的建筑。

该领事馆建筑设计手法与其他各国不同,它采取成片建筑的方式,是典型的俄国古典式建筑,包括 9 栋两层砖木结构的高级豪华小楼房。光绪三十年(1904)又建 4 层办公楼,对称布置券柱式窗户。主入口居中,平顶券拱门廊,两侧设坡道,红砖清水外墙,红瓦四坡屋面,檐口建有女儿墙。

日本领事馆 甲午战前,日本的间谍、特务、商人及浪人就已向汉口和华中地区渗透,光绪十五年(1889)还企图在汉口设立领事馆,但因一时还无侵入华中的力量,领事馆的活动便以“居留民稀少而停顿”。甲午战后,特别是汉口日租界划定后,日本政府于光绪二十四年(1898)任命濑川浅之进为首任驻汉口的代理领事,领事馆设于日租界一码头,管辖范围先是汉口及其附近,很快扩展到周围各省。

日领事馆地址在日租界山崎街(今山海关路)临河街(今沿江大道)口(今滨江饭店),1913 年建造,为二层砖木结构的西方古典式建筑。领事馆平面呈长方形,立面为三段构图,两层均为半圆拱券廊。正面十开间,两侧各有一间凸出(左侧为三方形),中部入口处两间凸出为三层,三层檐口上坪台右侧建有塔楼。红瓦四坡屋面,底层下有半空层。

美国领事馆 位于俄租界威尔逊街(今车站路)的河街(今沿江大道)口上首(今车站路一号),光绪三十一年(1905)由广兴隆营造厂承建。

该建筑为砖混结构,主体为三层,建筑面积 2 941 平方米。平面为带有凹凸矩形,主入口在中间,为凸出半圆形门楼到顶,两侧是八方圆形角塔,形成内聚的动势。主楼三层均有半圆形拱窗,红砖清水墙刷红色涂料,门窗皆用弧形拱。外立面呈弧形,形成内聚的动势,起伏舒展,极具流动感。顶部两个角塔,有欧洲中世纪城堡之风。檐部及角塔有女儿墙,四坡屋顶覆盖红平瓦。

美国领事馆是汉口租界少有的巴洛克式建筑，突破了文艺复兴和古典手法的常规，对建筑形象较为造作，装饰比较繁冗，以曲线的墙面，流畅的线条，使建筑物呈现动感。整栋建筑采用红砖清水墙，勾缝、砖拱、门窗及腰线均以麻石镶成。这种独特的处理手法，在租界其他建筑中不多见。

宜昌英国领事馆　位于宜昌市红星路42号，建于光绪十八年（1892）。占地299平方米，平面方形，东、南两面为两层方柱外廊，底层券拱，二层平拱，木栏杆。入口柱间较大，设有台阶，顶部有山花，上饰“1892”字样。红瓦歇山坡屋顶，错落有致，局部壁炉烟囱高出屋顶。

沙市日本领事馆　光绪二年（1876）《中英烟台条约》划沙市为轮船停靠口岸。光绪二十一年（1895）沙市开埠，英、日等国在沙市开设领事馆。日本领事馆位于沙市日租界内，利用民宅改建而成，两层砖瓦楼房。

总之，领事馆建筑是近代湖北沧桑历史的浓缩，也是列强近代染指中国中部地区的实物资料。

二、教堂建筑

18世纪工业革命以后，西方宗教（主要是天主教和基督教新教）逐渐传入中国。西方宗教势力不仅扎根于武汉这样的湖北中心城市，而且还渗透到宜昌、襄阳、黄冈等偏远地区，并留下不少宗教建筑。日本近代建筑史专家藤森照信说：“虽然这些建筑当初是为外国人建的，……是与不愉快的记忆联系着的，但从更大处看，它们还是属于自己的东西，是这个城市历史的一幕。”①

1. 天主教教堂

道光二十四年（1844）《中法黄埔条约》签订，允许外国人在五口议定界址兴建房屋、学校、医院、教堂。道光二十五年（1845），中国

① ［日］藤森照信：《日本近代建筑史研究的历程》，《世界建筑》1986年第6期，第76页。

正式驰禁天主教（经交涉基督教亦被包括在内），此后天主教在不平等条约保护下，得以迅速发展，大大小小的天主教堂散落于湖北城镇和乡村之中。

武昌大堤口天主堂 法国人莫迪我于道光二十七年（1847）修建，位于武昌大堤口砖瓦巷 80 号，平房，砖木结构，按西方教堂风格建造，是武汉最早的天主教堂之一。这种教堂作为西方的一种构造类型传入武汉，武汉的近代建筑也由此开始出现。

汉口圣若瑟天主堂 位于英国租界怡和街（今上海路 16 号），又称上海路天主教堂。同治五年（1866），意大利天主教方济各会传教士、湖北代牧区主教明位笃从英国工部局购得位于今上海路的一块 5 080 平方米的沼泽地，并逐年填实加高。同治十三年（1874），明位笃把填实后的土地委托意大利籍传教士余作宾修建鄂东代牧区经理处，耗资 1.2 万法郎，于光绪二年（1876）建成。教堂是典型的巴洛克风格的建筑物，也是意大利人在汉口建成的第一座天主教堂。

圣若瑟天主堂仿古罗马的耶稣会教堂样式，规模宏大，砖木结构，十字式平面，为三廊型巴西利卡式样，内部侧廊为方形砖柱。十字横头处宽 26 米，地面离主堂顶十字架处 22 米。内部屋顶天花板为半圆形拱券和交叉拱券组成，十分别致。平面呈长十字，采用拉丁十字巴西利卡式长方形大厅，用纵面几排柱子分为几个长条空间。中央厅堂最大，长 40 米，宽 20 米。中间大教堂的后面设有圆拱，左右两侧各有圆形钟楼一座。

该堂立面大体依耶稣教堂的构图。外观朴实憨厚，山面采用双层山花处理。三角形窗楣与山面产生呼应。装饰壁柱尽管做了简化，但仍然显得端庄稳重，它与意大利文艺复兴后期的耶稣会教堂几乎完全一样，只是山面曲线变得规则了。

教堂总面积 1 024 平方米，可容纳千人，可谓湖北教堂之最，也是当时华中地区最大的天主教堂。20 世纪初，鄂东教区活动中心由武昌移到汉口，该堂先后成为鄂东教区、汉口教区的主教座堂。

武昌花园山圣家堂 位于武昌花园山南麓。光绪六年（1880），由意大利天主教方济各会传教士、主教明位笃修建；光绪十五年（1889），继任的江成德主教在原教堂基础上扩大重建。该教堂是天主教武昌教区的主教座堂。

教堂为砖木结构，地上两层，地下一层。教堂系巴西利卡式建筑风格，有着繁复的装饰和穹顶。建筑内部是大空间结构，中厅高耸。建筑北面主祭坛上供奉圣家三口的巨幅油画像，东西两翼各有两个祭坛，线条流畅，形体高大。墙面统一白色涂料装饰，局部配以镀金镶边或蓝色涂料点缀。教堂山墙作为主立面，坐北朝南。

教堂主入口有两个拱券，外圈为外墙装饰，内圈是拱门，两扇木质后门镶嵌其中。拱券大门顶上正中，开有一个圆形花窗，六片花瓣为六个透心圆，正中装有一个日晷仪。厚墙小窗是典型的古教堂特点。

汉口车站路天主堂 该教堂位于今汉口车站路，建于清末。这座教堂系一砖木结构的平房。房子体型虽然矮小，但立面处理很别致。它采用了尖券的门窗，铁顶的屋面，以及呈三角棱形的小尖塔、华盖，属于哥特式的建筑风格。

该教堂外表有向上的动势，有轻灵的垂直线条，墙垣、扶壁、尖顶、山花，似乎都展现出一种向上的动态。特别是哥特式小尖塔，突出反映了该建筑的独特风格。

汉阳天主堂 爱尔兰神父高尔文在1916年创立高隆庞传教会，并于1920年率领一批传教士来到武汉。次年，高尔文在汉阳显正街购买了几间民房，并改建成一座小教堂。1923年，高尔文升任汉阳教区主教后，就着手在原址动工修建了高隆庞大教堂。

汉阳天主堂属于罗马式建筑，占地约800亩，依坡而建。教堂中间为尖顶，两边各连着高于尖顶的四方形钟楼。教堂东面设有祭坛。建筑外形酷似法国巴黎圣母院，庄严、美观。教堂内部主体系两层砖混结构。侧廊廊柱为砖砌圆拱，净空高11米，中厅朴素，可容纳500余人。

谷城沈垭天主堂 该教堂创始于雍正元年（1723），位于谷城紫金镇的沈垭村。雍正九年（1731），沈垭天主教堂就已成为天主教在鄂西北的总堂，是全国为数不多的几个天主教中心之一。

光绪五年（1879），意大利人南熙任鄂西北主教，并着手在沈垭磨盘山大兴土木，修建西式教堂。沈垭天主教堂其实是一座建筑群，包括五堂（大圣堂、育婴堂、圣心堂、董人堂、墓堂）一山（十字山）。教堂依山造势，气势恢宏，白墙灰瓦，内外装饰十分精美。该教堂大门向正东，雕刻精致，堂内上方之墙作十字横形，大祭台后圆顶下两大窗正中悬有五大圣方济各身发大光，举手乘云腾空，而数天神护拥上升像，面目栩栩如生，令人望而生畏。沈垭天主教堂是当时规模宏大，设施较为齐全的西式教堂，其规模在国内仅次于北京天主教堂。

此外，天主教在宜昌、荆州、黄冈等地均建有大小不一的教堂。宜昌现保存完好的自立路方济各圣堂修建于光绪九年（1883），砖木结构，属短十字形巴西利卡式教堂。1933 年进行过一次改造。光绪二十年（1894）比利时籍神父黄赞臣在长阳监造石磙垧天主堂。该堂为天主教活动中心。教堂平面为拉丁十字，正立面两侧有钟楼，祭台一侧有钟塔一座。荆州已知最早的教堂是位于荆州城南门外的真福童贞玛利亚天主教堂。该圣堂于光绪三十二年（1906）由黄赞臣设计。1913 年天主教在洪湖戴家场建有天主教堂。该教堂呈长方形，占地面积 432 平方米。教堂正面为西式牌坊，牌坊中部嵌一竖匾，上书“天主堂”，上方墙为三角形，尖端上竖铁十字架。整个建筑粉壁洁白，颇为壮观。光绪二十年（1894），意大利神甫在英山杨柳湾购得地皮，并建立天主教堂。该教堂主堂内的圣母亭建在依山傍水的柘树林的后山顶上，约二三丈高。半山腰上有三栋高大的西式建筑，其规模之宏大、造型之别致，堪称当地建筑之首。圣堂之南为女学堂。整个教堂周围，都用围墙护卫，里面还因地制宜地点缀花草树木，显得幽雅、气派、森严。

2. 基督教教堂

基督教一般指 16 世纪欧洲宗教改革运动中脱离天主教而形成的各个新教派，如美国圣公会、美国长老会、荷兰传教会、伦敦会等。基督教传入湖北的时间要晚于天主教。

咸丰十一年（1861）夏，英国基督教伦敦教会传教士杨格非从上海到汉口，先在汉正街租屋设堂传教。次年即在汉口后花楼街建立中心会堂（又称花楼总堂）。该堂形式极为奇特，屋顶角立着小尖柱，墙面饰以梅花窗及哥特式尖券窗，入口披檐瓦材以及马头墙装饰又采用中国传统做法，反映出明显的中西建筑融合倾向。

同治三年（1864），杨格非又在武昌戈甲营建立崇真堂。这是武昌建立最早的基督教堂。教堂马头墙以及入口披檐瓦材采用中国传统做法，屋顶为木屋架铁皮瓦材，入口大门的尖券装饰和尖券窗带有西方哥特教堂风格。

与英国基督教伦敦教会传教士杨格非建造的教堂风格不同，来自英国的基督教循道会教士郭修理建造的救世堂则是一座中西合璧式教堂建筑。这座位于汉口汉正街 447 号的教堂，始建于 1930 年，历时一年建成，曾是循道会在湖北的中心教堂。

这座红砖清水教堂为 2 层，局部为 3 层，砖木结构。坐北朝南方位处理，违背了西方教堂东西朝向原则，但平面的拉丁十字布局，弥补了东西方冲突。正立面的两层中间开有白色常圣光冠冕的大十字窗。门楼按三段式构图，墙身有精致山花装饰，楼顶上建有四个八角形的小塔。教堂大门是具有南方地方特色的单檐庑殿琉璃瓦屋顶，西式的凯尔特十字窗又完全是英国基督教教堂特色。

室内的祭坛没有穹顶，而是大胆使用了舞台形制，礼拜面向的平面墙体上则开有直径达 2 米大的十字窗，彩色玻璃装饰，给人强烈的宗教氛围感。除了楼梯间、地面采用水磨石，舞台铺设为木地板外，其他均为水泥地面，外涂红色油漆；祷告屋顶为钢木屋架及木制构架吊顶，局部一层室内顶棚则用石灰粉刷。

3. 俄国东正教教堂

该教堂位于英租界鄱阳街 83 号（今汉口天津路）。光绪十七年（1891），俄国皇太子尼古拉游历中国，来汉口参加顺泰砖茶厂 25 周年庆典，并捐赠一座东正教堂给俄国侨民。这座教堂与西欧天主教堂，在形制、结构、及艺术风格上都不一样。该教堂采取集中形制，运用拜占庭的穹顶和拱券技术，是流行东正教的东欧采取的教堂基本形制。

这座教堂体形虽小，但造型活泼。底层砖墙由多向透视拱券组成，外墙采用壁柱、拱券和有雕刻的线角作装饰，上层面呈多边形，墙面为八面透视拱券组成，上下周围用大小拱券支撑，各窗口上端均砌成尖拱。办公楼与礼拜堂分隔两处。办公楼为三层，分立一侧，重点突出礼拜堂的主体建筑。

礼拜堂的外观近乎简单的六面体，使体形轮廓富有变化。建筑比例轻盈挺秀，风姿率真而平易。屋顶作穹隆圆形，为六角形尖顶，上覆绿色铁皮瓦，顶部立有大十字架，并有风向仪。外墙面的处理也很精细，装饰比较丰富，采用壁柱卷和雕刻的线脚以及各种图案做点缀。教堂外轮廓富有变化，墙面飘逸流动，活泼舒展。它与俄罗斯诺夫哥罗德地区的小教堂构图手法相似，只是屋顶作了改进。

三、教会学校建筑

创办学校也是西方教会传教的重要一环。在西方传教士看来，“接近中国人的最好办法，就是通过办教育”，“在中国办学是最省钱、最有效的传教方法。它们只花费教会的力量和传教士的劳力与时间约四分之一，却为该地教会提供了很大一部分教徒——我想超过半数”。[①] 据初步统计，自同治十年（1871）武昌文华书院建立始，至 1949 年解放，西方教会仅在武汉三镇开办的各类学校先后共计 77 所，数量之多惊人。与此同时，西方传教士也建造了许多学校建筑。

武昌文华书院 由美国基督教圣公会在同治十年创办于武昌城内贡院以东的昙华林。书院内建有圣诞堂、教学楼及男生宿舍。光绪二十七

① 顾长声：《从马礼逊到司徒雷登——来华新教传教士评传》，上海：上海人民出版社，1985 年，第 171、397 页。

年（1901）前后，翟雅各在任文华书院院长期间，在原校址西南购买大片地皮。光绪二十九年（1903）文华书院在武汉首开大学课程，书院遂分为备馆（中学）和正馆（大学）。宣统元年（1909）前后，文华书院规模扩大，改名文华大学，并附设文华中学。这一时期，文华大学扩建了教学楼，先后修建了文华公书林（图书馆）、健身所、多玛堂、博约室（外籍教师单人宿舍）、颜母堂（女生宿舍）、水塔以及多栋教师宿舍。

文华书院建筑风格各异。像最早建成的圣诞堂具有希腊神庙建筑风格。属一层砖木结构，入口建有门斗，侧柱廊设在教堂外部，外廊顶与屋面均为铁皮坡顶。教堂外观呈现重叠的三个三角形。

约建于1915年的文华大学法学院是典型的中西混合式建筑。两层砖木结构，底层封闭，墙面开设半圆拱券门窗。二层为木柱外廊，砖木组合栏杆，砖礅栏杆上支撑双柱顶住屋檐额枋，额做上下枋，两枋之间用传统木雕花格装饰。

1921年修建的健身所，二层混合结构。屋顶形似中国宋式屋顶，二层重檐，铺绿色琉璃瓦。底层较实，基座稳固，上层为九开间柱廊，显得通透，柱的栏杆、额枋、雀替都采用中国的传统做法。健身所是个具有现代体育馆功能的建筑。

汉口圣若瑟女校　是汉口最早的女中之一，其规模之大、设备之精良、师资之完备，在当时武汉私立女校中首屈一指。其创始于1911—1912年间，最初校址设在汉口天主堂斜对面的意大利嘉诺撒仁爱会修女院，即英租界鄱阳街21号仁慈堂内。圣若瑟女校（图6—3）的创办，源于汉口教区田（瑞玉）主教为继续完成他的前任主教的计划，“就是要把教区所有慈善教育事业，或藉以完成，或另行创新，以发挥意国方济各会在传教事业上的最高效率”。学校校务托嘉若撒修院承管，修院院长柏博爱在学校创办及以后的发展中出力甚多。据1935年所撰的

《校史序略》一文记载："创设斯校者为柏氏，协力赞助者为诸修女。"[1]创办初期，实际上只是一所小学。开学六年后，即1917年，"学成者不去，来学者日增，爰设中学，加多班次，斯时汉上女子中学，惟本校开先河"。

中学开设之后，圣若瑟校方即计划扩大学校规模，并于1923年在汉口府北一路长墩子（今汉口自治街242号）选定校址，聘请名建筑师沙西设计绘图，时经两年，耗资19万多银元，建起了一座五层大楼。

图6—3 圣若瑟女校

圣若瑟女校大楼以古典构图为基础，突出轴线，强调对称，属典型的三段式文艺复兴风格建筑。大楼正面中间主口设门斗为阳台，中间三开间为柱廊，墙面为红砖清水墙，墙上下粉白色，红白相间。屋顶为红瓦铺面。楼背后为U形，两侧凸出部分四层为上收的菱形气屋，三、四层为窄条的窗形与一、二层大窗相对，使建筑更显活泼。

大楼灰身红顶，气势雄伟。大门前两根短粗的水泥柱，撑起一个5米见方的阳台，上下都栽种着花木。阳台两边，立起四根巨大的水泥圆

① 刘作桓：《圣若瑟——汉口最早的女中之一》，《武汉文史资料》1989年第4期，第45页。

柱，直顶四楼。楼内另有百叶窗板。过道亦宽，最宽处超过4米，与楼梯一样是水磨工艺。这样的学校建筑在当时并不多见。

汉口博学书院 由英国伦敦会创建于光绪二十二年（1896），原址在汉口后花楼居巷。光绪三十四年（1908）在汉口韩家墩购地新建校舍。除建有总堂（钟楼）外，校舍还有礼拜堂、教室、图书馆、游泳池和水塔等。其中总堂为二层砖木结构，平面条形，对称式布局，中间为大厅，厅四周设两层内廊，立面构图严谨，门窗为长条形尖券，居中设主入口，上设三层钟塔，坡屋面覆红瓦。礼拜堂为单层（局部二层）砖木结构，窗间壁柱划分，壁柱呈阶段性缩进，门窗皆为尖券，属典型的英国哥特式建筑风格，平面布局灵活，呈不规则十字形，主入口设在侧面。

汉口圣玛利亚学校 俗称英国小学，在英租界天津街（今天津路）与鄱阳街转角处。宣统三年（1911）由意大利天主教创办。设有高小、初中，专收外国儿童，后来也收中国富家儿童。校舍为二层砖木结构，红砖外墙，红瓦屋面，转角处建有圆顶。由汉协盛营造厂承建。

懿训女中 武汉最早的一所教会女子学校，光绪二十三年（1897）由基督教英国牧师富世德夫人在武昌县华林创办，原名懿训书院，1920年迁至汉阳东门，1929年迁至汉口西满路（今解放大道协和医院偏舍），更名为懿训女校。1931年秋又迁至特三区（原英租界）湖南街（今胜利街市二十一中）重新改建校舍。新建校舍共用1.4万银元，建成“美奂”“美伦”两座大楼。1940年又加建砖木结构新校舍一栋。由公利设计事务所卢炳生设计，汉协盛营造厂承建。

圣罗以女中 位于俄租界吉祥街（今合作路48号），民国初年由美国圣公会创办。教室、办公室、礼拜堂、健身房、宿舍等建筑较完备，均为二层或一层砖木结构。

四、教会医院建筑

近代湖北医疗卫生事业，开始于教会医院的建设。光绪三十三年

（1907）在上海举行的新教布道100周年会议宣称：医务工作是“全世界几乎每一个教会团体工作的一部分”[①]。据调查，到1939年湖北地区仅武汉就有外国教会医院13所。

武昌仁济医院 由美国基督教圣公会传教医生彭勒光绪十年（1884）创建于武昌府街口，后迁往武昌昙华林。

该医院呈三合院布局，主楼两层为砖木结构，两侧辅以外廊式配楼，立面具有明显的文艺复兴风格。

汉口协和医院 由基督教伦敦会与循道公会联合创办，建造于1928年，英籍建筑师胡柏设计，是武汉第一座钢筋混凝土结构医院。建筑外观非常接近现代风格，病房宽敞，设备先进。

第二节 传统建筑向近代建筑的转型

湖北传统建筑向近代建筑的转型，是以西方人为了自身需要而建造具有西式风格建筑而开始的，但是西方人在建造各种用途建筑的同时，又不得不兼顾湖北的地域及人文环境，使西式建筑湖北化。与此同时，一些具有民族自尊心的荆楚建筑设计师不甘落后，取长补短，大胆应战，也建造了为数不少的近代建筑。

一、与洋人同台竞技的荆楚建筑师

在西方人将各类西式建筑耸立在汉口、武昌、宜昌等湖北各地的同时，近代荆楚建筑师们积极进取，奋发有为，也建造了各种类型的近代建筑。

与传统砖木结构为主体的构造方式不同，近代建筑一般是砖混结构，必须先有图纸，然后施工，其技术要求较高。传统的泥木作坊无论是技术还是财力，都难以胜任，于是出现了照图施工、全面承包的营造

① 颜思久：《云南宗教概况》，昆明：云南大学出版社，1991年，第234页。

厂。据目前掌握的史料来看，近代湖北建筑营造厂首先出现在武汉。近代武汉建筑业营造厂经历了萌芽（1861—1889）、发展（1889—1911）、萎靡（1937—1945）及复兴（1945—1949）四个阶段。最先出现在武汉地区的营造厂是英商发德辅营造厂，同治四年（1865）该营造厂承建了麦加利银行。光绪二十四年（1898），从上海而来的浙江人周昆裕创办了明锠裕木厂（后更名为明锠裕营造厂），成为在武汉正式开业的第一家华人营造厂。到 1949 年，武汉共有营造厂 398 户，其中有浙帮的明锠裕、汉合顺、汉协盛，康生记、钱梅记、叶佐记、汉合兴，广帮的广荣兴、李广记、李丽记以及本帮的袁瑞泰等。近代武汉的许多现代风格的大型建筑都由这些营造厂承包建筑。其中最大、最负盛名的是浙帮沈祝三创办的汉协盛营造厂。

沈祝三，原名卓珊。光绪三年（1877）出生于浙江宁波鄞县沈村。沈祝三早年丧父，读过几年私塾后，母亲送他去学木工，后随舅父孙仁山去上海谋生，旋经舅父孙仁山介绍而认识在上海杨瑞泰营造厂任职的王文通。后经王文通介绍，沈祝三到杨斯盛的杨瑞泰营造厂任监工之职。

除自营杨瑞泰营造厂外，杨斯盛又与他人一起在上海另组协盛营造厂。沈祝三忠厚老实，刻苦干练，很快赢得杨斯盛的信任。当协盛营造厂承建南京英商太古洋行工程时，杨斯盛派他到南京去协助监工。在这项工程中，有凿一口旱井的项目，要求极高，要一气呵成，日夜赶工，不可间断。但夜间工人畏寒，天又下雪，不肯下井，沈祝三遂自告奋勇，下井自干，从而保证了工程进度和质量。沈祝三还机智好学，利用当监工的时机，细心观察揣摩，虚心向技术人员学习看图纸和施工技术，并向看门的印度人学习英语，掌握了与洋人交流的本领。吃苦肯干、勤奋好学的沈祝三也得到洋人的赏识。

光绪三十年（1904）南京太古洋行工程完工后，太古洋行又将汉口太古洋行一号仓库的工程交给协盛营造厂承包。洋行大班商得协盛营造厂厂主杨斯盛同意，指派沈祝三到汉主持营造。沈祝三于是带领上海工人和技术人员到汉主持承包工程，并开始了长达近 40 年的武汉建筑生涯。二层砖墙铁皮的汉口太古仓库高质量完工后，沈祝三声名鹊起。光绪三十二年（1906），协盛营造厂又承包了英商汉口平和打包厂的工程，仍指定沈祝三负责监工。

此时的武汉，正值建筑业蓬勃发展时期，除了外商洋行和张之洞兴办洋务运动在汉大兴土木外，华商民族工商业也广建楼宇。当时，外国使馆、洋行、工厂、住宅，多为英商发德辅洋行等外商建筑业所承建，广东和上海等地许多营造厂亦蜂拥来汉承包汉阳铁厂及布纱丝麻四局等大批建筑工程。清光绪三十四年（1908），而立之年的沈祝三审时度势，图谋发展，在完成平和打包厂工程后，决定脱离上海协盛营造厂，自立门户，在汉口六合路自设汉协盛营造厂。这是继光绪二十四年（1898）明锠裕营造厂成立后的第二家外地在汉落户的营造厂。沈祝三为借誉于杨斯盛，故用“协盛”二字，但前冠以“汉”字，含有不忘其本之意，唯经济完全独立，与上海协盛厂无涉。汉口平和打包厂工程很为平和打包厂厂主满意，这也可以算作是汉协盛在汉承建的第一项工程，沈祝三也因此在汉声誉大振。

好的设计是成功的必要条件，建筑工程首先要依靠设计师设计。当时武汉的建筑界，除有一批中国设计师外，还有外国设计师。英国人海明斯既从事房屋设计，又作建筑监工，还能包揽英国在汉的银行、洋行、工厂的建筑工程。沈祝三有沪宁汉三地的承包工程经验，又懂英语，具有很强的扩展业务的能力。结识海明斯后，沈祝三发现他们之间具有很强的互补性，且意气相投，他们之间很快形成了相互支持、互相利用的比较融洽的关系。海明斯凭借英国人的身份以及英领事馆的支持，帮助沈祝三在英商手中包揽建筑工程。沈祝三投桃报李，给海明斯经济回报，并于 1920 年赠送一幢办公用的 6 层景明大楼，使海明斯及其创办的景明建筑事务所（即景明洋行）有了立足用武之地。景明洋行先后将其设计的许多重要工程如保安大楼、正金银行、普爱医院、卜内门洋行、日清公司大楼、德林房子等转给汉协盛承建。景明洋行自身分别从业主和汉协盛收取 5%~10% 的设计费和监造费，逐渐发展成为汉口最大的房屋设计事务所；汉协盛营造厂由于景明洋行的支持，也发展成为汉口业务最发达、规模最大的建筑营造厂。

沈祝三重视工程技术，不惜高价，从上海招聘技术员工来汉工作，还进行岗位职务培训，造就了大批建筑人才。沈祝三注重传统施工方法与西方现代技术、机械施工的结合，购置了许多机械设备，如英制搅拌机、蒸汽打桩机、电动起重设备，还购置了卡车 20 多辆和轮船、拖驳各 1 艘，并配有专业搬运工人。

为了降低原材料成本，除木材和花岗石制品从湖北本地和湖南等就近采购外，沈祝三还自设建筑材料厂。钢材、水泥等材料不依靠本地洋行。沈祝三每年以低于市价 20% 的价格，直接从德国哈尔钢铁公司采购钢材两三万吨运到汉口，且不受市价波动的影响。沈祝三还非常重视建筑工程质量，尽管施工现场多，但施工中力避盲目抢进度，要求每砌一段墙就存放一段时间，待干固以后再砌；门窗等木制品均要存放干燥后才使用。

在经济上，沈祝三的建筑资金依赖汉口浙江兴业银行的支持。银行经理王道平与沈祝三是同乡，经常给予方便和支持，沈得以常在该行透支周转资金，有时高达三四十万元。为了报答王道平，沈祝三将其弟王佑霖聘为汉协盛附属工厂阜成砖瓦厂的总管事，从而使沈祝三在资金接济上有了更牢的靠山。

有了这些有利条件，沈祝三承建的工程工效高、质量好，业务越做越大。汉协盛业务蒸蒸日上，经常同时施工的有一二十个工地，在最高峰时多达 40 多个，成为 20 世纪二三十年代武汉最著名、规模最大的建筑企业。在清末至民国武汉三镇的 300 多项著名建筑中，有 56 项为汉协盛所造，占整个城市建筑群的 19%，其中银行 11 家、洋行 9 家、工厂 10 家、医院 5 家、学校 4 所、交通商业市政设施 8 处和住宅、机关用房 9 处。其中主要有：第一纱厂、武汉大学、武汉女中、汇丰银行、正金银行、台湾银行、四明银行、浙江实业银行、金城银行、盐业银行、汉口打包厂、和记蛋厂、日清轮船公司、日信洋行、平和打包厂、景明大楼、圣教书局、协和医院、普爱医院、日本医院、梅神父医院等等。

沈祝三还注意节约，精打细算，利用剩余建筑材料或旧料建筑了许多房屋，如三元里、三多里、三有里等。位于中山大道下段的三元里是一些二层楼房屋，分为南、北二部，约计 120 多间；三多里是石库门面加街面住宅，计 20 多间。三有里是二层楼，连街面在内，30 多间。此外，还有共和里一带房产、德华里三分之一的房产，以及武汉女中的大块地皮，都是汉协盛的产业。

沈祝三承建的工程，不少为首创，极具特色。其中有武汉早期的钢架结构建筑平和打包厂库房，复杂而难度最大的工程汇丰银行大楼，武汉早期规模最大的综合大楼璇宫饭店及国货商场，规模最大的校舍群武汉大学校舍群，民初建造的最高级住宅珞珈碑路怡和洋行宿舍（27 栋），最高层的 7 层四明银行大楼。

武汉大学早期建筑群（图 6—4）是中华人民共和国成立前武汉最大型的一组校舍，包括教学大楼、体育场（馆）、图书馆、工厂、宿舍和住宅区、商店、车站、水塔等设施，占地 200 多公顷，建筑面积达 7.8 万平方米，规模之大，国内罕见。它由美籍工程师凯尔斯设计，以北京故宫为蓝本，融合了我国古典建筑艺术和西方古典建筑的特点，构思精美，错落有致，堪称中西合璧建筑的典范。建筑置于群山起伏、湖水相伴、绿树成荫的自然环境之中，形成典雅庄重、轻快多姿的总体景观。

沈祝三为竞争此项宏大工程，以低价中标承建主要项目。武汉大学工程于 1930 年动工，1938 年按合同完工。沈祝三为武汉大学工程呕心沥血，几遭挫折仍顽强搏击直到成功。时任武汉大学校长王世杰赞扬说："新校舍的建成，应当感谢负责设计的凯尔斯和负责施工的汉协盛。"①

---

① 皮明庥、吴勇：《汉口五百年——新编汉口丛谈》，武汉：湖北教育出版社，1999 年，第 83 页。

图 6—4　武汉大学早期建筑

时至今日，当年沈祝三承建的那些近代建筑，虽经长时间风剥雨蚀的刷洗，依然轮廓清晰，风韵犹存，见证了武汉这座城市的沧桑巨变，记录了当年“小木匠”的辉煌业绩。

作为建筑师，沈祝三还热心社会公益事业，曾多次慷慨解囊。如捐建宁波四明同乡会的四明公所工程，甚至其日常开支也由沈出资捐助。后又在麟趾路独资捐建武汉女子中学校舍。1928 年承建的梅神父医院完工时，由于外国人节外生枝要求返工，经四次返修不取分文。1930 年承建武汉大学工程时，上万工人做了二年，到快完工时校方提出要做一个水塔和配套泵房水池，沈祝三答应做成而不取分文。

令人惊叹的是，沈祝三从 1918 年起，患上眼疾，多方医治无效，又赴日本就医未愈。双目失明后，沈祝三不能亲自出马管理，却表现出超常的毅力和胆略，常坐在家里听汇报，对关键性的问题作出指示或决定，仍以惊人的魄力，领导和指挥完成了景明大楼、璇宫饭店、国货商场、四明大楼和武汉大学建筑群等 30 余项重大工程。

但是，在激烈的市场竞争中，沈祝三发生了谋略失误。在投标武汉大学工程时，他估算不当，不顾成本削价；开工后，发现材料难以上山而不得不开工辟路；加之工地分散，管理不周，又遇 1931 年大水，损失惨重，以致武汉大学工程结算时，造成 40 万元亏损。沈祝三只得将三多里房屋及阜成砖瓦厂抵押给浙江兴业银行，负债本利滚成 100 多万元，直到武汉沦陷时才偿还。此后，沈祝三蛰居汉口，靠变卖建筑材料和财产维持生活。1941 年 1 月在寓所逝世，终年 64 岁。

湖北近代建筑不仅凝聚了建造师的汗水，也与一些建筑设计师的精心设计有关，如卢镛标、庄俊等。

卢镛标，浙江定海人，光绪二十八年（1902）生。因其胞兄卢东阳在汉口英商景明洋行工作，经介绍于 1922 年入景明洋行学习建筑设计。1924 年卢东阳病故，卢镛标顶兄职入景明洋行工作，后曾独立承担过一些小型工程设计。1925 年，他与刘根泰合作在汉口宏春里组建宏泰测绘行，利用工作之余承揽一些测绘和住宅设计业务。其间，卢镛标曾设计联保里、长春里、福生里等工程。

1929 年，卢镛标辞去景明洋行职务，在汉口独立创办卢镛标建筑事务所，所址先在汉口二曜路清义里，后迁至鼎余里。事务所主要承接工业民用建筑设计及测绘业务，有工作人员 20~30 人，与当时汉口外商建筑设计洋行相当，除邀请华人同行相助外，还聘请外籍建筑师。卢镛标建筑事务所的设立结束了长期以来汉口建筑设计由洋人垄断的局面。

卢镛标建筑事务所开业后，设计建筑类型非常广泛，涉及工厂、银行、教堂、学校、民居及公用设施等，先后承担的建筑设计工程有：汉口洞庭街上海电影院、硚口永亨堆栈、立丰榨油厂、五丰面粉厂、四明银行大楼、中国实业银行大楼、中一信托公司、硚口天主堂、武昌善导女中等。另外，卢镛标还承接湖北省内随县天主教堂、医院及湖南省邮政管理局大楼的设计业务。这些建筑单体规模一般较大，多在 4 层以上，有的高六七层，多为钢筋混凝土结构，几乎都是早期现代主义风格。卢镛标因为这些建筑设计奠定了自己在湖北建筑界的地位，并成为武汉乃至湖北唯一能与景明洋行等外国设计事务所相抗衡的中国建筑设计师。

卢镛标的设计主要受 Art—Deco（装饰艺术）与现代主义两种风格的影响。其作品中，中一信托公司大楼、四明银行大楼和中国实业银行大厦三件都属于“折线摩登”Art—Deco 建筑风格，完全摆脱西方古典主义的影响，成为当时最具现代风格的大型建筑。武昌善导女中和汉口江汉村等作品，虽然在某些建筑细部的处理上有“折线摩登”Art—Deco 的痕迹，但总体上还是属于现代主义风格。此外，卢镛标也关注中国传统建筑文化，其设计的随县（今随州）天主教堂就具有一定的中国传统建筑风格。

中国实业银行由北洋政府于 1919 年开办于天津，1932 年迁至上海。1922 年中国实业银行在汉口设立分行。汉口分行在 1934 年请卢镛标设计新大厦，并于 1936 年竣工。该大厦基座上的大理石标牌记载：“汉口中国实业银行新厦，奠基纪念，民国二十四年三月二十三日立，建筑师卢镛标设计，李丽记营造厂承建。”中国实业银行大厦是当时汉口最高的建筑之一，是卢镛标的代表作。建筑位于两条路的交汇处，用地呈三角形。周围全是洋人设计的古典复兴主义风格的建筑，柱式高大，厚重坚固，咄咄逼人。周围环境对卢镛标是一个严峻的挑战。“文化的力量，深深熔铸在民族的生命力、创造力和凝聚力之中。”[①] 具有民族自尊心的卢镛标，大胆应战，建筑设计创造性地采用不同于现代建筑的手法，在和谐的建筑群中，突显了中国实业银行的强烈个性，这在租界建筑中给人耳目一新之感。中国实业银行大楼及 1935 年建成并由卢镛标设计的四明银行大楼扭转了当时租界内洋式建筑房屋设计由外国人垄断的局面，曾在汉口轰动一时。这两栋大楼经久不衰，是江汉路商业步行街的主要街景。

---

① 《国家“十一五”时期文化发展规划纲要》，孙家正：《中国文化年鉴 2007》，北京：新华出版社，2008 年，第 382 页。

卢镛标建筑事务所设计的民居建筑主要有江汉村、联保里、长春里、四美里、福生里等。江汉村由王毕双、郑硕夫等于1936年投资兴建，卢镛标建筑事务所设计，共9栋3层混合结构，是武汉当时最新型的里弄住宅，其中7栋由明巽建筑公司承建，李丽记、康生记各承建1栋。总体布局和道路网形式为一条主巷与城市街道相连接的形式。巷口采用牌坊式入口，住宅红砖清水墙，立面大大简化，有简单的几何装饰，属于现代主义风格建筑。联保里位于汉口江汉路水塔后面，上海联保水火公司出资兴建，2层砖木结构房屋共73栋，1930年由康生记营造厂承建；四美里为2层砖木结构，共38栋。

在经营自己的建筑事务所的同时，卢镛标还被汉口市业主会、湖北省高等法院、湖北省银行等聘为建筑顾问。1938年武汉沦陷后，卢镛标建筑事务所解散。1945年卢镛标病逝于汉口，终年43岁。

与卢镛标通过学徒式的学习走上建筑设计道路不同，庄俊则是一位学院派建筑大师。

庄俊，光绪十四年（1888）生于上海。宣统元年（1909）入唐山路矿学堂，宣统二年（1910）考取清华学堂庚子赔款留学生第二届预备班，同年赴美留学，就读于伊利诺大学建筑系，是我国出国留学学习建筑的第一人。1914年毕业，获学士学位。回国后，庄俊被清华学校聘为讲师和驻校建筑师，协助美国建筑师亨利·墨菲设计和建造了清华学校校园的总体规划、清华大礼堂、图书馆、体育馆等一些建筑。1923年受清华学校委托，率百余名学生赴美留学，他本人也于1923—1924年入纽约哥伦比亚大学研究进修，并到欧美各地考察建筑。

庄俊是中国最早创办建筑事务所的华人建筑师之一。1924年，庄俊在上海开设"庄俊建筑事务所"，次年发起成立中国建筑师学会，并长期担任会长。庄俊先后设计了40余项工程，其中有上海大陆银行、上海和汉口的金城银行、青岛交通银行等。

金城银行于1917年创设于天津，总经理和董事长是曾在北洋政府财政部任科长、司长的周作民。汉口金城银行于1930年动工，次年竣工。该工程由汉协盛承建，是庄俊在汉口的第一个作品。庄俊的建筑设计图为铅笔绘制，采用英制尺寸，以英文为主。其线条圆润流畅，显示出设计人深厚不凡的基本功力。特别是银行的正立面，绘制十分细腻、精致，从图面就可以领略到西方古典建筑的独特魅力。汉口金城银行是一个建筑群体，用地为沿街多边形。与中山大道垂直的银行主楼采用西方古典手法：中轴对称，主次分明，横向分五段。中段为古典八柱式柱廊，宽约 30 米，占主楼总长度的二分之一。巨式柱廊，挺拔高耸，庄重气派，充分展示了银行的实力。这座建筑的台基很高，从入口到达首层营业大厅之间，共有 21 级台阶。庄俊提倡建筑设计“古今兼采，奇正互用”。他在金城银行柱廊的设计上，就不拘一格，既承袭了西方延续了两千余年的古典风格，又作了民族化的改变，如将西方科林斯柱头下部向上翻卷的忍冬草形象改为 4 个狮面浮雕和花瓣。厚重的山墙上刻有银行的中英文名称。

庄俊对武汉民居“里份”的设计，更具匠心。里份之于武汉，就像胡同之于北京，里弄之于上海。这种融合西式联排建筑风格的新式城市社区型住宅，从建造过程、建筑结构以及方式上均不同于传统民居，其居住模式、街道以及建筑集中上，均能代表近代武汉的城市化进程。相比他早期设计的住宅，里份在建筑材料、装饰风格上更为先进，特别是工业化生产在近代建筑上的运用，以及西方元素与中式结构的结合，表现得更加完美。

庄俊 61 岁时，先后担任交通部华北建筑工程公司总工程师、中央建筑设计院总工程师，成为新中国第一位建筑总工程师。1990 年 4 月 25 日，庄俊病逝于上海。

二、兼收并蓄的建筑风格

咸丰十一年（1861）汉口开埠，西式建筑文化随即开始植入荆楚大地，湖北地区的建筑风格也逐渐发生变化。梁思成说：“十九世纪末叶及二十世纪初年，中国文化屡次屈辱于西方坚船利炮之下以后，中国却忽然到了‘凡是西方的都是好的’的段落，……于是‘洋式楼房’‘洋式门面’，如雨后春笋，酝酿出光宣以来建筑界的大混乱。”[①] 在这种“大混乱”中，许多西方风格的建筑在荆楚如雨后春笋般的涌现，这其中主要包括兴起于18世纪的西方复古主义建筑，流行于20世纪二三十年代的现代主义风格建筑，其中多数属于西方古典主义的建筑艺术形式。

1. 西方古典复兴风格建筑

18世纪下半叶，西欧掀起了一股古典复兴建筑的潮流。它的主要表现是使用希腊式的多尼克和爱奥尼柱。这种柱式的特点是柱形柔和修长，比例协调，秀丽端庄。由于受到结构的制约，这类建筑物的形制比例都趋向于高而窄，并运用超高的尺度显示其宏伟壮观。在建筑空间的结构上，主要街道两端都有高大的建筑物作对景。这些建筑大都采用了先进的钢筋混凝土结构，楼层高度为3~6层，体量宏大，造型优美。

位于汉口的汇丰银行、花旗银行、横滨正金银行、金城银行、上海商业储蓄银行、交通银行、盐业银行、浙江实业银行、中国银行汉口分行等银行建筑，以及汉口电灯公司、捷臣洋行、日清洋行、日信洋行等工商业建筑，还有圣若瑟天主教堂等宗教建筑，都属于西洋古典建筑风格。目前所保留下来的这类银行建筑的风格，主要表现在柱式系统上，它们的形式和细部处理得很严谨细致，并运用柱式的列柱，使建筑物在视觉和空间上能体现出与周围的自然联系起来的开朗性格。其中汇丰、正金和交通银行的建筑还采取了空柱廊，其他银行也采取了不同方式的列柱和柱式。

汇丰银行汉口分行大楼 同治四年（1865），英国汇丰银行在汉口设立分行。1913年在英租界河街（今沿江大道）与华昌街（今青岛路）转角处动土修建汇丰银行汉口分行大楼（图6—5，右）。1913—1917年建成三层混合结构副楼，1914—1920年建成四层钢筋混凝土结构的主

① 梁思成:《建筑设计参考图集序》,《梁思成文集》第2卷，北京：中国建筑工业出版社，1984年，第221页。

楼。大楼占地 3 591 平方米，总建筑面积 10 244 平方米。由英籍建筑师派纳设计，浙商沈祝三的汉协盛营造厂承建，合同载明保固期 100 年。

汇丰银行汉口分行大楼的建筑属于典型的西洋古典建筑风格。大楼前段以两个营业大厅为主体，后段为办公用房。中间夹有四座大银库，布局十分紧凑。楼内设 3 部电梯，壁炉采暖，内部装修精致华贵。

图 6—5 1920 年的英国汇丰银行汉口分行大楼（右）与美国花旗银行汉口分行大楼（左）

大楼外墙由麻石砌到顶，正面十根大柱为麻石拼接，显得坚固威严；内廊镶嵌大理石墙裙，室内地坪在钢筋混凝土楼板上铺拼木地板。建筑临江立面造型平稳，比例严谨。立面空柱廊采用爱奥尼克柱式丰富了建筑物的体形，使建筑物在视觉和空间上与周围的自然景色有机的融合成一体。基座、房身、屋檐采用上下三段构图。左右则为五段划分，以中央一段凸出为主入口，使立面具有明确的垂直轴线，对立统一的法则确定了形式上的主从关系。这是西方 18 世纪流行一时的古典主义手法。主楼建筑具有西班牙古典风格，基座、门窗、腰线、檐口、压顶等部位都有石刻花饰，施工难度极大，坪台上还建有屋顶花园。

花旗银行汉口分行大楼 位于汉口青岛路 1 号，沿江大道街边，与汇丰银行隔路相望。花旗银行于 1812 年成立于美国纽约，并于宣统元年（1909）设立汉口分行。花旗银行汉口分行（图 6—5，左）在 1913

年建造新楼（第二代建筑），由美国建筑师亨利·墨菲设计，景明洋行出设计图纸，魏清记营造厂施工。钢筋混凝土建筑，地上共五层，地下一层，1921 年完工，连同购地金额及设备费用共耗白银 17 万两。

花旗银行汉口分行建筑样式是流行的三段式构筑。其中，第一段为地上一层，内空极高，两根罗马圆形立柱和两根现代式方柱支撑主入口门廊，拱券门窗；第二段包括三个楼层，八根粗壮的罗马立柱，横向贯通透空长廊；檐口为密檐式天沟形成水平环带，檐口以上为建筑物的第三段。正面临江主入口底层为半地下室，厚实的基座上开有细长半圆拱窗，封闭性建筑样式强调了银行建筑的安全感。整幢建筑呈正立方体，线条简洁，形式庄重，为北美新古典建筑样式的代表。

中国银行汉口分行大楼 位于中山大道 593 号，江汉路步行街与中山大道交会处。1912 年 2 月，中国银行总部在上海大清银行原址宣告成立，随即在各地成立分行。中国银行汉口分行大楼于 1915 年开工，1917 年建成，由当时英国通和洋行设计，汉合顺营造厂承建，为汉口开埠后最早的钢筋混凝土大楼之一，建筑面积 3 894 平方米，楼高五层，地上四层办公，地下一层为库房。

银行大楼正立面朝中山大道，自下而上分台座（底层）、楼身（二、三层）、檐部（顶层）三段构图，门前 10 级麻石踏步直上二层空廊，楼体第二段以八根罗马立柱支撑，隔街相望，气魄相当恢宏。楼体左右两侧上下开有长方大窗，有装饰性小凉台对街伸出。外墙面麻石到顶，门廊圆柱由麻石拼接。楼内底层为仓库用房等。一、二层为营业大厅及业务用房，三、四层为办公、公寓用房。厅、室均为木地面、木墙、木柱群。整座建筑，内部装修古朴典雅，临街立面严谨对称，尺度雄伟。

江汉关大楼 位于江汉路与沿江大道交汇处，由上海英商斯达蒂生·斯贝司建筑公司工程师辛甫生设计，英商景明洋行负责监工，上海魏清记营造厂承建。1922 年 11 月浇灌基础全面施工，历时 3 年，到 1924 年落成。大楼占地 1 499 平方米，建筑面积 4 009 平方米。大楼的主楼 4 层（底层为半地下室），钟楼 4 层，总高度 40.6 米，为武汉当时

最高建筑。（图 6—6）

大楼是钢筋混凝土结构，筏式基础，底墙厚 1~2 公尺，外部是重几百斤到上千斤的花岗石加工的圆柱，片板按不规则的几何形拼砌而成，拱门也是用花岗岩石镶嵌。主面设计采用三段构图的古典手法，以钟楼为中心对称构图。由于南面与旧市区接壤，因而向南面开口，呈三合院式布局。正面入口 28 级台阶。

大楼外部造型采取希腊古典式和欧洲文艺复兴时期样式相结合的风格，是一个比较成功的西洋古式建筑。其立面设计运用三段构图手法，利用钟楼突出中心入口，表现古典主义风格；正面及侧面的柱廊采用的科林斯柱式，它的柱头是由忍冬草的叶片图案组成，宛如一个个花篮；山花窗楣入口处的半圆形拱门处理则表现文艺复兴时期的风格。设计师巧妙地利用突出江面的地段布置，利于监视江面的活动。

图 6—6　1930 年的江汉关

大楼大门左侧的花岗岩上镶嵌着一块奠基碑。奠基碑碑文用中、英文刻写："中华民国十一年十一月四日总税务司安格联爵士奠此基石。"

景明洋行大楼　由英籍建筑师海明斯设计的景明洋行大楼，位于汉口鄱阳街与青岛路口。这座建筑当初是武汉近代著名的建筑事务所景明洋行的办公处。6 层钢筋水泥结构，建筑面积 3 611 平方米，由汉协盛营造厂承建。该楼外观十分简练，内部平面布局紧凑，功能合理。立面采用大玻璃，室内光线充足。但立面设计仍带有三段构图手法，细部还有一些传统的做法。

武昌红楼 位于武昌阅马场（首义广场）北部、蛇山脚下，原为清政府于宣统元年（1909）所建的湖北省咨议局大楼。辛亥武昌成功后，大楼成为湖北军政府所在地。整个建筑由红砖红瓦砌成，呈红色，俗称红楼。

红楼占地 28 亩，主体建筑为二层砖混结构（也有说法认为是砖木结构）的西式楼房，横向 73 米，进深 42 米，坐北朝南。建筑仿西式的日本议院风格建筑而成，台基以花岗岩砌筑，上面以特制红砖砌筑面墙，内有拱形门廊，廊前有砖砌列柱承荷檐部，檐下饰飞头，檐上压女儿墙。以假柱、柱斗、垂木、垂花和束莲为图案的白色浮雕点缀墙面。门前的门廊凸出，门窗制作精巧。屋顶正中高耸的圭形教堂式望楼，颇具西方古典建筑风格，成为阅马场轴线的制高点，视野开阔，颇为壮观。

大楼主体后方也是一座二层楼房。两侧各有一排红色平房。正前方出口处装有铁栅大门，大门两侧为门房，由上半部装有铁栅的红色矮墙自门房向两侧平伸，与左右平房连接，围成方形院落。

汉口新市场 即民众乐园。位于汉口中山大道民生路上首，是一个娱乐、商业兼备的综合性游乐场所。民国初年，由汉口知名人士刘有才等集资兴建，祝康成设计，汉合顺营造厂承建。1919 年主要部分建成开业，1920 年全部建成。

民众乐园主建筑群，临街 7 层圆顶大厅门楼，两翼 3 层楼房（“凹”平面），其他建筑还有“雍和厅”（杂技厅）、大舞台、新舞台以及贤乐巷、协兴里一带的 20 多栋住房。全园占地面积 12 187 平方米，建筑面积 17 168 平方米，场地设施仿上海“大世界”，分别安排了 3 个剧场、2 个书场和中西餐厅、弹子房、小型商场、阅报室、陈列室、室内花园

（即所谓“小乾坤”）、哈哈亭（即哈哈镜）、溜冰场以及杂技厅、舞台等。另外，在进园处设有“鸳鸯池”，池中叠石为山，周围环水，山腰塑有捉迷藏的裸体小儿，山顶飞瀑奔泻。1946 年全园有各种剧座 4 500 席，为武汉最大的文化娱乐场所。

建筑具有典型的西方文艺复兴建筑风貌。建筑主体正面 7 层，左右两翼为 3 层，采用分段构图，突出正面主体的手法。正面壁柱为混合柱式，各层均为半圆形拱窗，中央塔楼为穹隆顶。

汉口平和打包厂厂房 光绪六年（1880）英国商人李达尔兄弟创办的上海平和洋行在汉口设立分行。

光绪三十一年（1905）洋行在汉口设平和打包厂，为在湖北江汉平原所收购的棉花作机械打包。打包厂由上海协盛营造厂承建，共四层，钢筋混凝土结构，其框架柱的受力钢筋与分布钢筋的构造与现代建筑完全一样，是武汉早期厂房型钢结构建筑。打包厂临街墙面为红砖清水外墙，花岗石勒脚，红砖棱角整齐；抱柱略微凸出墙面，将墙身略收进，再以带状花边装饰周边，上部为拱券砖，排列整齐。

平和打包厂办公楼与工厂相连，主入口斜对街心。办公楼与工厂建筑风格完全不同，保留檐口、窗楣、贴砖壁柱和墙面装饰等古典主义风格。

2. 西方现代风格建筑

19 世纪下半叶至 20 世纪初，工业革命使西方的资本主义得到迅速发展，而建筑越来越被看作是物质生产部门的一部分，开始逐步反映工业化精神，提倡一切应符合时代特征并同工业社会发展相适应的新建筑运动应时而起。这种建筑风格重视建筑物的使用功能，注重发挥新型材料、结构的性能特点，摆脱了古典主义的繁复，简练而时尚，强调形式与内容的统一。

其中，美国芝加哥等大城市盛行的 Art—Deco 折线形摩登风格在汉口流行值得关注。与从传统中吸取手工艺术的工艺美术运动和从自然中获取纹理图案的风格不同，Art—Deco 反映了一种工业时代的美学：放射状的太阳光与喷泉形式，摩天大楼退缩轮廓的线条，速度、力量与飞行的象征物，几何图形，打破常规的形式，明亮对比的色彩，尝试钢铁、玻璃等。

景明洋行是武汉近代著名的建筑事务所，以设计古典主义建筑而见长，但在1924年以后逐渐倾向于现代风格。景明洋行设计的英商亚细亚火油公司大楼，紧密结合地形，平面铺洒自由，功能合理，简洁实用，是汉口早期现代建筑中的代表作，虽然其整体构图仍沿三段式手法，檐口装饰及阳台细部处理又留有古典传统痕迹。同期设计建成的俄商新泰洋行大楼，也是在保留三段构图和圆柱以及塔楼等古典主义风格的同时，省去烦琐的雕刻和装饰，使整座建筑显得庄重简洁。1935年建成的英商安利英大楼，外墙面贴浅枣红色泰山面砖，已无古典主义痕迹，现代风格更为彻底。1935年设计建造的大孚银行大楼，每层之间用两块长方形几何图形代替复杂的古典装饰，使之更显洒脱大方，在顶部也以简练的几何图形代替古典塔楼，充满典型的艺术装饰主义情调。

四明银行大楼　四明银行成立于光绪三十四年（1908），是中国创办较早的一所商办新式银行。汉口分行成立于1919年，到20世纪30年代在江汉路购买了格非堂原址，1934年请卢镛标设计新银行大楼，由沈祝三的汉协盛营造厂营造，1936年竣工。该大楼是卢镛标的成名之作，也是华人设计师在武汉设计的第一座钢筋混凝土建筑。该大楼在造型上体现了当时欧美流行的Art—Deco建筑风格。

四明银行大楼总建筑面积6 295.59平方米，用地面积1 187.63平方米，高39米，地上5层（中间部分7层），地下1层。其主入口面临江汉路，平面呈梯形，中央为营业厅，大厅前后布置办公室、楼梯间等附属用房；立面线型以正面划分为主，采用麻石修砌，简洁明快直线通顶。

四明银行大楼在许多方面都有Art—Deco体现。例如局部构件方面建筑摆脱了复古主义的三段式构图，立面无檐口装饰，壁柱形成平行竖直线条通顶，形成女儿墙。建筑大门是铁质喷铜门，造型以竖向的线条为主，体现一种刚劲有力的气势；大门图案采用重复的主体，展现工业化的生产方式。建筑向外窗为钢窗，内部为木窗，第一营业间有百叶窗。设计简洁和布局整齐的窗同样展现了工业化的生产方式。“四明银行”四个字的托底，也都是由直线和竖线组成的；建筑节点装饰的图案也多为线条和几何形的方块。另外还大胆采用新型材料，体现强大的经济实力。建筑基础、梁柱、楼梯、阳台、地窖及库房墙壁均用钢筋混凝土捣制，上铺木楼板及打磨石子。建筑下部是湖南上等麻石，颜色统一，无斑痕、裂缝，上部是人造石，后立面系红砖清水墙，砖均用上等坚硬机制红砖。工程所用木材有洋松、柚木、亚克、柳安四种，欧美所产的钢材，英国磁砖，美国马赛克，意大利大理石。总之，四明银行开汉口建筑之新风，是典型的早期现代主义之作。

汉口南洋大楼 位于汉口中山大道，与汉口新市场（民众乐园）相邻。南洋华侨商人简照南、简玉阶兄弟投资兴建，美国人伯克利设计，李丽记营造厂承建。1917 年动工，1921 年建成。

大楼为钢筋混凝土的建筑，占地 885 平方米，建筑面积 4 745 平方米。大楼平面呈不规则多边形，主体为五层楼框架结构，主面局部镶嵌人物群雕，花岗石装饰，大部分洗麻石粉面。但局部呈古典主义风格，临街立面造型平直简洁，阳台和凸窗点缀铁灰色墙面，楼顶建有复古风格的回廊、穹顶、拱门和钟楼。

1926 年 12 月，国民政府设办公地点于大楼的三楼。

3. 中西融合风格

西方人将洋式建筑移入湖北的过程中，并非完全照搬，而是考虑到湖北的地域、文化的影响，并谨慎地将西方建筑设计与湖北传统建筑手法结合在一起，开放、轩敞、以石头作为主要建筑材料的西方建筑与内敛、稳重、以木头作为主要建筑材料的中国传统建筑产生了激烈碰撞，最终融合成中西混合建筑文化。近代湖北教堂、学校、民居甚至寺庙建筑中，不少都是中西融合风格建筑，汉口“里份”建筑尤为典型。

里份建筑 武汉“里份”民居建筑是荆楚地区典型的中西混合建

筑。“里”的最早含义，是指中国古代居民聚居的地方。上海人称“里”为“里弄”，这种成片而又整齐的街巷建筑形成的“里弄”，最早出现于19世纪70年代的上海英租界。此后这种建筑文化流传到天津和汉口等城市。

武汉人将“里弄”称为“里份”。武汉的里份起源于19世纪末到20世纪初，多集中于汉口。大致可分为三个阶段：1900—1910为里份早期，多集中于汉口车站路一带；1911—1925年为迅速发展时期，多集中于汉口中山大道与大智路一带；1926—1935年为演变提高阶段，大多集中于鄱阳街、洞庭街原租界范围内。到1947年，全市共建有里份208个，建筑面积达300万平方米，房屋3 294栋，多为2~3层砖木结构。

武汉的里份多由商人、洋行、买办、官僚等投资兴建。如楚善里由广东银行康步云兴建，德兴里由上海财团与清末两广总督袁海观兴建，生成里由法商立兴洋行与买办刘歆生兴建。一些重要设计机构也参与了武汉里份的设计。如景明洋行设计了公德里、八大家、同丰里、汉安村，卢镛标建筑事务所设计了江汉村，庄俊建筑事务所设计了大陆坊。

武汉早期里份效仿上海，作为商品，统一投资，成批建筑，分户出租，完全不同于以前自建自住的传统住宅。但因当时的建筑材料、施工技术和工匠建造的限制，早期里份只能在传统民居的基础上演变。住宅平面及结构脱胎于传统民居的小天井、三合院、四合院的形制，同时又采用西方低层联排式的格局，整体虽大多统一严整，但因用地范围不同而灵活多样。

有的里份内的建筑外形基本统一。如：三德里，占地2.4万平方米。总体用纵横8条巷道分割，四面临街为店铺，各有2个出入口。主巷道自南向北贯穿全里，长130米，宽6米，住宅共112栋，有一、二、三开间三种户型。样式接近、排列整齐。住宅由石库门进入长方形天井（有的则前后有天井）。均为二层楼房，红瓦屋面。青砖木柱结构，室内多为木楼板，木隔墙，对天井的木雕门窗墙，细部构造保留了传统民居的做法。

有的里份总体布局虽整齐排列，但建筑单体及造型相异。如坤厚里，除有石库门式住宅外，还有青、红两色砖砌外墙的西方古典拱券式住宅，以及西方古典柱式的三层住宅。海寿里的多数石库门为青、红砖混砌外墙，也有青、红砖混砌的西方古典拱券式楼房。不同风格建筑混杂，华洋共处，成为武汉里份的一大特色。

汉口最早的里份是由广东银行兴建的楚善里，位于胜利街中段。原名宝善里，后以《大学》“楚国无以为宝，惟善以为宝”而改为楚善里。全里占地 6 300 平方米，纵横 6 条巷道，主巷长 120 米、宽 3 米，进出口 2 个，并带有骑楼。全为两层联排式，青砖墙，木柱架结构，红瓦屋面。每户由石库门进入小天井，底层厅堂对天井设活动扇门，厅后为梯间、厨房，两侧为厢房。这种形式的民居建筑颇合汉口人的习惯和经济条件，因此深受汉口人青睐。

1930 年，汉口市政府投资兴建模范村，规模巨大，里份建设处于鼎盛时期。住宅类型分为甲、乙、丙三种。除甲种住宅为独立别墅外，其余两种为石库门式。总体布局虽为行列式，但间距加大，道路分级通畅。里份入口常做骑楼，立面装饰具有标志性。除标明里份名称外，门楼顶部运用西方古典建筑元素作装饰，体块分明，轮廓清晰，有的细腻丰富，有的堆砌繁缛。同时，在租界区也兴建了一批高级里份住宅，如大陆坊、江汉村、洞庭里、咸安坊等，这种住宅造型多为西方古典式，古希腊的柱式，文艺复兴的栏杆，古罗马的圆拱，巴洛克式的装饰，随意拼用，变化繁复，风格多样，异彩纷呈。里份多处于闹市，里份外车水马龙，繁华而喧闹，而里分内闹中取静。

里份这种联排式高密度的建筑形态，可以在武汉传统民居中寻其踪影。武汉传统民居为合院式密集排列，巷道狭小，“巷子里赶猪，直进直出”是对传统巷道的形象写照。大片住宅的坡屋面形成了对大地遮阴效果，巷子尽量避免了太阳的直射，长时间处于阴影之中，大大改善了夏季室外热环境。传统民居多进，天井狭小，适应了武汉夏热冬冷的气候特征。里份住宅也吸收了西方联排式住宅的优点。为适应武汉夏热冬冷的气候，住宅墙体厚重，外窗为二层，对外是木百页，对内是玻璃窗。夏季关闭木百页，打开玻璃窗，既遮阳又通风。

古德寺 位于汉口黄浦路上滑坡74号，与归元寺、宝通寺、莲溪寺并称为武汉四大佛教丛林，民国时期还是武汉规模最大的寺院。该寺于清光绪三年（1877）由隆希创建，初名古德茅蓬，1914—1919年间由主持昌宏先后两次进行扩建，改名古德寺，有“心性好古，普度以德”之意，并由黎元洪亲自题写匾名。该寺占地面积近3万平方米，建筑面积近8 000平方米。

古德寺建筑风格迥异，融合了东西方多种建筑艺术风格，有着较高的审美价值。古德寺建筑群由山门、天王殿、圆通宝殿、观音堂和藏经楼等组成。作为古德寺的核心建筑，圆通宝殿为砖混结构，构思奇特，设计精美。其设计以西方古典主义形式（哥特建筑）为主体，同时融合了多种东西方建筑设计元素。殿基平面呈正方形，基本上沿袭了缅甸阿难陀寺的平面形式。宝殿的主入口山墙采用西方建筑形式。山花下面的门楣图案有贝叶形、火焰形两种，实际上采用的是印度俯角建筑的花式装饰图案。宝殿的内空高达16米，具有西方哥特式教堂的耸立高直。宝殿内外墙之间的回形步廊和处处可见的方柱，仿佛把人带入希腊神庙，立面墙上的圆窗和长窗，却是基督教堂的建筑样式。宝殿顶部有9座大小不等的佛塔，远远望去，既像风向标又像十字架；塔周置有96个莲花墩和24尊诸天菩萨像。

古德寺的布局是九开间，又暗合中国古代建筑形制。

沙市邮政局大楼 位于今荆州市中山路东段南侧。该楼建于1936年，占地面积7 471平方米，建筑面积1 477平方米。该楼的地基勘察建筑设计方案由上海的公利营造公司山晴甫和奚福泉两位建筑师完成，汉口泰兴营造厂承担土建施工。

大楼高三层，钢筋水泥结构。地坪施工采用白水泥掺汉口黄材料，嵌铜条方格图形；内厅4根圆立柱，每根直径分别达70厘米，装饰装修豪华大气；外墙采用浅灰麻石罩面，室外采用V形楼梯，扶手设计借鉴了古代桥梁栏杆的设计样式，融中西建筑风格为一体。

4. 其他风格

除古典风格、现代风格和中西融合建筑风格外，荆楚还有众多不同风格的建筑，如券廊式风格、“和洋风”风格、法德四堡风格和伊斯兰风格等。

券廊式风格 券廊式建筑实际上是西方殖民者在进入东南亚、南亚、非洲后，为适应当地的炎热气候条件，在原先文艺复兴风格的基础上演化而来的一种建筑风格。荆楚地区夏季炎热，且持续时间长，西方侵略者进入荆楚地区后，很自然地把这种建筑风格移入。湖北早期（19世纪60年代至20世纪初）的近代建筑，多为券廊式。除前述提及的西方领事馆建筑外，地处汉口洞庭街青岛路口的英国麦加利银行、汉口沿江大道171号的法国东方汇理银行汉口分行也属这种建筑风格。

英国麦加利银行是最早进驻武汉的外国银行。洋行大楼由英籍工程师设计，发德辅洋行承建，清同治四年（1865）建成，是武汉最早的近代银行建筑。房屋系三层砖木结构，正面10个拱券，临街段侧6个拱券，铁皮屋顶刷红色，四角各设一个英国古典式红色方斗堡塔。墙体以水泥抹面，檐部雕饰为卷草等植物图案，四周廊采用花瓶式栏杆。底层为营业用房和写字间，二、三层分别为银行经理、职员住宅。

东方汇理银行在光绪元年（1875）成立于法国巴黎。汉口法租界划定后的第五年即光绪二十七年（1901），东方汇理银行在法租界威尔逊总统路口（今车站路路口）设立汉口分行。（图6—7）

东方汇理银行汉口分行行馆建于光绪二十八年（1902），设计者及施工单位不详，按建筑风格推测设计师为法国人。折中主义建筑风格，整体结构为南亚殖民式，外廊环绕，红砖清水墙。

图 6—7　清末法国东方汇理银行汉口分行行馆

大楼建筑面积 800 平方米。地上两层砖木结构楼房，地下一层。底层为半地下室，主入口为花岗石台基。第一层为开敞式外廊，第二层为封闭式外廊，外廊栏杆饰以绿色琉璃宝瓶。屋檐部位为筑栏杆式女儿墙，屋顶为四坡盖机制红瓦，木屋架承重。横向三段构图，厚重的底座条石砌筑，中部是楼的主体，上部是水平向檐口，中部设腰线，墙柱使外墙竖向划分。半圆形砖券拱门窗与半圆形砖雕壁柱配合，给人和谐之美。

大楼外墙采用清水红砖砌筑。墙面装饰壁柱，窗花及腰线皆为砖雕。外墙壁柱为圆形，柱身及柱头花饰似乎采用了特别成品构件砌筑而成，半圆形券廊拱顶并非标准砖砌筑，而是特制拱形砖组合而成，形成优美的拱形曲线。拱顶有拱心石装饰，此属欧洲流行的纯西式做法，在中国近代券廊式建筑中较为少见。

此外，位于谷城的大薤山别墅建筑群兼有欧式和殖民式券廊风格。该建筑群位于大薤山海拔 800 米处的北坡罗柳泉一带，始建于光绪二十九年（1903），历时四年完工，共有 33 套 70 多幢。这些建筑大多为庭院式布局，有正房、厢房。正房建筑紧凑，三面都有走廊。走廊宽敞，实为纳凉之需。

“和洋风”风格　这种风格的建筑是明治时代的日本在仿效欧美洋风的基础上发展起来的建筑形式。一般为 2 层砖木结构，屋面为日本式样的红瓦坡顶，屋尖部分常设暗顶，墙面处理去掉了古典柱式，但细部装修仍带有西洋装饰手法。这种形式也曾在汉口租界产生影响，如日本横滨正金银行旧楼和中山大道下首的一些公馆别墅都属于这种形式。

日本横滨正金银行位于沿江大道与南京路交汇处。1921 年由英籍建筑师海明斯设计。4 层钢筋混凝土结构，外墙麻石到顶。建筑师利用转角处做主入口，两侧做空柱廊，巨型双柱改善了两边临街的景观。建筑屋外观仍属古典复兴式，内部做了一些日本传统装饰。日本横滨正金银行还用巨型双柱来加强巍峨气势。巨柱式的普遍应用，它那强烈的尺度效果，出奇制胜的透视组合，形体的简洁端庄，可谓是汉口旧银行建筑的一个突出代表。

四堡式风格　位于武汉江岸区京汉街的京汉火车站，建于光绪二十六年（1900），建筑面积 4 000 多平方米，是我国较早出现的交通建筑。火车站由法国工程师设计，是法、德式四堡风格建筑。

火车站为砖木结构，平面布局为中部突出、两翼内收，呈亚字形。立面造型两端突出，呈山字形。主楼四角筑有塔楼，楼顶盖有铁皮板，呈方锥形。站房正面有一超大的半圆形拱窗，两侧各有 2 座绝对尺度很大的塔堡，其外形似中世纪晚期德国的公共建筑。主出入口由并列的三洞六扇门组成，设于大厅正中。室内正中为一层，内空高约 10 米。两侧为二层楼房。建筑细部比较讲究，室内采用方形立柱，柱头饰以涡卷纹撑拱；室外檐口和窗楣以多道层层递进的线条装饰，塔楼檐下饰以撑拱。站房坐西朝东，面临租界。旅客出入方便，由于正对车站路，取得了很好的对景效果。

俄式风格　俄国租界开辟后，俄国人在租界区陆续建筑了一些俄式风格建筑，巴公房子是其中之一。

巴公房子位于汉口鄱阳街、洞庭街和兰陵路的交汇处，由俄商阜昌砖茶厂老板巴洛夫兄弟于光绪二十七年（1901）投资兴建，景明洋行设计，永茂营造厂承建。

巴公房子平面为锐角三角形，中部为三角形天井，即内院。平面为单元式布局，各单元分别设置出入口，各单元分户明确。该建筑总面积4 937 平方米，其中有两室一厅和三室一厅的房间共 220 套，每户都有卧室、阳台、厨房和卫生间等，布局紧凑。建筑立面为地上四层、地下一层的砖混结构建筑。建筑采取三面围合的方式，三面均有建筑出入口。外墙采用黏土砖砌筑，为清水勾缝形式。底层勒脚采用青条石砌筑，通体为红色基调。

巴公房子是当时汉口地区公寓大楼之最。

伊斯兰风格 位于汉口胜利街，属于伊斯兰教的印度教堂，建于民国初年。印度曾为英国殖民地，当英国侵入中国后，许多印度人也来到中国。由于部分印度人信奉伊斯兰教，后来建起了宗教活动场所。该教堂主体转角部位为中心入口，上面设有类似印度塔的穹顶，主体高于两侧配楼，显示出伊斯兰建筑的基本特征。

此外，荆楚地区还有不少实用型近代建筑，如汉口水塔。这些建筑要么就是由西方人设计，要么直接或间接地受到西式风格的影响。

汉口水塔 位于武汉江汉区中山大道与前进五路交汇处。原为清末商办既济水电公司宗关水厂的配套设施，由英国工程师穆尔设计监造，广荣兴营造厂施工。清光绪三十四年（1908）破土动工，宣统元年（1909）竣工。

水塔占地 350 平方米，建筑面积 2 120 平方米，总高 41.32 米，为清末汉口最高的标志性建筑。水塔为正八角形建筑，主体 6 层，顶部建有警钟楼（简称钟楼，或称瞭望楼）。水塔内设两路阶梯，即主体阶梯和楼梯间阶梯。主体阶梯可从一层通至五层。楼梯间在主体西南面，设有 200 级木质阶梯，从一层宛转而上，可直达钟楼。作为日常检修通道之用的楼梯间阶梯则凸出于主体墙面，且与主体相连。水塔底层采用花岗岩块石垒砌，二层及以上为红砖清水墙。每层每面设木窗两樘，窗楣砖砌饰线。

第七章　独具特色的人文与科技

20 世纪 20 年代初期刊刻的《湖北通志》评述道："论湖北之人才，春秋楚为首，三国时次之，明又次之。"[①] 近代大学问家梁启超认为，湖北在有清一代是"学者希焉"[②]。他甚至提出"何故湖北为交通最便之区，而学者无闻"[③] 的问题。

不少学者还进行了原因分析。有论者认为，湖北在清初百业凋敝，文人雅士往往客迁异地，人才大量流失；到了清代中期，湖北经济虽有所恢复，但是逐利而来的皖浙苏商贾，大多往往获利即去，致力于文化事业者寥寥。也有论者认为：

> 湖北士人的性格内向、耻于自我阐扬；不善交结、交流和接受，因而成果不易传播和形成影响；而且士人大多生计窘迫，在无当道为之倡、有财力者为之助的状况下，殚精竭虑、辛勤笔耕得出的成果，只会悄无声息，年代不久即散佚殆尽，即使后来者愿意研究和阐扬，也无从着手。……但最主要的原因，就清代的情形而言，还是战乱的打击，专制政治的束缚，民俗士风多承传统的隐逸性格，顺其自然而缺乏踔厉奋发的进取精神，民气不扬而士气尤阘，再加上湖北距离全国的政治中心较远，经济亦不甚发达；尤其是深处腹地，不易接受外部新的讯息和异质文化。[④]

---

① 张仲炘、杨承禧：《湖北通志》（六）卷一二三《人物志序》，台北：华文书局，1967 年，第 2789 页。

② 梁启超：《近代学风之地理的分布》，《清华学报》1924 年第 1 卷第 1 期，第 34 页。

③ 梁启超：《近代学风之地理的分布》，《清华学报》1924 年第 1 卷第 1 期，第 2 页。

④ 罗福惠：《湖北近三百年学术文化》，武汉：武汉出版社，1994 年，第 12 页。

客观地说，梁启超对近代湖北"学者希焉"的点评并不公允，也不准确。近代湖北并不是人文社会科学与自然科学的凹地，在全国仍占有重要地位。有学者的研究成果显示，到了近代，湖北人文与自然科学状况列22个统计省区的第8位。[①] 还有学者对1840—1919年间全国人才地理分布研究，发现湖北知名的文人学者有6人，其数量仅次于江苏、浙江、广东、湖南、安徽，居22个统计省区的第6位，[②] 在全国仍居中等偏上的位置。值得注意的是，这些文人学者始终把个人的学术及职业选择与国家民族前途命运联系在一起，具有强烈的忧患意识。需要说明的是，本章所介绍的文人学者的籍贯并不限于荆楚，其人生活动也并不完全局限于湖北，但他们都因汲取过湖北大地的丰富营养而创造出令人瞩目的成就。

第一节　人文社会科学

在中国近代人文社会科学舞台上，湖北可谓名家辈出，杨守敬、曹廷杰、王葆心、黄侃、熊十力等都是卓有成就的大家，在相应领域均有重大贡献，占有重要地位。黄侃是著名的文字学家，在经学、文学等方面均有卓异的成绩，王葆心著述170余种，涉及经学、史学、文学和方志学诸领域，杨守敬以舆地学闻名于世，在书法、金石领域也成就斐然，曹廷杰工于边疆地理，也擅长金石之学，熊十力是博学多识的哲学大师。

一、黄侃与国学

黄侃（图7—1）是我国近代著名学者，其学术远绍汉唐，近承乾

① 陆草:《近代文人的地理分布》,《中州学刊》2000年第3期，第77页。

② 戴爱生、黄鹄、潘志坚:《中国近代人才的地理分布及分类特点》,《人才研究》1986年第4期，第32页。

嘉，尤在文字、音韵、训诂方面蔚然成一家之言，与章太炎、刘师培齐名，并称“国学大师”。

黄侃（1886—1935），幼名乔馨，字梅君，后改名侃，字季刚，又字季子，晚年自号量守居士。清末发表时评文字时曾用笔名不佞、信川、运甓、病禅（蝉）、旷处士、盛唐山民、奇谈等等。湖北蕲州（今蕲春）人。其父云鹄（号翔云），咸丰三年（1853）进士，为著名学者，鄂中积学之士，多出其门。

黄侃幼承家学，长受名师，6岁时所作之诗已有可观，9岁时已读完经书。14岁时读王夫之的《黄书》，产生“排满”之念。15岁中秀才。17岁入武昌文普通学堂，与田桐、居正、宋教仁、查光佛等同学，并结识在两湖书院读书的黄兴，于是常相与密谋覆清之事。黄侃曾放言无忌，遂被学校除名。由于黄侃之父翔云与张之洞有世谊，张遂以官费名义将黄侃保送到日本留学。

图7—1　黄侃

到日本时，中国同盟会正在筹组之中，黄侃素具“排满”意识，又和黄兴、宋教仁有深厚友谊，遂决然加盟。在此期间，黄侃还受到同盟会机关报《民报》主笔、国学大师章太炎的青睐。章太炎称黄侃“年逾冠耳，所为文辞已渊懿异凡俗”，收其为弟子，“因授以小学经说”，二人“时亦赋诗相倡和”[①]。黄侃也经常为《民报》撰稿，其中有《哀贫民》《释侠》《论立宪党人与中国国民道德前途之关系》《哀太平天国》《刘烈士道一像赞》《讨满洲檄》等。民国后，由政治转入学术。

黄侃从清末开始写诗词，平生累积诗词千余首，其中多有涉时事、忧国忧民之作。如宣统元年（1909）前后作的五言古诗《上留田行》，序中感叹当时“政令益繁，民生益敝，谋士益众，民困益深。夫宗国既已沉沦，民生又复憔悴，是二痛也。……一念同伦日在水火，终不能噤而不言，因以幽忧之余，作为此曲”。[②]

“二次革命”时，黄侃虽未参加，但他对袁世凯北洋军阀的暴行、革命者的巨大牺牲以及老百姓遭受的兵火之灾，一一了然于胸，书之于笔。《伤乱赋》写战后南京的残破冷落，“崇墉颓而为埒兮，广厦垫而为阬；遗烧痕于柱质兮，散断鍉于空庭。信兵战之终凶兮，慰荆棘之遂生，居人去而不反兮，鸡犬寂而无声”。[③]其谴责北洋军阀穷兵黩武、悯乱忧生的思想感情显然十分强烈。袁世凯死后，大小军阀混战不休。黄侃描述当时的中国大地，“……十城荡荡九城空，大军过后生荆杞。恸哭秋原一片声，谁人不起乱离情！已知杀掠成常事，终羡共和是美名。游氛蔽天关塞黑，易京留滞归不得，谁令虎豹守天阍，坐见豺狼满中国”。[④]黄侃不仅鞭挞了当时结党争权的政客和连年混战的军阀，对处于水深火热之中的人民群众表示了深厚的同情，代表他们提出了控诉和抗议。

1927年以后，黄侃定居南京，在中央、金陵两大学任教，收入不菲。南京是六朝故都，景物佳胜，其同道友人云集，流连山水、诗酒酬唱甚多。但即令如此，黄侃依然幽忧不断，既有感叹战乱不已的，“渐

① 程千帆：《量守庐学记》，北京：生活·读书·新知三联书店，1985年，第1页。

② 黄季刚：《黄季刚诗文钞》，武汉：湖北人民出版社，1985年，第83页。

③ 黄季刚：《黄季刚诗文钞》，第68页。

④ 张晖：《量守庐学记续编》，北京：生活·读书·新知三联书店，2006年，第231—232页。

看兵甲盈天地，何用璇玑正岁时”，也有流寓难安、怀念家乡父老的，“极知江国山川好，无奈乡心日夜生”。[①]

黄侃的绝大多数诗歌，由于词意深晦古奥，且很少标明时间，多数难断其具体背景和确指。但我们仍不难看出，他的诗作极少出世的寄情山水和无意义的酬唱赠答。尽管他曾自嘲“匹士敢言匡国分，早年虚抱济时心”[②]，即明知自己的忧虑和言论于事无补，且似乎对早年的投身革命亦认为是虚耗韶华，但这也只是一个失望的知识分子的牢骚而已。牢骚过后，他仍又会针砭时弊、激扬文字，并记下自己的真情实感，所以他的绝大部分诗作仍是“忧生悼世感无端，篇什原宜当史看”。[③]黄侃在世的最后几年，仍背着深沉的国难情结，失望、焦虑、悲愤，始终缠绕着这位爱国学者。1935 年重阳节即黄侃逝世前三天，写下了最后一首诗《乙亥九日》，依旧是谈的国难：

秋气侵怀兴不豪，兹辰倍欲却登高。
应将丛菊沾双泪，漫藉清樽慰二毛！
西下阳乌偏灼灼，南来朔雁转嗷嗷。
神方不救群生厄，独臂茰囊空自劳。[④]

总的来说，辛亥之后的黄侃尽管不直接涉足政治活动，但并不意味着他也就不过问世事，真的退避书斋成为宁静的学者了。

黄侃始终秉持老实、扎实的治学态度。他常言：“学问之道有五：一曰，不欺人，二曰，不知者不道，三曰，不背所本，四曰，为后世负

---

① 黄季刚：《黄季刚诗文钞》，第 229 页。

② 黄季刚：《黄季刚诗文钞》，第 230 页。

③ 何念龙：《未解流泉是妙音》，郑远汉：《黄侃学术研究》，武汉：武汉大学出版社，1997 年，第 265 页。

④ 艾毓英：《黄季刚先生的卓越贡献》，《汉阳县文史资料》1992 年第 7 辑，第 183—184 页。

责，五曰，不窃。”[①] 他既出身于汉学名家之后，又从游于“一代儒宗”门下，学术造诣既浩瀚渊博，又精辟深邃。诚如程千帆所说，“如果将我国整个古代学术比做十项全能运动，那么老师除了保持了一两项世界记录以外，其他项目的平均积分也是很高的”[②]。

在学术上，黄侃的最大成就在包括文字、音韵、训诂等在内的小学方面。他认为：“小学，就是识字；可是认字很不容易，要真正认得字形，辨明字音，懂得字义，才算懂得小学，才能明注（句）读，看注疏，读古书，这是根本。”[③] 黄侃视小学为读一切经史子集的基础和锁钥，主张治传统学术须从小学入手，因而不仅在文字、音韵、训诂等各领域多所发现发明，成为颇具影响的一家之言，并形成了自己的小学科学体系。

黄侃把汉代许慎的《说文解字》看作小学的入门之径，认为“形声训诂之学莫备于《说文》。不明《说文》，不足以通古文”。《说文解字》对每个字从形、音、义三方面加以分析，而统一体现在每个字的说解中。黄侃重视对字形的研究，并发现“《说文》之训诂必与形帖切”。“凡说解中‘从’字必与其形相应，字不虚设”[④]。在分析形体时，他又明确提出了“笔意”“笔势”的概念，笔意即字形的一点一画及其结构所体现的含意，笔势即字形经过长期的嬗变，日趋约易；或原有笔意已经隐晦，仅存点画之势。他认为中国文字的发展变化，“大抵不出省变二途”，因而从“古之为字有笔意可说与笔势从变”两方面入手，就多能弄清每个字的原形、变形、意义等。

黄侃以《说文解字》为范本，将文字历史的发展与演变，按象形、指事、会意、形声、转注、假借六个方面，从大篆到小篆，从小篆到隶书，由隶书到楷书，分为三个阶段，加以释说。

---

① 程千帆：《量守庐学记》，第 44 页。

② 程千帆：《量守庐学记》，第 169 页。

③ 艾毓英：《黄季刚先生的卓越贡献》，《汉阳县文史资料》1992 年第 7 辑，第 188 页。

④ 程千帆：《量守庐学记》，第 58—59 页。

黄侃在音韵学方面的贡献，最著者是古韵二十八部的提出。古韵分部的研究，自宋代郑庠分为六部，后经清代顾炎武、江永、戴震、段玉裁的“以渐加详”，至段玉裁已提出分为十七部。章太炎提出分为二十三部。黄侃继承先儒之说，综合各家发明，成为二十八部，可以说是集乾嘉以来之大成。对于二十八部说的来历，黄侃自称，“皆本昔人，曾未以臆见加入”，①表现了他在治学上的谦逊态度。当章太炎看到黄侃二十八部的主张时，高兴地说：“历来治小学的，都没有你这样的精深。”②此后章太炎研究音韵学书籍时，在旁征博引之余，最后必引黄侃的见解作为结论。当代一些音韵学者，称乾嘉以来的音韵学是“章黄之学”，黄侃实际上是“章黄之学”的奠基人。二十八部之说，使上古语音的系统整齐明确，语音中的对转、旁转现象更便于说明。郭沫若称赞黄侃“使阴阳二声之对转、阳入二声之收尾严密就范。可谓集古韵之大成”③。

训诂学，实即语义学，也就是讲解文字意义的一门学问。在小学三个组成部分中，尤为重要。黄侃晚年，训诂学研究成就最大，他把训诂学作为研究传统学术的基础，“读经必须解词义，明句读，未有句读不明，而能探索义理者；诵经文，必须看注疏，此根本之方法也。由疏以明注，由注以绎经，由一经之注疏，以通群经之注疏，涣然而后通矣”④。

黄侃的贡献，首先是初步建立了训诂学的理论体系。尽管我国很早就有了训诂的专门学问，但直到清末民初，仍然没有全面系统的训诂学理论。黄侃在20世纪20年代教学用的《训诂学讲词》中，有《训诂述略》之作，其中对训诂的定义、用途、方式、方法、步骤，都有一定的

① 张晖：《量守庐学记续编》，第145页。

② 郑逸梅：《世说人语》，哈尔滨：北方文艺出版社，2016年，第58页。

③ 罗福惠、许小青、袁咏红：《长江流域学术文化的近代演进》，武汉：武汉出版社，2007年，第180页。

④ 艾毓英：《黄季刚先生的卓越贡献》，《汉阳县文史资料》1992年第7辑，第190—191页。

理论阐述和自己的经验总结，虽然还比较简略粗糙，但不失为训诂学理论体系的初创。

黄侃把训诂的方式总结为“互训”（直训）、“义界”（界说）、“推因”（推求字义得声之由来）等项，用以对训诂实践作了全面总结，至今多数训诂学者仍本其说。他还划分了“独立之训诂与隶属之训诂”“说字之训诂与解经之训诂”等等的区别，并称“独立之训诂，虽与文章所用训诂不相应可也”，而隶属之训诂，“于义界和义原往往不分”。[①] 前者如《说文》之训诂，能离开具体的篇章文句，从形、音、义三方面对字词加以解释，因而多训其本义；后者如《尔雅训诂》，专对经传中的字词加以解释，本义、引申义不分。这样就准确地指明了《说文》一类书和《尔雅》一类书的区别，并由此涉及对字词本义、引申义的相关探讨。

黄侃扩大了训诂学的研究领域和用途。他说：“小学之于群籍，由经史以至词曲，皆不能离之，而或以治小学仅为读周秦两汉之书，误矣。”[②] 这就是说，弄通字、词、句，不仅仅只是为了读经，甚至也不只是为读周秦两汉之书，而是为能进而理解全部中国古籍。所以他进一步指出了小学的训诂与经学家的训诂有“贵圆”和“贵专”的区别，“贵圆”即概括性强，广泛地适用于中国古书；“贵专”即专用于解读经书。“小学家之说字，往往将一切义包括无遗，而经学家之解文，则只取字义中之一部分。”[③] 他的这种说法，不仅道出了不同性质训诂的区别，而且具有把小学从经学的附庸地位独立出来的意义。

除了对训诂著作的研究之外，黄侃还以训诂的方式，对许多重要典籍作了批注，其中影响较大、流传较广的是《手批白文十三经》和《文心雕龙札记》。

① 周积明：《湖北文化史》上册，武汉：湖北教育出版社，2006 年，第 547—548 页。

② 黄孝德：《黄侃小学述评》，武汉：武汉大学出版社，2005 年，第 123 页。

③ 黄孝德：《黄侃小学述评》，第 135 页。

二、王葆心与方志学

王葆心（图 7—2）毕生博览群书，成果卓著，生平著述 170 余种。综其著述，“实以考证为方法，以文史为旨归，而于方志学所论，尤精博，其中关于民族之气节、先民学派之源委叙述特详，足补宋明清三代国史之阙。不愧为一代作者”[①]。

图 7—2　王葆心

王葆心（1867—1944），字季芗，号晦堂，晚年号青垞，湖北省罗田县大河岸古楼冲人。王葆心在同胞兄弟四人中排行老幺，幼年时即“发愤与诸兄相竞于学业”。[②]6 岁时，王葆心入私塾，师从塾师叶启骏（骥才）。

光绪十六年（1890），王葆心“以课试成绩优异，为经古书院

① 林声：《中国百年历史名碑》，沈阳：辽宁教育出版社，1999 年，第 397 页。

② 谈瀛：《王季芗先生事略》，黄德馨、傅登舟：《中国方志学家研究》，武汉：武汉出版社，1989 年，第 200 页。

山长同里周锡恩所激赏，……并同时入选经心（注：应为经古）书院”。[①] 24岁时，王葆心进入两湖书院学习。两湖书院曾开设经、史、文、理、算学与经济等六科，讲求有用之学。湖广总督张之洞也曾亲临书院主持每月两次的课试。

光绪二十九年（1903），湖北乡试，王葆心中第三名举人。张之洞以“办学七年，成绩卓异”，保奏其为知县双月选用，王葆心却“意殊不在此”。[②] 光绪三十三年（1907），在举贡考试中，被录取为第一名。不久，调往京都任学部总务司行走，并兼图书总纂。后经学部奏请以七品小京官任学部主事，并被礼部聘为礼学馆纂修，兼京师大学堂及优级师范学堂教习。在京七年，以行走之便，王葆心得以遍观学部聚藏之方志。

1912年6月，王葆心应黎元洪之邀，离京返鄂，任湖北省革命实录馆总纂。1913年8月，王葆心旋到长沙任湖南官书报局总纂，后又入京，任教育部编审，兼北京大学教授，任京师图书馆总纂。

1922年，王葆心回到武昌，受聘于武昌高等师范学校。次年，王葆心又被聘为湖北国学馆馆长。在王葆心的主持下，湖北国学馆“以昌明国学，内存国性，外美国风，促文化之进行为宗旨”，[③] 提出编辑湖北通志、设立图书馆、创立国学研究会、编辑教科书讲义等在内的一系列工作计划。1928年，应聘为国立武汉大学国文教授。1934年，任湖北通志馆筹备主任兼总纂。1938年，日寇侵占武汉，王葆心不得已之下携带近七万卷藏书及著作稿，举家返回故里罗田，旋任罗田县志馆馆长，主修罗田县志。为考证古鸠兹故国，王葆心在1944年抱病攀登大别山天堂寨实地考察，并摩崖刻石“古鸠兹故邑题记”于九资河畔，因感冒风寒，归家半月后病逝，终年77岁。

---

① 王延杰：《我的叔父王葆心》，罗田政协文史委：《罗田文史资料》1987年第1辑，第2页。

② 谈瀛：《王季芗先生事略》，黄德馨、傅登舟：《中国方志学家研究》，第201页。

③ 常方舟：《鄂东学人王葆心生平概览与思想考述》，《黄冈师范学院学报》2017年第2期，第85页。

综其一生，王葆心非常重视对乡邦文献的搜集整理。

湖北历史上有多次纂修《湖北文征》之议，但因种种原因而作罢。清乾隆年间，浙江人、著名方志学家章学诚有过编辑《湖北文征》之议，然因修志观点发生分歧，《文征》之辑就此作罢；宣统三年（1911）翰林院编修张仲炘、杨承禧纂修《湖北通志》时，亦有辑《文征》之议，但因武昌起义而中断。到民国初期，湖北乡贤遗著凋零，再不抢救，将要失传，王葆心觉得编辑《湖北文征》迫在眉睫。

1923 年，王葆心任湖北国学馆馆长时，就立即将纂修《湖北通志》《湖北文征》作为国学馆的重要任务。在《国学馆馆章草案》中，王葆心提出湖北国学馆应"赓成未编竟之本省《通志》"，"编成前此本省未有之《文征》《诗征》"，"搜聚刊布吾乡先正未传世之遗书遗文"，"兼及外省人有关吾乡文献之著述"。[①] 完成前人未竟之业。

1932 年夏，王葆心的两湖书院同学刘成禺从南京回湖北，建议湖北省政府主席夏斗寅刊刻乡贤遗著，设立笛湖精舍。"一时俊彦翩然萃集，而纂修《湖北文征》之议起。当时公推主其事者为罗田王季芗葆心，潜江甘药樵鹏云，监利龚湛园宝琳，皆吾鄂宿学之士也。"

> 《文征》凡起例，为季芗一人所手草，暂以元、明、清三代为限。俟有成书，再溯而上。元、明两代，由季芗、药樵任之；清代湛园一人任之。[②]

但是，当时文献搜集存在诸多困难，尤其是王葆心、甘鹏云负责的元明部分，"鄂中旧家庋藏，大半散佚，收集匪易。时药樵居平，藏书之富，莫若北平，于是季芗先订采辑大凡，而由药樵在平分别搜集抄选"。"及收辑完成，全部寄鄂，季芗复详加校订，计先后补入者，不

① 叶贤恩：《王葆心传》，武汉：崇文书局，2009 年，第 120 页。

② 刘成禺：《世载堂杂忆》，太原：山西古籍出版社，1995 年，第 295 页。

下六百余篇。”[1]在考订作者小传时，王葆心“尤为详赡”，且“大半取材于其所著《江汉献征录》”。据王葆心女儿王醇介绍，王葆心还亲自走访一些藏书家。在蕲州顾景星家搜集到明万历癸未进士、兵部右侍郎梅国桢的著作《西征集》《燕台遗稿》和《西征奏议》；又到黄安耿定向、黄梅瞿九思家查找文稿。在纂修《湖北文征》过程中，王葆心费心尽力，加之年过花甲，“几获大病”。有人劝他稍事休息，但王葆心却回答说：“乡邦文献，陵替久矣，此日不为收集，更待何时？”[2]

经过前后四年的艰苦努力，王葆心等人最后纂修完成《湖北文征》。遗憾的是，《湖北文征》纂修完成后，夏斗寅已经辞去湖北省政府主席职务，“绌于资，无法刊行”。[3]直到2000年才由湖北人民出版社出版。

除了着意搜集“乡邦”文献，鉴于汉口记录乡土里俗之书寥寥的现实，王葆心决心积极补救，并以随笔风格陆续撰写了《续汉口丛谈》《再续汉口丛谈》。

清代乾嘉时期，“世值承平”。其时，“汉上一隅，墨客流人，流连最盛”，“相与蜡屐翼际，拿舟后湖。文藻流风，照耀奕际”，王葆心“居今眄思，慨慕无已”。此后，虽有徐星槎的《汉口小志》、范锴的《汉口丛谈》及黄心庵的《汉口漫志》，但是《漫志》却未竣而佚。王葆心感叹，“不重为此邦惜乎！”意图“聊补缺佚”，关于撰写《续汉口丛谈》的初衷，王葆心说：

> 近日有为《上海小史》者，其旨则专详见今。因淞沪大埠，自来纪述良夥，且云间一郡，明季清初，此类记乡土里俗之书尤多，美备之余，无庸赓述。汉口则记者寥寥。故于现今外，述古旧尤详，而牵连所及，尤不以商埠为限。举凡吾乡旧典轶闻，就所绎

① 刘成禺：《世载堂杂忆》，第295—296页。
② 刘成禺：《世载堂杂忆》，第296页。
③ 刘成禺：《世载堂杂忆》，第296页。

知，皆予综述。用诏后生，聊补缺佚。县然，范君生盛世，意主发抒性情；我生值危乱，意在网罗放失。故范书爱文藻，此作重见闻。斯则与前此之说海市，见今之上海，有不相袭者，姑以达我胸中所欲言而已。[①]

王葆心从1916年开始撰写《续汉口丛谈》，历时17年，1933年出版。在这部书中，王葆心对汉口地理沿革、水火灾异、地名掌故、园林建筑，寺观墓葬、名人轶事，风物传闻，修志记载、诗文经石，甚至官场见闻都一一搜集罗列，并加以考证与研究。《续汉口丛谈》可视为范锴《汉口丛谈》的续编。

王葆心治学广泛，尤其在方志学方面的研究，功力最深，造诣最大。据其弟子闻惕生回忆："先生晚年大都致力于地方事迹的搜寻，和地方志书的编写。"[②] 徐复观从1923年开始就问学于王葆心，他也认为，先生对方志学"为晚年用力最勤，所得亦最精最富"[③]。其实，早在京总纂京师图书馆书目时，王葆心"见馆内对于海内方志几均有收藏，而他又久欲整理近代佳志的义例，就着手于方志学的研究和整理工作"[④]。

在主持纂修《湖北文征》的同时，王葆心也着手制定《修志通则》，准备纂修《湖北通志》，并广聘本省学人为编纂，他本人甚至还二度亲往北平搜抄资料："生事寒素，然于民国二十三年、二十四年间，以望七之年，亲至北平图书馆搜抄资料，一年间得二十四巨册以归，其平生治学之勤，大率类此。"[⑤]

经过多方努力，王葆心等搜集了"宋元以来的志书，总共有

① 王葆心：《续汉口丛谈　再续汉口丛谈》，武汉：湖北教育出版社，2002年，第4—5页。

② 闻惕生：《王季芗先生生平学术及其遗著》，《罗田文史资料》1988年第2辑，第55页。

③ 徐复观：《无惭尺布裹头归·交往集》，北京：九州出版社，2014年，第82页。

④ 王延杰：《王葆心先生家传》，《湖北文史资料》1992年第3辑，第111页。

⑤ 徐复观：《无惭尺布裹头归·交往集》，第83页。

一万四千多卷”。但在认真研读后，王葆心发现了不少问题，“大部分是互相沿袭、陈腐空疏”，“也没有方法集合所有的志书，作贯通原委的观察研究”，[①] 以致多散漫而无条理，就是曾经纂修《湖北通志》的方志学名家章学诚的书，也只是一家的观点，不能概括各方志学家的见解。

有鉴于此，王葆心博览全国志书，从搜集到的众多志书中，亲自精选抄录了数十种全国著名的方志书的序言、凡例、目录、后跋，积极、认真地“辨抄袭、正谬误、审体例、寻因革”，对其记载内容、取材方法、编纂体例、引证他说一一进行考证、对比、鉴别，并对所引证的百数十种志书进行精详述评，指出其特点、优点、缺点、错误和历代志书中的积弊，最终写成作为《湖北通志》编纂方案的《重修湖北通志条议》。《重修湖北通志条议》于 1936 年发表在《安雅》月刊上，1942 年又发表在《新湖北》季刊上。

《重修湖北通志条议》一开篇就提到修志的体例问题，志“本有旧新两体”，王葆心认为，此次纂修《湖北通志》应采用新体。

> 良由新派志家，谓志为史家之支流，兼具正史及通史之规。地方有志，即古者一国之史。……旧派修志者，但知志、表、传之体，余则先后倒置，门类杂糅。自陕浙志后，章、谢、阮诸家，完具新派程途，始极力讲求体例，以准正史。[②]

王葆心提到的“陕浙志”采用的是纂辑体，“乃应时运”。当时正值雍正中期，因修《一统志》，提出十六要言：考据鲜明、采摭精当、既无缺略、又无冒滥。用纂辑体纂修的陕浙二志，取材丰富，但体例循旧，并不是很纯正的纂辑体。直到章学诚、谢启昆、阮元等诸家才完成

---

① 闻惕生：《王季芗先生生平学术及其遗著》，《罗田文史资料》1988 年第 2 辑，第 55 页。

② 陈昊、王玉德：《王葆心对湖北文献的研究及其学术思想》，丁凤英、王正强、张执均：《楚宝·人师》，武汉：武汉出版社，2014 年，第 26 页。

纂辑体的实践，极力讲求体例。

王葆心认为，现在重修《湖北通志》应采用新派志体，“纠正前志，使丰蔚之志材，有整齐划一之观”。但他并没有摒弃前志不用，而是“一一取旧志追讨来源”，将《湖广通志》《湖北通志》等五种旧志纳入新体中，并且还将近二十年来的新志材料纳入其中。将两者分为两编，“融合旧新”，“既不敢泥古以渎今，复未便循今而忘古”。

王葆心将撰著体、纂辑体视作新派的一体两翼。“所谓撰著体者，无一语不出于己”；“所谓纂辑体者，无一不出于人”。不过，王葆心强调，采用何种体例，修志时可以灵活变通，具体应根据材料的多寡来确定，“过去材料较多，宜采用纂辑体”，“近二十年及现在可入志之材料，当不甚多，宜用撰著体；如果志料丰富时，亦可用纂辑体”。[①]

1937 年春，在《重修湖北通志条议》基础上，王葆心撰成巨著《方志学发微》。按徐复观的说法，《重修湖北通志条议》“系先生学以致用之结晶，亦即系《方志学发微》之缩本”[②]。

《方志学发微》，全书 50 余万字，20 卷，共分 7 篇。一为取材篇，说明采访、绘图、选钞材料，以及进行编写工作的程序；二为纂校篇，选取清代名家关于着手修志最为切要章则、议论，包括采访、绘图、考旧志、考群书、录档案，也即是取材与编纂两者的方案、具体方法和步骤及其相互关系；三为导源篇，根据经学、史学、杂学和地理专书的流变系统，说明逐步演变汇成方志一科的由来；四为派别篇，根据宋、元、明、清修志的历史及其变迁，以此说明明清以来旧派，清代雍乾以来新派修志的体例，新旧两派以外各有所长而自成一家的派别修志的体例，其中对新旧两派的根源及其体例上的各自分支进行了考辨；五为反变篇，列举志书的主修者主张改变的前说、前例，并对新旧两派改变前志的做法，作了具体的比较；六为赓续篇，列举志书的主修者赓续及不

① 陈昊、王玉德：《王葆心对湖北文献的研究及其学术思想》，第 26 页。

② 徐复观：《无惭尺布裹头归 · 交往集》，第 82 页。

主张更张的前说和成规，对旧派续旧派、对新派续新派，在续修方法上的种种不同，分别举例说明；七为义例篇，专选时代较近的、有所创新的各家志书的义例，以及旧派中部分可取代的体式，加以系统评述，备供新修方志时览古筹今的借鉴。

《方志学发微》比较全面、系统地总结了宋、元、明、清四朝名家的修志经验，全面系统地提出了自己的修志理论。《方志学发微》受到国内外方志学家的高度评价，被称为“集方志学之大成”，是“旧时代方志遗产的总结，新时代方志革新的萌芽”[①]。

中年以后，王葆心“完全致力于史学”。为补宋元明清史志之不足，中年以后，王葆心用心“于宋明季义民抗拒异族之壮烈故事，搜访坠逸，阐发幽微，整比钩稽”，精心整理《天完志略》《宋季淮西四六砦纪事》《宋季淮西勤王义师记》《明季江淮七十二砦纪事》《发军初起异同荟笺》《罗田靖乱记》等史学著作，将宋末及明清鄂东“草莽雄俊”不畏强暴、抗拒侵略的壮烈故事，整理成眉目清豁、情节生动、本末了然的史著。徐复观认为，王葆心“顾悃朴不喜言革命”，老师之所以关注“草莽雄俊”的“忠义之迹”，并不惜“阐发幽微”，其目的不仅仅在于欲“补史乘之所遗”，“实亦先生壮年一段真精神之所寄”。[②]

1912 年 6 月到 1913 年 8 月，王葆心担任湖北革命实录馆总纂，主持编修《湖北革命实录》。湖北革命实录馆由孙武、张振武等人发起，经黎元洪批准成立。馆长是谢石钦，副馆长是苏成章。

湖北革命实录馆开馆后，王葆心立即发布《湖北革命实录馆布告通启》，特向热心搜考之人“征求材料，（以）慎重编辑”，并专门函请各省都督、临时议会，以及省内各政府部门、各军事单位、各府县，派出专门、义务调查员，搜集武昌首义史实。至 1913 年 8 月，共搜集集体或个人所撰史料 500 余件。主要为撰写的起义经过、各地光复始末、人

① 彭伟：《我“淘”到王葆心中举人的文章》，《武汉文史资料》2012 年第 11 期，第 28 页。

② 徐复观：《无惭尺布裹头归·交往集》，第 83 页。

物事略，并有部分革命组织章程、旗帜、印信和起义人士的电文、日记、大事记及官佐名册等珍贵史料与实物。

对于征求的材料，王葆心提出了处理原则，要“择其可信者而从之”，“联合异同，须加以比较得其真”。[①]但是，搜集而来的史料，纷繁复杂，千头万绪，如处理方法不当，就有可能出现遗漏。经过认真思考，史学功力深厚的王葆心决定先“略述其进行之次第”，认为只有这样，才能做到“网罗凡关于此次之史料，皆期毫发不遗”，“其用意在举散珠之事实，用年经月纬之法，……俾零畸之事，皆得贯串。于是取材乃有范围，修润乃可着手”。[②]

王葆心还为《湖北革命实录》制订了“修书之章程”的凡例，依此编出《武昌起义史料长编》八册。1913 年 7 月，“二次革命”爆发。8 月，倒向袁世凯的黎元洪宣布取消湖北革命实录馆，所藏资料被馆长谢石钦收藏。但部分资料散佚。1956 年，谢石钦去世，其家人将资料交给武汉市文史馆，后由湖北省政协接管。1958 年，湖北省政协转交湖北省博物馆收藏。还有部分藏中国社会科学院近代史所。湖北省政协、武汉市政协、中国社会科学院近代史研究所、湖北省博物馆、武汉市档案馆进行整理，编辑为《湖北革命实录馆武昌起义档案资料选编》三卷，由湖北人民出版社于 1981 年出版。

三、杨守敬与古舆地之学

杨守敬（图 7—3）是清末民初的著名史地学者，其广搜古籍，著述颇丰，“于地理、目录、金石之学尤擅绝长，各有著述数十种传世。书法古茂，直逼汉、魏，天下无双。……海内外新闻称道先生者，连篇累牍，不绝于书。实至名归，非偶然也”[③]。

---

① 杨昶：《文化名人王葆心与〈湖北革命实录〉的编纂》，俞祖华、耿茂华、李绪堂：《中国近现代史料专题研究》，北京：中国言实出版社，2014 年，第 90—91 页。

② 程翔章：《湖北近代作家研究》，武汉：华中师范大学出版社，2015 年，第 97—98 页。

③ 杨守敬：《邻苏老人年谱》，熊会贞补述，上海：大陆书局，1933 年，第 59 页。

图 7—3 杨守敬画像

杨守敬（1839—1915），谱名开科，字云鹏，号惺吾（心物），湖北宜都人；中举时榜名恺，后更名守敬。晚年因馆舍与东坡雪堂相邻，自号邻苏老人。

在众多学术成就中，杨守敬的舆地学成就尤为突出。从第一部《历代舆地沿革险要图》到最后一部《水经注疏》，杨守敬共编撰历史地理著作 20 多种。这些论著，几乎涵盖了中国传统地理学的各个方面，充分展示了杨守敬在舆地学方面的杰出才华。

青年时期杨守敬就喜好历史地理。在自订的《邻苏老人年谱》中，杨守敬回忆自己 20 岁的时候，从来自浙江的租客郑兰（谱香）处借得清人六严的《舆地图》，“假之，而与孙君各影绘，无间昕夕，余成二部，孙君亦成一部”。杨守敬摹仿得十分逼真，有如原图，郑兰“乃大激赏”[①]。

在京师会试期间，受潘存（孺初）、邓承修（铁香）影响，杨守敬

① 杨守敬：《邻苏老人年谱》，第 6 页。

对历史地理学的兴趣愈加浓厚，并与邓承修合作草编《历代舆地沿革险要图》，其中自正史以外，有历代割据及十六国等图。在编图过程中，他们发现《隋书·地理志》若干错误，于是又草拟《隋书地理志考证》。这两部草稿是杨守敬研究舆地学的开始。光绪五年（1879），杨守敬与饶敦秩合作，把他与邓承修草编的《历代舆地沿革险要图》增而广之，扩充至 67 幅，并由饶氏出资刊刻。这是杨守敬编绘的历史地图第一次出版。

随着“岁久漫漶，鄂中、沪上、西蜀，均有翻本，而讹谬滋多，拟重镌之，未暇也。迩来有日本河田熊者，就余书删并，竟以南北各朝合为一图，而图中又只题刘宋北魏两代，……反谓余图为疏略，其诬妄何可言，使初涉亥步者，惊其刻印之观美，不考其事实之有无”，以至“贻误后学，匪浅鲜也”①。为纠正“诬妄”，杨守敬决定“重校之”，并在光绪末叶与弟子熊会贞合作完成，后来简称《历代舆地图》。《历代舆地图》共 34 册，有图 1 928 幅，是我国最早、最完整的一部大型历史地图集。1954 年著名历史地理学家谭其骧在主编《中国历史地图集》过程中，曾参稽过杨守敬的《历代舆地图》，甚至其编委会一度称作“重编改绘杨守敬《历代舆地图》委员会”②。

除《历代舆地图》外，杨守敬的历史地理著作还有《隋书地理志考证》《晦明轩稿》《汉书地理志校补》《水经注图》《水经注要删》《水经注要删再续补》《禹贡本义》《三国郡县表补正》《辑古地理志》《补校宋书州郡志札记》《湖北汉江水利议》等。

最能代表杨守敬此方面学术成就的还是《水经注疏》。这部誉为“中国学术史上光辉诗章”的伟大著作，倾注了杨守敬和弟子熊会贞的毕生心血。《水经》是我国第一部记述水道经历及其支流注入处所的著

① 杨守敬：《历代舆地沿革险要图·自序》，光绪三十二年观海堂校刻版。

② 陈桥驿：《历史地理学家杨守敬及其〈水经注〉研究》，《中国历史地理论丛》1990 年第 4 期，第 73 页。

作，共记录水道137条，每条一篇，全书不到一万字，作者及成书年代历来说法不一。杨守敬考据《水经》是三国魏初无名氏所作，大约成书于公元226年左右。历代为《水经》作注者，不乏其人。《水经注》是北魏郦道元的地理名著，记载我国魏晋南北朝时期的水道共1 252条。但自成书以后，"郦氏《水经注》沈霾千载"[①]。宋明以后，传抄翻刻，经注混淆，向无善本。到清朝，虽然有全祖望、赵一清全力以赴，各自成书。令人遗憾的是，全祖望虽七校郦著，却"遗书未刊"；赵一清虽有注释，"亦未即镌板"。到乾隆年间，戴震入四库馆，开始以《永乐大典》本校刊，辨明经注混淆，删正四五千字，"海内学者，翕然从之"。但到嘉庆年间，赵氏刻本出版后，杨守敬却发现其所校乃与戴氏十同八九。"赵氏未见《大典》本，安得与戴氏悉同，而其所据订正者，一一皆出原书，其非蹈袭他人可知"。全祖望七校的郦著"最后出"，但与赵一清本也多有异同之处，"两人生前互相推挹，其从同不足怪，而亦间有与戴氏特出之见合者，未必非校刻者之所为，或遽嗤为伪作，亦过也"[②]。

经过仔细研寻，"好读郦书"的杨守敬判定：全、赵、戴订的《水经注》版本之间，"虽有相袭之争，却有雌黄之议"；"戴之袭赵，证据确凿，百喙不能为之解"。但对于"郦氏之阃奥，诸家多有未窥，间有郦氏不误，诸家改订反误者"，杨守敬决定与弟子熊会贞"发愤为之"[③]，著述八十卷的《水经注疏》。

杨守敬的《水经注疏》，从探本求源着手，凡是郦氏所引之书，皆著出典，凡郦氏所叙1 200多条水道，"皆详其迁流"。[④]同时，又吸收历代《水经注》的研究成果，并根据大量的历史资料，"举全赵戴诸家

① 杨守敬：《邻苏老人年谱》，第41页。

② 杨守敬：《邻苏老人年谱》，第42页。

③ 杨守敬：《邻苏老人年谱》，第42页。

④ 郑务本：《清末民初著名学者杨守敬》，《湖北文史资料》2002年第3辑，第108页。

缪误，摧陷廓清，无所于让”[1]。在研究《水经注》时，杨守敬对郦道元所引的典故皆注明出处，并批于书眉，还纠正其错讹之处。如《水经注》中有一段对长江三峡的精妙描写：“自三峡七百里中，两岸连山，略无阙处。重岩叠嶂，隐天蔽日。自非亭午夜分，不见曦月。至于夏水襄陵，沿泝阻绝。或王命急宣，有时朝发白帝，暮到江陵，其间千二百里，虽乘奔御风，不以疾也。……故渔歌者曰：巴东三峡巫峡长，猿鸣三声泪沾裳。”这段为古今文人所传诵的文字，一般认为是郦道元本人所写。杨守敬在《水经注疏》卷三十二中指出是引自盛弘之的《荆州记》，引文见《太平御览》卷四十三。若无疏文，人们可能会以为是郦道元本人所撰述。

又如《水经注》里有这样一段文字：“县北有女观山，厥处高显，回眺极目。古老传言，昔有思妇，夫官于蜀，屡愆秋期，登此山绝望，忧感而死，山木枯悴，鞠为童枯。”讲的是宜都县北的一座山上，有一妇人常站在山上望她在四川做官的丈夫回家，可总望不回，忧愁至极而死在山上。杨守敬对故事本身没有争议，但认为“枯”有误，因为此山本多草木，便在“枯”字后加上按语：“童枯当为童岵之误。《毛诗传》，无草木曰枯，然考《尔雅》，山多草木曰岵。《说文》亦云，岵，山有草木也。郦氏未遑深考。”

杨守敬还用实地勘察法纠正前人错讹之处。例如清江，古称夷水，《水经》说：“夷水，出巴郡鱼复县江。”《水经注》以讹传讹，也认为清江出于长江而入于长江，即是说清江上游与长江相通，可通舟，再到宜都汇入长江。杨守敬运用金石考证和实地勘察法，对以上错讹予以纠正：清江自古到今，上游不与长江相通。杨守敬曾亲自徒步清江，察其源流，驳“首受江”之说。对此，杨守敬在《水经注疏》中，作了如此叙述：

① 陈衍：《杨守敬传》，《中国实业杂志》1917 年第 6 卷第 3 期，第 207 页。

余常由清江上溯至长阳资丘，舟行至此。其间滩险以数十百计，两岸山峡壁立处，较巫峡又狭数倍。由资丘以上则崎岖更甚。其水有悬崖数十丈若瀑者，必不可通舟。若古时又有江水并流，势必漫山溢谷，非惟险逾三峡，将沙渠佷山之间无居民矣。[①]

经他证实，清江源于利川，流经恩施、长阳，在宜都汇入长江。

作《水经注疏》后，杨守敬又与弟子熊会贞一起绘《水经注图》"以经纬之"，形成图文对照，相得益彰。这套地图共8册，图幅涉及春秋战国、秦汉、三国两晋南北朝、十六国、隋、明等各时期。古今对照，朱墨套印，是其明显特点。对于绘刻《水经注图》的立意及其创新之处，杨守敬在自订的《邻苏老人年谱》中说：

国初有黄子鸿（仪），其书不传。咸丰间，汪梅村（十铎）始为之图，胡文忠为刊行，顾其学未博，且未见戴氏本，以《悔翁笔记·涣水》条知之，多有凭臆移置，左右易位者，未足为郦氏之功臣。而全、赵、戴又但凭今图以律郦书，恃其所学，略观大意，遂下雌黄。故余为此图，皆循郦氏步趋，必一一证合，以书考图，以图覆书，无不吻合，而流移变动，如指诸掌，乃知郦书细针密缕若蛛网，丝毫不乱。[②]

总之，杨守敬将郦道元《水经注》研究提高到一个集大成的全面总结高度。近代著名学者罗振玉在读了杨守敬的《水经注疏》后，"叹赏之"，"谓吾地理之学与王怀祖（念孙）、段若膺（玉裁）之小学，李壬叔（善兰）之算学，为本朝三绝学"[③]。

---

① 郑务本：《清末民初著名学者杨守敬》，《湖北文史资料》2002年第3辑，第108—110页。

② 杨守敬：《邻苏老人年谱》，第43—44页。

③ 杨守敬：《邻苏老人年谱》，第44页。

金石学是杨守敬贯穿一生的学问。我国的语言学分为文字学、音韵学、训诂学。文字学研究文字的形体，金石文字学是文字学的一个分支，研究的重点对象是金石上面的古文字，即碑刻、石刻、古钱币、竹简、布帛、印玺、青铜器等上面的文字。在杨守敬多方面研究中，金石学著作虽不如历史地理学著作那样有名，但是数量却有近 30 种之多，其中主要有《学书迩言》《评碑记》《中国碑帖书谈》《激素飞清阁评碑记》《激素飞清阁评帖记》《金石图考校补》《寰宇贞石图（初辑）》《寰宇贞石图（续辑）》《邻苏园印谱》《邻苏老人书墓志》等等。

《激素飞清阁评碑记》四卷和《激素飞清阁评帖记》二卷，是目前已知的杨守敬最早的两部著作。《评碑记》评碑 288 种，《评帖记》评帖 96 种。这 384 种碑帖基本概括了自秦汉到隋唐具有代表性的书法作品。

在搜求并收藏金石的同时，杨守敬还亲自动手刻写金石。对于刻写金石目的，杨守敬称：是为了“使穷乡僻壤单寒之士，皆得集天下之大观，窥书法之正传，又使后之好古者，易于重刻，不至于有传写讹误之失，而古人之精神面目永传于不敝”，并认为这是“岂非一大快哉”的事情。杨守敬“将汉晋篆隶及六代三唐书，无论石之存与不存，择其尤者”，用“双钩镌木”法辑成《望堂金石》一书。① 到日本后，杨守敬发现有更好的办法，就是照相翻拍法，其好处是纤毫毕现，完全留真。他马上接受这种方法，精选周秦汉唐碑刻 270 余种，在日本弟子的帮助下，利用日本大藏省的设备翻拍辑成《寰宇贞石图》一书。

杨守敬搜求、研究金石，往往是“以考证文字为上，玩其书法次之”。② 杨守敬金石文字考证主要用于历史地理研究上。以《隋书地理志考证》为例，全书运用金石文字以证某是某非的，就有 27 处之多。他著有《晦明轩稿》，后附《壬癸金石跋》，其中亦有不少以金石考证地理的内容。

---

① 《望堂金石》,《宜都文史》2014 年第 24 辑，第 107 页。

② 《激素飞清阁评碑记评帖记》,《宜都文史》2014 年第 24 辑，第 103 页。

四、曹廷杰与东北边疆地理研究

与杨守敬一样，曹廷杰也专注舆地。但与杨守敬好古不同，晚 11 年出生的曹廷杰则专注于东北边疆地理研究，而且重视现实。

曹廷杰（1850—1926），字彝卿，号楚训，排行老三，邑人咸称曹家三老爷。笔名亚东平情人。湖北宜都高殿寺（今属枝江）人。出身于一个以耕读为业的书香门第家庭。父绪光，颇有学识，精于地理学，著有《元空妙诀》，清光绪时被诰封资政大夫。曹廷杰天资聪颖，五岁随父课读。同治九年（1870），考中秀才。接着在宜都县城受聘于江西帮会会首肖子贞家，设馆授读。此时，曹廷杰常与人“推难质疑，旁及金石，无日不相从辩论”。同治十年（1871）参加岁考，成绩名列前茅，成为廪贡生。

同治十一年（1872），时年 23 岁的曹廷杰辞去馆事，向肖子贞借 4 两纹银上路，外出游学，求师访友。同治十三年（1874）到北京，经人荐举，入国史馆担任汉誊录。光绪二年（1876），赐明经进士。光绪五年（1879），曹廷杰曾回家乡，常与友人研讨学问，议论国事。回京后，曹廷杰“抚剑请缨”，向朝廷上书，请求到东北边防军中服役。①

19 世纪六七十年代，《瑷珲条约》《北京条约》签订后，沙俄强占了黑龙江以北、乌苏里江以东大片领土，又利用与中国领土毗连，同时清政府在漫长的国界线上设防极其松弛的机会，加紧对中国领土的掠夺、蚕食，东北边疆出现了严重危机。清政府也认识到，“中国边境与俄毗连，必宜慎固封守，以为思患预防方针，吉林之三姓、宁古塔、珲春等处，防务尤关要紧”，②并“亟筹防务，备预不虞”。③

光绪九年（1883），34 岁的曹廷杰以候选州判资格北上吉林，并被

① 傅朗云、杨旸、曹泽民：《曹廷杰与永宁寺碑》，沈阳：辽宁人民出版社，1988 年，第 130—131 页。

② 刘凤仁：《依兰史志文献汇编》，依兰县文史委员会，2010 年，第 429 页。

③ 章开沅：《清通鉴同治朝光绪朝宣统朝》第 4 卷，长沙：岳麓书社，2000 年，第 412 页。

吉林将军派往防沙俄重镇三姓，在靖边军后路营中办理边务文案。曹廷杰目睹沙俄扩张侵略态势，痛感祖国山河的丧失和危殆，亟思补救，遂饱含爱国热情，配合清政府抵抗沙俄侵略的斗争，开始对东北边疆史地进行研究，“公余暇日留心边事”，调查搜集有关东北边疆沿革、军事地理资料、历史文献，“凡东三省地理险要与夫古人用兵成迹有关于今日边防者，皆不揣谫陋，荟萃成书”。[①]光绪十年（1884）冬到次年初夏，曹廷杰将所得资料先后辑成《古迹考》和《东北边防辑要》。前者是作者周游东北各地、实地踏勘的考古成果汇集，后来编入《东三省舆地图说》；后者则是对有关东北古代战守险要、边界沿革等文献的汇辑和研究成果。

《东北边防辑要》多取材于《开国方略》《大清一统志》《皇朝通典》《圣武记》《方舆纪要》《登坛必究》等书，尤其以何秋涛在咸丰八年（1858）撰写的《朔方备乘》影响最大。曹廷杰认为《朔方备乘》：

> 其书于中俄交界及俄国古今疆域无不条分缕晰，诚如圣谕所谓制度沿革，山川形势，考据详明者也。顾其时东南多事，俄人乘隙窥我东北，尚有康熙二十八年尼布楚城定议界碑，足严中俄之限，故其书于东北边界特由安巴格尔必齐河源外兴安岭东抵海，凡中俄分属山河不惮详述。今则疆界已殊，情形不同矣。奉天、吉林、黑龙江三省皆有边防要图，廷杰不揣谫陋，参考群书，即其有关于时务者辑为若干篇。[②]

此外，曹廷杰还“躬亲考验”，利用“公余暇日”走访伊通、伊兰、阿城、农安、宁古塔、开原、八面城、扶余等地，每到一处，悉心寻找

---

① 《曹廷杰年谱考述》，傅朗云、杨旸、曹泽民：《曹廷杰与永宁寺碑》，第146—147页。

② 曹廷杰：《东北边防辑要》，陈浏：《陈浏集》，哈尔滨：黑龙江人民出版社，2001年，第1216页。

古迹，审度山川地理形势，访问乡里，广泛进行实地考察和社会调查，搜集第一手资料。

有人认为，《东北边防辑要》是论证东三省历史上之地形险要者。其实，这本书并非纯学术性著作，它主要是适应当时抵抗沙俄斗争的需要，为加强边防提出一些“有稗实用”的建议。

《东北边防辑要》不仅考论了盛京险要、朝鲜沿革及形胜、三姓疆域、库页岛沿革及形胜、吉林根本、尼布楚事迹、外兴安岭山脉河道、黑龙江险要等等，还追溯了满洲建国之初满族与边疆各族的关系，回顾了自努尔哈赤至康熙四代人与索伦（黑龙江诸部的总称）、与罗刹（俄国）的战争。据此证明，康熙二十八年（1689）签订的中俄《尼布楚条约》已经确定边界。清代“自混同江口迤而西南抵图们江口之东北，约五千余里，均归吉林省辖。诸岛属中国者，若珊延岛、小多璧岛、西斯赫岛、阿萨尔乌岛、大多璧岛、妞妞斐颜岛、扎克塘吉岛、法萨尔吉岛、岳杭葛岛”①；“黑龙江全境索伦诸部皆称臣妾”②；三姓所辖诺雷三部、赫哲、飞雅喀、额登喀喇、奇勒尔、木抡及奇雅喀喇，直至远在海中的库叶一部，“皆宁古塔属地，雍正七年设立三姓副都统分治之”，“其北境大山老林，直接俄罗斯界，凡数千里，……盖东北抵海，西北抵外兴安岭”③皆属中国吉林版图。

但是，中国在历史上对边疆地区确有疏于管理之处。何秋涛在《朔方备乘》中分析：

> 东三省中吉林所辖地最广，吉林所属中三姓副都统所辖地最广。……库页虽一洲岛，幅员千里，为混同江口外大护沙，……环库页之岛，大小数十，……其地四围皆海，北控俄罗斯，南控日

---

① 曹廷杰：《东北边防辑要》，陈浏：《陈浏集》，第 1235 页。

② 曹廷杰：《东北边防辑要》，陈浏：《陈浏集》，第 1250 页。

③ 曹廷杰：《东北边防辑要》，陈浏：《陈浏集》，第 1229 页。

本，拱护海口，屹然为东三省保障，是库页岛之形胜也。又曰：此地隶于三姓副都统，因地瘠民淳，从前未专设大臣镇守。若生齿日繁，似亦宜加屯戍，以重边防也。[①]

曹廷杰赞同何秋涛的分析，并总结沙俄侵略伎俩："俄人开疆，每多取人之所不取，或图人之所不防。即如咸丰时，窥我东南多事，乘机窃发，两次进踞，正亦顺治初乘我入关之师初定中原，因而窃据故智耳。"[②]

曹廷杰在书中揭露了沙俄色厉内荏的本质："震之以威则惧而逸，示之以怯则骄而聚。"[③] 这就是说，曹廷杰对沙俄的蠢蠢欲动的侵略行为，主张针锋相对，积极抗御，强调亡羊亟须补牢。为此，他对东北各地的要隘、城林、河流做了分析研究。例如，他指出，黑龙江省的"额尔古纳河扼俄人由尼布楚城入东三省水陆之咽喉，旁乌河当雅克萨之冲，瑷珲城居三方水路之会，黑河口与吉林分松江之险，是皆有关于边防，筹江省者其可忽诸？"[④] 吉林省军事重镇宁古塔、珲春和三姓毗邻"俄人与吉界要隘"，不可不防。他说，"咸丰十一年与俄罗斯分界，由乌苏里江口逆流入兴凯湖，逾岭抵图门江口，江以东皆为俄属。于是宁（古塔）、（瑷）珲、（三）姓三城边防始重"，[⑤] 因而必须大力加强宁古塔、珲春、黑河口蜂蜜山的防务。再如他在"盛京险要考"下中指出："凤凰城居高丽之冲，牛庄城为海道之门。……据险扼要，即边域之良图。"[⑥]

总之，曹廷杰的《东北边防辑要》不仅能使过去的历史清晰化，让

① 曹廷杰：《东北边防辑要》，陈浏：《陈浏集》，第 1234 页。

② 曹廷杰：《东北边防辑要》，陈浏：《陈浏集》，第 1245 页。

③ 曹廷杰：《东北边防辑要》，陈浏：《陈浏集》，第 1288 页。

④ 曹廷杰：《东北边防辑要》，陈浏：《陈浏集》，第 1269 页。

⑤ 罗福惠：《湖北近三百年学术文化》，第 257 页。

⑥ 曹廷杰：《东北边防辑要》，陈浏：《陈浏集》，第 1220 页。

人们了解中国与沙俄边境争端的是非曲直，尤可贵者在于能总结历史经验，针对新的形势提出后来的防务建议。

曹廷杰在东北史地方面的才识得到三姓靖边后路马步全军副将葛胜林的赏识，称他“品行端方，手不释卷，于兵法舆地甚为熟习”[①]，嘱其绘制东三省舆地险要图大概形势，并将其推荐给急需边务人才的吉林将军希元。光绪十一年（1885），三姓防军拟从中前路内派员前往黑龙江中下游进行调查，曹廷杰因奉命前往。返回吉林后，即将所见所闻逐一笔录，共得118条，汇成《西伯利东偏纪要》，并亲手绘成《庙尔图》《徐尔固图》《伯利图》《海兰泡图》《双城图》《海参崴图》《吉江二省与俄交界图》等七幅重要地图。

《西伯利东偏纪要》又名《俄界情形》《伯利探路记》。可以说，《西伯利东偏纪要》是《东北边防辑要》的续篇。不过，《东北边防辑要》侧重于历史文献的搜集研究，《西伯利东偏纪要》则偏重于对现实的调查分析。曹廷杰前往黑龙江中下游考察的主要目的，是研究如何抗御沙俄的侵略活动，所以全书内容亦均以此为中心。其主要内容有如下几个方面：

其一，除后文介绍的拓印永宁寺碑文外，曹廷杰还发掘了不少当时沙俄之东海滨省原为中国领土的大量证据。如第6条记双城子，其中提到双城“东南里许，有德商火磨房一，……院内有古碑”，“今此碑字迹剥蚀，仅存‘其台’二字”[②]；第63条记“黑斤”部在清初进京娶妇，今遗有陪嫁铜坛事，称其为“前王不忘之什”；第106条记“黑勒尔”地方住民向清廷贡貂事，都说明这些部民曾是清王朝属民。

其二，如实记录沙俄压迫当地华人和少数民族、掠夺其财富的可耻行径。如第58条记沙俄驱逐黑龙江东岸“高丽二百余家，共三千余人”；第59条记双城子“高丽民四五百家，共数千人”被迫“改俄装”

① 丛佩远、赵鸣岐：《曹廷杰生平活动年表》，《历史档案》1985年4月，第98页。

② 曹廷杰：《西伯利东偏纪要》，陈浏：《陈浏集》，第1278页。

并“分屯各处”；又记沙俄把“奇勒尔、鄂伦春、回部归顺之人，则徙于伯利、海参崴等处为兵”；第60条记海参崴东北六百余里处苏城沟，原有华民百余家在此“种田营生，多历年所”，但此时被沙俄兵“尽行驱逐，火其庐舍，收其田里，迁俄民安受其贰”[①]；第92条记海参崴西南、图门江东北海中有大小数十岛，沙俄“禁止华民叉海参、拈海菜、取蟹肉诸大利”[②]；第70条记乌苏里江入松花江上口“通江”地方，属中国境内，林木丰茂材优，“俄人每于封江时越界私砍，以备轮船之用”等等。[③]

其三，曹廷杰对于东北边疆防卫提出了一系列建议。作者在全书的最后一条，即第118条设计了与沙俄斗争的“出奇制胜之方”和“万全之策”。“出奇制胜之方”的“水路策”是：“于黑龙江呼玛尔河上数百里、黑河口内俄屯克敲林那玉果斯克上二百余里及乌苏里江兴凯湖口龙庙子下数百里，令人伐木塞江，以断俄人水道，……冬夏遂难逭行”；“旱路策”则是：“以奇兵出赵老背，深沟高垒，扼其咽喉，令南北不相接济。先将各处铁线约期截断，俄人即善用兵，有不望风逃走者哉！”“万全之策”是“以江吉二省额兵固守各城要隘，各路冲锋出奇，须五六万人，可以一鼓而下。先留由库鲁河及精奇里江至索伦河二道为俄人归路，然后由乌苏里江至松花江规复旧境”[④]。这就是如果战争全面展开，中国收复失地的战争计划。

其四，如实介绍沙俄境内实际情况。曹廷杰在书中对于俄境“垦地尽膏腴，居民已殷富”的兴旺景象作了如实措绘。[⑤]谈到海参崴时，称其“土木之功，方兴未艾，再数年后当与上海比美”；[⑥]赞扬俄境“黑

① 曹廷杰：《西伯利东偏纪要》，陈浏：《陈浏集》，第1298—1299页。

② 曹廷杰：《西伯利东偏纪要》，陈浏：《陈浏集》，第1308页。

③ 曹廷杰：《西伯利东偏纪要》，陈浏：《陈浏集》，第1302页。

④ 曹廷杰：《西伯利东偏纪要》，陈浏：《陈浏集》，第1322页。

⑤ 曹廷杰：《西伯利东偏纪要》，陈浏：《陈浏集》，第1275页。

⑥ 曹廷杰：《西伯利东偏纪要》，陈浏：《陈浏集》，第1280页。

龙江、乌苏里江南尽海沿，皆已田连阡陌，居积至富”。[①]相比之下，对中国把辽阔富饶的边疆作为“国家养兵牧马之地”，致使“江吉边荒，……无人垦种”，[②]自然觉得失策，其荒凉冷落，疏于防守，也必然招至他人觊觎。他还对俄军训练的严格、各项措施的严密配套不乏赞誉之词，对其军民管理、稽查收税的有章有法都作了如实反映。

此外，曹廷杰在介绍远东俄国人生活的一般情况方面，都比较客观。如称俄人“婚姻由女自择，女愿从者，父母不得阻”，“男女均好洁，冬季用凉水沐面”，“官与商见，礼皆平行。待兵极严，兵失仪或违令，用刑最酷”，“妇孺亦多识字，于各国事迹，能道其详”，“词讼入官，立传被告到案，判其曲直，令两造心服而去，……无株连拖延胥吏作奸之弊。凡人理屈，皆直言无隐不敢颠倒是非，谓恐获罪于天”，等等。曹廷杰在书中并未因两国文化、习俗、制度不同而是己非人，有时作客观介绍而不加评论，有时也称“此则俄俗之可取者也”[③]。

《西伯利东偏纪要》在当时和此后产生了很大影响，并受到高度重视。吉林将军希元从中摘出85条，照录原册，咨送军机处备查；又摘其最重要者35条，原图8份，送呈御览。光绪十二年（1886）曹廷杰以“游俄微劳”，由希元等保奏，咨送部引见，面陈俄情，奉旨以知县发往吉林委用。引见时，受醇亲王奕譞之命草拟“条陈十六事”。

在“条陈十六事”中，曹廷杰系统地阐述了自己的主张，认为只有在军事上加强兵备，在经济上开发和利用边疆资源，在外交上阻止和牵制沙俄，在政治上修明内政，而后才能真正抵抗沙俄。他详细分析了东北地区的社会历史情况和地理环境，提出：吉江二省金矿甚多，宜设法开采，贱入贵出；华人贸易，俄地宜免税以广商路；三姓贡貂有名无实，宜停赏乌绫以节靡费；吉江二省制钱阙少，可铸银钱以便民用；该

① 曹廷杰：《西伯利东偏纪要》，陈浏：《陈浏集》，第1293页。

② 曹廷杰：《西伯利东偏纪要》，陈浏：《陈浏集》，第1307页。

③ 曹廷杰：《西伯利东偏纪要》，陈浏：《陈浏集》，第1310—1311页。

二省旷土甚多，宜分界屯垦；俄夷东海滨省一地，布置尚未尽善，可及时一战，恢复旧地；二省流民甚众，可招集编伍，以备冲锋出奇之用等一系列富国强兵、实边御敌的建议。

曹廷杰冒险拓永宁寺碑文的意义值得特别强调。据史书记载，永乐七年（1409），明王朝建立奴儿干都司后，太监亦失哈等多次奉命到奴儿干对苦夷（少数民族）进行“宣谕抚慰”。永乐十一年（1413），亦失哈第三次到奴儿干时，建永宁寺于都司城之西南的黑龙江恒滚河对岸山上。宣德七年（1432），他第十次到其地，见寺被毁，次年又委官重建。两次建寺均立碑于寺前，前者额题“永宁寺记”，后者额题“重修永宁寺记”。两碑记述了设置奴儿干都司修建永宁寺的经过，以及亦失哈等屡次“宣谕镇抚”其地之情况。后永宁寺虽已堙没，而两碑则屹立原址500多年。沙俄鲸吞我黑龙江以北、乌苏里江以东100多万平方千米领土后，为掩盖罪行，销证毁迹，于光绪三十年（1904）悍然凿走永宁寺碑，先后辗转藏于海参崴博物馆及伯力博物馆。

曹廷杰在光绪十年（1884）即赴俄考察之前在对东三省的调查中对永宁寺碑就有了初步了解。当时，曹廷杰由伯都纳（今吉林扶余）到了边陲重镇三姓，并得知永宁寺碑的一些情况。三姓当时是一个商贸重镇，商贾云集。商人王守信告诉他：“界碑巍然尚存，并有一碑额曰‘永宁寺’，亦勒满、蒙、汉数体字”[①]，“今三姓人贸易东海者多知之，亦多见之。惟王守礼、守智兄弟亲至碑所，思拓其文，因被俄夷禁阻未果”[②]。

在光绪十一年（1885）五月开始的为期129天的考察过程中，曹廷杰依据东北三姓地区关于“界碑”的传闻，留心查访，在特林找到两块明碑，拓回碑文，使之传播于世。曹廷杰此举的成就主要反映在如下几个方面：

---

① 曹廷杰：《东北边防辑要》，陈浏：《陈浏集》，第1267页。

② 《曹廷杰年谱考述》，傅朗云，杨晖，曹泽民：《曹廷杰与永宁寺碑》，第147页。

首先，第一次准确地提供和记载了永宁寺碑及碑址周围的详细情况。曹廷杰说：从庙尔上溯“二百五十余里，混同江东岸特林地方，有石砬壁立江边，形若城阙，高十余丈，上有明碑二”，其中“一刻‘敕建永宁寺记’，一刻‘宣德六年重建永宁寺记’”[①]。永宁寺的原有建筑，于光绪六年（1880）被沙俄毁掉后改建为东正教堂，曹廷杰称之为“喇嘛庙”，二碑“巍然立于庙西南百步许”。“喇嘛庙”的正东二十多步山凹处，有连三炮台基一座；“南向，据混同江之险，壕堑俱在”；西北约“百步，有土围一道、土壕二条，周数百步，中有土台，亦似炮台基”。在记述奴儿干都司遗址时，曹廷杰指出：由永宁寺西北下山，“沿江行里许，有石岩高数丈，上甚平旷，有古城基，周约二三里，街道形迹宛然，瓦砾亦多”，遗址已为“林木所翳，非披荆履棘不能周知”[②]。曹廷杰的这一发现和记载，进一步丰富了有关永宁寺碑建立的历史背景。尤其应该指出的是，他还在永宁寺碑研究史上，第一次绘制了《庙尔图》，并在其中对永宁寺碑的具体位置作了准确的标注。

其次，曹廷杰第一次拓制了永宁寺碑碑文。曹廷杰完成了对永宁寺碑文的拓制，又从拓印的 6 份碑文中带回 4 份，分别送军机处、吉林将军希元、吴大澂（1885 年诏赴吉林专职督办吉林边务）各 1 份，自藏 1 份。由于该碑文极有学术价值，因而后被《吉林通志》所收录并公之于世。曹廷杰首次拓制著录拓文之功，为后人研究永宁寺碑留下了极为宝贵的资料。遗憾的是，这 4 份拓片至今下落不明。

再次，他第一次释出了碑文，为开展永宁寺碑研究奠定了基础。永宁寺碑用汉、女真、蒙、藏四种文字镌刻，曹廷杰发现仅“汉文可识”，其他三文“俱不能辨”，加之风雨剥蚀，碑文漫漶，极不易识。但凭其金石之功，苦加考索，终于释出《永宁寺记》362 字和《重修永宁寺记》344 字。这虽比此后《吉林通志》《黑龙江志稿》中所识出的字要少，但

① 曹廷杰：《西伯利东偏纪要》，陈浏：《陈浏集》，第 1299—1300 页。

② 曹廷杰：《西伯利东偏纪要》，陈浏：《陈浏集》，第 1300—1301 页。

曹廷杰是第一个进行此项工作的人，故实属艰难的开拓者。所以日本学者岛田好在《关于俄界情形》一文中，称曹廷杰对永宁寺碑文的发现和研究是“震惊当时学术界”[①] 的重大贡献。

至为重要的是，曹廷杰正确指出了碑文的时代（明代）和主要内容，记述了兴建和重建永宁寺的经过。利用碑文研究明代东北边域，论证了明之东北边塞并非尽于铁岭、开源，“今二碑证之”。同时，他将碑文与唐代以来的历史文献结合起来进行考证，即唐玄宗开元以来，便在此地设置黑水军、黑水府，并命其酋长为勃利（伯力）州刺史等。

总之，曹廷杰在东北史地方面的研究，造诣精深，结论具有权威性。

五、熊十力与现代新儒学

熊十力（图 7—4），现代新儒家[②]，其著述宏富，堪称精神生产大师，尤其在哲学上自成一家，其学说影响深远。美籍华裔学者陈荣捷评价熊十力哲学：“以《易经》为基，阐发内圣外王之道，实为我国哲学主流，不为佛染，不被西风，而是回到了儒学，非旧囊新酒之比于是”，“其影响之于中外，未可限量也。”[③]

---

① 罗福惠：《湖北近三百年学术文化》，第 263 页。

② 现代新儒学是 20 世纪 20 年代兴起的哲学潮流。它认同儒学的基本价值，融合中西文化精髓并对传统加以转化和创新发展。其代表人物有“三代”归纳之说，其中第一代有梁漱溟、熊十力、马一浮、张君劢、冯友兰、贺麟、钱穆、方东美等早期八大家，第二代有唐君毅、牟宗三、徐复观等熊门三弟子，第三代有杜维明、刘述先、成中英和余英时等。

③ 郭齐勇：《熊十力关于人类存在意义的终极思考》，《人文天下》2015 年第 20 期，第 31 页。

图 7—4 熊十力

熊十力（1885—1968），原名继智、升恒、定中，号子真。晚年自号漆园老人。湖北黄冈县上巴河镇熊坳村张家湾（今属团风县）人。

熊十力出身于一个农民家庭。父亲熊启祥是个笃守宋明程朱理学的穷秀才，常在外乡教塾馆，偶尔回家教他读书识字。熊十力 10 岁开始在父亲的塾馆读四书五经。

光绪二十八年（1902），熊十力就与王汉、何自新诸先烈图革命，旋入武昌兵营当一小卒。两年后，熊十力考入湖北新军特别小学堂。在武昌，熊十力广交四方志士，加入科学补习所、日知会等反清革命团体。武昌起义后，熊十力任湖北军政府参谋，曾上书黎元洪，请表彰王汉业绩，以何自新从祀于烈士祠，还出任编辑，参与日知会调查记录所的事宜，为辛亥诸先烈著言立传。在此期间，熊十力写下了最早的笔札《健菴随笔》。在笔札中，熊十力流露出对儒家的尊崇和对佛家的激烈批评态度。

孔子教人，从日用伦物，示以当然之道。……

佛说尽高尚，然其为道也，了尽空无，使人流荡失守，未能解缚。先自踰闲，其害不可胜言矣。故学佛者，必戒定慧俱修，庶乎寡过，此非实践者不知也。……余谓士不务实修，害一己事小，坏学风以害世事大。……

余谓佛氏言空而着于空，孔教不空而无着，即如李习之言，佛氏说法，随说随扫，不留痕迹，不知佛氏处处要说到无可说，便是沉空之见，便是痕迹。孔子教人，与父言慈，与子言孝，与朋友言信，与家、国、天下言修、齐、治、平。言必可行，健而不息，随时当位，精义人神，毫无执缚。其道圆满中正，万世所不易也。[①]

这篇短文熊十力以“黄冈熊升恒”的署名发表在1913年8月《庸言》杂志上。北京大学教授梁漱溟“评议古今中外诸子百家，独推崇佛法”，时隔两三年之后，看到熊十力轻薄佛家的言论后，感到不可容忍，随即在《东方杂志》撰文《究元决疑论》，指斥“此土凡夫熊升恒，……愚昧无知”[②]。

实际上，此时的熊十力的思想已经发生了变化。经历民国成立后的短暂欢欣后，时局并没有如想象那样的好转。目睹鼎革以还，“党人竞权争利，革命终无善果”，[③]熊十力慨叹“由这样一群无心肝的人革命，到底革到什么地方去呢？”[④]深感“革政不如革心”，[⑤]遂急流勇退，决志学术一途。

不过，在这段政治思想发生激烈斗争的岁月里，熊十力的崇儒态度也发生了戏剧性的变化。受章太炎《论诸子学》等文“激而诋孔”的

① 熊十力：《健菴随笔》，《熊十力全集》第8卷，武汉：湖北教育出版社，2001年，第9—12页。

② 梁漱溟：《忆熊十力先生》，《读书》1987年第9期，第46页。

③ 熊十力：《与侄非武》，《熊十力全集》第1卷，武汉：湖北教育出版社，2001年，第659页。

④ 徐复观：《无惭尺布裹头归·交往集》，第105页。

⑤ 熊十力：《心书·张纯一存稿序》，《熊十力全集》第1卷，第7页。

影响，熊十力转而认为“自武帝董仲舒出，始定一尊于儒，而毒流后世”①。他指出，在历代奴儒、庸儒的腐蚀下，儒学成为“争名竞利，以求快其欲”的工具，成为“酒肉以溺其志，嬉游以荡其情”，②廉耻泯灭的历代名士“得美官厚禄”的津径。儒家忧国忧民、匡济天下的博大情怀日益萎靡，儒学的真精神逐渐丧失殆尽。相反，熊十力对佛家却开始有所偏爱，“夫古今言哲理者，最精莫如佛”③。

1919 年前后，熊十力来到天津南开中学教国文。这年暑假期间，熊十力由天津到北京拜见梁漱溟。二人一见如故，“把握快谈”，从此时相过从谈学。与熊十力会晤畅谈后，梁漱溟发现熊十力具有真知灼见，由衷地称赞熊是“才气横溢的豪杰”，④并劝其研读佛学。熊、梁二人真可谓是不打不相识。

1920 年，佛教居士欧阳竞无大师在南京支那内学院讲佛家唯识之学，声振全国。梁漱溟慕名往拜，并力荐熊十力入院攻读，于是熊十力得以金陵问佛。唯识之学是由公元 5 世纪印度佛教哲学家无著、世亲兄弟所创立的一派学说。唐代经高僧玄奘传到中国后，就有了唯识宗学派。欧阳竞无认为，无著和世亲之学互有不同，并加以区别，认为“世亲成立唯识，是唯识宗；无著以方便解析一切法相，是法相宗”。⑤在支那内学院，熊十力是年岁较大的学员之一，大概也是最穷的一个，长年只有一条裤子，有时没得换，就光着腿，外面套一件长衫，因此人送绰号“空空”。虽然穷困，熊十力学习却极为用功。老师欧阳竞无精唯识宗，造诣颇深，熊十力十分佩服，但“潜思既久，渐启疑端”，⑥一步步背弃师说，转而向儒，归宗孔子，研究起新唯识论来。

---

① 熊十力：《心书·至言》，《熊十力全集》第 1 卷，第 38 页。

② 熊十力：《心书·箴名士》，《熊十力全集》第 1 卷，第 40—41 页。

③ 熊十力：《心书·问津学会启》，《熊十力全集》第 1 卷，第 23 页。

④ 梁漱溟：《忆熊十力先生》，《读书》1987 年第 9 期，第 47 页。

⑤ 熊十力：《新唯识论》，《熊十力全集》第 3 卷，武汉：湖北教育出版社，2001 年，第 467 页。

⑥ 魏达志：《熊十力与〈新唯识论〉》，《读书》1985 年第 4 期，第 129 页。

对于自己的学问之路，熊十力在论著中比较详细地述说了自己弃甲向学，由儒而佛，最终又出佛归儒的思考过程：

> 余伤清季革命失败，自度非事功才。誓研究中国哲学思想。欲明了过去群俗、认清中国何由停滞不进。故余研古学，用心深细，不敢苟且。少年时读五经，詈孔子为宗法思想、封建思想，便舍之弗顾。后来专心佛学多年，又不敢苟同，而自有所悟，回忆大易一经，早已开我先路，于是又回到孔子六经。①

1922年，征得校长蔡元培同意，梁漱溟请欧阳门下弟子来北京大学替自己讲授佛家唯识学。借此机缘，熊十力得以受聘为北京大学特约讲师。按当时北京大学规矩，讲三门课为教授，讲一门课者，本校教师称为专任讲师，外校兼课者则称兼任讲师。熊为特约讲师，月薪120块大洋。梁漱溟之所以会请熊十力，主要是顾虑自己对佛家唯识之学“有无知妄谈之处”，“唯恐自己讲错了古人学问，乃去请内行专家”。哪知，熊十力这个“内行”，“虽从学于内学院而思想却不因袭之。一到北大讲课就标出《新唯识论》来，不守故常，恰恰大反乎我的本意”②。也就是1922年前后，为表明自己自创新说、扬弃旧学的勇气和决心，熊十力将号“子真”更改为“十力”。“十力”取自佛典《大智度论》，意在称赞佛祖释迦牟尼有超群的智慧、广大的神通和无边的力量。随着他在哲学界的名气看涨，“熊十力”这个名字就逐渐传扬开来，反倒盖过本名“熊子真”。

长期的困顿与苦思过度，熊十力积劳成疾，落下神经衰弱和胃下垂的病症，1927年南下杭州开始了长达6年的养病生活。杭州养病期间，熊十力笔耕不辍，在1932年10月终于完成了凝思已久的《新唯识论》

① 颜炳罡：《熊十力易学思想探微》，《周易研究》1990年第2期，第51页。

② 梁漱溟：《忆熊十力先生》，《读书》1987年第9期，第46—47页。

（文言文本），并交由浙江省立图书馆发行。熊十力认为，“本书于佛家，元属创作。凡所用名词，有承旧名而变其义者，有採世语而变其义者，……自各有确切之涵义，而不容泛滥”[①]。他否定轮回说的“非人生”倾向，确认“儒家的人本主义”才是“大中至正”的精神，并由主张“众生多元”变为主张“众生同源”。研究熊十力的专家郭齐勇曾扼要概括说：“新旧唯识学最根本的区别在于：旧论是消极遁世的，新论是积极入世的；旧论是体用割裂的，新论是体用统一的；旧论是支离分析的，新论是易简综合的；旧论是相对静止的，新论是绝对运动的。”[②]

熊十力《新唯识论》出版后，引发了现代哲学史上一桩公案。佛家欧阳竟无大师对熊十力背叛自己、弃旧学而造新论的行为早就不悦，看到熊作后，越发不满，于是吩咐弟子刘衡如撰写《破新唯识论》，并亲自作序，发表在1932年12月的《内学》特刊上，对熊作展开严厉批评。但熊十力坚持“真理”，不接受老师的批评，对北大当局说：“我要写书，不讲课了！”[③]埋头赶写反驳刘衡如的文章，为自己的论说辩护。1933年2月，北大出版部出版了熊十力的《破“破新唯识论”》。

1937年，日寇侵入华北，熊十力装扮成商人，坐煤车逃离北平，最终在1938年到达四川璧山。当时北大与清华、南开等校已南迁云南昆明，联合办学。南迁的联大只收留教授级教师，熊仅为讲师，但他不以为意，先是专心著述，后又到重庆北碚梁漱溟创办的勉仁书院作导师。

入川后，熊十力生活拮据，但仍勉力著述。每次动起笔来，熊十力只用一纸一笔，最穷困时，用秃笔写。1942年，《新唯识论》语体文本中卷终于改写完成，并由老友居正筹集经费，以勉仁书院名义出版。到1944年，《新唯识论》上、中、下3卷全部完成，并由商务印书馆出版。《新唯识论》多次印行，版本亦不相同，但主要有两种：“一，文言本，

① 魏达志：《熊十力与〈新唯识论〉》，《读书》1985年第4期，第129页。

② 郭齐勇：《熊十力及其哲学》，北京：中国展望出版社，1985年，第11页。

③ 谢石麟：《随侍子真师琐记》，郭齐勇：《存斋论学集：熊十力生评与学术》，北京：生活·读书·新知三联书店，2008年，第203页。

写于病中，极简略。二，语体文本，值国难写于流亡中。”[①]

1950年，熊十力重返北京大学。

综其一生，熊十力学养精深，著述丰富，共有专著30多种，论文100余篇，但大多为围绕《新唯识论》加以发挥和详释，犹如为经作传，因此《新唯识论》最为重要，如他本人所说“平生心事，寄之此书”[②]。

熊十力《新唯识论》的内容可以概括为两大点。第一，以中国哲学的“心物不二”的大智慧来反对西方哲学唯心、唯物的二元对立；第二，以中国哲学“体用不二”的大智慧来反对西方哲学现象、本体的截然两分。所谓“心物不二”，熊十力认为，“心非超物独存，物不离心独在”。所谓“体用不二”，[③]熊十力则以大海水与沤的关系来解释：“云用者体之显，譬如众沤是大海水之显；……体者用之体，譬如大海水即遍与众沤为体，非超脱于众沤之外而独在。无体即无用，离用元无体，……此谓体即用、即用即体，此谓体用不二。”[④]

熊十力的认识论，来源于他宇宙观上的本体论。在“心”（指认识的主体，相当于精神和意识）和“境”（指认识的客体，相当于物质和存在）的关系上，他主张“离心无境”。他把人的“本心”看作是宇宙万物的唯一本源，“一切物的本体，非是离自心外在境界”，“心”就是一切事物的“本体”。[⑤]他认为，世界上一切物质现象，都离不开人心而独立存在：“日星高明，不离我的视觉，大地博厚，不离我的触觉，乃至具有心识的人类等，繁然并处，不离我的情思。可见一切的境，都

① 魏达志：《熊十力与〈新唯识论〉》，《读书》1985年第4期，第129页。

② 魏达志：《熊十力与〈新唯识论〉》，《读书》1985年第4期，第129页。

③ 熊十力：《新唯识论》，郑州：大象出版社，2018年，第153页。

④ 熊十力：《新唯识论》，第167—168页。

⑤ 郭齐勇：《现代新儒学的根基：熊十力新儒学论著辑要》，北京：中国广播电视出版社，1996年，第98页。

是和心同体的。”①

《新唯识论》就其名是佛家的，就实质而言，则是儒家的。熊十力一再指出：“新论（注：即《新唯识论》）准《大易》而作。形式不同，而义蕴自相和会。”② 总的来说，熊十力的《新唯识论》融合儒佛思想，发挥《周易》、宋明理学和佛教法相唯识之学，对西方哲学也有所借鉴。可谓出入百家，旁参博采，不拘一家之言，不守一家之貌，破除门户之见，自成一家之言。

熊十力学术成就的取得，与他的积极、认真的治学态度有很大关系。熊十力说，做学问不能甘居下游，要做学问，就要立志，当第一流的学者。他曾写过一副对联给青年学者：“凝神乃可晋学，固精可以养气。”③

在学术上，熊十力提倡“当有孤往精神”，④ 应甘于寂寞，安于恬淡，并将追逐一时之尚的学术行为称为“逐臭”。“吾国学人总好追逐风气，一时之所尚，则群起而趋其途，如海上逐臭之夫，莫名所以。……逐臭者，趋时尚，苟图媚世，何堪恬淡？随众势流转，侥幸时名，何堪寂寞？逐臭之心，飘如飞蓬，何能专一？自无抉择之智，唯与俗推移，无所自持，何能恒久？”⑤ 对于那些“徘徊周旋于人心风会迎合之中”的浮华名士，熊十力更为厌恶。

熊十力治学态度非常认真、严谨，其著书，无论长篇短篇，俱字斟句酌，一丝不苟。即使到晚年，对自己的著作，他也亲自核对校样，很少假手于人。

---

① 郭齐勇：《现代新儒学的根基：熊十力新儒学论著辑要》，第 252 页。

② 熊十力：《熊十力论学书札》，上海：上海书店出版社，2009 年，第 268 页。

③ 师竹：《熊十力治学》，《学术月刊》1993 年第 8 期，第 101 页。

④ 郭齐勇：《编后记》，郭齐勇：《存斋论学集：熊十力生评与学术》，第 273 页。

⑤ 熊十力：《十力语要·戒诸生》，《熊十力全集》第 4 卷，武汉：湖北教育出版社，2001 年，第 103—104 页。

第二节 自然科学技术

与人文社会科学相对活跃不同，近代中国自然科学技术则显得有些萧条。究其原因，除了缺乏相对稳定的社会环境、政府的积极组织及投入外，还与中国人的传统学术观念有关。中国人向有“德成而上，艺成而下”的旧观念，“对于自然界物象之研究，素乏趣味”。尽管近代民间也有一些发明创造，“然皆带秘密的性质，故终不能光大，或不旋踵而绝”[①]。湖北亦不例外，相对于近代人文社会科学的名家辈出，近代湖北自然科学技术则只能称得上是奋力进步。

一、涂长望与气象学

涂长望（图7—5）是中国长期天气预报、中国气团和锋面研究的开创者，是一位用生命之火照亮中国气象事业的气象学家。诚如郭沫若1962年在《挽涂长望同志》中所说的那样，涂长望“才干堪推第一流”，“努力一生无懈怠”[②]。

涂长望（1906—1962），湖北省武汉市人。父亲涂含章曾在教堂做厨师，后成为职业传教士；母亲汪美珍是个服膺于“三从四德”的良善妇女。在全家11个孩子中，涂长望排行第三。贫寒的家境使涂长望体验到生活的艰辛，同时又激发了他发愤图强、努力向上的斗志。由于教会学校对教徒子女实行免费入学，幼年时的涂长望得以有机会进入教会小学读书。1920年至1925年，涂长望就读于武昌博文中学，毕业后考进武昌华中大学。1926年秋，涂长望转入上海沪江大学读科学系，除数理化等必修课外，涂长望选修了地理课，师从美国著名的地理学家葛德石教授，从此对地理学产生了浓厚的兴趣。三年毕业后，涂长望回武昌任博文中学理科教员。1930年10月，以湖北省官费第二名的成绩考入

① 梁启超：《清代学术概论》，上海：上海古籍出版社，2005年，第87页。

② 陈菊英：《学习涂长望等老前辈的爱国敬业创业精神》，王水：《中国地球物理学会60年》，北京：地震出版社，2007年，第163页。

英国伦敦大学政治经济学院，学习经济地理，次年9月转入伦敦大学帝国理工学院，专修气象学。1933年又进英国利物浦大学地理研究院研究地理。

图7—5 涂长望

1934年，涂长望回国，任中央研究院气象研究所研究员，后历任清华大学、浙江大学、中央大学教授，主讲地理学，同时兼任中国科学工作者协会常务理事兼总干事。

中华人民共和国成立后，涂长望任中央军委气象局局长、中央气象局局长。1959年，涂长望不幸患上了脑干瘤，右眼不辨事物，但仍坚持用不很管用的左眼看书写字。到1960年，涂长望的右眼视力越来越差，写的字歪歪斜斜而且重叠在一起，他于是改为口述，请人代写，写了《关于二十世纪天气变暖问题》，这是他的最后一篇论文。1962年6月，涂长望与世长辞，年仅56岁。

从1931年在英国伦敦大学帝国理工学院接触气象学开始，涂长望一直与气象学不离不弃，不是学习气象学，就是研究气象学。留学英国期间，涂长望勤奋好学，刻苦钻研。在20世纪30年代，世界气象科学界形成英国的沃克、苏联的牟尔坦诺夫斯基、德国的鲍尔三个学派，涂长望在伦敦大学帝国理工学院就是跟随沃克学习。涂长望融会贯通导师的学术思想，结合中国的气象资料，1933年写出了具有独到见解的硕士论文《中国雨量与世界气候》论文，并收入英国《皇家气象学会论文集》。在这一年，涂长望成为英国皇家气象学会第一个中国籍会员。

1934年的一天，正在英国利物浦大学刻苦攻读博士学位的涂长望收到了来自国内的一封短信。这封短信是竺可桢发来的。竺可桢时任中央研究院气象研究所所长，兼任中国气象学会会长等职务。当时的气象所虽然是一个研究单位，却只有竺可桢一位专任研究员。受精力和时间的限制，气象所科研进展不大，全所职员在1935年以前发表的论文仅有12篇，平均每年还不到两篇。求贤若渴的竺可桢这时恰好收到好友从英国寄回的收录了涂长望论文的英国《皇家气象学会论文集》，发现涂长望是一个难得的人才，于是连忙写信请涂长望回国工作。

收到短信后，涂长望不假思索，立即复函，表示愿意回到祖国。当时的涂长望正在利物浦大学师从罗克士培教授攻读博士学位，还差几个月就可以毕业了。对于涂长望回国的决定，导师感到惋惜，一些友人也不解，问他："你已经学完了博士课程，只要完成了论文研究，博士学位就到手了。白白牺牲了应得的博士学位和留学公费，你不后悔？"涂长望回答得很坚定："只要能实现自己的愿望，付出什么代价我都不后悔。"①

选择需要眼光和胆识，科研需要执着和智慧。归国后，竺可桢"非常高兴"，邀请他担任中央研究院气象研究所研究员，并希望他能把气象研究所的科研工作带动起来。关于这段经历，竺可桢在《追念涂长望同志》一文中十分中肯地说：

---

① 李书：《为明天铭记历史：缅怀涂长望先生》，秦大河：《百年长望——纪念涂长望同志百年诞辰》，北京：气象出版社，2006年，第124页。

> 我和长望第一次见面是在1935年，那时他从英国留学回来不久。……那时我在南京北极阁前中央研究院的气象研究所为所长，就约他来所做研究员。1936年夏他到了所中，就在这时，我又兼了浙江大学的事，没有时间兼顾研究工作。当时国内气象资料少得可怜，要做研究最大的困难是找资料。我在所中已发动了两项研究工作：一是关于我国气候区域，二是中国季风和雨量问题。我兼了浙大事后，这两项工作，他不但继续进行，而且大为发展。此外，他还从全世界的气压分布来测定未来东亚的天气的趋势和利用高空资料来分析中国的气团，开辟了前途广大的三度空间的中国气象学。从1936年起，他被选为中国《气象杂志》（后改名为《气象学报》）的编辑（即总编）。中国《气象学报》之得以稍具规模，实际是他做编辑开始的。①

竺可桢兼任浙江大学教授、校长职务后，长期身处杭州，没有时间和精力兼顾气象所的工作，领导气象研究所的科研重任，就落到涂长望的肩上。涂长望“不负众望，经过努力，调动了大家的积极性，使该所的学术研究气氛空前高涨。据粗略的统计，在这四五年期间，气象研究所同仁共发表了60多篇气象文章，其中包括了涂先生的18篇气象论文。平均每年发表不少于10篇，较前期多5倍以上；不但数量显著增加，而且质量也远胜于前期”。涂长望自己在气象研究所较为短暂的四五年中，竟完成了18篇之多，约占全部的三分之一，内容包括长期预报、中国气候、大气环流、中国的气团和锋面、旱涝灾害许多方面。“其中某些论文的论点引起了国际气象界人士的关注，至今仍有引用、参考的价值。”②

难能可贵的是，这些科研成果主要是在兵荒马乱、数度搬迁、颠

① 竺可桢：《竺可桢全集》第4卷，上海：上海科技教育出版社，2004年，第131页。

② 陈学溶：《难忘的那段岁月》，秦大河：《百年长望——纪念涂长望同志百年诞辰》，第121页。

沛流离的环境下完成的。卢沟桥事变发生后，涂长望受竺可桢委托，负责气象所的内迁工作，先从水路抵武汉，后因战局所迫，又不得不迁至重庆，办公地点在靠近上清寺、面临嘉陵江畔的曾家岩。曾家岩是日机轰炸的重点，在随时都会挨炸的情况下，人们难以安心工作，甚至正常的生活都无法得到保证。当时“气象研究所里好多人连书箱也没有打开，只有涂长望和受他影响的一些同事，坚持努力工作并不断做出科研成果”[①]。这期间，涂长望在极其艰苦的生活环境中，在极其简陋的设备条件下收集资料，潜心研究中国气团的性质、分布、特点和影响，写成了《中国的气团》《中国自由大气气候状况的初步研究》和《中国高空探测的一些成果》等一系列论著。涂长望临危不惧的科学精神带动了他的同事和学生，大家在经常发生空袭警报的混乱环境下，依然静心地进行着气象研究。1939年，涂长望应浙江大学邀请，到广西宜山该校任教。南宁沦陷后，涂长望又随校迁至贵州遵义。尽管过着颠沛流离、居无定所的生活，人身安全都没有保障，涂长望却始终坚持在战火中从事科研工作。

涂长望气象学研究的特点之一是紧密地结合中国的实际。1920年前后，挪威皮叶克尼斯和他的儿子雅各布·皮叶克尼斯在挪威沿海组建了稠密的地面气象观测网，并通过仔细分析由这些稠密站网提供的气象资料绘制而成的天气图，来总结天气变化的现象。父子俩从天气图上发现极锋倾斜面上的波动会发展为气旋，提出极锋学说。该学说不但为大气分析开辟了一个新天地，而且为现代气象学和天气预报奠定了深厚的理论基础。当时，挪威皮叶克尼斯父子的极锋学说盛行于世，国内气象人员多盲目地崇拜，并机械地把高纬度西欧的气象理论生搬硬套地应用到中国的天气图上，却没有注意到气象科学区域性这个特性。涂长望特立独行，认为我国大部分地区处于中低纬度，和西欧的地理环境不一样，

① 李书：《为明天铭记历史：缅怀涂长望先生》，秦大河：《百年长望——纪念涂长望同志百年诞辰》，第125页。

挪威学派的气象理论在西欧等高纬度地区应用得比较成功，不等于在中国也能完全适用。经过探讨和仔细研究思考，他在 1936 年撰写了《中国低气压的成因与来源》一文，认为中国的低压可以分为两类：厚低压和薄低压。它们的成因和来源既有可以按照极锋学说解释的（多在我国的较高纬度），也有无法用极锋学说解释，而可以用障碍学说或气柱移动学说解释的（多在我国的中低纬度）；我国的低气压和锋面可以独立存在，一些薄低压在吸引了锋面以后成为厚低压的例子在我国也屡见不鲜。"涂先生在气象研究所的学术报告会上介绍了上述论点后，极大地启发了当时在座的同事们，在会上大家热烈地讨论了很久。涂先生后来类似的多次学术报告都受到欢迎，并成为学习的宝贵材料。"①

在西方，气象科学真正广泛应用于为人类服务，不过一百多年的历史。20 世纪初期，挪威政府为适应渔业发展的需要，建立了许多气象台，预测天气。在实践中，挪威学者进行了气团和锋面的研究。所谓气团，是指气温湿度等物理性质比较均匀的大块空气。不同性质的气团交锋的界面称为锋面。涂长望在 1938 年、1939 年连续发表《中国之气团》和《中国气团的特性》两篇论文，特别提出气团的标准实例具有代表性，比仅研究平均情况更好。以前学者对天气的分析只是根据地面要素来推测高空大气状况。与以前学者不同，涂长望却利用高空资料，来分析我国的气团，把地面两度空间分析发展到三度空间分析，开辟了三度空间中国式的气象学。

此外，涂长望对中国气候区域的划分及各区的特点提出了新的见解，把竺可桢的研究向前推进了一步。1931 年，竺可桢绘就了中国气候学的第一幅中国气候区域图，将中国气候区划成 8 个区，并紧密结合自然景观，接近天气系统，但限于当时条件，没有能够进一步划分副区。1936 年，涂长望发表了《中国气候区域》一文，对我国气候区域的划分以及各区域的特点提出了新的见解。竺可桢对此感到很满意，在《追念

① 陈学溶：《难忘的那段岁月》，秦大河：《百年长望——纪念涂长望同志百年诞辰》，第 121 页。

涂长望同志》一文中作了充分肯定。

关心应用和实践是涂长望气象学研究的一个突出特点。竺可桢在《追念涂长望同志》一文中说：

> 长望虽留学英国，但从他所著的论文就可以看出来，他并没有渲染为了科学而科学的观念。他很关心气象学的应用和实践方面，无论是航空、卫生、农业，他统很关心，而尤注意于水旱灾荒。关心民生疾苦，他毕生是一贯的。①

19 世纪中叶以后，西方各国先后建立起地面气象观测网，已可以作出短期气象预报，并能基本做到风云可测。面对世界气象科学日新月异的发展，涂长望以满腔爱国热忱，决心改变中国的落后状态。他决定以研究长期气象预报为终身从事的主攻目标。他之所以作出这样的选择，主要出自于祖国抗御自然灾害的需要。涂长望在 1935 年发表了《我国的水灾可以避免吗？》一文，特别关注到 1931 年、1935 年水灾对人民生命财产的危害。

> 民二十年大水所赐与人民的空前浩劫至今尚未恢复，而今年各省之告水患者又如雪片飞来！遭水灾的区域几遍全国，而受害最严重的省份有湘鄂皖鲁。鄂西北沿襄江、长江及鲁西诸县水灾之严重竟超过二十年份所罕见之大水！生命之伤失以千万计，而财产田禾之损失当不止亿万万元！在这个短短的四年当中竟发生两次的空前大水，因此一班人对水灾这个问题非常注意。②

1937 年，涂长望又发表论文《中国天气与世界大气之浪动及其长

① 竺可桢：《竺可桢全集》第 4 卷，第 131 页。

② 涂长望：《我国的水灾可以避免吗？》，《气象学报》1935 年第 3 期，第 111 页。

期预告中国夏季旱涝之应用》，认为从事旱涝的长期预报，实属学术上极重要的研究。在论文中，涂长望痛心地再次回顾了1931年的大水和1934年的大旱对农业造成的巨大危害，“其毁灭之惨，几难以数量计，然此仅国人经历旱涝灾害之二显例耳”，尽管“国人之努力克服此种自然灾害者已历有年所，惟收效殊微”，因此他决定尝试运用气象学的原理，“以预告旱涝于其发生之前数周或数月，而期有裨于旱涝之控制也”[①]。在论文中，涂长望指出，中国天气是东亚天气的一部分，而东亚天气又是世界天气的一部分，要研究中国反常天气，必须研究世界天气，必须研究天气活动中心、大气浪动和海洋洋流等问题。这是一个开创性的理论研究，为后来中国长期气象预报工作奠定了新的基础。1944年，涂长望和他的学生黄仕松合作发表了《中国夏季风之进退》，首次提出东亚季风的进退有跳跃现象，体现了东亚季风环流非线性的特点，澄清了当时气象界对季风的模糊认识，对阐明我国季风与旱涝的关系有重大意义。涂长望的“这一经典性的基础理论，得到了后辈学者的进一步完善，至今对副高脊线的北跳南退预报降水仍然有着重要启示和指导作用”[②]。

全面抗日战争时期的中国空军是一支年轻的队伍，且不说装备简陋，技术落后，就连在空勤、地勤方面也是白手起家。“与高空飞行相联系的中国高空气象学从无到有，从小到大，不能不说都是与涂长望先生及他的同事们的工作分不开的。”[③]在20世纪的三四十年代，国际上的高空气象学已取得了长足的进步。但是，要把这些理论应用到我国的气象环境中则还需要做大量的调查分析，需要做大量的理论研究、探

① 涂长望：《中国天气与世界大气之浪动及其长期预告中国夏季旱涝之应用》，《气象杂志》1937年第13卷第11期，第649页。

② 王志珍：《纪念九三学社创始人涂长望先生百年诞辰》，秦大河：《百年长望——纪念涂长望同志百年诞辰》，第13页。

③ 李书：《为明天铭记历史：缅怀涂长望先生》，秦大河：《百年长望——纪念涂长望同志百年诞辰》，第125页。

讨，许多工作还是开拓性的。比如，自由大气是在离地面一千米以上的天空运行，其规律与地面的空气有很大的不同，而自由大气的运行，直接影响到飞机的飞行。涂长望利用高空探测的资料，对中国自由大气气候状况进行了理论探讨，用英文写下《中国自由大气气候状况的初步研究》一文，为当时的空军作战提供了气象依据。为确保抗日空军的安全飞行，还必须做好气候分类工作，而我国在此方面基础十分薄弱，最直接的办法就是把德国已经比较成熟的气候分类方法引进到中国来。但是，这项科研成果的转让是有条件的，因为这是当年德国为开辟欧亚航线，花了不少时间精力甚至金钱，进行高空气象观测才得来的。要想得到它，只能通过中国科学家的科研成果进行交流。为此，涂长望将自己多年来对中国高空观测所做的系统总结写成题为《中国高空探测的一些成果》的论文，并使得德国高空科研成果得以在中国交流。涂长望利用高空探测资料对中国高空大气的气候状况所做的理论探讨，不仅对中国的航空事业产生了不可低估的应用价值，而且为中国的年轻空军和盟国苏联、美国支援中国空军的飞行作出了直接的贡献。

任教重庆中央大学期间，听说延安要建立气象台，需要气象书籍时，涂长望当即收集一批气象图书，并冒着危险送给八路军重庆办事处。此举深得周恩来的赞赏。1945 年 8 月底毛泽东从延安飞抵重庆，参加国共两党谈判时，延安气象台做了大量气象保障工作，而这一切“都同涂长望先生所提供的帮助和所付出的艰辛有着密不可分的联系”[①]。

二、李四光与地质学

李四光（图 7—6）是我国著名的地质学家、教育家和社会活动家。作为地质学家，他在古生物䗴科分类、中国第四纪冰川的奠基和地质力学的创立等方面都作出了卓越的贡献。

① 李书：《为明天铭记历史：缅怀涂长望先生》，秦大河：《百年长望——纪念涂长望同志百年诞辰》，第 126 页。

李四光（1889—1971），原名仲揆，小字福生。湖北省黄冈县回龙镇（今属团风县）人。父亲李卓侯是当地有名望的乡塾教师。李四光6岁时随父发蒙，学习儒家“四书”“五经”，学写诗文。光绪二十八年（1902）入武昌西路高等小学堂学习。

图7—6 李四光

光绪三十年（1904），李四光被破格选派到日本留学，先在弘文学院学习日本语言文字和初等数理化，后又考进大阪高等工业学校，学习船用机械。

宣统二年（1910），结束日本6年的留学生活回到国内后，李四光先到上海一家兵工厂担任工程师，后到位于武昌昙华林的湖北中等工业学堂任教，并兼该校日本教员翻译和工场负责人。宣统三年（1911），参加清政府第六次廷试，获最优等成绩，被授予“工科进士”。

中华民国成立后，李四光被孙中山委任为南京临时政府特派汉口建筑筹备员，后先任湖北军政府实业部部长，不久改任实业司司长。1912年10月，鉴于“劳勋卓著，精力富强”，中华民国副总统黎元洪将李四光等22人“送西洋俾宏造就”，并得袁世凯破例批准。[①]

1913年7月，李四光又一次告别父老乡亲，远涉重洋，抵英国后入伯明翰大学学习，先在采矿系学习采矿，后转往地质系学习地质。伯明翰大学学习期间，正值第一次世界大战。学习环境受到干扰，生活也更加艰苦，冬季取暖的煤也越来越少，最麻烦的是夜晚电灯常常不亮，买支蜡烛都十分困难，不少中国留学生干脆停学回国，但李四光却凭着从小养成的艰苦精神，节衣缩食，克服重重困难，继续学习。为弥补学习、生活费用的不足，李四光常利用暑假到伯明翰附近煤矿做临时矿工。虽然工作很苦很累，李四光却把这当作学习的好机会。他在矿井深处结合课堂上学习的理论，仔细观察煤层的分布与地质构造的关系，学到很多课堂上没有的实际知识。

通过严格的学士毕业考试后，李四光又把自己的毕业论文题目定为《中国之地质》，并在不到一年的时间里完成。论文分为地形、地质概况、经济地质三个部分。在论文的绪言中，李四光表示：“今天，我们要求新兴一代的‘黄帝’子孙，认识到自己肩负的责任，也许并非为时过晚。一方面，要为纯科学的发展而尽力；另一方面，要用得来的知识，直接或间接地去解决有关工业的问题。就地质学而言，需要的是发挥我们的聪明才智，去倾听和研读自然界早已为我们准备好了的‘古树残叶的语声和古河道的瘗文’。”[②]李四光的这篇硕士论文受到伯明翰大学教授们的一致称赞，并在1918年获得伯明翰大学自然科学硕士学位。

1920年，受北京大学校长蔡元培之邀，李四光回到国内，任北京大学地质系教授，主讲岩石学、矿物学、地质测量和构造地质学等课程。

---

① 马胜云、马兰：《李四光年谱》，北京：地质出版社，1999年，第27页。

② 马胜云、马兰：《李四光年谱》，第34页。

北京大学地质学系在李四光来之前没有一个实验室，他出任仪器委员会委员长后，逐渐建立了矿物学、古生物学、岩石学等专业实验室，修建了地质馆，开辟了地质陈列室。从 1928 年 1 月开始到 1939 年，李四光一直担任中央研究院地质研究所所长职务。在 1926—1929 年期间，他还在湖北家乡参与筹建武汉大学，并担任武汉大学建设委员会委员长。

中华人民共和国成立后，李四光辗转回国，担任中国科学院副院长、中国地质工作计划指导委员会主任、中国科学技术协会主席等学术职务，1952 年 9 月任地质部部长。1971 年 4 月，李四光因动脉瘤破裂而去世。

李四光是一位敢于创新的拓荒者，从不拘泥于既有的学说，而是按照自然规律，探寻未知的领域，提出新的见解。其中最具典型意义的，就是第四纪冰川研究。

李四光在儿童时期就有一种揭示大自然奥秘的强烈愿望。在团风回龙村有一些来历不明的大石块，其中一块几丈见方，传说是一块陨石。十来岁时，李四光常独自一人靠在这块大石头上遐想：这是一块什么石头呢，又是从哪里来？李四光在后来的回忆中说："这个地区有些问题使我迷惑不解的时间长达四分之一世纪。"①

地球诞生以来的几十亿年里，曾出现过气候寒冷的大规模冰川活动时期，称为"冰期"。那时候，地球上许多地方被冰雪覆盖，当气候转暖时，冰雪消融，形成流动的冰川。现代研究显示，这样的冰期有过三次，即前寒武纪晚期冰期、石炭纪—二叠纪冰期和第四纪冰期。其中第四纪冰期距今最近（约二三百万年），现存遗迹最多。由于人类的出现是第四纪冰期里的标志性事件，证明该地区经历过第四纪冰期的学术意义可见一斑。19 世纪后期，不少西方探险家来中国探险考察，但从未发现冰川现象，于是就武断地认为"中国不存在第四纪冰川"。

---

① 刘则渊:《漫谈李四光的治学方法》,《人民教育》1980 年第 1 期，第 61 页。

1921 年，李四光在太行山东麓的河北省沙河县考察地质时，发现了一些奇怪的石头，有的像一间小房子那么大，却孤零零地远离着大山，它们很像冰川条痕石。后来，又在山西大同盆地口泉附近，发现了一个 U 形谷，在谷底也有许多典型的条痕石。这些奇怪的石块引起李四光的沉思，后来他将条痕石标本带回北京，想让瑞典地质专家安迪生帮助鉴定一下。哪知这位洋专家“看了我所带回的材料以后，一笑置之”。关于这段经历，李四光在《地质工作者在科学战线上做了一些什么？》一文中，作了这样的回忆：

> 安迪生曾经参加过南极探险，而又是来自冰川遗迹很多的一个西北欧底国家。照道理讲，他是应该认识什么样的石头是冰川漂砾。至少他应该认识带什么样擦痕的漂砾，可能是来自冰川的，他用一种轻蔑的态度，把那些材料很轻视地置之一笑，使我大吃一惊。他那一笑不打紧，可绕着他便形成了故意或无意地不理会冰川现象的一个圈子。由于这个圈子的把持，第四纪地质问题以及其他有关问题的发展，就受了很大的影响。①

李四光不相信洋专家的结论，认为“任何为了搞清这个问题的尝试，都必须在野外进行”②。1922 年，李四光将自己的发现撰写成题为《华北挽近冰川作用的遗迹》的论文，并在英国伦敦发表。

为了进一步验证自己的观点，李四光决定寻找更多的冰川遗迹，并扩大考察范围。从 1931 年开始，李四光走遍大江南北，曾几上庐山、黄山、九华山和天目山，最后决定把家搬到庐山上，并在山脚下建立了名为“白石陈列馆”的冰川陈列馆。据李四光的一位学生回忆，在庐山，老师常常“迈着一米间距的大步，领着他们同班六个同学，在一人

---

① 李四光：《地质工作者在科学战线上做了一些什么？》，《地质论评》1951 年 Z1 期，第 6 页。

② 马胜云、马兰：《李四光年谱》，第 51 页。

高的茅草丛中爬坡，并共同讨论庐山冰川和其他地质现象的情况”[①]。1933年在中国地质学会年会上，李四光宣讲了题为《江西庐山第四纪冰川及其在华中、华北的可能分布》的论文。论文宣讲时，李四光用图件和幻灯片，从华北某些高山他所看到的第四纪冰川遗迹对他的启发，讲到通过详细观察研究庐山所发现的第四纪冰蚀和冰碛现象，同国外的同类现象进行对比，最后作了庐山第四纪冰期活动的概括分析。整个宣讲，图文并茂，语言精练、明确，逻辑严密，“使听众获得非常深刻的印象”，并“受到有益的启发和深刻的教育”[②]。

1936年，李四光在黄山发现了第四纪冰川遗迹，撰文《安徽黄山之第四纪冰川现象》，并引起中外学者注意。有德国地质学家到黄山亲眼目睹后，由衷感叹：“这是一个翻天覆地的发现。”[③]李四光对第四纪冰川的研究，首次得到国外同行的公开承认。

有意思的是，李四光在调查庐山第四纪冰川遗迹的过程中，还顺便解开了庐山古湖之迷。庐山是我国名山，平地拔起，终年云雾缭绕，难识真面目。历来也不乏神奇传说。晋代将军桓冲任江州（即九江）刺史时，曾派人上庐山探险。传说这位探险者在山顶上发现一个面积达数百亩的湖泊，周围还环绕着茂密的桑园。李四光在庐山考察冰川遗迹时，查阅了大量的历史资料，了解到不少古代资料都有关于庐山山顶湖泊的记载，认为这些记载并非子虚乌有。那么，这个有记载的湖泊为什么又消失了呢？李四光决定一探究竟，于是脚着草鞋，不辞辛劳，踏遍庐山，调查所有山间盆地，终于发现芦林盆地与晋代探险者所说的湖泊面积大小相当。李四光分析，在第四纪冰川时，庐山为冰雪覆盖，芦林盆地是积雪屯冰的大冰窖。后来气候转暖，冰雪融化，流水注入其中，变成了高山湖泊，直到晋代尚存。对于湖泊为何消失的问题，李

---

① 程裕淇:《关于李四光教授往事的回忆》,《第四纪研究》1989年第3期，第224页。

② 程裕淇:《关于李四光教授往事的回忆》,《第四纪研究》1989年第3期，第224页。

③ 唐博:《李四光的地质人生》,《地图》2011年第6期，第108页。

四光认为，是因为其后的千余年时间里，流水不断侵蚀，形成缺口，古湖便消失了。

1937 年抗日战争全面爆发前，李四光完成《冰期之庐山》的初稿，明确指出庐山是“中国第四纪冰川的典型地区”，是“困惑难解和耸人听闻学说的诞生场所”[①]。《冰期之庐山》由于受到战乱影响，直到 1947 年才正式出版发行。许多第四纪冰川地质工作者都认为，《冰期之庐山》是一部第四纪冰川学的经典著作，为中国第四纪冰川学说奠定了基础。看到多年的心血结晶终于付梓问世，李四光也是百感交集：“至是，中国冰期冰川现象，始得谓之确定”，“客之怀疑冰川现象者，至此可以涣然冰释矣。”[②]

20 世纪 40 年代初，李四光还两度调查南岭地质，考察过鄂西、川东、湘西、桂北等地的冰川遗迹，发表了不少第四纪冰川方面的学术论著，如《广西台地构造之轮廓》《南岭何在》及《鄂西川东湘西桂北第四纪冰川现象述要》《中国冰期之探讨》等。

中国是一个煤炭大国，但是“中国的煤不久就要烧尽”[③]。1920 年 2 月，在归国途中，路过法国时，李四光对中国留法勤工俭学同学会作了题为《现代繁华与炭》的演讲。在演讲中，李四光就关注到节煤和持续发展的问题。实际上，节煤问题一直萦绕在李四光的心上，他甚至还把相关文字写在纸条上，并夹在常用的笔记本中，时时提醒自己。

> 把地球在它表层给我们留下来的珍贵遗产——像煤这种由大量丰富多采的物质集中构成的原料，不管青红皂白，一概当做燃料烧掉，这是无可弥补的损失。我们的子孙会骂我们的。[④]

---

① 马胜云、马兰：《李四光年谱》，第 125 页。

② 唐博：《李四光的地质人生》，《地图》2011 年第 6 期，第 108 页。

③ 马胜云、马兰：《李四光年谱》，第 44 页。

④ 周国钧：《记我国卓越的科学家——李四光》，《化石》1977 年第 4 期，第 3 页。

1920年秋天，李四光带领北京大学地质系的学生到河北省南部的六合沟煤矿进行煤田地质调查。随后，他又和学生一起到山西、河南、山东等地的煤矿做了系统的煤矿调查工作。在调查中，李四光发现在这些地方的煤矿开采中，存在对含煤地层划分不清的问题。

回到北京后，李四光着手研究我国煤矿分布及煤层划分问题。石炭二叠纪是我国造煤的主要地质年代，约在二亿几千万年前。划分含煤地层的先后顺序，主要靠3种方法：岩石地层划分、生物地层划分和年代地层划分。根据当时的情况，李四光决定用生物地层划分方法。要研究特定地质时代的古生物，就要研究这个时代的标准化石。被确定为标准化石的古生物，必须具备生存时间短、地理分布广、特征显著、数量多等条件，但是能够作为地质史上的标准化石的古生物并不多。庆幸的是，石炭二叠纪有当之无愧的标准化石——䗴。

䗴为原生动物门伪足纲有孔虫目的一个科，是单细胞动物，生活在水深100米左右的温暖浅海，靠丝状伪足伸缩爬行。䗴最早出现于石炭纪早期，广泛分布在世界各地，其种属繁衍很多，到二叠纪末期灭绝。二叠纪，䗴的分布很广，我国是世界主要的产䗴区。在这个时期的地层中，保存有大量的䗴类化石。根据各类䗴的化石形态和特征，确定它们的种属衍化关系，就可能为详细划分石炭二叠纪含煤地层提供可靠的依据。

1923年6月，李四光发表论文《䗴蜗鉴定法》。在文中，李四光提出了鉴定䗴蜗的10条标准。这是中国古生物学者最早的有关无古脊椎动物（䗴科）研究的论著。随后，李四光又陆续发表了《描述䗴蜗之新名词》《山西东北平定盆地之䗴蜗》《葛氏䗴蜗及其在䗴蜗族进化程序上之位置》等有分量的文章。其中，1927年出版的《中国北方之䗴科》是他的第一部科学著作，1931年7月英国伯明翰大学包尔顿教授看到李四光的这部科学专著后，立即向学校推荐。鉴于李四光对䗴科系统研究的贡献，伯明翰大学很快就决定授予其自然科学博士学位。

早在11世纪，北宋沈括在《梦溪笔谈》中就记载：“鄜延境内有石油”，时称“延川石液”。他甚至断言：“此物后必大行于世。”[①] 果然，在 20 世纪，石油作为战略资源受到西方列强的关注。他们找油的触手，不仅伸向中东，还伸向中国。

美国的美孚石油公司在 1915—1917 年曾派出一支钻井队，在陕北肤施（今延安）一带开采钻油，花了 300 万美元，才打了 7 口深井，深感收获不大，就离开了。1922 年，美国斯坦福大学教授艾·布克威尔德来华调查地质，撰写了《中国和西伯利亚的石油资源》一文，得出了中国是个贫油国的结论。[②] 这个论调传出后，国内某些学者也随声附和，推波助澜。“中国贫油”论一时之间到处流传。市场上，“美孚牌”“亚细亚牌”的洋油桶随处可见，“打洋油吧”的叫卖声也是随处可闻。

但是，李四光不认可“中国贫油”论。在 1928 年发表的《燃烧问题》一文中，李四光指出：1915 年至 1917 年美孚石油在陕北的失败，并不能证明中国没有油田可办。1934 年，李四光应英国伯明翰大学、剑桥大学等大学邀请，讲授《中国地质学》，为我国寻找石油指明了方向。

> 如果在华北平原下部，钻探到足够的深度，似乎没有多大问题会遇到白垩纪地层，再用地震的方法进行勘测时，可能揭露有重要经济价值的沉积物（指的就是石油）。[③]

1953 年，毛泽东、周恩来、朱德等党和国家领导人齐集中南海菊香书房，邀请时任地质部长的李四光共商中国能源发展大计。毛泽东关切地问：“有人说‘中国贫油’，你对这个问题怎么看呢？”[④] 李四光根据自己的研究，认为“中国贫油”论是没有说服力的，关键是要抓紧做好

---

① 沈括著、景非编译：《梦溪笔谈》，西安：三秦出版社，2018 年，第 166 页。

② 李四光：《穿过地平线》，南京：江苏凤凰文艺出版社，2019 年，第 90 页。

③ 马胜云、马兰：《李四光年谱》，第 119 页。

④ 《地质部长李四光：曾是辛亥革命英雄》，《党史天地》2016 年第 20 期，第 56 页。

全国范围的石油地质勘查工作，打破偏西北一隅找油的局面。

1954年2月，李四光应邀到燃料工业部石油管理局作《从大地构造看我国石油勘探远景》的报告。他详细论证了我国地质构造特征和可能含油的远景地区，着重指出东北平原通过渤海湾、华北平原往南到两湖地区是有重要意义的地区，应组织力量进行摸底。参与听讲的苏联专家认为李四光的报告："内容丰富而深刻"，"我还是第一次听到这样好的报告。"[①]

李四光的预测，在后来的区域普查和开发勘探中，基本上一个一个得到了证实，大庆油田、华北油田和胜利油田的发现，都与李四光的辛勤工作分不开。

三、徐建寅与无烟火药

徐建寅（1845—1901），字仲虎，江苏无锡人。近代杰出科学家、翻译家、教育家徐寿（雪村）的次子。

咸丰元年（1851），徐寿结识了长于"格致"的华翼纶、华蘅芳父子。据华蘅芳之弟华世芳回忆，徐寿常"挈其仲子（建寅）往来余家，与伯兄（蘅芳）讨论解算、格致诸属"[②]。（图7—7）徐建寅幼年时就聪明好学，善察隐微，在父亲的影响之下，及长，好读书，尤喜习格致、化学、制造等。

① 安宏林：《卓越的科学家李四光》，《人才开发》2008年第2期，第49页。

② 汪广仁：《徐建寅年谱》，《清华大学学报》（哲学社会科学版）1997年第12卷第3期，第39页。

图 7—7 左起依次为徐建寅、华蘅芳、徐寿

咸丰十一年（1861），“研精数理，博涉多通”的徐寿被两江总督曾国藩征赴军营，进入安庆军械所“专掌制造事”，具体负责造轮船。[1]

同治六年（1867），徐寿被任命为上海江南机器制造总局的总理，徐建寅也随父一同到了上海。在江南制造总局，徐建寅“器象之学日进，复在上海制造局助成惠吉、操江、测海、澄庆、驭远等船”。

光绪五年（1879），徐建寅前往德国。从抵德国柏林之日起到销差离德回国止，徐建寅此次“欧游”前后大约 2 年时间。在欧洲游历期间，徐建寅对各种活动都有比较详细的记载，最终汇集而成《欧游杂录》。光绪六、七年（1880—1881），徐建寅寄回国内并发表在中国第一份科技期刊《格致汇编》上的许多文章也是根据这些参观考察记录写成，如《水雷外壳造法》《阅克鹿卜厂造炮记》等。近代中国出洋考察的人不少，也作过考察记录，但这些考察记录，除一般的人与人之间的应酬、异国风情外，就是发一通议论，而涉及西方物质文明，特别是生产实际的记载却很少。因此，这些记录，从科学技术的角度来考察，价

① 钱基博：《江苏学风近百年湖南学风》，武汉：华中师范大学出版社，2012 年，第 4—5 页。

值不大。徐建寅的《欧游杂录》不仅是我国近代科技史上的珍贵史料，也是英、法、德等当时科学技术水平的真实写照，是研究19世纪欧洲科学技术发展史的第一手资料。

光绪十七年（1891），湖广总督张之洞为充实军备，创办湖北枪炮厂。“鄂省所造克虏伯各种车炮，为当时边防、海防、陆路战守必不可少之利器”，[①] 这种枪炮所使用的火药主要靠进口。但到八国联军侵华及《辛丑条约》签订后，“外洋火药不入口，大府深虑告匮”，[②] 张之洞本打算聘请洋人试制及生产无烟火药，但“延订洋匠久未来鄂，焦急殊甚”，[③] 无奈之下，只得请精通化学，又熟悉火药材料的徐建寅来主持其事。

徐建寅早在1890年就入张之洞幕府，任铁政局会办，会同总办蔡锡勇，筹办汉阳铁厂。他赴大冶、兴国勘察煤铁运道，在黄石港勘察铁厂地基，在大冶，他还成功勘察出煤矿一处。但不到一年，徐建寅就离开了湖北。1900年，张之洞再次奏调徐建寅来湖北，徐建寅便第二次入张之洞幕府，被张之洞委以重任，任营务处总办兼教吏馆武备总教习，不久，徐建寅又被委办省城保安火药局仿造黑色火药的重任。

徐建寅不负重任。接到任务后，“慨然任之，指授众工，自造机器，摹仿西制，越三月告成。燃放比验，与外洋来之称善者，几无以辨”[④]，试制而成的黑火药的击力与英、德各国相比，毫不逊色。徐建寅成功地研制出高质量的黑火药后，张之洞十分高兴，随即在光绪二十七年（1901）特委派徐总办汉阳钢药厂，设法仿造威力更大的无烟火药。徐建寅“知此事实所优为，感知遇之隆，忘危机之蹈，期于取材

① 吴剑杰：《张之洞年谱长编》上，第304页。

② 孙景康：《促虎徐公家传》，杨根：《徐寿和中国近代化学史》，北京：科学技术文献出版社，1986年，第356页。

③ 赵德馨：《张之洞全集》第4册，第2页。

④ 汪广仁：《徐建寅年谱》，《清华大学学报》（哲学社会科学版）1997年第12卷第3期，第48页。

本地，以免仰给外人，日手杵臼，亲自研炼”，并取得成功。[①] 张之洞在《为徐建寅等请恤折》中称许道：

> 该道以大局未定，时事日紧，军火尤为要图，毅然以设法造成为已任，极意研求化学，将强水、酒精、棉花等物，自行配制。本年正月造成无烟药数磅，试验药力颇称充足，惟烧后，稍有渣滓。该道复殚精竭思，穷加研炼，于二月初六日，手自造成数磅，试验竟无渣滓，即拟开机多造。[②]

徐建寅研制的无渣无烟火药，经过试验，“其力，可与外洋之药相仿”。在西方各国议禁军火出口的背景下，这无疑是一个了不起的成绩。徐建寅为此付出了很大的辛劳。无渣无烟火药研造成功后，徐建寅“方喜可以大造”。[③] 不料却发生意外，“是月十二日，该道在厂监工，亲至拌药房，督同委员、工匠人等，拌合药料，不意机器炸裂，该道徐建寅及委员五品衔候选知县戴振麟、五品顶戴监生杨荫桓、蓝翎把总储仁发暨工匠等共十四人，同时轰毙。尸骸焦烂碎裂，收检不全，惨不忍睹”[④]。徐建寅这位科学家，为湖北近代重工业和军事工业作出了突出贡献，并献出了宝贵的生命。张之洞深感痛惜，上奏朝廷，请求从优议恤，得到批准。著名的报纸《申报》也刊文，深表惋惜，认为徐建寅遇难，不仅是张之洞痛失一员洋务大将，而且是国家损失一位科技英才。

四、高寿林与煤矿工程

高寿林是人品高洁的近代湖北科技工作者。终其一生，“唯图开发

---

① 孙景康：《仲虎徐公家传》，杨根：《徐寿和中国近代化学史》，第 356 页。

② 赵德馨：《张之洞全集》第 4 册，2008 年，第 2 页。

③ 孙景康：《仲虎徐公家传》，杨根：《徐寿和中国近代化学史》，第 356 页。

④ 赵德馨：《张之洞全集》第 4 册，第 2 页。

湖北煤炭资源，期有以惠及桑梓”[①]。

高寿林（1862—1936），名传柏，以字行，湖北省汉阳县柏林乡（今属武汉市）人，生于一个贫苦农民的家庭。童年赤足短衲，在家放牛，时休憩于长于经学的拔贡刘尚桓之门。刘尚桓喜其口齿伶俐，天资聪慧，教以学文。

高寿林年未及冠，即被在福建水师服役的长兄招至福州，后以优异成绩，考入福建马尾水师学堂，习船舶驾驶专业。毕业后，分配到广甲兵舰服役，与时在该舰服役的湖北同乡黎元洪感情至笃，结为拜把盟兄弟。光绪二十年（1894）甲午中日战争时，广甲兵舰被日舰炮火击中，触礁搁于大连湾之三山岛外。当时在舰当二管轮的黎元洪与在同舰任教官的高寿林弃船，泅渡上岸。黎、高两人，遂成“生死之交”。

黎元洪、高寿林旋一同去南京谒见时任署两江总督的张之洞。不久，两人随张之洞回鄂。高寿林因不愿从军而被派到汉冶萍煤铁厂矿公司萍乡煤矿作德籍总工程师赖伦的翻译，并从其学习采矿技术。高寿林勤奋学习煤田地质、采矿技术、经营管理等课程，深得赖伦赏识。越数年，得赖伦指导，先后负责株（洲）、萍（乡）铁路 90 千米的修建任务，以及汉阳铁厂运煤拖轮、驳船的设计和施工。在负责建造了安源煤矿流水线作业的洗煤台后，高寿林被聘为矿师。

宣统二年（1910），高寿林离开江西萍乡，先后到湖南湘东煤矿、江西乐平煤矿工作，后又赴浙江主持长兴煤矿的创办事宜。1913 年回到湖北，由副总统黎元洪派到湖北阳新炭山湾煤矿任总经理。高寿林在主持工作期间，增开大冶东乡黄獭捕鱼陈家湾煤矿，经营 4 年，该矿扭亏为盈，日产煤增至 400 吨。

1923 年，在矿冶界声誉鹊起的高寿林转任湖北大冶富源煤矿公司总矿师。富源煤矿公司位于长江右岸黄石港下游下石灰窑桐梓堡的半山坡上，是大冶、阳新、鄂城一带小煤窑中的一个大煤窑。煤质属无烟煤，

① 武汉市文史研究馆：《江汉采风》，上海：上海书店出版社，1994 年，第 87 页。

其前身是清末当地人冯财源开办的一个小煤窑，后因井巷日深，无力续办停采。宣统三年（1911），湖北省咨议局议员、大冶县参议会议长周晋阶集资招股，组成富源煤矿公司。1913 年，富源煤矿公司接办了冯财源停办的小窑。接办后，由于资金不足，无力增添设备，仍然是土法开采，而开拓工程耗资甚巨。到 1919 年，除原有股本 2 万两用尽外，还负债 13 万之多，于是股东酝酿公司重组，另举曾担任过清朝知县、时赋闲在家的陶公迪为继任总经理。

陶公迪到任后，大力招股，相继招得新股 18 万两，连同此前 2 万两旧股共计 20 万两。当资金充裕后，陶公迪就聘请高寿林为总矿师，后又聘由高介绍的前萍乡煤矿煤师陈定庵任副总矿师。陈定庵擅长采煤、矿井采掘布置、矿井灾害防治及经济核算。陶公迪完全信任并倚重高寿林、陈定庵，并委以实权，所有矿井内外关于技术方面都由高寿林决策主管，又许以每月 1 000 元的高薪，另加生产资金除每天 500 吨不计外，每多生产 1 吨，矿师得奖金 5 分。

高寿林对富源的矿产资源情况成竹在胸。早年任省营的阳新炭山湾煤矿总经理期间，他就对大冶、阳新一带的煤田地质作过调查研究，认为有 10 处煤矿可供开采，富源煤矿开采的矿区就在可开采的范围之内。高寿林上任后，立即与陈定庵一起着手矿区的勘察，发现“那时只有一个斜井，用竹梯子接成的轨道直通采煤巷道，每天采煤百十吨，用人力拖箩拖出井口，挑下江边装船”[①]，而且井下排水用竹筒，矿井井下运道深远，涌水量增大，如仍按土法开采已不合算。

针对富源的实际情况，高寿林与陈定庵一起积极拟定开发的总体规划，决定对小土窑进行改造，并制定了由小到大，由土到洋，逐步扩大的方针。

高寿林首先从通风、排水、运输等系统方面对现有的小土窑进行技术改造，安装机械设备，取代体力劳动。但是富源所属的黄荆山矿区基

① 陶述曾：《源华煤矿公司回忆》，《黄石文史资料》1988 年第 11 辑，第 5 页。

本上是浅层煤，“因地层之褶皱影响，厚薄颇不一致，约自十公分以至三四公尺”，由于积年累月的无序开采，浅层煤基本上开采完毕。有鉴于此，高寿林决定在桐梓堡另开凿一口大井，以开采深处煤层，为接替上部煤采尽之用。该井基本情况，1929 年的《中国矿业纪要》作了较详细记载：

> 井口宽六呎、长十五呎，分设三隔，安设汽管水管并作提煤之用；深一百二十八呎。井下大巷两层，一在深六十六公尺处，一在深八十二公尺处。第一层大巷东西各进五百公尺，巷高二公尺，上宽二公尺二十分，下宽三公尺二十分。巷内设双轨小铁道。
>
> 井下通风用自然通风法，在大井东西各开小窑，燃烧废木并用火砖砌成烟筒，以备出风。井下水势较大，现设六吋及四吋电泵两架、四吋蒸汽水泵两架。水势最大时，日出水二百四十吨。布光在大巷用电灯，工人用电石灯及菜油灯。采煤用房柱及长壁法，支柱用杉木，购自汉口鹦鹉洲及富池口等处。销费无多。搬运则利用小铁路，井下用人力推运，每铁制煤车容煤约半吨，由大井卷扬机提出井口，提煤一次约须半分钟，再用斜坡自动绞车运至江边。①

这口大井非传统土窑可比，不仅规模大，而且内部设施人性化、机械化，俨然是一口近代化矿井。这些变化几乎都是在高寿林的努力下完成的。从 1924 年起，高寿林对煤矿运输、照明、通风、动力等方面进行了全面的技术改进，开始购置锅炉、煤汽机、水泵、发电机等机械设备，实现提升、排水使用机械动力，井下照明使用电灯，极大地提高了煤矿开采、转运效率。据 1931 年 1 月《矿业周报》第 132 期记载，富源煤矿当时的机械设备主要有：

① 《大冶县富源煤矿公司》,《中国矿业纪要》1929 年 12 月，第 146—147 页。

> 卧式单双管及水管锅炉共八座，计 400 马力，发动 4 寸打水机二部（即蒸汽水泵），半吨起重机一部；煤汽发生炉三座，发动 200 及 50 马力煤汽机各一座，带动交流发电机二座，合计 50 千瓦，供 3 寸、4 寸、6 寸打水机各一部之用；又蒸汽引擎一部，带动车床、刨床用。①

富源煤矿条件比较优越，民国初年在全国就已略有名气，其井口虽距江边不到 500 米，但为盛宣怀家族所把持的汉冶萍公司大冶铁厂厂地所隔断，煤炭下江外运，不得不靠肩挑背驮上船，运费昂贵，妨碍煤炭运输，欲修建从井口到江边的运煤轻便铁路，而大冶铁厂又从中作梗，不予租让路基。为破解这一难题，高寿林亲自到北京寻求帮助，请黎元洪责令大冶铁厂出租路基。后修成了从井口到江边的运煤轻便铁路，富源煤矿的运煤成本大幅下降。

与此同时，高寿林积极拓宽煤炭的销售渠道。在武汉、南京、镇江、上海、杭州、汕头、烟台及沿海一带城市遍设代销点；在上海自办煤球厂；还联合国内其他煤炭公司，采取向社会、政府发表通电、在市场降低售价等措施，夺回了越南鸿基煤占领的上海煤炭市场，还一度出口日本。

由于高寿林采取了包括技术改造在内的各种有力措施，并积极扩大销售渠道，富源煤矿公司矿井生产能力逐年上升，由公司改组初期年产量万余吨，迅速增至 10 万吨以上，迨至 1930 年，矿井生产能力达到 20 万吨以上，富源煤矿在全国 48 个大煤矿中居第 26 位，居湖北省煤炭企业的领先地位。富源煤矿公司从一个老式的小煤窑发展成为颇具规模的近代化民族资本企业。

随着生产蒸蒸日上，富源煤矿公司逐年都有积累的公积金。除股东能按时领取股息及红利外，职工也能得到奖金。历年以来，陆续添置了

---

① 小月：《源华煤矿简史》，《黄石文史资料》1988 年第 11 辑，第 175 页。

很多机电设备，更新了原来的蒸汽设备；除了增添矿山的厂房宿舍外，还在汉口购置了“铺面达52栋、住房27栋，占地624方丈83方尺”的富源里一弄。

高寿林不仅有着丰富的采矿经验，土木建筑、机械、造船等方面都内行，还有勤俭办企业的精神。他常说：“像我这样本领的人车载斗量，像我这样勤俭的人，自信不多。”①

富源煤矿公司在陶公迪任总经理期间向来强调“以矿养矿”，当其股本增至20万两后，虽然年年获利，再也没有增加资本，添置新式机器。高寿林积极贯彻资方“以矿养矿”的方针，以“因陋就简、由小到大，改制仿制”方法来统筹公司生产经营活动，对每个工程的造价，都是精打细算。例如，对井口加固，不用水泥，而用石灰、三合土匀拌细筑，加强凝固力；对水上运输，只买钢板，自造轮驳。对于机械设备，凡是能自己做的，就不向外厂购买。凡是中国能造的，就不买进口的，节约外汇，如300匹马力的柴油机，就是与汉阳周恒顺机器厂合作生产的，在国内当时是首创产品，也是当时国产最大马力的柴油机；其他如绞车、水泵、压风机、风扇等都做到自己制造。他还广聘23个能工巧匠，自制仿制设备。某年，富源向汉口德国洋行买进了一台比较先进的水泵。高寿林随即组织工匠仿制一台，并放置到车间。前来参观的洋行工程师见到高寿林组织仿制的水泵后，甚为吃惊，竟分不出哪一台是仿制的。②

作为总矿师，高寿林对待日常工作，也是一丝不苟，有高度的责任感。在富源煤矿任职期间，他每日必下井深入现场指导，年过六十仍不间断。一位曾随高下井的实习员回忆说：

一九二五年四月，我来到源华煤矿公司（注：源华煤矿公司由

① 陶述曾：《源华煤矿公司回忆》，《黄石文史资料》1988年第11辑，第6页。

② 小月：《源华煤矿简史》，《黄石文史资料》1988年第11辑，第175页。

富源煤矿公司与富华煤矿公司合并成立于1936年，此处应为富源煤矿公司。）实习。在此之前，我已经知道这公司的总矿师高寿林，威信很高。当我头一次随他下井时，我的工作服是紧袖口的。他说："这不行，袖口要能卷起来才方便，煤只是黑并不脏。"我看到井下巷道里泥泞载途，两侧及巷顶的坑木潮黑粘滑。我虽然穿着长腰胶靴，还是借手提矿灯的微光，选些泥水浅的块块踏步，手不敢接触坑木，顶板上落下的滴水，常钻进领口，感觉到冰凉。采煤工人是不穿衣裳的，我也看不惯。接触到新的事物，使我一切都感到陌生。

我们巡视了约有两个小时，考查了几处采掘工作面。高寿林总矿师从浠泥中抠出两块石头，摆在巷道旁边说："我们休息一会儿吧。"他自己坐在一块石头上，我只得在另一块坐下，泥水浸透了衣服。他说："井下生活就是这样，你能怕脏？"自此我也能在泥泞的巷道上行走，不那么狼狈了。我们又经过一小段窄狭的巷道，人只能爬着走过，这是为了解决局部通风用的临时巷道。我们在出井的途中，看了矿井的通风系统、运输系统、排水系统及机械设备。

这一天下午我随高矿师参观了地面布置及动力车间等地面一切设备，具有煤矿的特点。①

高寿林每天工作时间安排紧张，轻易不作更改。黎明起床，用完早餐后下井，重点到各掘井及采煤工作面，亲巡一次，作必要的技术指导。在11时后出井，洗澡、午餐。下午1时，开调度会，听取各段负责人的汇报，进行具体指示，确定赏罚，并安排下一日的工作。下午3时至5时，亲赴地面各车间及建筑工地，巡查指导，即时解决现场问题。一年三百六十五天，没有规定的假期，寒暑无间，即使春节也照常

① 陶述曾：《忆高寿林先生》，《黄石文史资料》1983年第3—5辑，第1页。

上班。对于自己每天紧张时间安排原因，高寿林常说："勤能补拙是真理，梅花香从苦寒来。"[①]

富源煤矿矿区分布较广，历史上废弃的小煤窑众多。富源煤矿曾多次发生井下穿水事故，造成矿井部分或全部停产。1935年冬，富源煤矿发生井下重大穿水事故，副总师陈定庵及其率领的7名技术员及段长、探水班组长及探水工人等18人，全部以身殉职。时在武汉参加董事年会的高寿林得知消息后顿感天崩地裂。特别是在事故中，高寿林痛失爱子，使他精神难以承担，加上年事已高，所以毅然提出辞职，退休还家。1936年病逝于汉口寓所。

① 陶述曾：《忆高寿林先生》，《黄石文史资料》1983年第3—5辑，第4页。

第八章　时移代易的社会风俗

荆楚风俗代有更易，到近代社会发生大变局的时代，更发生了广泛而深刻的变化。促成这种演变的推动力量，首先是政治变革的冲击导致社会风俗的变易，其次是经济发展为社会风俗的演变提供了基础，域外文明为社会风俗演变也提供了参照系，价值观的转变是社会风俗演变的主观动因。近代以降，人们的奢俭观、审美观、婚恋家庭观、男女观等发生了不同程度的转变，推动了社会风俗的演变。正因为人们思想开化，转变了价值观，不愿继续受传统礼俗的束缚，才能主动变革传统风俗，促进了社会风俗的演变。

虽然全国各地以汉民族为主要居民的地方，社会风俗的各种节目、事象有很多共同的东西，但由于湖北近代历史有自己发展的时代脉络，湖北的地理环境更有自己独特的风貌，社会风俗的近代演变还是具有比较明显的特点。

第一节　服饰习尚的演变

生活习俗是社会风俗领域里处于表层、较易变化的部分，而对于异质文化的接纳也往往从生活文化层次开始。湖北近代服饰的变革，与全国各地一样，大致经过了这样三部曲：先是用“组密光泽”的机制布取代粗糙的土布，用进口呢绒取代传统的毛皮衣料，传统款式尚无大的变化；然后是模仿外国人穿“洋服”；最后则是追赶时髦，出现时装。这种变化与服饰的国际化趋势是相一致的。

一、清末服饰

从前汉口人穿着打扮比较讲究。在商界工作的不论是老板还是店员，多穿长衫，出苦力的劳动者则多穿短打。冬夏衣服花色，按季节而有所不同。夏季酷热，有钱人家轻罗薄纱，愈轻愈好，下层劳动群众则有终日赤膊者；颜色则好蛋青、雪青、宝蓝、白色、灰色、米汤娇色、出炉银色，以淡雅为主。有一种“香云纱”制作的衣服，穿着凉快，不论贫富都喜欢穿它。冬季则一般要穿棉袄棉袍，极寒之时，富裕人家男女多服狐皮、羊皮袍袄，以御寒气。妇人还喜欢将火炉、火钵放在袍子里面，燃烧白炭、炭巴等类，以助体温。冬装的颜色则爱玄青、二蓝、品蓝、玉色、虾青、灰青等。至于衣着之花纹则随时变改，男女老幼无大分别。

在其他各县，情形有所不同。男女服饰以贫富分，贫者仅足蔽体，富者夏葛冬裘。妇女在家一般不穿裙子，逢年过节或参加庆贺时则穿一下。仅举来凤县为例，该县县志记载：“邑俗平居皆大布之衣，非遇庆贺、会宾客，虽缙绅之家不着纨绮。大率士夫之服雅，商贾之服华，城市之服时，乡村之服古。”①

洋布倾销以来，不仅武汉市内商民多改穿洋布，连四乡的妇女老幼，在劳作时穿的衣裳，皆使用自制土布，然而办其他事务，或祭祀，或应酬，或往稠人广众之中时，皆穿细密光泽的洋布做的衣服，以为外观美丽。衣料的变化逐渐引起服式的改变，慢慢地人们的起居服御，“改易旧观，更从新制”。从前女子“衣必红绿”，以红为吉服之色，凡有婚姻、喜庆时，家内一切布置，如帷帐等类皆以红色布制之，其他家具亦多用红色，满堂光耀，彩幔缤纷，俗称为“满堂红”。除了夏衣用白色以外，余多忌讳白色，因为中国传统以白为丧服之色。民国以后，服制改变，受西人尚白色的影响和迷信观念的淡化，城市女子穿“一套

① 同治《来凤县志》，丁世良、赵放：《中国地方志民俗资料汇编》中南卷（上），北京：书目文献出版社，1991 年，第 448 页。

缟素衣裳”的人逐渐多了起来，房门门帘也用起带花的白布，大红大绿往往见于农村妇女。

服装发生较大变化是在辛亥革命时剪了辫子之后。

清朝末年，由于下述原因，出现了剪辫易服的呼声。一是鸦片战争以后，西人东来，讥笑中国人的辫子，甚至恶毒地诅咒说：“世界人类由下等动物而进化，中国人不十年必尽退化为禽兽。”[①]于是，改良社会，革除陋俗，剪辫易服，让中华民族以文明、健康的面貌立于世界民族之林，成为许多爱国之士的夙愿。二是排满运动、反清革命的兴起，辫子作为汉族屈从满族，臣民奴于君上的标志，理所当然地成为争取“出奴隶之籍，脱牛马之羁”的人们攻击的目标。就像清初剃发与否成为归附清朝与否的标志一样，清末剪辫与否，也常常成为人们是否拥护革命的一种表现，即“以去辫不去辫为尊王、革命两党之一大标识”[②]。三是辫子这种发式不适应近代社会的发展趋势和世界潮流。在生活节奏加快的情况下，拖着一条长辫子很麻烦：行礼不便于脱帽，健身不便于锻炼，做工时不便于开机器，练兵时不便于操演，每天要花时间梳头编辫，勤洗花费时间，不勤洗又不卫生，衣裳上沾满油渍，且繁殖细菌和虱子，传播疾病，总之，对于卫生、对于操作、对于经济均有所害。维新志士康有为在戊戌变法时所上《请断发易服改元折》中指出：“欧美百数十年前，人皆辫发也，至近数十年，机器日新，兵事日精，乃尽剪之，今既举国皆兵，断发之俗，万国同风矣。”[③]

既然剪辫有如此重要的理由，清末呼吁剪辫和实行剪辫的人逐日增加。在20世纪的头十年里，各地剪辫风潮此起彼伏。清宣统三年（1911）初，湖北陆军四十一标二营学兵李佐清，以发辫于操作上大有妨碍，毅然带头剪去。陆军第三中学，不约而同，竟有200余人同时剪

① 重堪：《自治篇》，《浙江潮》第6期（1903年8月）。

② 匪石：《野获一夕话》，《浙江潮》第2期（1903年3月）。

③ 康有为：《请断发易服改元折》，《戊戌奏稿》，1911年6月印行，第62页。

发，该校先后剪发者合计竟达400人。湖北陆军测绘学堂学生剪发者，亦有数十名之多，余下未剪者无几。按清政府规定这些剪辫的学生本当开除，但人数甚众，校方只得从轻处理，仅记大过一次，以示薄惩。新军协统黎元洪甚至还对剪辫的学兵李佐清表示钦佩，说："我国朝野上下，近因受外界之激刺，于剪发一事几乎风靡一时。余本欲先行薙去，以为军界同人倡，因明诏未颁，故尔中止。今尔毅然剪去，免豚尾之讪笑，导文化之先机，匪惟社会所欢迎，亦即余所崇拜也……"[1]武昌起义后，湖北军政府以都督黎元洪名义发布告示命令一律剪辫。革命军在各城门口检查剪辫情形，遇有不肯剪辫的人，就强行剪下他们的辫子。（图8—1）在剪辫易服风潮的推动和革命军武昌起义的压力下，清廷在其最后的日子里，于宣统三年十月二十七日（1911年12月17日）根据资政院的呈请，准官民自由剪发。此时离清帝退位清朝覆亡仅50余天。革命派关于"发辫之所由来，由于满洲之入中原"，"发辫之消除，亦与满洲而俱尽"[2]的预言，终于得以实现。

图8—1　革命军在城门口给民众剪辫

① 1911年1月3日《民立报》。

② 《论发辫原由》，《黄帝魂》，上海：东大陆图书译印局，1903年，第30页。

二、民国服饰

民国初年，剪辫以后，不能再穿满式服装，一时兴起洋装热，武汉很多人穿着洋式衣服招摇过市，女子亦间有剪发着洋装者。汉口在1861年开埠通商，西方商品输入较多的是洋布，较之武汉地区原来农家所织土布要细密光泽，虽然有不耐穿的缺点，但低廉的价格对此有所弥补，因此受到包括农户在内的武汉人的欢迎。于是洋布的销售量比较大，购买洋布的人比较多，汉口花楼街匹头店做起洋布生意以后，买卖兴隆，经常围满了买布人。

人们在衣着上趋新和洋化的心理，导致传统的“装绒”与“局缎”等都成了过时的料子，贫富人家均喜爱西洋异国情调的花色品种。在服装材料上喜欢用洋货，但在服装式样上却多保持传统式样，穿惯了“长裘”“短褐”的人穿西服很不习惯，因为不懂“西人服尚亦分时”，在炎热的夏天和寒冷的冬天穿起西服来，不是热得冒汗，就是冷得发抖。况且开始时国人制作西服不得要领，不是尺寸太小或太大，就是样式不伦不类，穿起来总觉得有点东施效颦的味道。

当年男士时髦的打扮是：西式短装或中式马褂，足登革履（皮鞋），头戴礼帽，梳法国拿破仑式的一字头，蓄德国威廉式的八字胡，戴金丝眼镜，佩进口挂表，手拿文明棍（时人称为“空心洋伞柄”），口说洋泾浜英语。女士的时髦打扮是：剪发，盘龙式、旋螺式，或堕马髻，天足，皮鞋，西装，上着高领窄袖短衣，下穿西式黑裙，冬季则披外套，鼻架金丝眼镜，手拿皮革小坤包。

因西服制作不得要领，弄得逼窄拘束，人们认为有碍身体自然发育，逐渐摒弃，又返回传统服式，将满族服装加以改良，作礼服的马褂一般罩在长袍外边，形成长袍马褂套装。对襟式马褂也有作便服穿者。20世纪30年代初长袍马褂流行，穿着的人数超过了西装和制服。作为礼服的长袍马褂套装在40年代后渐少，而作为常服的长衫、长袍则一直流行到1949年前后。

民国时期的女式旗袍在满族旗袍的基础上作了较大的改变，由宽袖改窄袖，由宽松肥大型改为紧身贴腰式，滚边亦变窄。20世纪40年代，汉口白海记制作的这种改良旗袍非常流行，几乎成了妇女的代表性时装，从富家贵妇到小家碧玉，以至女学生，都有穿旗袍者。女子出门，无不穿着自己喜爱的旗袍赴会，使交际场变成了旗袍展示会。妇女日常所穿则是大襟上衣，折腰长裤，部分穿裙。

第二节　楚菜与饮食习尚的交流融合

湖北饮食习惯与全国大部分地区大同小异。

一、楚菜

湖北流行的菜系，原来叫“鄂菜”，现在为传承楚文化改称“楚菜”，为中国十大菜系之一，以水产为本，鱼馔为主，汁浓芡亮，香鲜较辣，注重本色，菜式丰富，擅长蒸、煨、炸、烧、炒等烹调方法，具有滚、烂、鲜、醇、香、嫩、足七美。排骨藕汤、武昌鱼和红菜薹，是最具特色的武汉菜，也是武汉人招待客人必备的佳肴。此外，餐桌上比较常见的还有沔阳三蒸（蒸鱼、蒸肉和蒸蔬菜）、洪湖红烧野鸭、黄陂三鲜（鱼丸、肉丸和肉糕）、洞庭湖藜蒿。

湖北比较有名的武昌鱼是梁子湖特有的团头鲂，可以做成清蒸武昌鱼、红烧武昌鱼、花酿武昌鱼、杨梅武昌鱼等。

湖北人冬天爱吃菜薹，以武汉洪山菜薹品质最好，清炒菜薹、菜薹炒腊肉都很好吃。同治《江夏县志》记载：“芸薹菜，俗名油菜薹，与城东宝通寺相近者，其味尤佳，他处皆不及”[①]，以致有一种说法，以宝通寺钟声所到之处为范围的地方出产的菜薹是正宗，距武昌城三十里则变色，那是另外的品种。王葆心《续汉口丛谈》上记载：光绪初年，

① 《江夏县志》，光绪七年重刊本，第5卷，第36页。

李鸿章的哥哥李瀚章任湖广总督，酷嗜洪山菜薹。他告老还乡后，弄了菜薹种子在家乡合肥种植，但品质远不及洪山菜薹。有人告诉他是土壤不适合，他便派人挖洪山的土，用船载到合肥种菜薹。于是湖北人说："李制军刮湖北地皮去也。"民国初年，湖北都督黎元洪离开武汉到北京当大总统后，他的如夫人黎本危爱吃洪山菜薹，每届冬季必派专差到洪山调运菜薹。

二、饮食习尚的交融

湖北地处我国中部地区，南北气候、南北农作物，均在此交汇，既有北方的小麦，又有南方的大米；既有北方的青菜，也有南方的果蔬。所以湖北人对北方人爱吃的面食和南方人爱吃的米饭均不排斥，不像有些山东人来武汉吃了大米饭说是不消化，总惦记着煎饼裹大葱，也不像有些广西人来武汉讨厌吃面条而时常怀念桂林米粉。更重要的是，各地人员，特别是商人的流动，造成了饮食习尚交流的现象。

各地饮食文化交流的现象随处可见，而以流动人口众多的大城市最为显著。汉口自明清以来即是一个以商业转运贸易为主的都市，各省商帮都有，他们带来了各地的饮食文化。苏馆、西（山西、陕西）馆将苏肴西馔的各种花色品种介绍给武汉居民，面馆业除本帮外还有徽帮、湖南帮、小京帮、川帮的佳肴面食，丰富武汉人的饮食习俗。民国初年，这里餐馆已有鄂、川、粤、湘、徽、苏、浙、闽、京、津和清真、素菜、西菜13个帮口，宁波汤圆、金华火腿、嘉湖糕点、天府麻辣菜、下江的"毛豆"、江汉的鱼圆与"三蒸"（蒸鱼、蒸肉、蒸鸡）、山陕的烧腊羊羔等等，应有尽有。来自全国20多个省市的各种不同风格、不同流派的"大师傅"在江城各显技能，互相竞争，都在色、香、味、形上下功夫，形成多种不同风味。各地风味小吃通过商品和人员的交流，更是遍布大街小巷。

这种饮食文化交流的结果，一是丰富了人们的生活，使久居本地的人们能够品尝到各地食品和菜肴，使寓居本地的外地人能够吃到可口的家乡食品，使努力尽到地主之谊的主人能够在不同的餐馆招待不同籍贯的客人。二是促进了饮食文化的融合与创新，楚菜亦吸收了各地菜肴的特点，熔一炉而冶之。正是在各地食俗各具特色、争奇斗艳、取长补短、交流融合的推动下，湖北的饮食文化才得到不断的进步和发展。

在饮食文化的交流中，西餐大菜的传入是不能不提到的。西餐大菜由外侨带到中国，起初由洋人办在租界，为外国人服务。19 世纪 60 年代以后，在洋务活动中中国官商与外国人交往日多，礼尚往来，一部分中国人也吃上西餐，并学会举办西式宴会招待外宾。清末各大城市相继出现中国人开办的西餐馆。武汉西餐馆以汉口租界为盛。为适应贫富悬殊情况下不同消费水平，西餐馆分为几个档次，分大、中、小三种类型，即大酒店、高级餐厅和一般餐室。外国人极少在小餐室进食，而中国富商反而乐于趋往外国人爱去的大酒店。华界的西餐馆以 1913 年建成的汉口大旅馆所设瑞海西餐厅首开风气。20 世纪 30 年代初、中期，中餐馆经营不景气，而西餐业务不衰，著名的大中型西餐馆有 26 家，西餐小吃馆也盛极一时。大型西餐馆均为中国人经营，厨师大多是洋行帮厨出身，馆内设施、餐具则西洋化，主要供应公司菜（即份饭或套餐），也供应点菜。有的送菜上门，在星期六将下周菜单分寄各常客，方便食客点菜品尝。高级餐厅门面堂皇，布置豪华。餐桌排列有长方式或四方形，桌上台布雪白，桌面中央置鲜花，坐椅柔软舒适。侍役一律穿白制服，招待客人礼敬有加。一旁有乐师演奏轻音乐以娱宾客。在此进餐，西装无须礼服，唐装无须马褂，并无在大酒店进餐的拘束，故一部分富裕的中国人喜欢前往。一般餐室比较简陋，政府文员、洋行职员多在此进食。那里供应全餐和散餐，午间食客拥挤，大多吃鸡丝饭、牛肉窝蛋饭、牛扒、猪扒等快餐，晚间则多供应全餐。

但许多人吃不惯西餐，花了钱还吃不饱，只得又去中菜馆，酒足饭饱后心满意足地回家。比西餐大菜要普及一些是洋烟洋酒，这些东西成为进口商品的大宗。洋酒的美味似乎陶醉了国人，价格再高也有不少人消费。洋烟牌号很新奇，有“强盗牌”“三炮台”等名目，人们不顾尼古丁“攻心伐髓”，吞云吐雾，好不自在，妇女抽香烟的也不少。

第三节　城乡民居的缓慢变迁

关于中国住宅式样，孙中山曾经说：“中国四万万人中，贫者仍居茅屋陋室，北方有居土穴者。而中国上等社会之居室，乃有类于庙宇；除通商口岸有少数居室依西式外，中国一切居室皆可谓为庙宇式。中国人建筑居室，所以为死者计过于为生者计，屋主先谋祖先神龛之所，是以安置于屋室中央，其他一切部分皆不及。于是重要居室非以图安适，而以合于所谓红白事。红事者，即家族中任何人嫁娶及其他喜庆之事；白事者，即丧葬之事。除祖先神龛之外，尚须安设许多家神之龛位。凡此一切神事，皆较人事为更重要，须先谋及之。故旧中国之居室，殆无一为人类之安适及方便计者。”[①] 这种传统“庙宇式”住宅与中国人的家族制度、宗法观念有关。普通人家住房一般比较矮小，不太注意采光与通风，有的房间竟没有一扇窗户，采光要靠屋顶一两片明瓦（俗称“亮瓦”），十分阴暗潮湿。在湖北，明清时期建造的房屋多半属于这一类，而农村就是在民国时期也还是如此。

一、多样化的民居

近代以来，一方面由于受到西俗的影响，一方面由于都市化程度的提高，在一些通商口岸，“阛阓多仿西式”。（图8—2）在汉口，出现了“欧亚杂处，外交烦重，尺地寸天，阛阓日密，中西厂肆，角胜争奇”[②] 的现象，连烧给死人的冥屋也改用纸扎洋房，表现了人们在住房上的趋新崇洋的心理。武汉的西式建筑早期是在租界里，领事馆、洋行、银行以及大班们的住宅，根据不同国家的习尚，带有不同的建筑风格，汉口

① 孙中山：《建国方略》，广州：广东人民出版社，2007年，第285页。

② 张履春：《夏口县志序》，武汉地方志办公室、武汉图书馆：《民国夏口县志校注》，武汉：武汉出版社，2010年，第1页。

租界的建筑堪称“万国建筑博览会”。华界的教堂和教会学校也是较早的西式建筑。

图 8—2 阛阓仿西式的汉口街道

19 世纪 90 年代，张之洞主办的洋务企业和其他官办机构，成为武汉近代第一批仿西式建筑。首先当然是公共建筑，后来三镇居民也学习租界，逐渐建造起“洋房”来，新式学堂、西医医院、近代工商企业、新式娱乐场所，以及官僚、军阀、富裕商人的住宅，都模仿西式建筑风格，所谓“中西厂肆，角胜争奇”，就是指此而言。而且在室内安装了现代化的电梯，歆生路（今江汉路）上的汉口饭店由于高达五层，被人称为“楼外楼”，它里面就装有电梯。

在沙市、宜昌等地，一些繁华街道也有不少仿西式建筑。

但是由于固守传统文化的观点占上风而使洋式住宅在广袤大地上如凤毛麟角，但这种建筑却如鹤立鸡群般矗然而立，打破了中国人“美卑宫而恶峻宇”的传统观念和“秦砖汉瓦”大屋顶的建筑模式，开创了中国住宅建筑改革之先声。民居建筑和公共建筑的西化现象，毕竟反映了国人在近代突破传统文化和吸纳西方文化的进程，同时也推动了人们对居住条件的改善。事实上，即使是不愿弃土从洋的人们，对旧式房屋建筑简陋、通风不畅、采光不足等弊端也持改革态度。

湖北农村，传承传统民居的情况很普遍，农舍的好坏颇不一致，佳者为砖墙土瓦或瓦盖石墙，劣者为茅茨土墙。光绪二十八年（1902）湖北农务学堂的日籍教习美代清彦受张之洞安排赴湖北西北地区考察，其所得情况是：襄阳至丽阳一带，农舍很差；丽阳至荆门一带，贫富稍有差别；再往南至团林铺，农舍最差；由此至沙市则较好。沙洋至潜江为最精于农业之地区，以产棉为大宗，故农舍颇佳。潜江至沔阳沙湖和新堤一带，因水灾频繁，生产低落，农舍自然很差。沔阳北部地势较高，全部是旱田，收入较佳，农舍多不错，但贫富之差别很大，不及沙洋、潜江间整齐。① 而东北部山区的黄安，天灾较少，一般农家生活"均尚宽裕"，"住房多为瓦盖石墙，或瓦盖砖墙"，茅棚绝无。多有楼，用于储衣藏谷。②

二、里份的兴起

汉口里份的兴起是"阛阓多仿西式"的典型表现之一。高大洋楼是外侨和富商的住宅，平民是难以入住的。在此情况下，适合于普通市民居住的西式里份应运而生。武汉旧式小巷，或者因讲求风水，或者因迁就地势，大多弯弯曲曲，高低不平，而且十分狭窄，以致民间流传着这样的歇后语："巷子里赶猪——直来直去。"到了近代，汉口开埠以后，在租界建筑的影响下，在正街上洋式或半洋式建筑增多的同时，还出现了一种民居建筑的新形式——里份。里份房屋多为砖木结构，许多里份一色两层楼房，中间留出笔直宽敞的通道，其整齐划一的景观与旧式小巷形成鲜明对照。多数里份每栋住房的造型和布局几乎一致：石库

① 苏云峰：《中国现代化的区域研究——湖北省，1860—1916》，台北"中研院"近代史研究所专刊（41），1970 年印，第 498 页。

② 苏云峰：《中国现代化的区域研究——湖北省，1860—1916》，台北"中研院"近代史研究所专刊（41），第 500 页。

门，进门为天井、大厅，大厅两侧是厢房。厅后是楼梯间及后天井，再后为厨房、厕所和后门。楼上与楼下结构大致相同，木楼梯，木楼板，房里空间较高。据建筑专家分析，这种形式的住宅，颇合当时中国人的居住习惯和经济条件，所以在清末民初建造者甚多。在成片建造时，有总体规划，或呈“工”字形，或呈“丰”字形、“井”字形，左右对称，排列整齐。里份出口多，便于疏散人流和消防。缺点是弄堂里一般不植树，这与传统小巷是一样的。民国初年出现的少数高级里份为混合结构，三层，底层配汽车间及杂屋，侧面有露天台阶通向二层，始为门厅、客厅、餐厅，第三层才是卧室、书房、卫生间，其平面及立面墙身并不规则，窗户大小不一，上下错落，清水外墙，红平瓦，略带西班牙建筑艺术风格。

从前住房不够宽敞，又没有空调设备，在三伏天气温高达40摄氏度上下，被称为“火炉城”的武汉，人们的日子并不好过。里份的封闭性，使住户更感到酷热。白天稍微好一点，有南阳风，民谚所谓“小暑南阳十八朝，大暑南阳日夜嚎”。一到晚上风就息了，闷热难熬。这种酷热的时间长达两个月左右，于是形成了武汉人特有的习惯：一是不修边幅。男人常常光着膀子，女人有时也穿大短裤上街，所谓“伏天无君子”。二是爱玩水。一到夏天，长江、汉水和各处湖塘，都有游泳的大人小孩。三是扇子不离手。有人在扇子上写着一首民谣：“六月天气热，扇子借不得，虽然是朋友，你热我也热。”四是喜欢露宿。入夜，大街小巷摆满横七竖八的竹床，形成“竹床阵”，男女老幼就在竹床上乘凉、睡觉，直至天亮。

第四节　岁时在传承中变化

湖北地区有许多古老的风俗习惯，世代相继，流传久远，《荆楚岁时记》中记载的许多岁时风俗传承至近现代，甚至今天仍可见“荆楚岁时”的孑遗。然而在漫长的岁月里，由于社会的变革、文化的交流，风俗习惯也发生了许多的变化；有的为新风尚所取代，有的变换了形式；有的更新了内容。我们可以用“移风易俗”一词加以概括。

一、“荆楚岁时”的传承

湖北许多县志在介绍岁时风俗时，往往照抄前代志书，甚至抄录《荆楚岁时记》中所记风俗，说明古代荆楚的岁时风俗遗存仍在。下面择其重要者略加介绍。

春节　虽然辛亥革命以后使用阳历，但民间使用农历的习惯长期不变，“通俗以阳历为官历，阴历为民历，新旧参用，官民各分”[①]。所以，尽管早在民国初年就已把农历新年称为“春节”，但历届政府规定的假日为三天或四天，这是对群众习惯的尊重，因为千百年来人们都把正月初一凌晨至初三中午称为过新年。湖北也不例外：“官不视事，民间罢市三日。”

初一那天，鸡鸣将曙，男女旦起，开门焚香楮（即黄表纸和纸钱），以酒酹地，向吉而拜，谓之“出方”或“出行”。同时“于庭前爆竹，以辟山臊恶鬼”。这是《荆楚岁时记》上记载的古俗。后来，湖北各地民众敬神出方的少了，但爆竹声却不减以前。人们放鞭炮，不再是为了“辟山臊恶鬼”，而具有辞旧迎新的意思。

出行后，即行拜年礼，首先拜“天地君亲师之位”（民国时期推翻了君主制度，有些地方改为“天地国亲师之位”），次拜祖先，再次家中长幼依次拜贺。《荆楚岁时记》上记有“长幼悉正衣冠，以次拜贺”。平常大家都很忙，很少有时间互相登门，利用过年几天互相走访，寓有朋友、同行、师徒、邻里、亲戚之间互相探望、慰问、交流情况、增进情谊之意，从而体现人与人之间互相关心的良好社会风气，实属一种文明礼貌的习惯。旧时武汉出门拜年一般顺序是，初一拜本家，初二拜母舅，初三拜岳家。初三以后才去一般亲友家拜年。

① 宋衍绵：《蒲圻乡土志》第四篇，天文，蒲圻县教育局1922年印，第3页。

元宵节 正月十五日为道家上元节，民间又称元宵节。这是春节后第一个月圆的日子，社会上过年的喜庆气氛还很浓，所以在这天又掀起一个新的高潮。湖北人向有“月半大过年”之说，人们玩龙灯，要狮子，放鞭炮，敲锣鼓，兴高采烈，热闹非凡，特别是舞龙时，观者之多，千百倍于演戏，为一年中最盛之日，简直就是中国式的狂欢节。1922年3月8日《大汉报》上的这首竹枝词可谓描摹出了武汉旧时元宵节景象之一角：“家家喜地又欢天，爆竹烟硝满市廛。绿女红男装故事，沿街相唱采莲船。”

在这天，城里由工商业行会组织的龙灯队四出舞龙，灯玩到哪家商店门前，主人就要接灯，犒赏玩灯人。过去，武汉在元宵节前后“灯市颇盛”，节前两天各家各户就开始张灯了，称为“试灯”，到元夕达到高潮。玩花灯，既是一种喜庆、娱乐活动，又是一种民间艺术活动，那一盏盏造型优美的花灯，就是一件件艺术作品。在汉口四官殿灯市，简直是灯的海洋，各种篾扎纸糊的花灯“刻翠镂花，裁云缀鸟，极为斗工争巧”，小贩们高擎栩栩如生的灯笼，高声叫唤“活的！活的！”入夜，在三镇的大街小巷，则是灯的洪流。杂货店老板为了图个吉利，每年元夕向孩子们布施蜡烛，引得成群结队的孩子擎着各式花灯来到店铺门口唱道：“今天十五，明天十六，恭喜老板，化根蜡烛！”得到蜡烛后便欢天喜地又擎着花灯在街上游行去了。

而在农村，以村落为单位，每村必有本村之灯会。灯会之主角为龙灯，每村必制作一条大龙，故有的地方将元宵灯节称为“弄龙”。龙用竹篾编制成一个个骨架，外面糊以彩纸或彩布，龙长十余节至数十节不等，每节三尺至五六尺。规模和华丽程度视村里经济条件而定。连接多数竹环成一条龙身，每节龙身内有灯座供插蜡烛用，下面则有柄，玩灯人持柄而舞。弄龙首者非有臂力莫能胜任，因为龙头高大沉重。白天则身披彩衣，夜晚则内点蜡烛，鼓乐随之，助以声威。各村之间交相游行，灯会队伍十分壮观。前面是一对对牙牌，上书：“风调雨顺，国泰民安”，“五风十雨，万紫千红”等吉祥语。牙牌后面是高跷、锣鼓。游行到邻村，按户循行，每户必设香案，以龙首据案享受，实则让弄龙首者得以休息。随龙还有四位老者，衣冠整齐地站立在香案左右，祝以吉语。龙到每户都如此，唯年中生儿者必挂红布于龙角，并供以三牲，感谢上苍赐子。而欲求子之家，则往往许以旗炮。舞龙之人遇富家大户必盘绕多时，以耗鞭炮，富者亦以多放鞭炮奖励之。主人鞭炮不尽，客人舞龙不止，真是熙熙攘攘，人喜神欢。又有所谓“换酒”活动，即两村之龙互相宴请。龙灯前往则全村男子无论老幼全部跟去，舞龙过后接受款待，吃喝尽兴，故往往一天可吃数餐。但有的地方，年节舞龙时会发生冲突。在应城县，“每正月十一至十五日，乡村恶少醵钱造灯，纠其同类多人，腰悬小鼓，手执兵械，白昼跳跃，名曰‘跑龙’。偶值邻村龙灯于路，无不寻衅滋事，迨酿成巨祸，其尤择肥而噬，良懦受累，而凶徒或幸逃法外”。后与端午龙舟、花鼓淫戏一律示禁，地方始靖。[①]云梦县，依照惯例，同族上庙分先后，异姓龙灯路遇分左右，然青年人气盛，常起斗殴。[②]黄安（今红安）与兴国（今阳新）也有这种情况发生，巨族每因炫耀其百节龙灯，而引起他族之愤怒与冲突。[③]有的地方十五日为火龙期，将龙之首尾焚烧，留身衣以待明年。当晚会全乡龙灯于庙，争先恐后，持械以卫，结党以攻，往往酿成命案。而有的地方至二十日后，将灯送入祠庙保藏，灯节就算告一段落。

民国初年徐焕斗著《汉口小志》记载：正月十五“是夜，亦多请乩仙，或名紫姑，或名七姑”。而在江夏县，是夕，村女们拿着女子衣服，设香案，唱歌降神，称为“请戚姑”。神来后各人叩首，求戚姑办事，看她是否肯帮忙来占卜休咎。拿来请戚姑的女衣在年前二十四夜放在屋顶上，以柳枝遮住。这个神其实是传说中的厕神“紫姑”，民间讹为“戚姑”，或“七姑”，以为是七星仙女，甚为荒谬。这实际是《荆楚

① 《应城县志》，光绪八年蒲阳书院刻本，《中国地方志民俗资料汇编》中南卷（上），第345页。

② 张树华：《鱼米桑麻话云梦》，《湖北文献》第28期。

③ 李德甫：《黄安断片》，《湖北文献》第15期；曹心源：《记阳新县百节龙灯盛况》，《湖北文献》第23期。

岁时记》所记“是夕，迎紫姑，以卜将来蚕桑，并占众事”的传承。

元宵节吃汤圆是人人皆知的事，表示预祝一年的工作圆满、顺利。

清明 家家户户均要去上坟。扫墓不尽有迷信色彩，更主要的还是人们通过这一活动表示对祖先的纪念，寓有追根寻祖、崇德报功之意。对于数典忘祖，不去扫墓的人，人们有这样的批评：“清明不祭祖，死了变猪狗。”此话后来传成了“清明不戴柳，死了变猪狗”，所以从前在这一天，男女均插柳鬓边，各家也多插杨柳枝于门前屋后。人们常说“清明要明”，即清明要天晴。还有的地方用插柳来观测天气，预卜丰稔，如农谚说：“檐前杨柳青，农夫休望晴”“清明晒干柳，馒头撑死狗”，就是这个意思。

端午 农历五月初五为端午节，又称“端阳节”。这一天家家户户吃盐蛋、粽子，相传是为了纪念楚国爱国诗人屈原。人们举行龙舟竞赛，湖北人称为“划龙船”。在长江、汉水里，各色龙船竞渡夺标，两岸观众如云，真是“倾城出观巷陌隘，红霞如锦汗成河”。有的男女还坐船出游助兴。这一活动既是体育竞技，又是爱国主义教育。《荆楚岁时记》上对端午竞渡是这样记载的：“是日，竞渡，采杂药。按：五月五日竞渡，俗为屈原投汨罗日，伤其死，故并命舟楫以拯之。”如元宵节玩龙灯一样，龙舟竞渡也有在夺标时互不服气而引起冲突的事件发生。

民间又以五月为恶月，为防疾病，这一天各家各户还悬菖蒲、艾叶于门口，熏雄黄于室内，并饮雄黄酒，以驱瘟疫。这本来是一种良好的卫生习惯，还有一定科学道理。是日竞采杂药，是源于《夏小正》所言“此月蓄药，以蠲除毒气”。以五月为“恶月”，来自《荆楚岁时记》：“五月俗称恶月，多禁。忌曝床荐席，及忌盖屋。”悬艾于门也在《荆楚岁时记》中找到依据：“五月五日……采艾以为人，悬门户上，以禳毒气。”

六月六 各地俗以为六月初六为“半年福”，比较重视。有的地方，每年夏至后逢卯日，名曰“过半年”，亦曰“吃新”。俗谚说：“乡里人，两餐荤，过了年，望吃新。”所以吃新也是农民一大盛典。所谓“吃新”，就是庆新谷丰收，谢神灵保佑。是日，摘新谷一穗，归而供奉祖先神位前，举行祭祀，此礼颇含有上古荐熟之意。

每年农历六月六日，人们都要把衣物、书籍放到太阳底下暴晒，认为晒后可以不长虫，故谚语说：“六月六，晒包袱。”这天一般是夏季最炎热的时候，阳光强烈，利用此时暴晒衣物以防霉蛀，有一定科学道理。在湖北应城县（今应城市），这天，“晨早取井华水，藏以治病，暴图书、衣物等类。是月也，始尝新，日用卯成”①。

中元节　农历七月十五日为道家中元节，俗称“七月半”。迷信传说这天阴间阎罗王开放鬼门关，各家均要迎接祖先亡灵回家，或陈酒馔以飨祖宗，或烧包袱给亡魂寄送银钱。寺观僧道自初一起就为人家设水陆道场打醮，谓之“盂兰盆会”。剪纸为莲花灯，于夜燃之，浮于水者称“河灯”，置于陆者称“路灯”，以照“幽魂”。《江夏县志》记载：“洪山宝通塔是夕七层皆缀灯烛，赫赫若火伞，称为塔灯。”②这天可说是僧道满街，鬼魂遍地，弄得阴风惨惨，人心戚戚。《荆楚岁时记》记曰：“七月十五日，僧尼道俗悉营盆供诸佛。”

中秋节　过去在农历八月十五日中秋之夜祭月，大概是上古对天体崇拜的一种遗俗。后来人们把家庭团圆的美好愿望寄托于月圆上，就使中秋具有了佳节的意义。辛勤劳动了一夏的人们，在秋收以后，金风送爽之际，借此互相馈赠礼品；并备菱藕瓜果、月饼美酒，合家团聚赏月，这种习惯古今无异。我国关于中秋和圆月的传说、神话、吟咏不胜枚举。苏东坡《水调歌头》中“明月几时有？把酒问青天。……但愿人长久，千里共婵娟”，就是在中秋之夜，欢饮达旦，大醉之后的杰作，含有“每逢佳节倍思亲”的意思。

据《汉口丛谈》记载，中秋节，各家各户竞尚月饼，互相馈赠，而

① 《应城县志》，光绪八年蒲阳书院刻本，《中国地方志民俗资料汇编》中南卷（上），第346页。

② 《江夏县志》，光绪七年重刊本，第5卷，第33页。

卖月饼的店家日夜加班制作大量月饼，以供应市民购买。咸宁县（今咸宁市），八月中秋，“团饧为饼，曰‘月饼’，彼此馈送。设酒果宴集，曰‘赏月’。于瓜田探瓜，曰‘摸秋’，送至祈子之家，置卧榻上，出吉语征兆，盖取绵绵瓜瓞之义也”①。

冬至 有的地方俗以为“冬至大过年”，比较重视。《汉口小志》称：“十一月，俗称‘冬月’。三冬皆冬，而独乎此月为‘冬月’，当以‘长至’故也。‘冬至’数九，单日连根，双日除根。又多于是日腌鱼肉鸡鸭，预备过年之用。”②松滋县（今松滋市）“冬至日，合祭祖先于祠堂，士大夫交相拜庆，庶民不与焉”③。京山县（今京山市）也是冬至日“士大夫家或交拜相庆，民间则否”④。

小除 农历十二月二十四日为小除，有的地方是十二月二十三日为小除，湖北人称为“过小年”。这一天家家户户都要“打扬尘”，就是大扫除。《湖北通志》记载：“先以竹枝扫户宇，弃其尘垢于道旁，谓之送穷。”《汉口小志》说：“洁除诸屋。”彻里彻外大扫除，干干净净过新年，这是我国人民千百年来形成的良好卫生习惯。从前小除日要祭灶神（送灶），南北没有什么差异，武汉人称为“送司命”。除日前几天，满街就有人呼喊着“请灶码”，兜售灶神画像，以供人们敬灶神用。这里有许多神话故事，人们害怕灶神回天宫向玉皇大帝告刁状，便敬奉糖食以封住他的嘴，让他“上天言好事，下界降吉祥”。鲁迅诗：“只鸡胶牙糖，典衣供瓣香。家中无长物，岂独少黄羊”，就反映了这种风俗。《荆楚岁时记》上有“其日，并以豚酒祭灶神”的记载。小除起，“过年”的氛围开始了，孝感县（今孝昌），卷纸作筒，实以硝黄，名为爆竹，馈遗者号曰“春雷”。自小除至次年正月春节，声响不绝，至有彼此竞爆以鸣豪举者。后因火灾禁鞭，也不稍衰。锣鼓更盛，无锣鼓者亦击响

---

① 《咸宁县志》，光绪八年刻本，《中国地方志民俗资料汇编》中南卷（上），第 372 页。

② 徐焕斗：《汉口小志·风俗志》，商务图书馆 1915 年排印本，第 13 页。

③ 《松滋县志》，同治八年刻本，《中国地方志民俗资料汇编》中南卷（上），第 407 页。

④ 《京山县志》，光绪八年刻本，《中国地方志民俗资料汇编》中南卷（上），第 394 页。

器，谚云“正月半，敲铁罐”[①]。

筹备过年活动在腊月初就开始了，尤其在农村，小康之家，起塘鱼，蒸年酒，做豆丝，打糍粑，宰年猪，写春联，一片忙碌景象。

除日　为岁末最后一天，湖北习俗与各地无异。居户在这一天要煮好能供数天吃的米饭，谓之“压甑饭”。《荆楚岁时记》称为“宿岁饭”，要留到次年弃之街衢，“以为去故纳新，除贫取富”之意（《荆楚岁时记》），反映了人们乞求丰衣足食、过富裕日子的愿望。后来可能意识到这样是浪费粮食，就不再弃之街衢了。是日，老幼男女，五鼓即起梳洗，手持香支至祖坟，名曰“标山”，请祖先回屋度岁吃年饭。过年饭菜做好后先摆一桌酒席敬祖宗，然后重新热一下，全家吃团年饭。是夕贴门神、春联于门上，满室燃灯，通宵不灭，阖家“守岁”。从前过年中的一些迷信习俗如“接灶”（迎小年时上天的灶神回家）、“听谶”（夜深潜出户外听声音以卜休咎）等等习俗，渐渐在人们的生活中被淘汰了，而许多富于生活情趣和喜庆意义的良好习俗，如“闹年”“守岁”、贴春联等等一直盛行。这说明了风俗习惯作为一种意识形态，随着社会的发展而不断地推陈出新。至于《荆楚岁时记》中所记的岁时习俗有些传承下来，有些早已消失了。

二、新的岁时令节

民国时期，与新的时代相适应，形成了不少新的风俗。《蒲圻乡土志》记载了民国初年新的纪念日：“二月十二，清隆裕逊位南北统一纪念日。五月九日，项城承认日本二十一条要求，为国耻纪念日。十月十日，武昌起义国庆纪念日，一称‘双十节’。十二月廿五日，共和复活纪念日，即云南护法兴师日。”[②]至于稍后形成的“元旦”（阳历新年）、“三八”国际妇女节、“五四”青年节以及植树节等等，甚至西方的宗教

① 《孝感县志》，光绪八年刻本，《中国地方志民俗资料汇编》中南卷（上），第327—328页。

② 宋衍绵：《蒲圻乡土志》第二篇，天文，第4页。

节日如圣诞节，已成为新的岁时令节，逐渐进入人们的生活，与全国各地并无差异。

第五节　人生礼仪的时代变革

中国古代对于人生教养非常重视，并形成各种风俗和人生礼仪。诞生、成年、寿庆的礼仪多而烦琐，还有婚礼、丧礼、祭礼，成为中国传统礼制的重要组成部分。湖北民众在人生礼仪方面的风俗习惯与全国大部分地方差不多，但具体表现的事象不完全相同，在此有必要择其差异者予以介绍。

一、生育习俗

多子多福是中国民间一种广为流行的传统观念，一般认为三男二女较好，五男二女“七子团圆”最为理想。倘若做不到，宁愿单生男孩，也不能只生女孩。这是因为，从家庭结构看，多子多孙，后继有人，以免祖宗断绝香火，不能“血食”；从家庭经济计，多生男孩，可增加劳力，便于发展家庭生产，而且在社会保障很少的条件下，尚能靠儿子养老送终，即所谓“养儿防老，积谷防饥”；从家庭地位讲，多生男孩，将来或读书做官，光耀门楣，或出门经商，发家致富，最起码亦可做到人多势众，不受欺负。而生女孩，下层民众认为女儿将来是人家之人，要倒贴一笔嫁妆费，颇感经济压力，故称女孩为“赔钱货”；上层社会虽表面上视女儿为掌上明珠，但受长期以来形成的重男轻女风尚影响，颇感精神压力，思想上存在着对女孩的歧视，同时歧视只生女不生男的妇女，尤其歧视不能生育的妇女。

由于这种多子多福和重男轻女观念的影响，人们把生育视为结婚后的第一大事，造就了生育型的家庭，不育或少育的家庭受到歧视，许多求子风俗由是而生。在湖北的传统婚礼中有许多祝福新人婚后“早生贵子”的习俗，或用象征手法，或充斥巫术信仰，也有非常实际的措施。

如，新婚前夕，由女方请夫妻双全、多子多福的“全福人”到新房铺陈嫁妆于床。通俗以为新人睡了这种人铺的床，会受感应而同样多子多福。这实际上是“感应巫术”在婚礼中的遗存。铺床时置红枣、花生、桂圆、栗子于衾枕中，寓“早生贵子”之意，这是运用了“谐音象征”的手法。邻居妇女艰于子嗣者有时也有趁机到新床上抢食的。至于实际措施，那就是规定新婚夫妇婚后一月“不空房”，以保证受孕生子。光绪年间上海《点石斋画报》更报道了一种奇异的风俗：汉阳乡间土名叫草家的地方，在结婚头一天，由女家致送妆奁，男家在路迎迓，其新婚之净桶（马桶）必令新郎穿戴衣冠，恭候道旁，接挑到家，摆在神前，行三跪九叩大礼，旁人则加以吉利话语，祝其早生贵子。[①] 诚如谚语所云：“一去三五里，各处一乡风。”重视子孙桶的风俗在别地也有，比如在作为嫁妆的马桶中放鸡蛋送到男家之类，至于像这样祭拜子孙桶的风俗确实少见，但在该地相沿成习，牢不可破。

如果结婚三年以上并未生子，家人就会指点媳妇采取求子措施。最普遍的办法是去寺庙求菩萨恩赐。武汉妇女主要是到归元寺大士阁的观音菩萨面前烧香叩首，施舍一定香资后，去到菩萨座前，摸一把筷子或一双小童鞋，偷偷揣在怀里带回家，民间以为这样就可以怀上孩子。因此人们将大士阁又称作“百子堂”或“送子娘娘殿”。据说还很灵验，在那里摸过筷子而得子的并不乏人，那些喜添贵子的善男信女总不会忘记到庙里去还愿，除了向功德箱里多塞钱外，有的还给观音菩萨披挂红绸，悬挂帐幔，甚至装裱金身，以感谢菩萨赐予子嗣。还有一种办法是用手或肚皮、衣罩触摸石笋（男根象征物）、石窍（女阴象征物）一类的东西，祈求通过感应怀孕。江夏县城（今武昌区）滋阳湖（一名紫阳湖）中有一条东西走向的堤，堤上有滋阳桥，夏日荷花盛开，可资游赏，为纳凉胜地。相传桥上有石龙，每年中秋节许多少妇争相前往，抚摩龙首，以为禖祷。“禖”是古代求子的一种祭祀仪式，亦是求子之神，

---

① 《亲迎净桶》，《点石斋画报》第 4 集，御四（1895 年 4 月）。

少妇们去抚摩龙首，就是一种求子的仪式。对此在晚清王景彝的《吾乡中秋竹枝词》中有另一种说法，称“紫阳桥旧多玲珑石，妇人以是夕暗摩石窍，谓可生子”，并作竹枝词一首咏其事：“涂山剖石古曾传，炼石抟人一转关。就使摩挲真应手，生儿也带一分顽。”[①]无独有偶，在旧藩台衙门前，有石狮一对，求子妇女往往于中秋月夜，步行前往摩挲，谓“主宜男之兆”，好事者美其名曰“摸秋”。真正的“摸秋”是各地常见的一种中秋送瓜风俗。中秋夜，亲友于菜园中偷摸西瓜一个，以彩色绘成面具，裹上衣服装扮成人形，推举年长命好者抱着，敲锣放炮，送到娶妇数年不育之家，放到床上，用被子覆盖，口中念念有词曰：“种瓜得瓜，种豆得豆。”受瓜人家则设盛筵款待，如办喜事一般，妇女得瓜后，立即剖开吃，认为可以怀孕。

综上所述，有子还是无子，生男还是生女，成为一种沉重的情结，直到近现代仍然困扰着中国大部分新婚夫妇及其家庭。

生育是家庭的重大事件之一，受到特别重视，表现为诞生礼隆重、烦琐而又充满祝福与希望。诞生礼持续时间比较长，包括婴儿降生到周岁间举行的一系列活动和仪式。这种礼俗起源很早，经过漫长历史阶段的缓慢演变，其主要仪式及其含义一直传承到了近现代。

古代无产院，生儿多在家中。民国年间有了医院，一部分城市妇女在医院产房生产，多数妇女仍在家中生产，或请接生婆、助产士接生，或由家人助产。婴儿诞生后，向外家报喜的时间各家不同，有以当日，有以三日、五日、七日不一。报喜要以红蛋为礼物。外家得喜讯后，即于三朝或满月馈赠产妇食物和婴儿衣物，名为“送祝米”，既贺生子，又为产妇催奶。

诞生礼的第一个仪式是做“三朝”。婴儿出生后的第三天，由接生婆或有经验的老年妇女为其洗澡，一般以陈艾煮鸡蛋之水浴之，浴盆中置金银饰物，民间称为“洗三”。从卫生学角度看，艾叶洗浴可为新生

① 徐明庭辑校：《汉口竹枝词》，武汉：湖北人民出版社，1999年，第135页。

儿消毒，预防疾病，所谓“除净秽污，洁白入世”；从民俗学角度看，洗去胎气，表示脱离前状态（即胎儿状态），迎接入世。洗澡过程亦包括祝福的内容，擦洗者在为婴儿擦身时要相应地诵念祝词。外家送祝米礼物中则有葱和钱，“葱使儿聪，钱使儿富”。洗澡前脱去“利市衣”，洗澡后穿上“新襁褓”，然后抱出房来见客，俗称“报喜”。仪式结束后，主人设席宴请致贺亲友并酬谢擦洗之人。在医院生产者，洗三之俗渐渐少行，即使举行，也不事张扬，仅家中人为婴儿洗浴，减少迷信色彩，增加科学成分。

诞生礼中以满月最为重要，因为婴儿出生一月，可谓走完了诞生前状态与入世状态之间的过渡阶段，产妇也可结束产期，俗称“出月子”，嗣后可串门走亲戚，故值得庆贺。民间通俗称为“做满月”的仪式就是古代“汤饼会”之遗意，又称“贺弥月”。湖北与全国各地一样通行此俗。是日亲友群往庆贺，皆有礼物为赠，独外家送祝米最丰，有衣服、被褥、鞋帽、摇篮（武汉人称“摇窝”）等，衣帽上多绣“长命百岁”“金玉满堂”等字样和吉祥图案。所设筵席称“汤饼筵”，招待来客。这天要举行剃胎发的仪式，表示完全脱离胎儿期；并由亲友抱之游行街市，表示“见世面”之意，以壮大其胆，将来不惧生人。

婴儿出生百日亦有仪式，称为“百禄”或“百晬”。所以举行“百禄”仪式者，乃是取百日之“百”的吉祥含义，祝福小儿长命百岁。这天外家等戚友再赠礼物，儿家则再设宴款待。小儿如体弱多病，或家长怕孩子将来不长寿，常要用银百分铸锁梏其项，这百分银还要聚百家钱来置办，名“百家锁”。富户可通过大宴宾朋，接受众人贺礼，以获得百家之钱；而一般人家只能在邻里中挨户乞讨钱粮，表示给孩子吃“百家饭”，或到每家乞讨一根线，纫佩于项上，曰“百家线”。民间认为孩子吃了百家饭或佩带了百家线可以长命百岁。

取乳名亦是诞生礼中很重要一环。小儿初生之命名法甚多，但总不出祝福与希望之意。有根据“贱名贵养，昵称顺亲”的传统故意取贱命、讨厌之名，以望其成者。北方常有“狗不吃”“狗嫌臭”“狗剩儿”“不待见”等名，而武汉及附近乡村则有“丑货”“坏（音怀）货”“贱货”等。又有生男命女名者，如丫头等，武汉郊县较多。武汉还有小儿出生不久，“拜僧道为徒，服僧道服，曰‘寄名’”的习俗。《汉口小志》上记载说：“小孩不清吉者，多投寺记名，以和尚、道人呼之。”① 所以20世纪50年代以前出生的武汉伢中有不少叫和尚的，有的一条小巷里就有杨和尚、李和尚、张和尚等。取这种乳名的用意，多半出于爱子之心，对于宠儿或独子，父母深恐他们不长养，因而取贱名，以为世间可贵的东西往往容易丧失，而贱的东西偏生容易长养。

诞生礼的最后一个仪式是周岁时的“抓周”，或称“周晬”“试晬”“试儿”“试周”。洗三、弥月等仪式只在较小范围举行，参与者多系女性宾客，所谓“婆婆妈妈事”；而做周岁则是大摆筵席，宴请男女贺客。外家除了馈赠衣物、鞋帽外，还要赠以银首饰（长命锁、手圈、脚圈、项圈之类）。抓周是将各种物件罗列儿前，男用弓矢、笔墨，女用刀尺、针缕，及珍宝、玩物等，任之自取以观其志。人们用这种方法测验小儿性情、志趣和未来前途，充满了祝福与希望之情。以前这种仪式只是在缙绅之家和城市家庭举行。《江夏县志》记载：“周岁设晬盘坐儿前罗诸物，视儿所取物先后卜终身，曰‘抓周’。”②

以上生育习俗，各县近似。如在长阳县，“产子，亲友相遗以鸡、鹅、米、蛋、糕、糖之类，谓之‘送粥米’。生子三日，谓之‘吃三朝饭’。满月为汤饼会，谓之‘整满月酒’。周岁晬盘，谓之‘抓周’。多治花样衣镯、福寿银钱以贺外，大父大母则更从丰。无大父母，则舅氏亦然”③。天门县，“凡初生男子，多用鸡卵染红宴贺客，亦遍致于亲友族邻。谓之‘送红蛋’。受者亦致鸡、米、鱼、蛋于产妇，谓之‘送汤饼’。至小儿周岁时，又制衣帽、靴履、银佛、金钱之类相庆，仍张筵

① 徐焕斗:《汉口小志·风俗志》，第2页。

② 《江夏县志》，光绪七年重刊本，第5卷，第35页。

③ 《长阳县志》，同治五年刻本，《中国地方志民俗资料汇编》中南卷（上），第423页。

礼宾，且或演剧屡日”[1]。

二、婚姻习俗

民国时期出版的《湖北通志》所记载的婚礼仪节为：欲缔结婚姻，先由媒人传辞，得到女家许可，乃取男女生辰八字令星士推之，审其吉利与否，谓之“合婚”；合婚后选择吉日延媒氏传庚帖为婚据，谓之“鸾书”。男家要送去钗、镯等物，名“压庚”。富裕者还赠以猪肉、酒、果、饼或现金，谓之“下聘”，婚姻定妥；于将娶之前，男家必具牲醴、茶果及衣饰等物致女家，谓之“过礼”；于确定婚期后，请媒妁前往女家报告，俗称“报期”；及期，婿亲迎，礼行奠雁，婿先归，俟门外揖新妇，夫妇交拜、合卺。这是古代“士昏礼”通过变异传承下来的礼仪。

《夏口县志》上说：“昏礼大致近古”，说明武汉地区婚礼基本上遵循以上这些仪节，只是因社区环境不同而大同小异。在汉口等地，男女结婚，必待父母之命，媒妁之言，虽因近世文明发达，间有自由结婚者，但不多见。婚礼俗谓纳采为“行茶”，果味虽备，必主以茶和盐，而名之曰“山茗海沙”。茶即“山茗”，盐即“海沙”，取其谐音以寓意婚姻经过山盟海誓，牢不可破。俗语又云：“一片黄茶叶，定倒须弥山。”须弥山为佛教徒心目中的山，它与芥子大小相容自在，融通无碍。此处指以茶叶之微，可以将须弥山镇住，使婚事铁定不变。亲迎时，肩舆以杂色缣缀其上，曰“花花轿”，因此新娘出嫁曰“上花轿”。合卺，谓之“饮交杯酒”。古礼中有三日庙见，近现代人家多无家庙可见，只称“拜堂”，俗曰“见大小”。新妇到时，亲友群相庆贺，言人所不能言，以取笑乐，名曰“闹房”。又三日，双双返回岳家，名曰“回门”。

汉口婚礼给人的印象是“不免于奢僭”，因为大婚之时，无论何人子女，男必色顶补服，女必凤冠蟒袍，极其奢华。民国以后服饰奢靡更

---

① 《天门县志》，1922 年石印本，《中国地方志民俗资料汇编》中南卷（上），第 399 页。

逾于从前。这恐怕是由于汉口乃明清时代天下四大聚之一，近代以降又是著名的商业大都会，经济发达，市面繁荣，居民生活竞相奢侈的缘故。在这种社会风尚的影响下，汉口人嫁女，只求丰衣足食，皤皤白发也所不计。时人慨叹曰："习俗如此，内政所以不修。"而各县有尚奢，也有从俭的。婚礼古代是在昏时，后世亦多在晚上举行婚礼。但在天门县，"（婚）礼用昏，而俗以侈靡耀观，多用白昼。礼不举乐，而俗鼓吹喧阗，或累日夕。甚有鬻产饰观，逾分备仪者"[①]。而在光绪年间孝感就已经从俭了："婚礼有六，今才三：纳彩、请期、奠雁耳……三日庙见，今人家多无家庙可见，止称'拜堂'，俗曰'见大小'。……今则以从俭为快，士大夫家亦不免也。"[②]

民国以后，文明婚礼渐渐推广。开始时是新旧杂糅。1915 年 12 月 2 日，汉口曾涉足政界后从事实业的李时谙与知识女性张咏梅举行文明结婚典礼，他们的结婚仪式是典型的新旧杂糅：

（一）喜堂肃静（以下皆司仪员喧唱）（二）司礼者两旁序立（三）导两新人就位（四）奏乐（五）行祀天地三鞠躬礼（六）行祀祖宗三鞠躬礼（七）行祀先父母三鞠躬礼（八）新人相对行一鞠躬礼（九）来宾致祝词（十）新人答词（十一）奏乐（十二）向主婚人三鞠躬（十三）向男介绍三鞠躬（十四）向女赞礼三鞠躬（十五）向来宾三鞠躬（十六）行见家族三鞠躬礼（十七）奏乐（十八）导新人入洞房　司礼者退班

众亲友致祝词后，新郎在致答词中，大谈夫妇在社会上的地位，涉及对自由结婚的看法，最后表达了自己的愿望："张女史品学兼优，固鄙人之素所敬佩。但世界文化日进，学问原无止境，所冀与女史共相勉励，俾鄙人理想中之新模范家庭，见诸事实，以为社会之倡导，则鄙人与女史所以报彼苍之作合，即所以酬诸君子期望之雅意云尔。"[③]

① 《天门县志》，1922 年石印本，《中国地方志民俗资料汇编》中南卷（上），第 399 页。

② 《孝感县志》，光绪八年刻本，《中国地方志民俗资料汇编》中南卷（上），第 326 页。

③ 《汉口李君时谙与张女士咏梅结婚志盛》，《中华妇女界》第 1 卷第 12 期，"特别纪事"。

三、丧葬礼俗

武汉三镇和周边地区丧葬礼俗大致相同，所不同者，汉口商家丧礼，讲究奢华，生前所置棺椁要选择花板中心有菊花者，墙板厚至尺许，每年要加漆一道。入殓时陪葬品丰厚，多以珠宝玉器殉葬。葬前延请地理先生看风水，选择牛眠吉地，下葬则要请算命先生占卜时日。有部分人家丧事循古礼不修佛事，而举行祭奠。大部分人家丧事还是做佛事，一般要延请和尚在家念经三至五、七日，送殡仪仗中方相明器以巧为能，亭彩幡帐以多为贵。小户人家请不起和尚，但仍要请人唱孝歌，因此汉口出现了一种专门唱孝歌的行业，业此者在其门上悬挂“悲乐堂”招牌，其鼓盆之歌，几令人绝倒。贫匿户棺椁极平常，有十二圆花的就很好了。最穷苦人家甚至买不起棺木，到自新善堂板棺局去乞求施舍薄棺。该局每年施舍无算。

据地方志记载，武汉丧葬礼俗多循古礼，晚清时代丧服、丧期均遵《文公家礼》（朱熹所撰，又称《朱子家礼》）。大致程序为：长辈弥留之际，子孙必须到场送终，如果父母死时子女不在身边，不仅亲友责其不孝，子女也会感到终身遗憾和愧疚。死者断气（即《家礼》中所说的“初终”）后，立即烧钱纸，称为“落气纸”；在死者身旁点一盏油灯，称“长明灯”。家中及时确立丧主等经办丧事的人员。亲属按与死者关系的亲疏穿戴孝服，按旧制应分斩衰、齐衰、大功、小功、缌麻五种，而实际生活中多披白色头巾，以头巾之长短、系头巾之麻线的粗细和颜色来分别，但统言之披麻戴孝。鞋则用白布覆盖，根据辈分点缀一点红绿，孙辈缀红，重孙辈缀绿。一面派人购制棺木（许多有条件的老人生前就已置办了寿材），一面通知亲友前来参加葬礼，一般人家口头通报，富家大户发讣告，讣告有一定格式。然后为死者洗澡，“前三后四”，即用湿毛巾在死者胸前抹三下，背后抹四下，穿戴寿衣寿帽，并在其右手放入一根棍棒或柳树枝，上串一烧饼，称“打狗棒”。覆衾死者身上，脸上则覆盖白布（即《家礼》中所说“小殓”）。设祭，哭丧，守灵。点主，主即死者的牌位，俗叫神主或灵主。点主仪式颇为隆重。神主多聘贵显者题点，称为“大宾”。点主开始，由礼宾一人唱礼。堂前设一案，大宾坐在案后，案上有笔砚墨等文具。唱礼人唱：请大宾就座。引孝子等捧灵主出闱，诣点主案前，跪，（礼宾将灵主捧于案上），撣尘（撣去灵主上的尘灰），去红（去掉灵主上裹的红布），启匣（启开灵主外壳，置大宾前），研墨、开笔、濡墨、刺红。（礼宾用针刺破孝子等左中指，将血一滴濡于笔尖上，把笔呈给大宾），点内主通灵（灵主分两层，内层写显考［妣］××公［夫人］之灵位，一旁写死者生卒年月日时，一旁写孝子××等奉祀。大宾用笔在主字上点一点，灵字上画一直），点外主通神（灵主外层写显考［妣］××公［夫人］之神位。阖上灵主，在外面一层主字上点一点，神字上画一直），点耳（灵主左边有一耳字，在耳字上点一点），点窍（灵主右侧有一窍字，在窍字上点一点），阖匣、复红。（仍裹上红布，放在孝子端的盘内），孝子叩首，引孝子入闱，礼成。

一般摊尸半天到三天不等，家中必要到场的人到齐后即将死者放入棺材（即《家礼》中所说的“大殓”），亦设奠，家人号哭。钉棺盖时孝子在一旁高喊“某某躲钉！”此时成服，设祭堂，早晚奠，接受亲友吊丧。在家中办理这些事情的同时，派人外出择定墓地，挖好墓穴。出殡（俗称“上山”）日，请道士做斋，为死者开路。棺木一般由八人抬，路远的还要有八人替换。棺木出门时要摔碎一只碗或钵。出门后前面有人擎铭旌，丢纸钱（俗称“买路钱”），中间有孙子或重孙骑坐在棺木上，后面孝子贤孙、亲戚朋友依次跟进，徐徐向墓地进发。棺停墓穴旁，先用稻草烧墓穴，谓之“暖井”，有的还杀一只公鸡将鸡血洒在墓穴周围。棺木放进墓穴后，孝子先撒一把土，然后土工填埋，堆成新坟。三天后亲人再至墓地上坟添土，称为“复三”或“复山”“复土”。

殓后计算日支与死时相冲，则要预设祭仪，关门掩户，全家躲避他处，称“回殃”，又称“回煞”，认为亡者回家时会带回殃神。届时必用芦秆作梯，靠在屋檐下，说亡人由此而下地回家，有的人家还在地上撒灰以验亡者足迹。屋中设有筵席，等待死考回来享用。次日如发现灰上有痕迹，就认为是亡魂昨夜回家了，其实是偷荤猫、鼠留下的行迹也说不定。更有甚者，请道士驱煞，送走殃神，俗称“赶鬼”。《汉口小志·风俗志》记载：“停棺之家，灵门贴一‘罨’字，不知何所取，讯之土人，亦不解也。”[1]其实，“罨”音 yǎn，覆盖、遮蔽的意思，可能来自道士的符箓，其起“避殃”的作用。

民国时期丧礼无五服详制，丧期亦无定数，礼义之家以及乡民丧服丧期仍遵旧制，当局亦不过问。租界不准举行丧礼，人死必先报验，限三日内出柩，不得久延，所以要想举行传统丧礼，必移柩华界，灵柩出行前须先照会租界当局。

办丧事本来是极其悲伤的事情，但必设盛馔宴请吊丧宾客，否则遭人讪笑。乞丐有时也来凑热闹，但亦讲道理。如果丧家不宴请吊丧宾客，他们并不来骚扰。如果丧家宴请吊丧宾客，他们就来了，来后听主人安排，并不强索强要。有的地方，乞丐还来参加抬棺材，自己虽有要事也莫敢辞，条件是须丧家跪接，事后管一餐饭，并不要酬金。

死去的亲人送上山后，孝子要供灵守孝。一个月内不能剃头，不参加外面喜庆活动。守孝一般三个年头，第一年农历新年祭祀活动最为隆重，俗称“新年”或“馨香”。亲友、邻里都要来给亡者送香烛、燃鞭炮“拜年”。而在黄陂，家有新丧者，其亲友必于除夕携烛一对、冥钱一扎，来灵前叩头辞岁，示哀恋之意。这些实际是丧礼中吊祭活动的一种延伸。孝子在新年的三天不能出门拜年，但在黄陂等地农村，年前有新丧者，孝子要穿白袍墨套，戴无纬空梁冠，以服内兄弟二人穿白袍作陪，到亲戚家叩首谢孝，称为“管新灵”。守孝之家，门上春联不能用红纸，第一年用白纸，第二年用黄纸，第三年用绿纸。此俗现在仍有，但一般都用黄纸，不论年头。在黄陂则有所不同，凡有亲丧者，必以蓝纸写一“服”字帖于门首，门对用白纸，其对文大半均曰“守孝难还礼，

① 徐焕斗：《汉口小志·风俗志》，第 3 页。

思亲免贺年”。三年孝满除服，要请和尚做法事或请道士做道场，超度亡灵。此时可将灵牌、条幅连同孝服、孝鞋一并焚烧，俗称“烧灵”。

从前对于墓地的选择十分注意地势与环境，阴宅风水迷信根深蒂固。为找到一块牛眠吉壤以供亡者安息，并给子孙后代带来好运，要请地理先生审慎勘测，妥而后葬。由于择地需要时日，人死后不能早日入土，停棺不葬者十分普遍，甚至将灵柩停放中堂数年不葬，或迁厝寺观、善堂、会馆、公所的厝屋。久历寒暑，易生朽蠹，兵燹频仍，易遭破坏，不特生者于心不忍，更会影响周围环境。20 世纪 30 年代以后，这种停棺不葬的现象在各地逐渐减少。此风减杀的原因有：（1）经过舆论宣传，士大夫劝诫，民众逐渐认识到葬亲只求高旷地与干净土而已，无所谓天星峦头之说。迷信渐为破除，已不再拘于风水时日；（2）因时局不宁，水火兵燹，恐生意外，须抓紧安葬；（3）政府取缔厝棺，提倡公墓。此俗的革除，改变了人们长期以来与死人为邻，以停柩为累的不正常现象。

民国时期，政府制订新式丧礼，但难以推广普及，官方和民间团体不得不转而求其次，对传统丧葬礼俗中影响突出、危害严重的弊端加以禁革。取缔停柩，设立公墓，是政府的禁革措施之一。

第六节　休闲娱乐的花样翻新

湖北的各种休闲娱乐活动极其丰富多彩，通过世代传承，形成了特有的休闲娱乐习俗。20 世纪初，出现了传统休闲娱乐活动与新潮休闲娱乐方式的并存与合流。在日常的休闲娱乐活动中，由于西方文化的影响和人们思想观念、生活方式的变化，一些带有封建内容和低级趣味的旧式娱乐方式逐渐衰微，而与现代科技相结合的富有时代气息的新潮娱乐活动受到越来越多人的喜爱。

一、休闲场地

湖北人的休闲方式多样化，而且随着时代的变迁而变化。

古人谓“饮食”是人之“大欲”，人要生存，必要饮食，吃喝实是维系人们生存的基本条件。而“宴”就不同了，是聚而饮食，具有休闲、娱乐、社交的功能。故作为休闲方式的饮宴，除酒食饱口福外，还有乐舞悦耳目，聊天交友情，放松心情获得身心愉快的作用。为汉口商人和居民服务的酒楼、饭庄，遍布正街、河街和后湖。武昌官员筵饮则在皇华馆、黄鹤楼等高档场所。妓院也是饮宴的地方之一。清末有位在武昌教书的先生，写了一组竹枝词，记录了乘渡轮过江在汉口南城公所风月场所饮宴的情形，其序言写道：“前夕应友人召，往某校书家酒叙，同座诸君皆素所至契者，一时歌弦合奏，杯箸杂陈，其乐趣诚非笔墨所能尽述也。”①

民众的另一个重要的休闲娱乐空间当是茶馆。独特的气候环境和商业氛围早已使人们养成了饮茶的风气，催生了茶肆、茶寮的大量出现：“无数茶坊列市阛，早晨开店夜深关。”后湖是汉口胜地之一，这里的茶肆、茶寮最多。《汉口小志》云，此地“夏间热度颇烈，轻罗薄纱，愈轻愈好，下等劳动家有终日赤体者，亦有通宵露宿于外者，男女多爱吃茶，以故茶楼日渐发达”②，集各种社会功能于一身的茶馆自然受到了民众的青睐。茶馆成为人们消遣、娱乐、休闲、保健的综合场所，既反映了市井文化、人文景观，又维系着大多民众的精神生活。

汉口休闲娱乐胜地的后湖，“茶墙酒壁簇成村”。《汉口丛谈》记载：“后湖之有茶肆，相传自湖心亭始。近若涌金泉、第五泉、翠芗、惠芳、习习亭、丽春轩之名为著，皆在下路雷祖殿、三元殿后。其余尚有数十处，弦歌喧耳，士女杂坐，较上湖游人更盛。”后湖景色宜人，此地茶馆既可品茗，又可观景，深得茶客喜好。如白楼，“楼外远山几抹，隐

① 徐明庭辑校：《汉口竹枝词》，第 190 页。

② 徐焕斗：《汉口小志·风俗志》，第 5 页。

隐青露。朝云暮霞，眩人眼目”。涌金泉，“几抹远山轻染黛，千条新柳嫩含烟”[①]。小江园和对面的楚江楼则是“一幅烟波分两地”。[②]茶助诗情，景添雅兴，一些文雅之士在茶馆中把盏品茗，咏诗赋词，留下了许多感怀、遣愁的文学作品。另外，有些茶肆设在室外，条件简陋，甚至没有招牌，以供低收入者、路过者饮茶、聚谈。如竹枝词云，“坛场数亩排茶桌，顽雀人来坐一回”。[③]

武汉民众钟爱四时的风光，春日踏青、夏日消夏、秋日赏月、冬日观雪，在大自然天成的环境中陶冶性情，放松身心。汉口后湖，便是一处踏青的胜地。“春时丛树扶疏，芳草鲜美，覆云在地，流霭接天，浪翻麦陇之风，香浥菜畦之露。复有茶肆罗列，歌管纷喧，百鸟鸣笼，时花当户”，[④]一派美不胜收的烂漫春景。汉口商业繁华，从事商业活动和手工业的居民较多，每到春季，结伴出游，一时间行人如堵，车马如流。除后湖外，汉阳的龟山、伯牙台、月湖等处靠近汉正街，也是当时汉正街一带居民游玩的好去处。农历三月三民众常去伯牙台、月湖等处踏青，五月五端午节亦招朋结侣，齐上龟山“踏龟”。有时还会渡江出游，如三月二十八东岳大帝诞辰，人们会至洪山东岳庙一游。

武昌也有人们赏花观景的好去处，那就是城东北隅的昙华林。昙华林崇府山（崇福山）原是明代郡王崇阳王府所在地。清乾隆年间，有刘居士在崇阳王府故基上修建园林。学使吴省钦为其题门额为“霭园”。“霭园”俗称刘家花园，“崇府山”从此又留下了“花园山”的俗称。霭园四周有竹编麋眼之篱、虎皮之垣。园内杂花亏蔽，亭榭错落。每当春暖花开或金秋九月，游客络绎不绝。有诗为证：“胭脂山上望如霞，崇府山头赏百花。四十年前荒草地，到今人物尽繁华。”（清·戴玉华《江汉竹枝词》）“崇阳王府剩残山，点缀江城在此间。春色长年留得住，看

---

① 江浦等:《汉口丛谈校释》，武汉：湖北人民出版社，1990 年，第 78—83 页。

② 徐明庭、马昌松校注:《汉口竹枝词校注》，武汉：湖北人民出版社，1982 年，第 28 页。

③ 沙月:《清叶氏汉口竹枝词解读》，武汉崇文书局，2012 年，第 83 页。

④ 江浦等:《汉口丛谈校释》，第 77 页。

花人去霭园关。”（清·傅燮鼎《鄂渚杂咏》）“四海相知一子猷，醉来笑傲向沧州。夜登崇府山头望，东指红心入汉流。”[①]（熊士鹏《武昌杂咏》之六）清代以来，昙华林一带，不仅有花园，还有不少种花卖花的人家。昙华林成为居民游览、赏花的好去处。同治《江夏县志》谓园内最引人注目之处为建于山麓高处的“佳山草堂”，在此可坐揽山川之美，可眺观江湖之胜，草门联“挹朝爽西来，杯底岚光飞隔岸；望大江东去，眼前帆影度遥山”就是佐证。[②]

武汉园林建筑较多，主要是因为汉口为明清四大名镇之一，商业繁盛，富商大贾“风雅爱客”，建造园林，既可以享乐，又可待客。如江苏盐商包祥高的怡园、本地企业家曹琴萱的“种因别墅”就是这一类园林。外地寓汉商人的会馆公所，除了办公、祀神、公益等功能外，也有娱乐休闲，联络乡谊的功能，所以会馆公所多按江南园林风格建筑，或在后院建有花园，如山陕会馆的怡神园、覃怀会馆的豫成园即是。一些大的衙署，也会在后院修建花园，供官员午刻听鼓下值后娱乐休憩，如臬署的乃园、藩署的憩园。致仕的达官贵人返乡后也会建筑园林，颐养天年，如明朝兵部尚书熊廷弼的熊园、清朝尚书张月卿的寸园等。

公园更是广大民众休闲的好去处。为纪念孙中山，汉口、沙市及老河口等地建有中山公园。汉口中山公园地处闹市中心，每天游人如织，武汉及周边各地民众没有不知道中山公园（图 8—3）的。中山公园前身是汉口地皮大王刘歆生的两处私家花园之一的“西园”，另一处为“刘园”。西园始建于 1910 年前后，1928 年初夏，由留英归国的建筑工程师吴国柄（1898—1989）建议，在西园和直鲁豫同乡会公地的基础上扩大兴建“汉口市第一公园”。通过挖湖、堆山，并栽种大量树苗绿化全园。园中建有民众教育馆、总理纪念堂和运动场、游泳池、溜冰场等，公园面积扩大到 170 亩。1929 年 6 月 10 日试开放。10 月 10 日，正式揭

① 徐明庭等辑校：《湖北竹枝词》，第 50、80、65 页。

② 《江夏县志》，光绪七年重刊本，第 8 卷，第 14 页。

幕对外开放，汉口各界人士及市民五万余人参加了开园大会。后更名为“汉口中山公园”，以纪念孙中山。由吴国柄设计的汉口中山公园显现出与欧洲公园相似的布局。公园的南部是仿自然意趣的湖山景区以及几何规则的西式园林，而北部则是各式各样的运动场地。吴根据自己在西方公园尤其是英国伦敦公园中的所见所感，将当时西方公园里公众积极活动的景象引入到汉口中山公园中，用他自己的话说，就是“把在欧洲社会上看到的搬回中国”。[①] 中山公园大体可划分为四个部分：湖山景区、原西园景区、几何式花园区及运动场区。公园中还建有纪念张之洞的“张公亭”、湖心亭、水阁、落虹桥、日晷等。中山公园建成后，成为武汉民众休闲游乐和举办公众活动的主要场所。民国年间，一到暑假，女学生考试之大关已过，个个着短裙长袜，觅伴畅游。中山公园及各电影院中，常常可以看到她们的倩影。

图 8—3 20 世纪 30 年代中期的汉口中山公园夏景

武汉有一处与北京天桥、天津劝业场、上海大世界齐名的综合性休闲娱乐场所——新市场（图 8—4，后更名为民众乐园）。新市场是各种

① 吴国柄：《我与汉口中山公园及市政建设》，武汉市政协文史委：《武汉文史资料》1988 年第 1 期。

演出比较集中的地方，楼下有杂技厅、游乐场，楼上有多个剧场，每个剧场演出不同剧种的不同节目，京剧、汉剧、楚剧、黄梅戏等，一票入园，随兴趣观看。不仅市民经常前往游玩、看戏，而且进城办事的农民也喜欢在晚上去那里看表演。乡下人来武汉，晚上必定要去新市场待到半夜才回家，把各种戏剧都看遍才算过瘾。

图 8—4　民国时期民乐园（即新市场，今民众乐园）绘图

二、民间娱乐

娱乐，是人们休闲生活方式的重要内容之一，也是人们丰富生活，愉悦精神的一种社会需要。湖北娱乐活动，有许多与各地一样的，只是因方言关系叫法不同；有一些是本地独有的，颇具地方色彩。下面选择在湖北流行较广，影响较大的娱乐活动略作介绍。

传统的欣赏型娱乐又可分为两大类别，一类是集藏鉴赏，一类是观看表演，前者又称鉴赏型娱乐。

鉴赏型娱乐集藏活动在民国年间出现了以下几种变化。一是藏品种类增多，除了传统的藏品古玩、书画外，邮票、钱币、烟盒（烟标）、火柴盒（火花）、戏单、商品说明书、广告招贴、旧报纸等等也在搜求、珍藏之列。这一方面是受西方集藏风尚的影响，另一方面是社会的发展，工业、商业、文化事业、邮政事业等的发达为集藏活动提供了新的藏品。二是收藏者队伍壮大，集藏爱好者从酷爱古董的文士和附庸风雅的富翁扩大到中小知识分子和一般民众，后者虽然缺乏经济实力，难以购藏价值昂贵的古玩书画，但上述廉价的小玩意儿为他们开展集藏活动创造了条件。三是出现了集藏团体，在一批民间集藏家的推动下，各类集藏爱好者组织起团体。他们交换藏品，共赏奇获，切磋研究心得，开展国际交流，使这些高尚的娱乐活动更具学术文化品味。四是集藏功能的扩大，在社会生活受商品经济冲击日益商业化的情况下，集藏活动在收藏、鉴赏、审美之外，又增加了投资、炒卖、增值等功能，这种商业化行为为中下层市民的集邮热、集币热推波助澜。一方面是学术文化品味的提高，一方面是商业化投机行为的滋长，显示了社会生活的复杂性。

竞技型娱乐是将消闲寓于竞赛之中。传统的竞技型娱乐亦可分为两大类别，像龙舟竞渡、赛马、舞狮、拔河、摔跤之类，属体力型竞技，一般场面较大；而猜灯谜、敲诗钟、下棋等属智力型竞技，一般场面较小。

农历五月初五端午节的龙舟竞渡传说为营救投汨罗江的屈原而举行，起源于荆楚，盛行于南方，影响及于华北，已成为一种群众性的水上竞技运动。湖北滨江靠河，每年端午节龙舟竞戏，长江和汉水上有时竟同时举行。只见艘艘龙舟往来于江河之上，两两比赛，夺取锦标，沿岸观者如堵，呼噪震天。在屈原故里秭归，有峡江险滩龙舟赛，各村乡民“宁荒一年田，不输一季船”，无论陆上水中，两舟相争，皆要拼个胜负。民国年间由于各种原因而趋于衰落，有些地方曾一度禁止龙舟竞渡。政府示禁的原因，或为推行阳历而禁止农历岁时活动；或为防止革命势力利用此类群众活动滋事。有的地方因竞渡“辄起事端，遂成恶俗”，民间自行取消。

灯谜在许多地方盛行，每届正月十五灯节时，或在公共场所举行“射灯虎”活动，或在家中进行猜谜游戏。许多文人迷恋猜谜活动，常聚于茶寮酒肆，以猜谜为乐。

弈棋类游戏，象棋比围棋普及，无论城乡，文士贩夫，许多人恒以下棋为乐事。街头设有象棋摊，供人博弈，赚取棋盘租金，下层民众闲暇时乐往对弈与观战。武汉人打牌，从前民众爱抹上大人纸牌、扯牌九（牙牌）、打麻将，后来扑克牌传来，人们爱玩打梭、来十点半、打百分等。

自娱型娱乐与前述欣赏型、竞技型娱乐不能截然划分，有些娱乐，如票友登台唱戏，对演出者来说是自娱，对观看者来说是欣赏。有些娱乐，如猜谜、下棋，既是自娱自乐，又是智力竞赛。人们根据自身爱好和客观条件开展各种娱乐活动。老年人多喜养花、喂鱼、垂钓，青少年则喜习拳练棒、放风筝。自娱型娱乐，各随所好，任其所为，故不能汇类而记之。

儿童游戏按年龄段可分为儿童时代的游戏和少年时代的游戏。

儿童时代的游戏有：滚铁环、打玻珠、躲猫（捉迷藏）、打得嘿（抽陀螺）、拍洋画、打撇撇（扑三角板）、挑香棍（拜神的香烧完后的竹签）、猜中指、玩泥巴、吹泡泡（肥皂泡或松香泡）。

少年时代的游戏有：打弹弓、打水枪（或橘子皮枪）、放风筝、打游击（打群仗）、跳马、劈铜子儿、放鞭炮、斗鸡（撞拐）、扯洋得嘿（抖空竹）、粘知了（蝉）。

还有女生的游戏：办办酒（过家家）、折纸（用纸折成飞机、帆船、衣裳、小狗等）、跳房子、丢子抓子、翻叉（翻绳）、跳毽垛（踢毽子）、跳绳、跳皮筋、丢手巾、老鹰抓小鸡。所谓女生的游戏不是说男生不玩，而是女生更喜欢些。

此外还有看小人书、看电影以及季节性的游戏，如夏天抓萤火虫、逮蜻蜓、玩水和打水仗，冬天雪地捕鸟、堆雪人和打雪仗等。

这些娱乐具有技艺、兴味，且可锻炼身、目、手、足之灵活，有利于儿童身心健康和体力、智力的发育。

近代以来湖北娱乐方式花样翻新，“西风”的影响力实在太大，租界里的洋商建起了跑马场，华界的中国商人也不甘示弱，于是在汉口竟然出现了洋商、万国、华商三个跑马场（图8—5），一场接一场的赛马，吸引了众多的人参与赌马，使无数金钱流入跑马场股东们的腰包里。西人俱乐部当时称为波罗（楼）馆，虽然华人不能进入，但华商也仿此创办了夜总会。汉口的打球场，打的回力球，也是西人首先兴起。

图 8—5　20 世纪 20 年代中期汉口跑马场

军乐队亦是从西方传来的风尚。有了军乐队以后，它在官方集会、公众活动以及民间婚丧嫁娶都能派上用场。在武汉劝业奖进会上的军乐队，为展览会制造了声势，吸引了更多的参观者。

与当时的“高科技”声、光、化、电相结合的新式娱乐活动，如留声机、电影、氢气球、西洋景、哈哈镜、照相等等，非常吸引人，尤其是电影，人们趋之若鹜。儿童对气球最感兴趣，过年时节，到处气球飞舞，满街儿童争逐，为节日增添了不少喜庆气氛。

照相也是一种与光、电、化结合的玩意，人们通过赠送照片来交际、恋爱，使传统婚礼在交换“八字”以外又增加了互赠照片的程序。

欣赏型娱乐最普遍的是观剧。城市里戏院、剧团自清末以来，逐渐增多，观剧之人亦有增加，市民喜闻乐见的剧种有楚剧、汉剧以及北方流传过来的京剧、江浙流传过来的越剧和鄂东、安徽一带的黄梅戏。市民中涌现出一批戏迷和票友，前者为某剧种或某名角的忠实观众，后者常进行业余性质的登台演出或台下清唱。即使是在兵荒马乱的年月里，戏园里也常常高朋满座。此外还有特殊的戏剧傀儡戏（或称木偶戏）、皮影戏等。傀儡戏小者一人擎之，大者十余人举之；由上而下以线牵引者曰“提线戏”，均唱动如生，金鼓并作，然造型、服妆、唱工、机括多苟简，观众以少儿为多。

节日放焰火也是一种大型群众性观赏型娱乐活动。焰火是利用制纸炮之火药造成种种形色，高竿上悬，引火一发，变为各样美丽花朵和造型，或似云中仙女，或似高大宫殿，或似五色之花。元宵节在广场、公园常举行焰火晚会，观者如云，中山公园散场时丢了鞋子是常事，踩着人的事也时有发生。

一面铜锣，两把钗子，一幅白布做成的影窗，几十个皮革制作的皮影，就可以唱一台“大戏”。这就是从前湖北各县民众喜闻乐见的皮影。皮影是一门古老的传统艺术，也是民间广为流传的傀儡戏。主要分“门神谱”（大皮影）和“魏谱”（小皮影）两大类：“门神谱”主要集中在湖北中部、东部的天门、云梦、应城、黄陂、孝感、汉川等地；“魏谱”主要分布在鄂北和鄂西北的竹溪、竹山、谷城、保康、远安、南漳、襄阳、随州一带，其形制及风格与陕豫皮影相似，是陕豫鄂三地民间文化交流融合的结果。江汉平原属于荆楚腹地，楚文化底蕴丰厚，古代的青铜、竹木硬雕和皮革、雕花剪纸等软雕工艺为皮影的诞生准备了良好的前提条件。据说在明成化年间，在竹溪丰坝乡和中峰镇就有皮影戏班。鄂西北一带有“西革”“汉革”两种影戏班。“西革”影偶小巧，唱“山二黄”腔，属陕西影系；“汉革”影偶较大，唱本地高腔，应属江汉平原影系。湖北皮影戏融传统绘画、雕刻、美术于一体，集电影、电视动画于一身，具有浓郁的民族气息，是我国艺术苑里的一朵奇葩。沔阳皮影戏中的各种人物、动物和道具是用牛皮采用雕花剪纸的工艺手法精心雕刻而成。（图 8—6）用上等黄牛皮为原材料，正派人物用阳刻手法，花脸、丑角等用阴刻手法，各行当脸谱造型和行头源于戏剧，文影装一只手，武影装两只手，雕刻工艺总体上讲究圆润，既要有装饰美，也要充分体现夸张、浪漫的手法。操作技巧分“生、旦、净、丑”四大角色、武打招式及现代皮影人物操作。内容丰富，有楚汉相争、三国、水浒、西游等 300 多个剧目。这些“剧本”实际上只有剧目的条文，在表演时全靠艺人根据历史故事展开情节和刻画人物，唱、做、念、打浑然一体，其口头文学艺术形式是江汉平原皮影戏的又一主要特征。武汉皮影熔黄陂皮影戏、孝感东乡影戏于一炉。表演时无固定本子，凭韵册随口编唱，“出口是才”。在孝感，也流传着“一评二鼓三皮影，智胜项羽三千兵”的民谣。云梦旧时也有 26 台皮影戏。生于皮影世家的老艺人陆春元能雕会唱唐、宋、元、明、清等各朝历史故事。潜江汤玉堂、郭大彪等名艺人，分别创立江汉平原皮影的“汤格”和“郭格”，使这两派皮影在江汉平原一带拥有不少传人。[1]

图 8—6 江汉平原的皮影戏人物

① 张建立：《简述江汉平原皮影戏艺术特征及艺术创作成果》，《消费导刊》2018 年第 7 期。

参考文献

一、时人著作与资料汇编

朱寿朋:《光绪朝东华录》,中华书局 1984 年版。

赵尔巽等:《清史稿》,中华书局 1998 年版。

徐珂:《清稗类钞》,中华书局 1986 年版。

[英]穆和德著,李策译:《近代武汉经济与社会海关十年报告——汉口江汉关(1882—1931)》,香港天马图书有限公司 1993 年版。

中国史学会:《中国近代史资料丛刊·戊戌变法》,神州国光社 1953 年版。

汤志钧、陈祖恩、汤仁泽:《中国近代教育史资料汇编:戊戌时期教育》,上海教育出版社 2007 年版。

张春霆:《张文襄公治鄂记》,湖北通志馆 1947 年版。

吴剑杰:《湖北咨议局文献资料汇编》,武汉大学出版社 1991 年版。

章裕昆:《文学社武昌首义纪实》,《近代中国史料丛刊续编》第 86 辑,(台北)文海出版社出版。

刘望龄:《黑血·金鼓——辛亥前后湖北报刊史事长编》,湖北教育出版社 1991 年版。

杨玉如:《辛亥革命先著记》,科学出版社 1958 年版。

湖北省图书馆:《辛亥革命武昌首义史料辑录》,书目文献出版社 1981 年版。

严昌洪:《辛亥革命史事长编》,武汉出版社 2011 年版。

刘望龄:《辛亥首义与时论思潮详录》,华中师范大学出版社 2011

年版。

中国人民政治协商会议湖北省暨武汉市委员会、中国社会科学院近代史研究所、湖北省博物馆，等:《武昌起义档案资料选编》，湖北人民出版社 1981 年版。

中国第二历史档案馆:《中华民国史档案资料汇编》第五辑第二编文化，江苏古籍出版社 1998 年版。

张允侯、殷叙彝、洪清祥，等:《五四时期的社团》，生活·读书·新知三联书店 1979 年版。

张影辉、孔祥征:《五四运动在武汉史料选辑》，湖北人民出版社 1981 年版。

中国社会科学院现代史研究室、中国革命博物馆党史研究室:《“一大”前后》(二)，人民出版社 1980 年版。

教育部总务厅统计科:《中华民国第五次教育统计图表》(1916 年 8 月至 1917 年 7 月)，1917 年编印。

湖北省教育会:《湖北教育状况》，1924 年编印。

武汉市社会局局务汇刊编辑委员会:《武汉市社会局局务汇刊》第 1 期上、下册，1929 年编印。

湖北省教育厅编审股:《湖北教育现况》，湖北省教育厅编审股 1930 年发行。

湖北省教育厅:《最近湖北教育一览》，1932 年编印。

湖北省政府教育厅办公室:《湖北教育最近概况》，湖北省政府教育厅第一科第三股 1932 年发行。

王醒魂:《教育部督学视察湖北教育总报告》，湖北教育厅编审委员会 1935 年编印。

江西省教育学会:《苏区教育资料选编(1929—1934)》，江西人民出版社 1981 年版。

中央档案馆等:《鄂豫皖苏区革命历史文件汇集》(1927 年—1934 年)，中央档案馆等 1985 年编印。

《鄂豫边区抗日根据地历史资料》，鄂豫边区革命史编辑部 1984 年编印。

李楚材：《帝国主义侵华教育史资料——教会教育》，教育科学出版社 1987 年版。

中华续行委办会调查特委会：《中华归主》，中国社会科学出版社 1987 年版。

中华续行委办会调查特委会：《1901—1920 年中国基督教调查资料》，中国社会科学出版社 1987 年版。

涂文学：《沦陷时期武汉的社会与文化》，武汉出版社 2005 年版。

梁启超：《中国近三百年学术史》，吉林人民出版社 2013 年版。

湖北省人民政府文史研究馆、湖北省博物馆：《湖北文徵》，湖北人民出版社 2014 年版。

祝秀侠、袁帅南：《中华文汇 · 清文汇》，中华丛书编审委员会 1960 年版。

叶调元著，徐明庭、马昌松校注：《汉口竹枝词校注》，湖北人民出版社 1982 年版。

徐明庭、张颖、杜宏英辑校：《湖北竹枝词》，湖北人民出版社 2007 年版。

潘超、丘良任、孙忠铨，等：《中华竹枝词全编》，北京出版社 2007 年版。

王揖唐著，张金耀校点：《今传是楼诗话》，辽宁教育出版社 2003 年版。

钱仲联：《清诗纪事（十八）光绪朝卷 · 宣统朝卷》，江苏古籍出版社 1989 年版。

方仁念：《新月派评论资料选》，华东师范大学出版社 1993 年版。

陈振国：《冯文炳研究资料》，知识产权出版社 2010 年版。

张次溪：《清代燕都梨园史料》，上海书店出版社 1934 年影印版。

徐一士：《一士谭荟》，中华书局 2007 年版。

私立武昌艺术专科学校:《私立武昌艺术专科学校一览》,1934年编印。

阳海清、汤旭岩:《湖北官书局版刻图录》,湖北教育出版社2014年版。

杨蔚光:《湖北官书处新编书目》,1924年湖北官书处铅印本。

朱士嘉:《官书局书目汇编》,北平图书馆1933年编印。

宋原放:《中国出版史料(近代部分)》,湖北教育出版社2004年版。

王葆心:《方志学发微注析本》,湖北省地方志编纂委员会办公室1984发行。

章学诚:《文史通义新编》,上海古籍出版社1993年版。

李希泌、张椒华:《中国古代藏书与近代图书馆史料》,中华书局1982年版。

王葆心:《续汉口丛谈·再续汉口丛谈》,湖北教育出版社2002年版。

范锴著,江浦、朱忱、饶钦农,等校释:《汉口丛谈校释》,湖北人民出版社1990年版。

丁世良、赵放:《中国地方志民俗资料汇编》中南卷,书目文献出版社1991年版。

中国人民政治协商会议湖北省委员会文史资料委员会:《湖北文史集粹》,湖北人民出版社1999年版。

赵德馨:《张之洞全集》,武汉出版社2008年版。

苑书义、孙华峰、李秉新:《张之洞全集》,河北人民出版社1998年版。

许同莘:《张文襄公年谱》,商务印书馆1944年版。

吴剑杰:《张之洞年谱长编》,上海交通大学出版社2009年版。

王柏心:《枢言、续枢言》,中华书局1985年版。

刘泱泱点校:《左宗棠全集》,岳麓书社2014年版。

曾国藩:《曾国藩全集》，河北人民出版社 2016 年版。
王栻:《严复集》，中华书局 1986 年版。
顾廷龙、戴逸:《李鸿章全集》，安徽教育出版社 2008 年版。
郭嵩焘:《郭嵩焘全集》，岳麓书社 2014 年版。
王柏心:《百柱堂全集》，崇文书局 2008 年版。
严昌洪、张铭玉、傅蟾珍:《张难先文集》，华中师范大学出版社 2005 年版。
武昌辛亥革命研究中心:《李西屏文集》，湖北人民出版社 2010 年版。
《蕲水汤先生（化龙）遗念录》,《近代中国史料丛刊续编》第 26 辑,（台北）文海出版社出版。
卞孝萱、唐文权:《辛亥人物碑传集》，团结出版社 1991 年版。
皮明庥、虞和平、吴厚智:《吴禄贞集》，华中师范大学出版社 1989 年版。
王杰、张金超:《田桐集》，华中师范大学出版社 2011 年版。
罗福惠、萧怡:《居正文集》，华中师范大学出版社 1989 年版。
武汉二七纪念馆、中共竹山县委党史资料征编委员会:《施洋纪念文集》，华中师范大学出版社 1988 年版。
恽代英:《恽代英文集》，人民出版社 1984 年版。
黄钢、陈辉汉、黄铁:《黄负生纪念文集》，武汉出版社 2003 年版。
湖北省社会科学院:《回忆陈潭秋》，华中工学院出版社 1981 年版。
李良明、钟德涛:《恽代英年谱》，华中师范大学出版社 2006 年版。
任建树、张统模、吴信忠:《陈独秀著作选》（二），上海人民出版社 1993 年版。
董必武:《董必武选集》，人民出版社 1985 年版。
曹伯言:《胡适日记全编》，安徽教育出版社 2001 年版。
陈诚:《陈诚回忆录：抗日战争》，东方出版社 2009 年版。
徐寿凯、施培毅校点:《吴汝纶尺牍》，黄山书社 1990 年版。

张裕钊:《张濂亭文》，中华书局 1937 年版。

张裕钊:《张裕钊诗文集》，上海古籍出版社 2012 年版。

张廉卿著，丁有国注释:《张廉卿诗文注释》，复旦大学出版社 2013 年版。

康有为:《广艺舟双楫》，中国书店 1983 年版。

康有为:《戊戌奏稿》，1911 年 6 月印行。

胡香生辑录、严昌洪编:《朱峙三日记》，华中师范大学出版社 2011 年版。

丽尼:《丽尼散文选集》，上海文艺出版社 1982 年版。

丽尼:《丽尼散文选集》，百花文艺出版社 1992 年版。

丽尼著，佘树森、李晓晔编:《丽尼美文精粹》，作家出版社 1991 年版。

刘禺生撰，钱实甫点校:《清代史料笔记丛刊·世载堂杂忆》，中华书局 1960 年版。

樊增祥:《樊樊山诗集》，上海古籍出版社 2004 年版。

易顺鼎:《琴志楼诗集》，上海古籍出版社 2004 年版。

闻黎明、侯菊坤:《闻一多年谱长编》，湖北人民出版社 1994 年版。

闻一多:《闻一多全集》，湖北人民出版社 1994 年版。

沈从文著，张兆和编:《沈从文全集》，北岳文艺出版社 2002 年版。

绿原、牛汉:《白色花二十人集》，人民文学出版社 1981 年版。

废名著，止庵编:《废名文集》，东方出版社 2000 年版。

胡风:《胡风回忆录》，人民文学出版社 1993 年版。

胡风著，唐文一编选:《胡风文集》，华夏出版社 2000 年版。

胡风:《胡风全集》，湖北人民出版社 1999 年版。

徐半梅:《话剧创始期回忆录》，中国戏剧出版社 1957 年版。

田本相、刘一军:《曹禺全集》，花山文艺出版社 1996 年版。

李玉茹、钱亦蕉编:《倾听雷雨：曹禺纪念集》，上海文艺出版社 2000 年版。

余上沅：《余上沅戏剧论文集》，长江文艺出版社 1986 年版。

杨守敬著，谢承仁编：《杨守敬集》，湖北人民出版社、湖北教育出版社 1997 年版。

杨守敬：《邻苏老人年谱》，《近代中国史料丛刊》第 76 辑，（台北）文海出版社出版。

赵春生：《周恩来文化文选》，中央文献出版社 1998 年版。

郭沫若：《洪波曲》，百花文艺出版社 1979 年版。

梁启超：《梁启超全集》，北京出版社 1999 年版。

广东省社会科学院历史研究室等：《孙中山全集》，中华书局 2006 年版。

中国人民政治协商会议湖北省委员会：《辛亥首义回忆录》，湖北人民出版社 1979 年版。

沈祖荣：《沈祖荣文集》，武汉大学出版社 2013 年版。

司马朝军、王文晖：《黄侃年谱》，湖北人民出版社 2005 年版。

黄季刚：《黄季刚诗文钞》，湖北人民出版社 1985 年版。

武汉老龄科学研究院、武汉成才大学：《黄侃纪念文集》，湖北人民出版社 1989 年版。

刘成禺：《世载堂杂忆》，山西古籍出版社 1995 年版。

徐复观：《徐复观文录选粹》，台湾学生书局 1980 年版。

杨守敬：《杨守敬年谱》，大陆书局 1933 年版。

吴天任：《杨惺吾先生年谱》，（台北）艺文印书馆 1974 年版。

丛佩远、赵鸣岐：《曹廷杰集》，中华书局 1985 年版。

熊十力：《熊十力全集》，湖北教育出版社 2001 年版。

马胜云、马兰：《李四光年谱》，地质出版社 1999 年版。

二、文史资料

《文史资料选辑》

《武汉文史资料》

《湖北文史资料》
《武昌文史》
《荆沙文史资料》
《枣阳文史资料》
《大冶文史资料》
《崇阳文史资料》
《谷城文史资料》
《罗田文史资料》
《江陵文史资料》
《黄石文史资料》
《无锡文史资料》
《中共党史资料》

三、地方志

吕调元、刘承恩：宣统《湖北通志》，上海商务印书馆 1934 年版。

张仲炘、杨承禧：《湖北通志》，京华书局 1967 年版。

湖北省地方志编纂委员会：《湖北省志》，湖北人民出版社 1990—1997 年版。

武汉地方志编纂委员会：《武汉市志》（教育、社会团体、人物），武汉大学出版社 1991、1997、1999 年版。

《江夏县志》，光绪七年重刊本。

武汉地方志办公室、武汉图书馆：《民国夏口县志校注》，武汉出版社 2010 年版。

湖北省嘉鱼县地方志编委会：《嘉鱼县志》，湖北科学技术出版社 1993 年版。

湖北省通山县文化局：《通山县文化志》，1987 年编印。

湖北省咸宁市地方志编纂委员会：《咸宁市志》，中国城市出版社

1992 年版。

柳长毅:《郧县八百年》，湖北人民出版社 2012 年版。

公安县志编纂委员会:《公安县志》，汉语大词典出版社 1990 年版。

《中国戏曲志》编辑委员会、《中国戏曲志·湖北卷》编辑委员会:《中国戏曲志·湖北卷》，中国 ISBN 中心 2000 年版。

江西省九江县县志编纂委员会:《九江县志》，新华出版社 1996 年版。

《中国戏曲志》编辑委员会、《中国戏曲志·江西卷》编辑委员会:《中国戏曲志·江西卷》，中国 ISBN 中心 1998 年版。

宋衍绵、刘树仁:《蒲圻乡土志》，1922 年蒲圻县教育局印本。

徐焕斗:《汉口小志》，商务印书馆 1915 年排印本。

四、报刊

《知新报》

《大公报》(天津、长沙)

《申报》

《汉口大中华日报》

《武汉日报》

《汉口民国日报》

《苏报》

《时报》

《益世报》

《湖北学报》

《湖南官报》

《湖北官报》

《东方杂志》

《江苏》
《浙江潮》
《清议报》
《湖北学生界》《汉声》
《新湖北》
《中央党务月刊》
《湖北党务月刊》
《湖北教育公报》
《湖北教育月刊》
《湖北省政府公报》
《新湖北教育》
《楚声》
《社会》
《抗战戏剧》
《文华图书科季刊》
《中华图书馆协会会报》
《湖北文献》

五、著述

陈旭麓:《近代中国社会的新陈代谢》,上海社会科学院出版社 2006 年版。

罗福惠:《湖北通史》(晚清卷),华中师范大学出版社 1999 年版。

田子渝、黄华文:《湖北通史》(民国卷),华中师范大学出版社 1999 年版。

苏云峰:《中国现代化的区域研究——湖北省,1860—1916》,(台北)"中研院近代史研究所专刊"(41),1970 年印。

皮明庥:《武汉通史·晚清卷》,武汉出版社 2005 年版。

张玉法:《清季的立宪团体》,北京大学出版社 2011 年版。
张玉法:《清季的革命团体》,北京大学出版社 2011 年版。
冯天瑜、张笃勤:《辛亥首义史》,湖北人民出版社 2011 年版。
杨幼炯:《中国政党史》,上海商务印书馆 1936 年版。
徐矛:《中华民国政治制度史》,上海人民出版社 1992 年版。
田子渝:《武汉五四运动史》,湖北人民出版社 2009 年版。
埃德加·斯诺:《西行漫记》,三联书店 1979 年版。
罗福惠:《湖北近三百年学术文化》,武汉出版社 1994 年版。
刘玉堂、赵毓清:《中国地域文化通览·湖北卷》,中华书局 2013 年版。
冯天瑜:《文化守望》,武汉大学出版社 2006 年版。
武汉市文史研究馆:《江汉采风》,上海书店出版社 1994 年版。
皮明庥、吴勇:《汉口五百年——新编汉口丛谈》,湖北教育出版社 1999 年版。
李存光:《无政府主义批判——克鲁泡特金在中国》,江西高校出版社 2009 年版。
胡庆云:《中国无政府主义思想史》,国防大学出版社 1994 年版。
皮明庥等:《近代中国社会主义思潮觅踪》,吉林文史出版社 1991 年版。
熊贤君:《湖北教育史》,湖北教育出版社 1999 年版(上册)、2003 年版(下册)。
董宝良、熊贤君:《从湖北看中国教育近代化》,广东教育出版社 1996 年版。
田正平:《留学生与中国教育近代化》,广东教育出版社 1996 年出版。
汤茂如:《平民教育运动史略》,商务印书馆 1928 年版。
张耀纶等:《鄂豫皖苏区教育史》,河南大学出版社 1988 年版。
林楚生、石功彬、石太全:《大冶市老解放区教育史略》,黄石市图书出版印刷发行服务部 1996 年印刷。

赵季:《湖北老解放区教育史稿》,武汉大学出版社 1988 年版。

马敏、汪文汉:《百年校史:1903 年——2003 年》,华中师范大学出版社 2003 年版。

马敏、黄晓玫、汪文汉:《华中师范大学校史(1903—2013)》,华中师范大学出版社 2013 年版。

私立武昌中华大学校史编写组:《中华大学》,华中师范大学出版社 2003 年版。

乔衍琯、张锦郎:《图书印刷发展史论文集续篇》,(台北)文史哲出版社 1979 年版。

程焕文:《中国图书馆学教育之父——沈祖荣评传》,台湾学生书局 1997 年版。

李百浩:《湖北近代建筑》,中国建筑工业出版社 2005 年版。

严昌洪:《中国近代社会风俗史》,浙江人民出版社 1992 年版。

严昌洪、肖志华:《武汉掌故》,武汉出版社 2012 年版。

王光德、杨立志:《武当道教史略》,中国地图出版社 2006 年版。

答振益:《湖北回族》,中央民族学院出版社 1993 年版。

周贻白:《中国戏剧史长编》,上海书店出版社 2007 年版。

王芷章:《中国京剧编年史》,中国戏剧出版社 2014 年版。

[日]波多野乾一:《京剧二百年之历史》,上海科学技术文献出版社 2019 年版。

范晓君:《中国采茶音乐文化研究》,暨南大学出版社 2014 年版。

蔡元培、胡适、郑振铎,等:《中国新文学大系导论集》,岳麓书社 2011 年版。

陈上岷:《杨守敬研究学术论文选集》,崇文书局 2003 年版。

郑务本:《杨守敬》,中国文联出版社 1999 年版。

湖北省地方志编纂委员会:《湖北省志·人物志稿》,光明日报出版社出版 1989 年版。

余彦文:《鄂东著作人物荟萃》，湖北科学技术出版社 1990 年版。

张舜徽:《张舜徽集》，华中师范大学出版社 2004 年版。

徐悲鸿:《徐悲鸿讲艺术》，百花洲文艺出版社 2016 年版。

顾长声:《从马礼逊到司徒雷登——来华新教传教士评传》，上海人民出版社 1985 年版。

程千帆:《量守庐学记》，三联书店 1985 年版。

郑逸梅:《世说人语》，北方文艺出版社 2016 年版。

李细珠:《张之洞与清末新政研究》，上海书店出版社 2003 年版。

黄孝德:《黄侃小学述评》，武汉大学出版社 2005 年版。

郭齐勇:《熊十力与中国传统文化》，(台北)远流出版事业股份有限公司 1990 年版。

秦大河:《百年长望——纪念涂长望同志百年诞辰》，气象出版社 2006 版。

六、论文

桑兵:《清末民初传播业的民间化与社会变迁》，《近代史研究》1991 年第 6 期。

乔金霞:《近代湖北留学教育综论》，华中师范大学 2008 年硕士论文。

田子渝:《武汉地区新文化运动述论》，《江汉论坛》1999 年第 5 期。

邹时炎、霍文达:《鄂豫皖苏区教育概述》，《中南民族学院学报》(哲社版)1986 年第 4 期。

梅莉:《移民·社区·宗教——以近代汉口宝庆码头为中心》，《湖北大学学报》(哲社版)2014 年第 3 期。

廖超慧:《胡风"主观战斗精神"的意义与价值》，《华中科技大学学报·社会科学版》，2001 年第 1 期。

张联:《胡风现实主义理论的独到贡献》，《社会科学辑刊》2002 年第 4 期。

丘慧莹:《清代楚曲剧本及其与京剧关系之研究》,台湾高雄师范大学 2005 年博士学位论文。

洪非:《黄梅戏与其亲缘剧种》,《黄梅戏艺术》1982 年第 1 期。

阮璞、阮旭东:《武昌艺术专科学校部分人和事》,《新美术》2001 年第 3 期。

王琦:《一个美术工作者对冯乃超先生的回忆》,《文艺理论与批评》2002 年第 1 期。

刘望龄:《辛亥前后湖北报刊的若干特点》,《中南民族学院学报》(哲社版)1991 年第 5 期。

湖北省图书馆:《湖北省图书馆八十年》,《图书情报知识》1984 年第 3 期。

汤旭岩、马志立:《湖北省图书馆早期历史(1904—1908)之考察》,《国家图书馆学刊》2013 年第 1 期。

蒙涯:《探寻汉口租界建筑与建筑风格》,《中外建筑》2012 年第 2 期。

[日]藤森照信、王炳麟:《日本近代建筑史研究的历程》,《世界建筑》1986 年第 6 期。

谢宏杰:《武汉教会建筑文化:结构、内涵及其现实意义》,《长江论坛》2008 年第 4 期。

陆草:《近代文人的地理分布》,《中州学刊》2000 年第 3 期。

戴爱生、黄鹄、潘志坚:《中国近代人才的地理分布及分类特点》,《人才研究》1986 年第 4 期。

陈桥驿:《历史地理学家杨守敬及其〈水经注〉研究》,《中国历史地理论丛》1990 年第 4 期。

丛佩远、赵鸣岐:《曹廷杰生平活动年表》,《历史档案》1985 年第 4 期。

郭齐勇:《熊十力关于人类存在意义的终极思考》,《人文天下》2015 年第 20 期。

颜炳罡：《熊十力易学思想探微》，《周易研究》1990 年第 2 期。

刘则渊：《漫谈李四光的治学方法》，《人民教育》1980 年第 1 期。

程裕淇：《关于李四光教授往事的回忆》，《第四纪研究》1989 年第 3 期。

周国钧：《记我国卓越的科学家李四光》，《化石》1977 年第 4 期。

汪广仁：《徐建寅年谱》，《清华大学学报》（哲学社会科学版）1997 年第 12 卷第 3 期。

张建立：《简述江汉平原皮影戏艺术特征及艺术创作成果》，《消费导刊》2018 年第 7 期。

后记（一）

《荆楚文化史》（近代卷）终于要付梓了。

该项目从立项到书稿出版，历时五六年。对我来说，用幸运一词来形容，是最恰当不过了。

参与本身就是一件幸事。《荆楚文化史》立项得益于荆楚文化研究会的远见卓识。荆楚文化研究会是湖北颇有影响的学术团体。2014 年，在全党全国人民深入学习党的十八大精神、深入推进中国特色社会主义文化建设的背景下，荆楚文化研究会乘势而为，积极组织力量申报湖北省社会科学研究课题，《荆楚文化史》获批为重点项目，近代卷就是该项目规划的七卷之一。后来，该项目又获批为湖北省学术著作出版专项资金项目、湖北传承发展优秀传统文化重点项目、国家出版基金项目。

在本书从大纲拟定到最终审定的全过程中，荆楚文化研究会自始至终给予了有力指导，并严格把关，在整个过程中，我充分领略了研究会领导和特聘研究员的人格魅力，他们敬业、严谨、务实的精神和作风令人感动、令人钦佩，他们审稿十分认真细致，意见切中肯綮，富有真知灼见，只有真正热爱湖北这块热土、执着地进行研究、宣传荆楚文化的人才会有这样的精神、情怀和卓识。感动之下，我积极申请入会，2018 年终于如愿以偿。

对我来说，由我主编近代卷更是一件幸事。近代卷原本请著名历史学者严昌洪教授主编，我属于参编人员。后来严昌洪教授因故要我做主编，说实在话，我是力不从心的，但好在有他指导。严老师是我的业师，学问、为人有口皆碑。对弟子，他总是乐于指导、帮助，又那么平易近人，弟子们敬仰他，也亲近他，特别愿意和他在一起。他拟定了最初的提纲，为撰稿奠定了坚实的基础，他全方位、全过程地给予指导，还亲自撰写了部分内容，最重要的一部分“绪论”就是他执笔的，没有他的指导，我哪敢做这个分卷主编？

《荆楚文化史》总主编是刘玉堂教授，他是声名卓著的大家，著作等身。无论是古代卷、近代卷，还是当代卷，他都能提出启迪智慧的见解，听他点评是一种享受，他撰写的总序大气磅礴。可能是著名学者的共性吧，学问越好的人越谦和，刘老师就是这样一位学者，我就喜欢和他聊天，有时还和他开开玩笑。和他相处当然也是一件幸事，从他那里能学到好多东西。

为我们审稿的罗福惠教授、李少军教授、何晓明教授、曾业英教授，都是享誉全国的著名学者，他们的意见让我们受益匪浅，用“谢谢”一词难以表达感激之情。

劳志强、张艳鸽两位主任也要特别致谢，他们两位没有一点官架子，对人特别真诚，和他们相处可以用舒服两个字来形容。

刘秋阳教授和何广研究员是很好的合作者，他们都非常包容、支持我。在五六年相处中，我们结下了深厚的友谊，如果还有机会，我还想与他们合作。我们几位作者的分工是：绪论、第八章由严昌洪教授执笔；第一、二、五章由我执笔；第三、四章由何广研究员执笔；第六、七章由刘秋阳教授执笔。

文化是一个国家、一个民族的灵魂。文化兴国运兴，文化强民族强。在5 000多年文明发展中孕育的中华优秀传统文化，在党和人民伟大斗争中孕育的革命文化和社会主义先进文化，积淀着中华民族最深层的精神追求，代表着中华民族独特的精神标识。湖北省委、省政府《关于传承发展中华优秀传统文化的实施意见》指出：“荆楚文化是悠久的中华文明的重要组成部分，在中华文明发展史上地位举足轻重。”《意见》要求，“站在传承弘扬中华优秀传统文化的大格局下，挖掘整理荆楚优秀传统文化资源，加强荆楚文化研究阐发，着力构建弘扬中国精神、体现荆楚特色的思想体系、学术体系和话语体系”。所以，参与《荆楚文化史》编撰工程，意义重大，正所谓躬逢盛事，与有荣焉。由于我们水平和能力有限，本分卷的写作距离《意见》要求的高度还有一定差距，尚祈方家和读者指教。

张继才

2020 年 11 月 25 日于黄家湖之滨

后记（二）

组织撰写《荆楚文化史》是湖北省荆楚文化研究会近十年来最重要的工作之一。研究会自成立以来，一直致力于荆楚文化的研究、宣传和普及工作，每年召开学术年会和青年学者论坛，先后出版了“荆楚八个一百”、《楚文化概要》等荆楚文化普及丛书、学术专著和一大批研讨会论文集，并且与中央新影集团联合拍摄《凤舞神州》电视纪录片（十集），纪录片经中央电视台播出后在国内外产生良好反响。在此基础上，有些专家建议应当撰写一部全面阐述荆楚文化的专著。时任省九届政协主席、省荆楚文化研究会名誉会长王生铁同志高度重视这一建议，在同荆州博物馆原馆长滕壬生等几位资深专家进行深入讨论后，考虑到湖北发现年代最早的新石器时代文化——宜都城背溪文化距今八千年左右，故暂定书名为《荆楚文化八千年》。

王生铁同志一贯关心、支持荆楚文化的研究与普及工作。他在任荆州地委书记时紧抓不放建成了以楚文化藏品为镇馆之宝而闻名的荆州博物馆，并在全省成立了第一个荆楚文化研究所；他任省委常委、副省长、省委副书记和省九届政协主席时，依然将考古发掘、遗址保护等荆楚文化工作时刻挂在心头，并经常关心和请益于张正明、魏昌等一批楚文化研究专家。2010 年 3 月 23 日，他与时任会长武清海同志研究工作时，正式提出研究会要尽快组织专家学者撰写《荆楚文化八千年》，并强调，本书的写作原则是“无据不入书”，其核心要义是为中华文化“充实内容，填补空白，纠正误差，还原真实”，要在对长江文明集中梳理研究的基础上，充分展现荆楚大地辉煌灿烂的历史文化。武清海会长在随后的会长办公会上要求秘书处对此展开调查研究和意见征询。经过一年多的筹备，2012 年 1 月 11 日，会长办公会正式确定，将成立写作班子和拟定写作提纲列入研究会的主要工作日程。此后武清海会长多次召开调研会反复讨论，密切关注工作进展。

2014 年 2 月 22 日，我会将本书列为第三届理事会工作的重中之重，并于同年 3 月 8 日召开了《荆楚文化八千年》项目启动会，武清海会长代表研究会作了动员讲话，围绕“提高认识、统一思想，把握原则、深入发掘，广集史料、科学利用，明确体例、严格要求，组织专班、精心运作”五个方面提出了具体要求。会议确定由张硕、尹弘兵、叶植、吴成国、任放、严昌洪、袁北星等 7 位专家担任分卷主编，组织各分卷撰写团队，拟定写作提纲和安排写作进度，《荆楚文化八千年》一书的撰写工作正式拉开帷幕。工作一段时间后，张硕研究员因任务分工、严昌洪教授因健康原因辞去分卷主编一职，并推荐宋海超副教授、张继才教授分别担任史前卷、近代卷主编，继续编撰工作。

为争取有关方面的重视和支持，武清海会长率相关同志两次向省委宣传部主要领导汇报《荆楚文化八千年》的工作进度，并积极争取省新闻出版局的支持。2014 年 11 月，本书被湖北省社科工作领导小组列入湖北省社科基金重点项目。为加快写作进度和提高书稿质量，研究会确定由七位时任副会长陈昆满、柳菊兴、刘玉堂、邱久钦、李德华、张武、杜建国分别担任七个分卷的联系人，以利工作推进。

在中共中央组织部作出有关离退休领导干部在群团任职一般不得超过 70 岁的规定以后，王生铁同志和武清海同志先后辞去了名誉会长和会长职务。2017 年 9 月 23 日，研究会召开三届三次理事会，选举省十届政协常务副主席李佑才同志为会长。李佑才会长强调要一以贯之地继续抓好《荆楚文化八千年》的编撰工作，并聘请了一批热衷于荆楚文化研究的老领导和老专家担任研究会的特邀研究员，按原定计划不断推进《荆楚文化八千年》的编撰工作。

为更好地开展相关工作，研究会成立《荆楚文化八千年》编辑出版委员会，王生铁同志担任主任，武清海、李佑才同志担任副主任；聘请省社科院原副院长、知名荆楚文化研究专家刘玉堂研究员担任主编，省委宣传部原常务副部长李德华、省社科联原党组书记陈昆满、原省文化厅厅长杜建国担任副主编。

为保证书稿质量，编委会聘请省内相关领域的知名学者担任各分卷一审、二审的评审专家，并且委托有相当理论素养和工作经验的武清海、李德华、陈昆满3位特邀研究员再次对各分卷进行详细审读。

2018年8月，研究会在《荆楚文化八千年》申请湖北省学术著作出版专项资金资助项目过程中，经编辑出版委员会研究，决定将本书更名为《荆楚文化史》，并成功申报2018年省级和2019年国家级出版基金资助项目。2018年11月19日省委办公厅、省政府办公厅印发《关于传承发展中华优秀传统文化的实施意见》（鄂办发［2018］44号文）确定《荆楚文化史》为湖北传承发展优秀传统文化重点项目中的优秀传统文化出版项目，由省委宣传部牵头负责。

为切实提高《荆楚文化史》一书的质量，根据王生铁同志的提议，2019年6月，研究会副会长兼秘书长杜建国、主编刘玉堂及特邀研究员陈昆满代表编委会专程赴京，聘请中国社会科学院荣誉学部委员、中国历史学会原会长张海鹏教授担任北京专家审稿组组长，邀请北京大学、中国社科院等单位的知名专家分别对各卷进行终审。

在多方力量的支持下，7个分卷写作团队的专家们废寝忘食、呕心沥血地开展工作。经过数载披阅增删，各卷初审稿、二审稿、终审稿次第送审，最后由主编刘玉堂研究员精心修改、定稿并撰写总序。惜在明清卷即将定稿之际，该卷主编任放教授不幸英年早逝。经武汉大学陈锋教授推荐，武汉大学历史学院杨国安教授不顾工作任务繁重，毅然承担了明清卷的修改完善工作。

近十年来，王生铁、武清海、李佑才等几位老领导高度重视《荆楚文化史》的编撰出版工作，先后17次带领相关专家学者前往省内外进行考察调研，搜集第一手材料；前后20余次主持召开编撰工作会议，从确定写作提纲、选定分卷主编、召集全体写作人员进行动员，到了解各阶段研究进展情况、解决所遇到的各类难题，以及参与每卷的多次审稿会，每个环节都浸透着他们的心血。

此外，还有一大批领导、专家、工作人员密切关注着书稿的进展。如：研究会特邀研究员胡嘉猷，时任副秘书长古红英、刘胜瑜，荆楚文化研究中心原主任劳志强、副主任张艳鸽和工作人员陈波、肖幼琴、吴胡珂曜、段帅等，都为本书的出版做了大量具体工作。

在本书撰写、修改和审定过程中，还得到了省委宣传部、省政协办公厅、省政协文史和学习委员会、省财政厅、省新闻出版局、省社科联、省社科院、湖北教育出版社等单位的大力支持和帮助，在此，谨一并表示衷心感谢！

由于研究团队水平所限，本书不足之处在所难免，敬请读者批评指正。

湖北省荆楚文化研究会

2021 年 11 月 8 日